Moordkunst

Jesse Kellerman bij Mynx:

Verblind
Verstoken

www.mynx.nl

Jesse Kellerman

MOORDKUNST

Oorspronkelijke titel: *The Genius*
Vertaling: Bob Snoijink
Omslagontwerp: HildenDesign, München

Eerste druk maart 2009

ISBN 978-90-8968-054-9 / NUR 330

© 2008 by Jesse Kellerman
© 2009 voor de Nederlandse taal: De Boekerij bv, Amsterdam
Mynx is een imprint van De Boekerij bv, Amsterdam

Voor Gavri

*Echte kunst wordt altijd aangetroffen waar je haar het minst verwacht,
waar niemand aan haar denkt of haar naam uitspreekt.*

*Kunst houdt er niet van om herkend te worden en persoonlijk te worden
begroet.*

Dan slaat ze direct op de vlucht.
  JEAN DUBUFFET

*… een doffe, matglazen spiegel vol barsten waarin hij zichzelf moest
beoordelen…*
  THE BOOK OF ODD THOUGHTS 13:15

1

In het begin gedroeg ik me niet best. Ik zal je niets wijsmaken, dus dat wil ik maar meteen kwijt: hoewel ik graag mag denken dat ik alles later weer heb goedgemaakt, bestaat er geen twijfel over dat mijn drijfveren – althans in het begin – niet helemaal zuiver waren. Dat is nog zacht uitgedrukt. Als we eerlijk willen zijn, vooruit dan maar: mijn drijfveren waren inhaligheid en nog belangrijker: narcisme, de waan dat ik recht heb op van alles en nog wat, die diep in mijn genen verankerd ligt en die ik maar niet af kan schudden, hoe lelijk ik me ook voel. Af en toe. Waarschijnlijk maakt het deel uit van mijn taakomschrijving, en voor een deel is het de reden dat ik ben verhuisd. Ken uzelve.

Jezus. Had ik me nog zo voorgenomen mijn best te doen om niet als een pretentieuze eikel over te komen. Ik zou wat harder moeten zijn. Als dat zou kunnen. Ik denk niet dat ik het in me heb. Om in beknopte zinnen te schrijven. Om kordate metaforen te gebruiken bij de introductie van een zwoele blondine. (De heldin van mijn verhaal is een brunette en niet bepaald zwoel; ze heeft geen gitzwart douchekapsel. Het is zo'n beetje kastanjebruin en zit meestal in een praktisch arbeidersstaartje naar achteren gebonden, of in slordige knotjes, of achter de oren.) Ik kan het niet, dus waarom zou ik het proberen?

Iedereen krijgt één verhaal te vertellen en dat moeten we zo vertellen dat het vanzelf gaat. Ik draag geen pistool; ik doe niet aan wilde autojachten of vuistgevechten. Het enige wat ik kan doen is de waarheid opschrijven, en eigenlijk ben ik misschien wel een arrogante lul. Daar kan ik mee leven.

Zoals Sam graag mag zeggen: het is wat het is.

In het algemeen ben ik het daar niet mee eens. Voor mijn leven, mijn soort werk en dit verhaal zou mijn stelregel kunnen zijn: het is wat het is behalve als het dat niet is en dat is meestal het geval. De hele waarheid ken ik nog steeds niet, en ik betwijfel of dat ooit zal veranderen.

Maar ik loop op de zaken vooruit.

Ik wil alleen maar zeggen dat het een opluchting is de onverbloemde waarheid te schrijven, nadat ik langdurig heb geleefd in een wereld van illusies, één groot gemaskerd bal vol knipoogjes en aanhalingstekens bij alles wat iedereen zei. Als mijn eerlijkheid anders klinkt dan die van Philip Marlowe, dan is dat maar zo. Dit mag dan een detectiveroman zijn, maar ik ben geen detective. Mijn naam is Ethan Muller. Ik ben drieëndertig en vroeger deed ik aan kunst.

Natuurlijk woon ik in New York. Mijn galerie was in Chelsea, in Twenty-fifth Street tussen Tenth en Eleventh Avenue, een van de vele galerieën in een gebouw waarvan de identiteit min of meer sinds zijn geboorte aan constante verandering onderhevig is geweest, evenals de stad eromheen. Een rij stallen; een garage voor chique rijtuigen; daarna een korsettenfabriek, waarvan de ondergang samenviel met de opkomst van de bustehouder. Maar het gebouw leefde voort, onderverdeeld, herenigd heronderverdeeld, onbewoonbaar verklaard, weer bewoonbaar verklaard en uiteindelijk verbouwd tot woonateliers voor jonge kunstenaars van wie een handjevol de gewoonte had aangenomen een korset te dragen als protofeministische retrostijl. Maar voordat de eerste net afgestudeerde filmmaakster er een huurcontract kon tekenen en haar verhuisdozen uit de opslag kon halen, besloot de hele kunstwereld van zijn luie reet te komen en zich naar elders in de stad te verplaatsen, waardoor er opeens een hele wijk tot bloei kwam.

Dat gebeurde in het begin van de jaren negentig. Keith Haring was dood; De East Village was dood; SoHo was dood; iedereen had aids of droeg aidsbandjes. Iedereen had behoefte aan verandering. Chelsea was een uitgelezen plek. De DIA Foundation zat er al sinds 1988 en men hoopte dat de kunst door de verhuizing verlost zou worden van de greep van de rabiate commercialisering die in het wereldje van het centrum om zich heen had gegrepen.

Projectontwikkelaars roken weer een ideale kans op rabiate commercialisering, lieten hun eersteklas stukje onroerend goed alweer een nieuwe bestemming geven en in mei '95 ging West Twenty-fifth Street opnieuw open en verwelkomde het gebouw enkele tientallen kleine galeries en een handvol grote binnen zijn witte muren, plus een lichte ruimte van dubbele hoogte op de vierde etage die uiteindelijk van mij zou worden.

In het begin vroeg ik me wel eens af wat de korsettenmaker of staljongen gedacht zou hebben van de transacties op hun vroegere stek. Waar ooit paardenpoep de lucht zwavelig en ranzig maakte, verwisselen nu miljoenen en nog eens miljoenen van eigenaar. Zo gaat dat nu eenmaal in de Grote Stad.

Door het aantal huurders dat er soortgelijk werk doet – dat wil zeggen de verkoop van eigentijdse kunst – en door de aard van dat werk – dat wil zeggen hectisch, jaloers en doordesemd van leedvermaak – voelt nummer 567 vaak als een bijenkorf, maar dan wel een hippe en ironische. Kunstenaars, galeriehouders, assistenten, verzamelaars, adviseurs en een assortiment meelopers gonzen zwaar van de nectar van de achterklap door zijn gelikte betonnen gangen. Het is een paradijs voor kletskousen. Er zijn openingen, je kunt je neus ophalen voor een verkoop, kunstwerken worden zo doorverkocht dat de eerste transactie tot een koopje verbleekt, plus alle gewone sociale normen: overspel, scheidingen en rechtszaken. Marilyn noemt het gebouw de Middelbare School, wat een koosnaampje is. Tenslotte was Marilyn de koningin van de schoolreünie.

Er is geen receptie. Drie betonnen treden leiden naar een metalen hek dat opengaat wanneer je een nummer intikt, wat dieven net zo tegenhoudt als een sluitinkje van een boterhamzakje of een bananenschil op de grond. Iedereen die de code nodig heeft, kent hem. Al kom je van Mars of uit Kansas en heb je nog nooit een galerie gezien en neem je de eerste de beste taxi naar nummer 567, je zou in een mum van tijd binnen zijn. Je kunt wachten op een stagiaire die met vier kopjes koffie naar

11

binnen schuifelt, met uiterste zorg bereid, een voor zichzelf en drie voor haar werkgever. Of je wacht op een kunstenaar die komt aankakken met een kater en drie doeken die hij anderhalf jaar geleden al heeft beloofd. Of op een van de galeriehouders zelf, iemand als ik, die op een koude, windstille maandag in januari met een mobieltje tussen hoofd en schouder geklemd uit een taxi stapt, onderhandelend met een particuliere verzamelaar in Londen, iemand als ik, wiens vingers stijf worden van de kou bij het afrekenen en die vervuld is van de onbestemde en vreselijke zekerheid dat het een afschuwelijke dag gaat worden.

Buiten beëindigde ik het gesprek, ik liet mezelf binnen, drukte op de knop van de goederenlift en was blij dat er niemand anders was. Ik kwam meestal om half negen, vroeger dan de meeste collega's en ruim een uur voor mijn personeel. Als het werk eenmaal was begonnen, was ik nooit alleen. Met mensen praten is mijn sterke kant en de reden van mijn succes. Om dezelfde reden koesterde ik die paar minuten alleen.

De lift ging open en Vidal trok het harmonicahek piepend open. Toen we elkaar begroetten, ging mijn telefoon weer. De nummerherkenning meldde KRISTJANA HALLBJÖRNSDOTTIR, wat mijn voorgevoel over een verschrikkelijke dag bevestigde.

Kristjana is een performancekunstenaar en een mastodont van een vrouw: een meter tachtig groot met zware ledematen en een gemillimeterd commandokapsel. Ze speelt het op de een of andere manier klaar om zowel gracieus als kolossaal en log te zijn, als een olifant in de porseleinkast, maar dan een olifant met een tutu. Geboren in IJsland en overal getogen: dat is zowel haar achtergrond als die van haar kunst. En hoewel ik grote bewondering heb voor haar werk, is het amper goed genoeg om door mij te worden vertegenwoordigd. Toen ik haar aannam, kende ik haar reputatie. Ik wist ook dat andere mensen naar hun hoofd grepen omdat ik het deed. Ik was trots omdat ik haar in het gareel hield door haar meest succesvolle tentoonstelling in jaren te organiseren: de recensies waren goed en al haar werk werd voor ver boven haar vraagprijs verkocht, iets wat haar letterlijk op mijn schouder deed huilen van dankbaarheid. Je kunt zeggen wat je wilt, maar Kristjana is een demonstratieve persoonlijkheid.

Maar dat was in mei en sindsdien doet ze een winterslaap. Ik ben bij haar langs geweest, heb boodschappen achtergelaten, gemaild en gesms't. Als het haar om aandacht te doen was, is dat mislukt, want ik gaf het op. Het telefoontje van die ochtend was het eerste contact in maanden.

De ontvangst van mijn mobiel in de lift was beroerd en ik verstond er niets van, tot Vidal het hek opentrok en die paniekstem van haar op volle kracht uit de ether barstte. Ze was al halverwege de uitleg van haar Idee en de materiële steun die ze nodig had. Ik zei dat ze langzamer moest praten en opnieuw moest beginnen. Ze slaakte een diepe, reutelende zucht, het eerste teken dat ze over haar toeren raakt. Vervolgens leek ze even na te denken en vroeg ze naar de zomer. Ik zei dat ik pas in augustus iets voor haar kon betekenen.

'Uitgesloten,' zei ze. 'Je luistert niet naar me.'

'Wel waar. Het gaat niet.'

'Gelul. Je lúístert niet.'

'Ik kijk op dit moment naar de kalender.' (Wat niet zo was, ik keek naar mijn sleutels.) 'Waar hebben we het eigenlijk over? Als ik akkoord ga, waar zeg ik dan eigenlijk ja tegen?'

'Ik moet de hele ruimte hebben.'

'Ik...'

'Ik heb de hele ruimte nodig, punt uit. Ik heb het hier over *landscape*, Ethan.' Ze begon aan een uiterst technisch en theoretisch betoog over de smeltende poolkap. De tentoonstelling moest in juni zijn, de opening op de avond van de zonnewende en ze wilde de airco uit – en de verwarming aan – want dat benadrukte het idee van smelten. *Schmelten*, bleef ze maar zeggen. Alles *schmelt*. Tegen de tijd dat ze was aanbeland bij de postpostpost-kritische theorie, luisterde ik al niet meer, want ik werd in beslag genomen door mijn sleutels, die naar de bodem van mijn aktetas waren verhuisd. Ik vond ze en deed de deur van mijn galerie van het slot terwijl zij haar plannen om mijn vloeren te vernielen uiteenzette.

'Je mag hier geen levende walrus brengen.'

Diepe, natte zuchten.

'Dat is waarschijnlijk illegaal. Toch? Kristjana? Heb je dat al uitge-zocht?'

Ze zei dat ik de pestpokken kon krijgen en hing op.

Ik wist dat het slechts een kwestie van tijd zou zijn voordat ze op-nieuw zou bellen, dus legde ik de telefoon op mijn bureau en begon aan mijn ochtendroutine. Eerst de voicemail. Kristjana had tussen vier en half zes 's morgens zes keer gebeld. God mocht weten wie ze hoopte te bereiken. Een paar verzamelaars wilden weten wanneer ze hun aanko-pen konden verwachten. Op dat moment had ik twee tentoonstellingen lopen: een reeks prachtige, oplichtende schilderijen van Egao Oshima en een paar genitalia van papier-maché van Jocko Steinberger. Alle Oshima's waren al op voorhand verkocht en een aantal Steinbergers gingen naar het Whitney. Een goede maand.

Na de telefoon kwam de e-mail: ik moest contact onderhouden met cliënten, sociale raderen smeren, regelingen voor kunstbeurzen treffen. Een bevriende collega informeerde of ik de hand kon leggen op een Dale Schnelle, waarop hij aasde. Ik antwoordde 'misschien'. Marilyn stuurde me een macabere spotprent die een van haar kunstenaars van haar had gemaakt; daarop was ze Saturnus die zijn eigen kinderen opeet, à la Goya. Ze vond hem schitterend.

Om half tien verscheen Ruby met twee koppen koffie. Ik nam de mij-ne aan en gaf haar instructies. Om negen over half tien kwam Nat om door te gaan met de typografie van de brochure voor de volgende expo-sitie. Om drieëntwintig over tien ging mijn mobiel weer, een geblok-keerd nummer. Je kunt je wel voorstellen dat de meeste mensen met wie ik graag zakendeed een geblokkeerd nummer hadden.

'Ethan.' Een fluwelen stemgeluid dat ik op slag herkende.

Ik kende Tony Wexler al mijn hele leven en beschouwde hem als een vader voor wie ik geen minachting koesterde. Dat hij voor mijn vader werkte, al meer dan veertig jaar zelfs... de psychoanalyse laat ik aan u over. Laat ik volstaan met te zeggen dat Tony altijd werd ingeschakeld als mijn vader iets van me wilde.

Dat was de afgelopen twee jaar steeds vaker gebeurd, nadat mijn vader na een hartaanval in het ziekenhuis was beland en ik hem niet opzocht. Sindsdien belde mijn vader mij – via Tony – om de acht tot tien weken. Dat lijkt misschien niet veel, maar in aanmerking genomen hoe weinig communicatie we daarvoor hadden gehad, voelde ik me de laatste tijd een tikje belegerd. Ik had geen belangstelling voor een bruggenbouwer. Als mijn vader een brug slaat, durf ik te wedden dat er een tolhuis op staat.

Dus was ik wel blij om Tony's stem te horen, maar ik zat niet echt te wachten op wat hij te zeggen had.

'We hebben over de exposities gelezen. Je vader had er veel belangstelling voor.'

Met 'we' bedoelde hij zichzelf. Toen ik de galerie negen jaar daarvoor opende, abonneerde Tony zich op een aantal vakbladen, en in tegenstelling tot de meeste abonnees van kunsttijdschriften léést hij ze ook. Hij is een authentieke intellectueel in een tijdperk waarin die term niets meer betekent, en hij weet verbluffend veel over de markt.

Hij had het ook over zichzelf toen hij 'je vader' zei. Tony heeft de neiging zijn eigen gevoelens aan zijn werkgever toe te schrijven. Volgens mij is die gewoonte bedoeld om te verdoezelen dat ik een betere relatie heb met mijn bankrekening dan met de man die me heeft verwekt. Ik ben niet van gisteren.

We babbelden een poosje over kunst. Hij vroeg wat ik dacht van Steinbergers terugkeer naar het figuratieve; wat Oshima nog meer in petto had; hoe de twee exposities samenvielen. Ik wachtte op het verzoek, de zin die begon met 'Je vader zou graag zien'.

Hij zei: 'Er is iets onder mijn aandacht gekomen wat je volgens mij moet zien. Nieuw werk.'

Kunsthandelaren worden constant belaagd. Je ontwikkelt algauw een suggestiestrategie. De mijne is gepantserd: als je goed bent, vind ik je wel, anders wil ik niets van je weten. Dat mag elitair of draconisch klinken, maar ik had geen keus, anders moet je het eindeloze geneuzel aanhoren van kennissen die ervan overtuigd zijn dat je, als je de tijd zou ne-

15

men om de debuutexpositie van de halfbroer van de beste vriend van hun schoonzus in het Jewish Community Center te bezoeken, verpletterd en bekeerd zult worden en niet kunt wachten die geniale kunst aan je vanzelfsprekend kale wanden te hangen. *Et tu*, Tony?

'Is dat zo,' zei ik.

'Hij werkt op papier. Inkt en viltstift. Je moet het gaan zien.'

Argwanend vroeg ik wie de kunstenaar was.

'Iemand uit The Courts.'

The Courts was Muller Courts, het grootste nieuwbouwproject in de staat New York. Gebouwd als een naoorlogs Utopia voor de middenklasse, beroofd van zijn oorspronkelijke bedoeling door de emigratie van blanken uit gemengde wijken, heeft het inmiddels de kwalijke reputatie van de misdadigste wijk van Queens; een smet op een reeds besmet stadsdeel; een monument voor welvaart, ego en huisjesmelkers; een twintigtal flatgebouwen op nog geen kwart miljoen vierkante meter en zo'n zesentwintigduizend bewoners. Een wijk met mijn achternaam.

Het besef dat de kunstenaar uit zo'n gribus kwam, maakte een misplaatst gevoel van verantwoordelijkheid in me wakker. Ik heb die rotwijk niet gebouwd, maar mijn opa. Ik heb niets met de verloedering te maken. Dat waren mijn vader en broers. Maar toch begon ik te rationaliseren. Het kon geen kwaad een kijkje bij die zogenaamde kunst te nemen, vooropgesteld dat het niet als een lopend vuurtje rond zou gaan dat Galerie Muller zijn poorten had opengegooid, ik had alleen maar wat van mijn kostbare tijd te verliezen, dat offer wilde ik wel brengen voor Tony. En hij had geen slecht oog. Als hij zei dat een werk verdienstelijk was, dan was het waarschijnlijk zo.

Niet dat ik van plan was een nieuwkomer te vertegenwoordigen. Mijn agenda was vol. Maar mensen houden ervan als hun goede smaak wordt bevestigd, en waarschijnlijk was zelfs Tony, die ik het toonbeeld van zelfbeheersing vond, niet ongevoelig voor een schouderklopje.

'Geef hem mijn e-mailadres maar,' zei ik.

'Ethan…'

'Hij kan ook langskomen als hij wil. Zeg maar dat hij eerst moet bellen en jouw naam moet noemen.'

'Ethan, dat gaat niet.'

'Waarom niet?'

'Omdat ik niet weet waar hij zit.'

'Wie.'

'De kunstenaar.'

'Weet je niet waar de kunstenaar is?'

'Dat zeg ik. Hij is weg.'

'Waarheen.'

'Wég weg. Hij heeft al drie maanden geen huur betaald. Niemand heeft hem gezien. Ze dachten al dat hij dood was, dus de huismeester is er naar binnen gegaan. Maar in plaats van de kunstenaar vond hij de tekeningen. Hij was zo verstandig mij te bellen voordat hij ze weggooide.'

'Heeft hij je rechtstreeks gebeld?'

'Hij heeft de beheersmaatschappij gebeld en die belde ons weer. Neem maar van mij aan dat er een reden voor is dat ze het hogerop hebben gezocht. Het werk is niet van deze wereld.'

Ik was sceptisch. 'Tekeningen.'

'Ja, maar ze zijn net zo goed als schilderijen. Beter zelfs.'

'Vertel eens.'

'Ik kan ze niet beschrijven.' Er klonk iets gejaagds in zijn stem, wat ik niet van hem kende. 'Je moet zelf komen kijken. De ruimte daar is van wezenlijk belang voor de ervaring.'

Ik zei dat het wel een catalogustekst leek.

'Niet kribbig worden.'

'Kom nou, Tony, denk je nou echt...'

'Vertrouw me nou maar. Wanneer kun je?'

'Es kijken. Het zijn drukke weken. Ik moet naar Miami...'

'Nee. Vandaag.'

'Dat gaat niet. Je maakt zeker een geintje. Vandaag? Ik heb het druk.'

'Neem even pauze.'

'Ik ben nog niet eens begonnen.'

'Dan hoef je dus niets te onderbreken.'

'Ik kan… aanstaande dinsdag, wat dacht je daarvan?'

'Ik stuur wel een auto.'

'Tony,' zei ik. 'Het kan wel wachten. Het zal wel moeten.'

Hij zweeg. Dat was het meest effectieve verwijt. Ik hield de telefoon een eindje van mijn oor om Ruby te vragen of er een gaatje was, maar hoorde Tony's stem uit de hoorn kwaken: 'Niet aan haar vragen. Niets tegen je secretaresse zeggen.'

'Ik vraag allee…'

'Spring in een taxi.'

Ik pakte mijn jas en mijn tas en liep naar de hoek om een taxi aan te houden, toen mijn mobiel weer overging. Het was Kristjana. Ze had nagedacht. Augustus kon ook.

2

Alle vierentwintig Muller-flats zijn vernoemd naar edelstenen: een poging tot opleuken die haar doel ver voorbij is geschoten. Ik liet de chauffeur een rondje om het blok maken tot ik Tony voor het Garnet-complex zag wachten. Zijn lichtbruine cameljas stak scherp af tegen de baksteen, binnen reukafstand van een berg vuilniszakken die in de goot was gelubberd. Boven een betonnen overhang wapperden de drie vlaggen van land, staat en stad plus een vierde van de firma Muller.

We betraden de oververhitte receptie, waar de dampen van een industriële vloerreiniger hingen. Alle geüniformeerden – van de bewaker in zijn kogelvrije hokje tot de klusjesman die de plinten bij het kantoor van het management loswrikte – leken Tony te kennen en groetten hem, uit hartelijkheid of angst.

Een gepantserde glazen deur gaf toegang tot een donkere binnenplaats, ingesloten door het Garnet-gebouw achter ons en aan de drie andere zijden de blokken Tourmaline, Lapis Lazuli en Platinum.

Ik herinner me dat ik mijn vader ooit heb gevraagd hoe ze het in hun hoofd hadden gehaald om een gebouw Platinum te noemen. Zelfs ik wist al op mijn zevende dat het geen edelsteen was. Hij gaf geen antwoord en las door, dus herhaalde ik mijn vraag en nu wat harder. Hij bleef met een buitengewoon geïrriteerde trek op zijn gezicht lezen.

Geen domme vragen stellen.

Vanaf dat moment wilde ik alleen nog maar zo veel mogelijk domme vragen stellen. Mijn vader weigerde algauw op te kijken wanneer ik op hem afliep met een kromme wijsvinger en een hoofd vol imponderabilia. Wie besluit wat er in het woordenboek komt? Waarom hebben mannen geen borsten? Ik zou het wel aan mijn moeder hebben gevraagd, maar die was inmiddels dood, wat kan verklaren waarom mijn vragen mijn vader zo irriteerden. Alles wat ik deed en zei diende maar één doel: hem eraan herinneren dat ik bestond en zij niet.

Op een zekere dag was ik erachter waarom ze Platinum hadden gekozen. Ze wisten geen edelstenen meer.

Vanuit de lucht hebben de binnenplaatsen waaraan Muller Courts zijn naam ontleent iets van halters. Elke halter bestaat uit een tweetal zeshoeken waarvan vier zijden bestaan uit woontorens en twee ervan taps toelopen in een rechthoekig stuk gemeenschappelijke grond – de halterstang – met een speeltuin, een parkeerterreintje en een stukje gras waarop je kunt zitten als het mooi weer is. Bij elkaar hebben de verschillende binnenplaatsen zes baskets, een volleybalnet, een voetbalveld op asfalt, een zwembad ('s winters leeg), een handjevol verwilderde tuintjes, drie bedehuisjes (moskee, kerk en synagoge), een stomerij en twee cafés. Met een eenvoudig behoeftepatroon hoefde je het complex nooit te verlaten.

Toen we de zeshoek overstaken, leken de hoge flats, topzwaar van de aircoapparaten die onder de duivenpoep zaten, wel naar binnen te leunen. Balkons dienden als noodopslag voor aftands meubilair, schimmelige tapijtresten, looprekjes met drie poten, barbecues die halverwege de montage waren vergeten. Twee jongens in een slobbertrui van de basketbalfederatie speelde een ruw een-op-eenspelletje voor een basket waarvan de beugel was gebroken en in een hoek van dertig graden hing.

Ik zei er iets van tegen Tony.

'Ik schrijf wel een memo,' zei hij. Ik wist niet of dat sarcastisch bedoeld was.

De zogenaamde kunstenaar woonde op de elfde etage van de Carnelian en op weg omhoog vroeg ik Tony hoeveel moeite er was gedaan om contact met de man te krijgen.

'Hij is weg, dat zei ik toch.'

Het zat me niet lekker dat ik zomaar de woning van een vreemde binnenliep, en dat zei ik ook. Maar Tony verzekerde me dat de huurder alle rechten had verspeeld toen hij zijn huur niet meer betaalde. In het verleden had Tony me nog nooit iets op de mouw gespeld, en ik achtte hem er ook niet toe in staat. Waarom zou die gedachte bij me opkomen? Ik vertrouwde hem.

Terugkijkend had ik misschien iets voorzichtiger moeten zijn.

Voor de deur van C-1156 vroeg Tony of ik even wilde wachten, dan ging hij naar binnen om ruimte te maken. De lamp in de vestibule deed het niet en de rest van het huis was bomvol; hij wilde niet dat ik zou struikelen. Ik hoorde hem binnen rondscharrelen, er klonk een zachte plof en een gedempte verwensing. Vervolgens dook hij weer op uit het halfduister en hield de deur met zijn arm open.

'Zo.' Hij deed een stap naar achteren om me binnen te laten. 'Haal je hart maar op.'

Ik begin maar met de gewone dingen, de janboel. Een smalle deur komt uit op één kamer van amper twaalf vierkante meter. De vloer is versleten tot op het kale hout van de planken, uitgedroogd, gekrompen en gespleten. Vochtvlekken op muren bespikkeld met punaisegaatjes. Er brandt een stoffig peertje. Een matras. Een geïmproviseerd bureau: spaanplaat met inktvlekken op stapels gasbetonblokken. Een lage boekenkast. Een witte emaillen gootsteen met een archipel van butsen in de hoek. Daaronder een elektrisch kookplaatje. Voor het raam een jaloezie die niet meer omhoog wil of kan. Aan een bout van de verwarmingspijp een hangertje met een grijs sporthemd met korte mouwen. Een grijze trui op een klapstoeltje. Een paar gebarsten leren schoenen met wijkende zolen als van een eendenbek. Een badkamer zonder deur met een wc en een aflopende tegelvloer met een afvoer onder een douchekop aan het plafond.

Dat alles zag ik pas later.

Eerst zag ik alleen maar dozen.

Dozen van motorolie, dozen van rollen plakband, dozen van computers en printers. Fruitdozen. Melkdozen. 100% ECHTE ITALIAANSE TO-

21

MATEN. Stapels dozen langs de wanden waardoor de toegang met twee-derde smaller werd. Het bed was ermee ingebouwd. Dozen in wankele stapels als ingewikkelde verticale toetjes op het aanrecht; in de douche gestapeld tot het plafond; planken die doorzakken onder het gewicht van dozen. Dozen die het raam hebben dichtgemetseld. Het bureau, de stoel; de schoenen platgedrukt. Alleen de plee was nog vrij.

En de lucht was verzadigd van de geur van papier, die koppige geur die het midden houdt tussen die van huid en boombast. Papier, vergaan en versnipperd, houtpulp die een droge mist creëerde die om mijn li-chaam wervelde, mijn longen in stroomde en een branderig gevoel gaf. Ik hoestte.

'Waar is de kunst?' vroeg ik.

Tony perste zich met enige moeite naast me. 'Hierin,' zei hij, en hij legde zijn hand op de dichtstbijzijnde doos. Vervolgens wees hij naar alle andere dozen. 'En daarin en daarin en daarin.'

Ongelovig maakte ik een van de dozen open. Daarin lag een keurige stapel zo te zien blanco papier van een onbestemd geel met verweerde hoeken. Even dacht ik dat Tony me in de maling nam. Vervolgens pakte ik het eerste vel, draaide het om en de rest van de wereld verdween.

De taal ontbreekt me om te beschrijven wat ik zag. Desondanks: een oogverblindende verzameling figuren en gezichten, engelen, konijnen, kippen, trollen, vlinders, vormloze beesten, fantastische, tienkoppige, mythische wezens, Rube Goldberg-achtige installaties met organische onderdelen, stuk voor stuk met uiterste precisie getekend, in al hun nie-tigheid met vurige bewegingen uitzwermend over het papier, dansend, hollend, door de lucht scherend, etend; ze vreten elkaar op en voeren af-grijselijke en bloederige martelingen uit in een orgie van lust en emotie, alle beestachtigheid en schoonheid die het leven te bieden heeft, maar dan overdreven en opeengepakt als in een delirium, puberaal, pervers, stripachtig, uitbundig en hysterisch. Ik voelde me belegerd en overval-len, ik had de overweldigende behoefte zowel mijn hoofd af te wenden als me te goed te doen aan wat ik zag.

Maar de ware aandacht voor de bijzonderheden zat hem niet in de personages, maar in het landschap dat ze bevolkten. Het was een levende aarde van wankele dimensies, nu eens met vlakke, dan weer schitterend diepe, dik aangezette geografische kenmerken, glooiende wegen met namen van wel twintig letters. Bergen waren billen en borsten en kinnen; rivieren werden slagaders die een paarsige vloeistof afscheidden die bloemen met duivelskoppen voedden; bomen ontsproten aan een humus van woorden en onzintaal; gras als rechte scheermessen. Op sommige plekken was de lijn ragdun, elders zo dik en zwart dat het een wonder was dat de pen niet dwars door het papier was gedrongen.

De tekening drong uit zijn kader en wilde de bedompte lucht in.

Geparalyseerd en verbluft bleef ik een minuut of zeven staren, wat lang is voor een vel papier van tweeëntwintig bij achtentwintig centimeter, en voordat ik mezelf een halt kon toeroepen, had ik al vastgesteld dat degene die dit had getekend gestoord was. De compositie had namelijk iets psychotisch, de koortsachtige handelingen hadden gediend om zich te warmen tegen de kilte van de eenzaamheid.

Ik probeerde wat ik zag in een context van andere kunstenaars te plaatsen. De beste vergelijking waarmee ik voor de dag kon komen was die met Robert Crumb en Jeff Koons, maar de tekening miste al hun kitscherige ironie; hij was rauw en eerlijk en naïef en gewelddadig. Ondanks mijn pogingen om bedaard met het werkstuk om te gaan – om het te temmen met rationaliteit, ervaring en kennis – hield ik het gevoel alsof het uit mijn handen wilde springen om tegen de muur op te klimmen en wervelend in rook, as en vergetelheid op te gaan. Het leefde.

Tony vroeg: 'Wat vind je?'

Ik legde de tekening apart en pakte de volgende. Die was net zo barok en tranceverwekkend, en ik besteedde er evenveel aandacht aan. Daarna besefte ik dat ik daar nooit weg zou komen als ik dat bij alle tekeningen zou doen. Ik pakte een handvol vellen en bladerde ze haastig door, waardoor er van één exemplaar een snipper aan de rand verpulverde. Stuk voor stuk deden ze mijn adem stokken. Ik kreeg het benauwd op de borst. Toen al had ik moeite greep te krijgen op de pure monomanie van het project.

Ik legde de stapel neer, pakte de eerste twee tekeningen weer en legde ze naast elkaar om ze te vergelijken. Mijn ogen gingen van de ene naar de andere, zoals bij zo'n kinderspelletje. Er zijn negenduizend verschillen, kun je ze allemaal vinden? Ik werd duizelig. Misschien kwam het van het stof.

Tony vroeg: 'Zie je hoe het werkt?'

Nee dus. Daarom draaide hij een van de vellen een halve slag. De tekeningen sloten op elkaar aan als stukjes van een legpuzzel: riviertjes stroomden verder en wegen liepen door. Half voltooide gezichten vonden hun ontbrekende stukken. Vervolgens wees hij erop dat de achterkant van de tekeningen niet geheel blanco was. Aan de vier zijden en in het midden waren met dunne potloodlijntjes getallen geschreven:

$$2016$$
$$4377\ 4378\ 4379$$
$$6740$$

Het volgende vel had in het midden 4379 en met de klok mee vanaf de bovenkant 2017, 4380, 6741 en 4378. De platen sloten op elkaar aan waar de rand van de een verwees naar het midden van de volgende.

'Zijn ze allemaal zo?'

'Voor zover ik weet.' Hij keek om zich heen. 'Ik heb er nog niet veel gezien.'

'Over hoeveel werkstukken hebben we het eigenlijk?'

'Ga maar naar binnen, dan kun je ze zelf zien.'

Ik perste me naar binnen en hield mijn mouw voor mijn mond. Ik heb in mijn leven een heleboel onnatuurlijke dingen geïnhaleerd, maar de sensatie van papierstof in mijn longen was nieuw en onaangenaam. Ik moest dozen opzijschuiven en het stof maakte een luipaardpatroon op mijn broek. Het ganglicht nam af en mijn eigen ademhaling leek nergens te weerklinken. De tweeënhalve meter tussen mij en de deur hadden New York radicaal buitengesloten. Hier wonen zou zijn alsof je vijftien kilometer onder het aardoppervlak woonde, als in een spelonk.

Ik weet niet hoe ik het anders moet zeggen. Ik was behoorlijk gedesoriënteerd.

Uit de verte hoorde ik Tony mijn naam noemen.

Ik ging op de rand van het bed zitten – op vijftien centimeter onbezet matras; waar sliep die man? – en nam een hap smerige houtlucht. Hoeveel tekeningen waren er? Hoe zag het stuk eruit wanneer ze allemaal aan elkaar waren gelegd? Ik stelde me een eindeloze lappendeken voor. Ze konden toch niet allemaal op elkaar aansluiten? Daar had niemand toch de geestkracht of het geduld voor? Als Tony gelijk zou hebben, keek ik nu naar een van de grootste kunstwerken die er ooit door één persoon waren gemaakt. Het was in elk geval de grootste tekening ter wereld.

De polsslag van een genie, de stank van waanzin; briljant, verbijsterend en adembenemend.

Tony laveerde tussen twee dozen door en kwam naast me staan. We haalden allebei gierend adem.

Ik vroeg: 'Hoeveel mensen weten hiervan?'

'Jij. Ik. De huismeester. Misschien een paar mensen van de firma, maar die hebben alleen de boodschap doorgegeven. Slechts een handjevol heeft er zelf een blik op geworpen.'

'Dat wil ik graag zo houden.'

Hij knikte. Daarna zei hij: 'Je hebt nog geen antwoord op mijn vraag gegeven.'

'Wat vroeg je?'

'Wat vind je ervan?'

3

De kunstenaar heette Victor Cracke.

Rosario Quintana, appartement C-1154: 'Ik zag hem niet vaak. Hij kwam een paar keer per dag, maar dan ben ik op mijn werk, dus zag ik hem alleen als ik ziek thuis was, of als ik om de een of andere reden naar huis moest om mijn zoon op te vangen wanneer zijn vader hem te vroeg thuisbracht. Ik ben verpleegkundige. Ik passeerde hem wel eens op de gang. 's Morgens vroeg ging hij weg. Of misschien werkte hij wel 's nachts, weet je, want volgens mij zag ik hem ooit na zes uur. Kan hij misschien taxichauffeur zijn geweest?'

Rosario's zevenjarige zoontje Kenny: 'Hij zag er raar uit.'
Hoezo?
'Zijn haar.'
Wat voor kleur had dat?
'Zwart.' [wrijft over zijn neus] 'En wit.'
Grijs?
'Ja, maar niet helemaal.'
Lang of kort?
'… ja.'
Welk van de twee. Lang?
[knikt]
Of kort?
[wrijft over zijn neus]

26

Allebei?

[knikt, maakt een gebaar alsof er stekels alle kanten op staan] 'Zo eigenlijk.'

Alsof hij zijn vinger in een stopcontact had gestoken?

[verwarde blik]

Jason Charles, appartement C-1158: 'Hij praatte in zichzelf. Ik hoorde hem constant. Alsof er een feestje was.'

Hoe weet je dat hij alleen was?

'Omdat ik dat weet. Hij praatte nooit met iemand anders. Chagrijnig persoon.'

Dus je hebt hem eigenlijk nooit gesproken.

'Waar zie je me voor aan? Waarover zouden we het moeten hebben? De Násdaq?'

Wat zei hij zoal wanneer hij in zichzelf praatte?

'Hij had, eh… verschillende stemmen.'

Stemmen.

'Verschillende sóórten stemmen, weet je wel.'

Verschillende accenten?

'Zoiets van, van een hoge stem. Jiii jiii jiii. En daarna een diepe. Zoals hrmmhrmmhrmm. Jiii jiii jiii, hrmmhrmmhrmm…'

Dus je kon hem niet verstaan.

'Nee, maar hij klonk wel kwaad.'

Kwaad waarop?

'Ik hoorde hem alleen maar zo hard mogelijk schreeuwen, goddomme. Klonk me woest in de oren.'

Hij schreeuwde.

'Soms, ja.'

Hoe zat het met zijn baan? Weet je ook wat hij deed?

[lacht]

Is dat zo grappig?

'Wie zou hem nou in dienst willen nemen? Ik niet.'

Waarom niet?

'Wil jíj zo'n mafketel in je restaurant om je klanten de stuipen op het lijf te jagen?'

Iemand zei dat hij taxichauffeur was.

'Krijg nou wat. Nou, als ik in een taxi zou stappen en hij zat achter het stuur, zou ik zo weer uitstappen.'

Elizabeth Forsythe, appartement C-1155: 'Hij was een schat, echt een schat van een man. Op de gang of in de lift zei hij me altijd gedag. Vroeger droeg hij altijd mijn boodschappen. Ik mag dan een oude vrouw zijn… Nee, niet met je hoofd schudden, je denkt toch zeker niet dat ik je geloof? Wat een flirt ben jij, zeg… Waar was ik gebleven? O ja, nou ja, hoe oud ik ook ben, hij was niet de aangewezen persoon om mij te helpen, op zijn leeftijd. Hij woonde hier al langer dan ik me kan heugen. Ik kwam hier in 1969 en toen woonde hij er al, dus dan weet je het wel. Mijn man is in 1984 overleden. Hij wilde hier weg want hij vond de buurt zo veranderd. Maar vroeger gaf ik hier vlak om de hoek les, op de middelbare school. Wiskunde. Dus zijn we gebleven.'

Weet u hoe oud hij was?

'Mijn man? Hij was… O, u bedoelt Victor. Nou, ongeveer zo oud als ik.' [bespeurt een vragende blik] 'Dat hoor je niet aan een dame te vragen, dat weet je toch wel.' [glimlacht] 'Laat 'ns kijken. Nou, ik herinner me nog dat ik toen de oorlog was afgelopen met mijn zus haar vriend ging ophalen, die net was afgezwaaid bij de marine. Ze liet mij midden op straat staan zodat zij ergens konden gaan zoenen. Sally was vijf jaar ouder dan ik, dus reken maar uit. Maar ik heb nooit geweten hoe oud Victor precies was. Zo loslippig was hij nou ook weer niet, als u begrijpt wat ik bedoel. Het duurde heel lang voordat hij ons aardig vond. Jaren, denk ik. Maar toen we elkaar wat beter kenden, zagen we wel dat hij heel zachtmoedig was en helemaal niet de persoon die we eerst dachten.'

Hoe merkte u dat?

'O, nou ja, je had hem moeten zien. Je kunt al dingen over iemand weten als je hem voor het eerst ziet. Je hoeft alleen maar naar zijn handen te kijken. Victor had heel kleine handen, als van een jongetje. Veel groter dan een jochie was hij ook niet, hooguit vijf centimeter groter dan ik. Hij zou nog geen vlieg kwaad doen. Hij was ook heel godsdienstig, weet u.'

O ja?

'Nou en of. Hij ging de hele tijd naar de kerk. Drie keer per dag.'

Dat is vaak.

'Ik weet het. Drie keer per dag naar de mis. Soms wel vaker! Ik ga op zondag naar de First African Methodist, maar voor ik Victor leerde kennen, wist ik niet eens dat je zo dikwijls naar de kerk kón gaan, dat ze je telkens weer binnenlieten. Als je een bioscoopkaartje koopt, kun je tenslotte ook maar één film zien. Mijn man en ik gingen wel eens naar een dubbele voorstelling, toen ze die nog hadden.' [zucht] 'Nou ja. Waar was ik?'

Bij de kerk.

'Ja, de kerk. Victor ging graag naar de kerk. Daar ging hij bijna altijd heen als ik hem zag. "Waar ga je heen, Victor?" "Naar de kerk."' [lacht] 'Ik geloof dat hij naar Our Lady of Hope ging. Die kerk is vlakbij. Hij had ook zo'n rooms gezicht, ken je die blik? Alsof ze elk moment gestraft kunnen worden.'

Schuldbewust.

'Ja, schuldig, maar ook berustend. En bang. Alsof zijn eigen schaduw kon opspringen om hem te bijten. Ik geloof dat de wereld hem iets te veel was.'

Heeft hij een baan?

'Nou, dat moet haast wel, al heb ik geen idee wat hij doet. Is het wel goed met hem? Is er iets gebeurd? Zoals je daarnet praatte, kreeg ik de indruk dat hij was overleden, maar nu praat je alsof hij nog leeft. Is dat zo? Ik heb hem al in geen maanden gezien.'

Het is niet helemaal duidelijk.

'Nou, als je erachter komt, laat het me dan weten. Want ik mocht Victor wel.'

Nog één vraag, als u het niet erg vindt.

'Ga je gang. Je kunt zo lang blijven als je wilt. Maar om zes uur moet je weer weg, want dan komen mijn dochters scrabble spelen.'

Hebt u hem ooit in zichzelf horen praten?

'Víctor? Hemeltje, nee hoor. Van wie hebt u dat?'

Uw buurman aan de overkant.

[trekt een gezicht] 'Moet hij nodig zeggen, met die harde muziek van hem. Die zet hij zo hard dat ík het kan horen, en ik ben halfdoof. Echt waar. [gebaart naar haar gehoorapparaatjes] 'Ik heb wel eens bij de huismeester geklaagd, maar die laat zijn gezicht nooit zien. Weet je, mijn man had misschien wel gelijk, we hadden waarschijnlijk al lang geleden moeten vertrekken. Ik blijf hopen dat de dingen weer worden zoals vroeger. Maar dat gebeurt nooit.'

Patrick Shaughnessy, huismeester: 'Rustig. Klaagde nooit. Er werd ook nooit over hem geklaagd. Dat is het soort huurder naar wie je voorkeur uitgaat, hoewel hij zo verrekte rustig was dat je je wel eens afvroeg hoe iemand het allemaal zo lang kon binnenhouden. Toen ik die puinhoop zag, was ik erachter. Ik zeg tegen mezelf: Patrick, dáár gaan al zijn woorden heen. Wat een toestand.' [houdt zijn handen een meter uit elkaar] 'Ongelooflijk.'

Inderdaad.

'Ik zeg tegen mezelf: Patrick, wat je nu ziet, dat is kunst. Dat kun je niet zomaar op de stoep bij het grof huisvuil zetten. Ik weet dat in één oogopslag, niet dan? U bent de kunsthandelaar, dus zeg eens: heb ik gelijk of niet?'

U hebt gelijk.

'Goed dan. En zeg eens, denkt u dat die schilderijen iets waard zijn?'

Wat denkt u?

'Ik zou het wel denken. Jazeker. Maar zegt u het maar. U bent de deskundige.'

Daar valt nu nog niets over te zeggen.

'Ik mag hopen van wel.'

Weet u waar hij naartoe is?

[schudt van nee] 'De arme drommel kan wel overal zitten. Hij kan wel dood zijn. Wat denkt u, is hij dood?'

Nou…

'Hoe weet u dat, u bent toch niet van de politie?'

Nee.

'Goed dan. Als u hem zoekt, moet u met de politie praten.'

Zou de politie het weten?

'Beter dan ik in elk geval. Dat is toch hun werk?'

Nou…

'Wilt u weten wat ík denk, ik denk dat hij het hier niet meer zag zitten. Vind je het gek? Hij is met zijn spaarcentjes naar Florida vertrokken. Ga ik ook doen. Ik ben al bezig. Ik heb een appeltje voor de dorst en er komt nog meer bij, dat kan ik u wel vertellen. Als hij dat heeft gedaan, prachtig. Dat is stukken beter. Ik hoop dat hij het naar zijn zin heeft. Ik had nooit de indruk dat hij erg gelukkig was, dat kan ik wel zeggen.'

Hoezo 'niet gelukkig'. Neerslachtig, schuldbewust, of…

'Wat ik me van hem herinner, is dat hij meestal naar de grond keek, een beetje voorovergebogen, alsof hij de last van de hele wereld droeg of zo. Wanneer ik hem zag, dacht ik altijd dat hij wel wilde opkijken, maar niet kon verdragen wat hij zou zien. Er zijn mensen die stil kunnen zijn en het best redden omdat ze niets te zeggen hebben. Hij was niet zo. Hij had een heleboel te zeggen, maar kon het niet.'

David Philadelphia, bovenbuurman: 'Wie?'

Martin Navarro, Rosario Quintana's ex, verhuisd naar acht trappen lager: 'Ik kan je vertellen wat ik me herinner. Maar wacht eens even, heb je met Kenny gesproken?'

Kenny?

'Mijn zoon. Je zei dat je hem had gesproken.'

Ja.

'Hoe zag hij eruit?'

Hoe hij…

'Ik bedoel of hij gelukkig leek. Ik weet wel hoe hij eruitziet. Hij lijkt op mij, dat hoef je mij niet te vertellen. Ze houdt maar vol dat hij op haar vader lijkt, maar neem maar van mij aan, zij weet van voren niet dat ze van achteren leeft. Ze heeft geen idéé. Dus wat ze je ook over die vent heeft verteld, tien tegen een dat het fout is. Wat heeft ze je verteld?'

Dat hij taxichauffeur was.

'Goed, ten eerste is dat helemaal fout. Er is geen sprake van dat die kerel een auto kon besturen. Hij kon niet eens zíén. Hij liep constant tegen de muren op. Daar werden we gestoord van, omdat hij altijd om twee uur 's morgens dingen liet vallen en tegen de muur op liep. Je moet het aan zijn benedenbuurman vragen, die kan het je vast wel vertellen.'

Wat deed hij dan voor de kost?

'Geen idee, maar in elk geval geen taxi besturen. Wat heeft zo iemand voor baan? Misschien was hij wel buschauffeur.'

En je zei dat hij niet kon zien.

'Heb je ooit in een bus gezeten in deze stad? Misschien was hij wel een van die lui die snacks verkopen.'

Daar lijkt hij me een beetje oud voor.

'O ja, je hebt gelijk. Daar had ik niet bij stilgestaan. Hoe oud was hij?'

Wat denk jij?

'Oud. Wat zegt Rosario?'

Dat heeft ze niet gezegd.

'Wat ze ook heeft gezegd, tel er tien jaar bij op. Of twintig. Of trek ze ervan af. Dan heb je het juiste antwoord.'

Genevieve Miles, de benedenbuurvrouw: 'Het leek wel alsof hij boven tegen zandzakken schopte.'

Haar man Christopher: 'Ja, daar komt het wel op neer.'

Hoe klinkt dat?

'Wat denk je.'

Zoiets als stompen.

'Juist ja. Zoiets als stompen.'

Hoe exposeer je een kleine hectare kunst? Dat was de vraag waarvoor ik me gesteld zag toen ik me een weg door Victor Crackes oeuvre baande. Naar schatting waren er zo'n 135.000 tekeningen, stuk voor stuk op hetzelfde papier van tweeëntwintig bij achtentwintig, goedkoop, gebroken wit papier dat je overal kunt kopen, met een totale oppervlakte van 87.688 vierkante meter. Het was ondoenlijk om het hele werk op te hangen, tenzij de Chinese regering besloot ons de Muur te verhuren.

Ik betaalde een jaar huur vooruit op Victors appartement en nam een fotograaf in de arm om alle objecten in huis op hun juiste plek te fotograferen. Ik nam twee uitzendkrachten in dienst die als enige taak hadden de dozen te nummeren, de algemene inhoud te registreren en ze naar een vrachtwagen te zeulen. Toen het appartement leeg was, liet ik het schoonmaken en zuigen om de laatste restjes verstikkend stof te verwijderen. Daarna verplaatste de operatie zich van Queens naar Manhattan, waar ik in een opslag op een steenworp van mijn galerie een geïmproviseerd laboratorium installeerde. De dozen stonden hoog opgetast in de ene ruimte en de andere rustte ik uit met een bureau, stoelen, een krachtige operatiekamerlamp, een plastic dekzeil, dat ik op de grond legde, katoenen handschoenen, een loep, een kachel, bouwlampen en een computer. Die winter en het hele voorjaar zaten Ruby en ik daar elke avond met een stuk of drie dozen, waarvan we de inhoud zo snel mogelijk sorteerden, al hielden we oog voor stukken van uitzonderlijke kwaliteit en we piekerden ons suf hoe we in godsnaam een tentoonstelling moesten inrichten.

In theorie hadden we ze, ik weet het niet, allemaal kunnen lamineren. Dat had misschien gekund. Misschien hadden we ze allemaal op een akker in westelijk Pennsylvania, of in de vallei van de Hudson aan de grond kunnen bevestigen om kijkers uit te nodigen eromheen te lopen, als bij een kolossaal conceptueel werk van Smithson. Dat zou een optie zijn geweest.

Maar ik werd niet goed van de logistiek. Hoe goed zouden de tekeningen nog op elkaar aansluiten als ze eenmaal in plastic waren gevat? En als je aan de rand stond, zou je dan nog alles in het midden kunnen zien, dertig meter verderop? Was er wel een middelpunt? En hoe zat het met de weerkaatsing van de zon, met de wind, met kromtrekken? Hoe kreeg ik mensen in hemelsnaam zo gek om erheen te gaan?

Tegelijkertijd moest ik erkennen dat de tekeningen veel van hun kracht verloren als ze per stuk werden geëxposeerd. Dat wil niet zeggen dat ze niet adembenemend bleven, want dat was wel het geval. Maar opsplitsen ondermijnde datgene wat ik beschouwde als een van de wezenlijke thema's van het werk: verbondenheid, de eenheid van alles.

Die conclusie trok ik al gauw nadat ik de eerste doos uit de opslag had gehaald en vijftig à zestig tekeningen had neergelegd. Toen zag ik meteen de werkelijke betekenis van Victor Crackes monumentale werk: het was een landkaart.

Een landkaart van de werkelijkheid zoals hij die zag. Er waren continenten en grenzen, landen, oceanen en bergketens die allemaal met zijn precieze handschrift van namen waren voorzien. Phlenbendenum. Freddickville. Zythyrambiana, Oost en West. Het Green Qoptuag Forest dat zijn vingers in de Valley of Worthe stak, waarin de gouden koepel blonk van de Cathedral Saint Gudrais met zijn Chamber of the Secret Sacred Heart; VERBODEN TOEGANG! luidde de waarschuwing. Namen ontleend aan Tolkien of Aldous Huxley. Voegde je er nog meer werken aan toe en zoomde je uit, dan ontwaarde je andere planeten, andere zonnen en melkwegstelsels. Wormgaten voerden naar afgelegen stukken van de kaart, aangegeven door getallen. Net als bij het universum zelf leken de randen van het werk weg te ijlen van hun onpeilbare middelpunt.

Het was niet zomaar een kaart van de ruimte; het was ook een kaart van de tijd. Plaatsen, figuren en scènes herhaalden zich op navolgende tekeningen in slow motion, als een stripboek dat duizend keer is gekopieerd, verscheurd en in de lucht geworpen. Liep je langs de randen van het werk en las je al die herhalingen, dan voelde je de frustratie van de kunstenaar omdat hij niet in staat was alles wat hij zag en zich verbeeldde realtime te registreren: de lijnen op het papier waren altijd een paar seconden te laat en Victor moest hard hollen om zichzelf bij te houden.

Slaat dat alles ergens op? Ik weet het niet. Dit is het effect van grootse kunst: je staat met je mond vol tanden. En vooral Victors kunst is moeilijk te beschrijven, niet alleen door haar complexe omvang, maar omdat ze zo verdomd bizar was. Alles was buiten proportie; alles werd tot vervelens toe herhaald en dat gaf weer voeding aan twee onthutsende emoties. Als je eenmaal gewend was aan zijn visuele vocabulaire, kreeg je aan de ene kant een sterk gevoel van déjà vu en werd het vreemde vertrouwd, zoals jargon ook gewoon begint te klinken wanneer iedereen om je heen zich ervan bedient. Aan de andere kant: zodra je niet meer naar de tekeningen keek, werd je overvallen door een gevoel van *jamais vu*, dan werd het vertrouwde merkwaardig, zoals een gewoon woord raar begint te klinken als je het maar vaak genoeg herhaalt. Ik keek op van de tekening en zag Ruby met haar tongpiercing spelen en dat geluid, dat glimmende ding – haar hele gezicht, haar knieën die ze onder zich had getrokken, haar grimmige schaduw op de muur van de kluiskamer – alles leek op de een of andere manier onjúíst. Dat wil zeggen, de tekening was zo alomvattend en hypnotiserend, dat ze een hallucinogeen effect had en onze perceptie van de wereld zo verstoorde dat ik af en toe het gevoel kreeg dat Ruby en ik aan Victors verbeelding waren ontsproten, dat de tekening de werkelijkheid was en wij personages waren die erin thuishoorden.

Ik vrees dat ik weer eens niet te volgen ben. Laat me het zo stellen: we moesten vaak een frisse neus halen.

Dus zag ik me geconfronteerd met deze paradox: hoe ik een kunstzinnige Theorie van Alles fragmentarisch moest exposeren.

Na veel tobben besloot ik segmenten van tien bij tien tekeningen tentoon te stellen, ofwel 'doeken' van ongeveer twee bij drie meter. De galerie kon er niet meer dan een stuk of vijftien bergen, ofwel één procent van het totale werk. Ik zou de werken van de muur af hangen, zodat bezoekers eromheen konden lopen om zowel de schitterende voorzijde van de tekeningen te zien als hun methodische achterkant, aspecten die ik langzamerhand interpreteerde als een strijd tussen Victors rechter- en linkerhersenhelft.

Hij had zijn best gedaan een kunstwerk te scheppen dat de spot dreef met het idee van publieke vertoning. Maar ik laat me niet makkelijk van de wijs brengen en als ik eenmaal ergens aan ben begonnen, heb ik een hekel aan mislukkingen. Om kort te gaan, de bedoeling van de kunstenaar kon me geen zier schelen.

Ik heb toch gezegd dat ik me onfatsoenlijk gedroeg? Je was gewaarschuwd.

Hij had niet alleen getekend. Hij had ook geschreven. Een paar dozen bevatten dikke, in kunstleer gebonden dagboeken vanaf 1963. Daarin had hij bijgehouden wat voor weer het was, wat hij die dag had gegeten en hoe vaak hij de kerk had bezocht. Elk onderdeel nam een aantal boekdelen in beslag: duizenden vermeldingen, waarvan talrijke identiek. Vooral zijn voedingsdagboek was geestdodend.

DINSDAG 1 MEI 1973

ontbijt	roerei
lunch	appel ham & kaas
avondeten	appel ham & kaas

WOENSDAG 2 MEI 1973

ontbijt	roerei
lunch	appel ham & kaas
avondeten	appel ham & kaas

Er was nooit enige variatie in zijn maaltijden, behalve met Kerstmis, dan at hij rosbief, en een week in januari 1967, toen hij havermout at bij het ontbijt, blijkbaar een mislukt experiment, want de week daarop at hij weer roerei, een gewoonte die hij de volgende zesendertig jaar plichtsgetrouw bijhield.

De weerrapporten wisselden weliswaar dagelijks (met informatie over temperatuur, vochtigheidsgraad en algemene weersomstandigheden), maar hadden vrijwel hetzelfde effect.

Het was geestdodende badkamerlectuur. Maar ik zag wel een overeenkomst tussen de dagboeken en de tekeningen; er sprak een soortgelijke geobsedeerdheid, een strikte routine uit. Je kon het zelfs liefde noemen; want wat is liefde anders dan de bereidheid jezelf te herhalen?

Maar de kerkdagboeken spotten met de idee van een alomtegenwoordige, goedgunstige God. Als je elke dag van je leven drie keer bad en soms wel vaker, als je al je rozenkransen en weesgegroetjes en tochtjes naar de biechtstoel registreerde en er desondanks níéts veránderde – je eten bleef hetzelfde, het weer bleef grauw, kledderig of benauwd, net als altijd – hoe kon je dan blijven geloven? 'Naar de mis' begon te klinken als niet meer dan een zinloze activiteit die tot niets leidde.

Om te voorkomen dat je denkt dat ik te veel in het werk zag, moet ik eraan toevoegen dat ik niet de enige was die iets ontzagwekkends in de dagboeken las. Ze waren Ruby's favoriete onderdeel, ze had ze veel liever dan de tekeningen, die vond ze enigszins aanmatigend. Op haar verzoek exposeerde ik de dagboeken zonder tekst en uitleg in een eigen hoekje. De mensen mochten ervan denken wat ze wilden.

We legden de opening vast voor 29 juli. Meestal lopen mijn exposities vier tot zes weken. Voor Victor Cracke trok ik acht weken uit, met de mogelijkheid tot verlenging als ik dat wenselijk vond. We hadden nog lang niet het hele oeuvre de revue laten passeren, maar ik kon domweg niet wachten met de expositie. Ik belde Kristjana om te zeggen dat haar poolkapinstallatie moest wachten. Ze vloekte en dreigde met haar advocaat.

Het kon me niets schelen. Ik was smoorverliefd.

Die zes maanden ging ik amper uit. Na het werk kwam Marilyn langs bij de opslag om een panino en een fles water te brengen. Ze vond dat ik eruitzag als een dakloze. Ik sloeg geen acht op haar, en uiteindelijk vertrok ze schouderophalend.

Terwijl Ruby en ik aan een doordachte catalogus ploeterden, hield Nat zich met de galerie bezig. Hij raadpleegde mij bij belangrijke beslissingen, maar verder was hij er de baas. Hij had alles kunnen stelen wat hij maar wilde, stukken voor de halve prijs kunnen verkopen en ik zou het niet gemerkt hebben. De eenzame apostel had een voltijdbaan.

En de profeet zelf?

Om je de waarheid te zeggen – hier begint mijn biecht – hield ik op met zoeken, en het duurde niet lang voordat ik vond dat het misschien maar beter was als ik de man nooit zou ontmoeten.

Ik voerde de vraaggesprekken waarvan ik in het begin van dit hoofdstuk een uittreksel heb gegeven, en daarnaast nog een paar andere met mensen die beweerden Victor door de gangen van Muller Courts te hebben zien dwalen. Al die verhalen bleken fragmentarisch, anekdotisch en vol tegenstrijdigheden. Een van de bewakers vertelde dat Victor drugsdealer was geweest. Anderen repten van conciërge, kok, schrijver en lijfwacht.

De signalementen bleken ook weinig houvast te bieden: hij was groot, hij was klein, hij had een gemiddeld postuur. Hij was mager; hij had een dikke buik; een litteken op zijn gezicht, een litteken in zijn hals, helemaal geen littekens. Een snor. Een baard. Een snor en een baard. Dat iedereen andere herinneringen had, leek me wel logisch. Hij had nooit lang genoeg in iemands gezelschap verkeerd om een blijvende indruk achter te laten.

Hij had de neiging je niet recht aan te kijken, maar naar de grond te staren. Daar was men het over eens.

Met behulp van Tony kwam ik erachter dat Cracke sinds 1966 huurder was en dat zijn appartement een flinke huursubsidie kreeg, zodat de maandlasten laag waren, zelfs voor het meest haveloze deel van Queens. Tot zijn verdwijning in september 2003 had hij altijd zijn huur betaald.

Er stonden geen andere Crackes in het telefoonboek.

Pastoor Lucian Buccarelli van Our Lady of Hope had nog nooit van Victor gehoord en ried me aan eens met zijn confrater pastoor Simcock te praten.

Pastoor Allen Simcock kende helemaal geen Victor Cracke. Hij vroeg zich af of ik wel bij de juiste kerk was. Ik zei dat ik me kon vergissen. Hij maakte een lijst van alle kerken in de buurt – een lijst die veel langer was dan ik had verwacht – en gaf me er ook een van mensen die ik moest raadplegen, voor zover hij de namen kende.

Ik liet het erbij zitten.

Ik ben geen rechercheur. Bovendien was ik Victor niets verschuldigd. Hij kon dood of levend zijn, het kon me niets schelen. Het enige wat ertoe deed was zijn kunst en die had ik in overvloed.

Mensen hebben geen idee van de creativiteit die er in de kunsthandel schuilgaat. Op de huidige markt doet de handelaar het meeste werk, en niet de kunstenaar. Zonder ons zouden er geen modernisme, geen minimalisme en überhaupt geen bewegingen zijn. Alle hedendaagse legenden zouden huisschilder zijn of volwassenenonderwijs geven. Museumcollecties zouden na de Renaissance knarsend tot stilstand komen; beeldhouwers zouden nog altijd heidense goden maken; video zou het terrein van de porno-industrie zijn en graffiti zou onder de kleine misdaad vallen in plaats van een industrie te bepalen waarin vele miljoenen omgaan. Kortom, kunst zou verwelken. En dat komt omdat handelaren in het postgodsdienstige en postmecenastijdperk de brandstof raffineren en dirigeren waarop de motor van de kunst altijd heeft gedraaid en altijd zal draaien: geld.

Vooral tegenwoordig is er domweg zo veel materiaal voorhanden dat een gewoon mens niet langer het onderscheid tussen goede en slechte kunst kan maken. Daar zijn handelaren voor. Ook wij zijn scheppers, alleen scheppen wij een markt en ons medium is de kunstenaar zelf. De markt schept op zijn beurt de beweging en de beweging schept smaak, cultuur en het richtsnoer van aanvaardbaarheid, kortom wat we als kunst an sich beschouwen. Een kunstwerk wordt een kunstwerk – en een kunstenaar wordt een kunstenaar – als ik maak dat jij je chequeboek trekt.

Dus was Victor Cracke in mijn boekje de ideale kunstenaar: hij schiep, en daarna verdween hij. Ik had me geen groter geschenk kunnen voorstellen. Een tabula rasa, helemaal voor mij alleen.

Sommigen van jullie zullen mijn handelingen dubieus vinden. Voordat je een oordeel velt, moet je het volgende in overweging nemen: heel vaak is kunst zonder medeweten van de kunstenaar in de openbaarheid gebracht, zelfs tegen zijn wil. Belangrijke kunst eist een publiek, en dat ontkennen is op zich onethisch. Als je ooit een gedicht van Emily Dickinson hebt gelezen, zul je het met me eens zijn.

Bovendien zijn er voldoende precedenten. Denk bijvoorbeeld maar aan de zaak van de zogenaamde Wireman, de naam die was gegeven aan de schepper van een serie sculpturen die in 1982 werden ontdekt in een steeg in Philadelphia toen het vuilnis werd opgehaald. Ik heb ze gezien; ze zijn mysterieus: duizenden gevonden voorwerpen – wijzerplaten, poppen, voedingsverpakkingen – gewikkeld in lussen van dik ijzerdraad. Niemand weet wie de kunstenaar was; niemand weet wat hem tot die productie heeft gebracht. We weten niet eens zeker of het wel een hij was. En hoewel er discussie mogelijk is over de vraag of de stukken als kunstwerken bedoeld waren, wijst het feit dat ze uit de vuilnis zijn gehaald er onomstotelijk op dat ze niet voor publieke consumptie bedoeld waren. Maar dat bezwaar heeft galeries niet belet om de stukken tegen fenomenale prijzen te verkopen; het heeft musea in Amerika en Europa niet belet om ze te exposeren, noch critici om de werken 'sjamanistische' of 'totemachtige' eigenschappen toe te dichten en te speculeren over de overeenkomsten met Afrikaanse 'medicijnbundels'. Dat zijn een hoop woorden en geld en activiteit, gegenereerd door iets wat op een stortterrein had kunnen eindigen, ware het niet dat een toevallige voorbijganger een scherp oog had.

Het punt is dat de Wireman van Philadelphia maar een deel van het werk heeft verricht, en ik zou zeggen niet eens het merendeel. Hij maakte díngen. Er kwamen handelaren voor kijken om er kúnst van te maken. Eenmaal als zodanig gedoodverfd, is er geen terugkeer mogelijk. Je kunt iets vernietigen, maar niet ontscheppen. Als de Wireman morgen zou opduiken en een keel zou opzetten over zijn rechten, betwijfel ik of er iemand naar hem zou luisteren.

En daarom beschouwde ik het als meer dan een eerlijke gelofte dat ik

Victor, als hij ooit zou aankloppen, zou betalen volgens de gangbare verdeling tussen kunstenaar en handelaar: fifty-fifty. Ik prees me zelfs om mijn gulheid in het besef dat maar weinig collega's zo'n buitenissige en royale belofte zouden doen.

Ik zal je de heksenketel van de voorbereidingen van de expositie besparen. Je hoeft niets te horen over railophanging en spotjes en het aanslepen van middelmatige pinot. Maar er is wel iets wat ik niet onvermeld wil laten, en dat behelst de merkwaardige ontdekking die Ruby en ik aan het eind van een avond in de opslagkluis deden.

We hadden vier maanden gewerkt. De kachels waren vervangen door een reeks ventilatoren die zo geplaatst waren dat er geen stapels papier konden rondvliegen. We waren wekenlang op zoek geweest naar paneel nummer één, het oorspronkelijke uitgangspunt. De dozen waren tijdens het transport door elkaar gehusseld, zodat we bijvoorbeeld aan een veelbelovende begonnen – waarin de bovenste tekening zeg maar bij honderdzoveel begon – maar de velnummers opliepen in plaats van aftelden.

Uiteindelijk vonden we hem – daarover straks meer – maar die bewuste avond trok een andere tekening, in de elfhonderdserie, Ruby's aandacht.

'Hé,' zei ze, 'hier zit jij in.'

Ik staakte mijn werk en ging naar haar toe om een kijkje te nemen.

Boven aan het papier stond in felle letters van acht centimeter:

MULLER

Alle warmte week uit de kamer. Ik kan niet zeggen waarom de aanblik van mijn naam me zo de stuipen op het lijf joeg. Even hoorde ik Victors stem boven het gonzen van de ventilatoren uit via zijn werk tegen me schreeuwen en leek het wel alsof hij me een klap in het gezicht gaf. Hij klonk niet blij.

Ergens sloeg iemand met een deur. We schrokken allebei. Ik wankelde tegen het bureau en Ruby schrok op in haar stoel. Daarna was het weer stil en geneerden we ons voor onze schrikachtigheid.

'Raar,' zei ze.

'Ja.'

'En gríézelig.'

'Zeer.'

We keken naar mijn naam. Hij had iets obsceens.

'Misschien wel begrijpelijk,' zei ze.

Ik keek haar aan.

'Hij woonde tenslotte in Muller Courts.'

Ik knikte.

Ze zei: 'Eigenlijk kijk ik ervan op dat je er niet vaker in staat.'

Ik probeerde mijn werk te hervatten, maar kon me niet concentreren omdat Ruby met haar piercing tegen haar tanden tikte, en door die tekening die kwaaie gevoelens uitstraalde. Ik zei dat ik opstapte. Ik moet paranoïde hebben geklonken – in elk geval voelde ik me zo – omdat ze moest grinniken en zei dat ik op mijn tellen moest passen.

Meestal ga ik meteen naar huis met een taxi, maar die avond dook ik een café in en bestelde spuitwater. Toen ik daar zat te kijken naar de klanten die hijgend en vloekend op het benauwde weer binnendruppelden, veranderde mijn onrustige gevoel van vorm. Het werd zachter en maakte plaats voor hernieuwde moed.

Ruby had gelijk. Victor Cracke had het universum getekend zoals hij het zag. Natuurlijk speelde de naam Muller daarin een grote rol.

Het café had een jukebox. Iemand zette Bon Jovi op en de ruimte vulde zich met vals gezang. Ik maakte aanstalten om weg te gaan.

Ik gaf de taxichauffeur instructies en zakte in het plakkerige kunstleer. Ik besloot dat mijn naam in Victors werk ruim geïnterpreteerd kon worden. Ik was geen indringer. Integendeel zelfs. Ik had alle recht om erin voor te komen. Ik hoorde er van meet af aan in thuis.

Intermezzo: 1847

Solomons wagen heeft vele kilometers afgelegd en bevat een heel universum. Stoffen, knopen, tinnen spullen. Tonicums en merkmedicijnen. Spijkers en lijm, schrijfpapier en appelzaad. Zo veel verschillende dingen dat ze zich niet onder één noemer laten samenbrengen, behalve misschien onder Wat Mensen Nodig Hebben. Hij haalt een soort toverkunsten uit wanneer hij onverwacht opduikt in een of ander saai gat in Pennsylvania, een menigte vergaart met zijn kreten en dramatiek, zijn waar uitstalt en de spot drijft met pogingen van de burgers om hem in verlegenheid te brengen. Ik heb een hamer nodig. Jawel meneer. Glazen flessen, ongeveer zo groot? Jazeker, mevrouw. De mensen schertsen dat zijn wagen onuitputtelijk is.

Hij verstaat veel meer Engels dan hij spreekt, en als hij noodgedwongen verhit moet onderhandelen, neemt hij zijn toevlucht tot zijn vingers. Zeven cent? Nee, tien. Oké, ik geef je negen. Oké? Oké.

Iedereen onderhandelt.

Dezelfde rompslomp is van toepassing wanneer hij een kamer moet betalen, hoewel hij dat zo veel mogelijk vermijdt. Hij slaapt liever in de buitenlucht, in een akker of een open schuur. Elke cent die hij uitspaart zal zijn broers des te sneller laten overkomen. Wanneer Adolf komt, kunnen ze twee keer zo veel geld verdienen, en als Simon komt drie maal zo veel. Hij wil hen in die volgorde laten komen: eerst Adolf, dan Simon en als laatste Bernard. Bernard is de op een na oudste, maar ook de meest luie, en Solomon weet dat ze veel meer veel sneller kunnen bereiken als ze hem voorlopig achterlaten.

Maar soms… als het buiten zo koud is… wanneer hij snakt naar de waardigheid van een dak boven zijn hoofd… als hij het vooruitzicht van de zoveelste nacht op de koude grond of in een hooiberg met ongedierte dat net als bij een beest over zijn hele lijf kruipt niet kan verdragen… Dat is te erg! Hij zwicht en verspilt de verdiensten van een hele dag aan een donzen bed, al zal hij het zich de rest van de week verwijten. Hij is Bernard niet! Hij is tenslotte de oudste; hij zou beter moeten weten. Hun vader had hem met reden als eerste gestuurd.

De overtocht had hem bijna het leven gekost. Hij was nog nooit zo ziek geweest, en hij had ook nog nooit zo veel zieke mensen om zich heen gezien. De koorts waaraan zijn moeder was bezweken viel in het niet bij de verschrikkingen die hij op de boot had gezien, mensen die oplosten in een berg van hun eigen uitwerpselen, uitgeteerde, kreunende lichamen, de klamme stank van fysiek en moreel verval. Solomon zorgde ervoor dat hij alleen at; het druiste tegen zijn natuur in, maar hij ging niet om met zijn medepassagiers. Zijn vader had hem opgedragen afstand te bewaren en hij was gehoorzaam.

Eén keer zag hij een vrouw krankzinnig worden. Solomon was alleen aan dek, hij was uit het ruim geklommen om een frisse neus te halen en voelde met vreugde de motregen op zijn huid. Hij zag haar naar boven komen; ze beefde, zag groen en had bloeddoorlopen ogen. Hij herkende haar. Daags tevoren had ze haar zoon verloren. Toen ze het lijk uit haar armen peuterden, had ze een geluid uitgestoten waarvan Solomons haren rechtovereind gingen staan. Nu zag hij haar naar de boeg wankelen, waar ze zich zonder aarzelen over de reling boog en zich in de kolkende zee stortte. Solomon holde naar de plek waar ze nog even tevoren had bestaan. Hij keek omlaag en zag niets anders dan schuimend water.

De matrozen kwamen aanrennen. Ze viel! zei Solomon, althans dat probeerde hij. Het kwam eruit als *Sie fiel!* Maar de bemanning kwam uit Engeland. Ze begrepen hem niet en met zijn koeterwaals stond hij maar in de weg. Ze bevalen hem naar beneden te gaan, en toen hij protesteerde, werd hij door vier man opgetild en weggedragen.

Toen de Shining Harry zijn menselijke lading in de haven van Boston had gelost, was Solomon vierenveertig dagen op zee geweest. Hij was twintig procent afgevallen en had een pijnlijke uitslag op zijn rug gekregen die nog maanden aanhield, waardoor zijn nachten op de grond des te ellendiger waren.

Eerst woonde hij bij een neef, een schoenmaker. Ze waren zulke verre verwanten dat geen van beiden wist waar hun bloed zich precies vermengde. Solomon besefte direct dat de regeling geen lang leven beschoren was. De vrouw van de neef had een hekel aan hem en wilde hem het huis uit. Terwijl hij lag te woelen op de werkbank, die als bed fungeerde, kloste zij een verdieping hoger rond op klompen. Ze gaf hem rot fruit te eten, zette thee van modderwater en liet het brood oudbakken worden voor ze hem een snee gaf. Hij was van plan te vertrekken zodra hij beschikte over genoeg geld en Engels, maar voor het zover was, kwam ze op een avond naar beneden en ontblootte ze haar borsten voor hem. De volgende morgen stopte hij zijn schamele bezittingen in een jutezak en vertrok te voet.

Hij liep naar Buffalo en arriveerde er op tijd voor een afschuwelijke winter. Niemand kocht zijn spulletjes. Een illusie armer haastte hij zich naar het zuiden, eerst naar New Jersey en vervolgens naar het hart van Pennsylvania, waar hij anderen die zijn taal spraken leerde kennen. Ze werden zijn eerste vaste klanten: boeren die zich op hem verlieten voor speciale dingen die geen lange reis naar de stad rechtvaardigden, luxe artikelen zoals een nieuwe scheerriem of een doos potloden. Hij stopte zijn jutezak barstensvol, maar weldra was die niet groot genoeg om te voldoen aan de eisen van zijn klanten, dus kocht hij een nieuwe die even groot was als hijzelf. Naarmate zijn voorraad groeide, namen ook zijn afzetgebied en clientèle toe, en ondanks zijn beperkte vocabulaire ontpopte hij zich als een vakkundig verkoper met een gulle lach, ferm maar eerlijk en zich voordurend bewust van de laatste trends. De tweede zak hield het niet lang vol. Hij kocht een wagen.

Op de zijkant schilderde hij:

SOLOMON MUELLER

DRY GOODS

Dry goods, droge waar, klonk hem altijd verkeerd in de oren, omdat sommige dingen die hij verkocht in feite niet droog waren. Hij kopieerde alleen maar wat hij las op de zijkant van andere wagens, van anderen, van de concurrentie. Hij is niet de enige jood die over de achterafweggetjes zwerft.

Hij beseft dat er veel is om dankbaar voor te zijn, omdat hij zijn eigen verwachtingen heeft overtroffen. Wanneer hij zijn gebedsriem omdoet, looft hij God omdat Hij hem door deze donkere tijden heeft geloodst, en bidt hij om nog meer steun. Er moet nog zo veel gebeuren. In april wordt hij achttien.

Nu ook Adolfs verjaardag voor de deur staat, heeft Solomon besloten dat het tijd is om hem te laten overkomen. Hij begint aan een brief in Punxsutawney, die hij in Altoona post. De gedachte dat zijn broer eerdaags bij hem zal zijn maakt zijn tred lichter, en neuriënd doorkruist hij de Appalachen, al kreunen zijn wagen en zijn rug van vermoeidheid.

York, Pennsylvania klinkt als de plek waar hij zichzelf op een nacht binnenshuis kan trakteren. Hij weet wel dat hij eigenlijk moet wachten op een bitter koude nacht, of op een hoosbui in plaats van een zwoele avond die de lente aankondigt. Maar wat heb je aan je leven als je er niet van kunt genieten? Hij is zuinig geweest, misschien wel te zuinig. Luxe doet hem denken aan het doel van al zijn inspanningen. Van zijn resterende geld zal hij zichzelf op een voorproefje trakteren.

Langs de hoofdstraat met zijn karrensporen en stank van urine gloeien de lichten van taveernes. Hij duwt zijn wagen voort en denkt aan bier. Het water loopt hem in de mond wanneer hij zich de smaak van gist herinnert. Hij mist zijn ouderlijk huis. Hij mist zijn zus, die verrukkelijk gebak maakt, zacht en licht, volgens recepten die hun moeder voor haar dood heeft doorgegeven. Hij moet bijna huilen van het grove brood en de bonen waarop hij tegenwoordig leeft. Hij heeft in geen vier maanden een stuk vlees gegeten. Wat het meest voorhanden en betaalbaar is, is varkensvlees, en dat raakt hij niet aan. Er zijn grenzen.

Sommige herbergen hebben kamers, en wanneer hij bij een daarvan naar binnen gaat om te informeren, wordt hij overspoeld door een golf warme lucht en de stank van zweet. In een hoek wordt op een piano gerammeld. Alle tafeltjes zijn bezet. Hij schreeuwt zijn vraag tegen de barkeeper, maar die begrijpt hem verkeerd en brengt hem een glas bier. Solomon overweegt het terug te geven, maar zijn dorst wordt hem te machtig.

De barkeeper komt terug om het lege glas op te halen en een vol aan te bieden, maar Solomon schudt zijn hoofd, wijst naar boven. Kamers?

De man schudt van nee. 'Silver Spoon!' roept hij.

Solomon wappert met zijn handen om aan te geven dat hij het niet begrijpt. De barman brengt hem naar de deur en wijst naar een steegje. Solomon bedankt hem, maakt zijn wagen los en zet koers naar de Silver Spoon.

Het is een donkere steeg die op een andere brede weg uitkomt. Cicaden sjirpen. Zijn ledematen voelen niet helemaal verbonden met zijn romp. Misschien moet hij ter plekke halt houden en gaan slapen… het is verleidelijk. Hoe erg kan het tenslotte zijn? Vervolgens trapt hij in een berg uitwerpselen, en als hij zich heeft hersteld, loopt hij de straat af in één richting en weer terug langs de overkant. De karrenwielen piepen; hij moet ze eens smeren. Hij vindt geen enkele herberg. Met een zucht keert hij terug naar de steeg. Drie mannen komen gearmd en zingend naderbij.

Solomon heft zijn hand op. 'Hallo, vrienden.'

Als één man zwaaien ze zijn kant op. Ze ruiken naar een oprisping.

'Hallo, vrienden,' zegt een van de mannen, en de andere twee moeten lachen.

Solomon begrijpt het grapje niet, maar het zou onbeleefd zijn om niet mee te lachen. Daarna vraagt hij naar de Silver Spoon. De mannen moeten weer lachen. Een van hen vraagt waar Solomon vandaan komt.

'Van hier.'

'Van hiea, hè?' zegt dezelfde man. Zijn imitatie van Solomons accent is absurd, maar zijn maten vinden het heel geestig. Er volgt nog meer hilariteit.

Wanneer ze uitgelachen zijn, probeert Solomon zijn vraag te herhalen. Maar de man – de man die het woord voert, de man met de vilthoed en de zwarte stoppels op zijn wang, de man die een heel stuk groter is dan de andere twee – valt hem weer in de rede met nog meer vragen. Solomon doet wel zijn best om antwoord te geven, maar raakt struikelend en stotterend verstrikt in een net van woorden, wat hem gejoel en gejouw oplevert. Ze slaan hem op de rug en er verschijnt een boosaardige grijns op het gezicht van de man.

Wat er vervolgens gebeurt is onduidelijk. Het begint met een duw; dan wordt er opeens geworsteld; er vallen geen klappen, maar het is een patstelling met veel gegrom. Solomon wordt tegen de kar gedrukt, die wankelt wanneer de man zijn armen vasthoudt en zich tegen hem aan drukt in een warme, drankzuchtige omhelzing die bijna intiem is, en hij fluistert onbegrijpelijke dreigementen in Solomons oor.

Vervolgens probeert Solomon weerstand te bieden en gedrieën storten ze zich als tien man op hem, zo veel vuisten en voeten hebben ze. Ze zijn te dronken om systematisch te werk te gaan en daarom overleeft hij het.

Wanneer hij weer kan lopen, is hij mank. Hij overweegt de kar eraan te geven en opnieuw te beginnen met een winkel, die hij niet op zijn rug hoeft te torsen. Hij zou terug kunnen gaan naar Boston of Buffalo. Daar kocht niemand iets, maar probeerden ze hem tenminste niet te vermoorden.

Maar nee. Om te beginnen hebben ze al zijn geld gestolen; hoe zou hij een winkel kunnen beginnen? Als hij veel geluk heeft, geven zijn leveranciers hem krediet. Alleen een malloot leent geld aan een kreupele immigrant zonder tastbaar onderpand.

Er is nog een reden om het niet op te geven. Binnen een jaar zal Adolf komen. Het lichamelijk letsel – zijn manke been, de littekens op zijn gezicht – kan hij niet verdoezelen. Maar mentaal mag Solomon niet de indruk wekken dat hij gebroken is. Adolf zou erin blijven van schrik, of anders met de eerste de beste boot naar Duitsland terugvluchten. Dat mag niet gebeuren. Omwille van zijn familie moet Solomon laten blijken dat Amerika nog altijd veel te bieden heeft, een geloof dat hijzelf zo dolgraag wil handhaven, al ettert hij aan alle kanten.

Hij bekijkt het maar van de zonnige kant. Drie man hebben hem een pak slaag gegeven, maar één man heeft hem in huis genomen, gevoed en geheeld. Die man leest hem voor uit de Bijbel, en wanneer hij ontdekt dat zijn patiënt geen christen is, deelt hij vele uren de wijsheid van de Verlosser. Solomon begrijpt dat dit de tol van zijn genezing is en hoort hem beleefd aan. Hij stelt met belangstelling vast dat die Verlosser inderdaad heel wat moeilijkheden heeft overwonnen. Dat maakt hem nog niet tot God, maar wel tot een innemende persoonlijkheid.

Wanneer Solomon in bed ligt – een echt bed! Merkwaardig hoe een marteling tot genot lijdt – en naar verhalen over de Verlosser luistert, krijgt hij een idee: hij moet aan zijn Engels werken. Hij had naar de Silver Spoon gevraagd, maar Silver kwam eruit als *silber* en Spoon als *sjpoen*, klinkende sjibbolets als het ware. Had hij goed Engels beheerst, dan had hij zich in veiligheid kunnen praten. En wat zouden zijn zaken erop vooruitgaan als hij als een echte Amerikaan klonk!

Terwijl de genezer over het zout der aarde spreekt, bedenkt Solomon een plan voor zelfontwikkeling.

Vierenhalve week later staat hij op van zijn bed en hinkt hij naar de meest Amerikaanse stad die hij kent, het rokerige Pittsburgh, de stad voor ondernemende Amerikanen, de in elkaar grijpende raderen van de industrie. Ondanks de pijn slijt hij zijn waar met een glimlach aan huisvrouwen die in hun voortuin de was doen. Hij verkoopt voor fabrieken en cafés. Hij dwingt zichzelf om te praten, rekent elk voltooid gesprek als een overwinning, al verkoopt hij niets. Hij vraagt om hulp bij zijn uitspraak; soms krijgt hij die ook. Aan het eind van zijn werkdag wandelt hij langs de rivier en zegt hij alle nieuwe woorden die hij die dag heeft geleerd hardop, en dat doet hij net zo lang tot hij te moe is om verder te gaan; dan gaat hij zitten en maakt hij zich klaar voor de nacht. Tweemaal slaat hij op de vlucht om arrestatie te voorkomen omdat hij zich op verboden terrein bevindt. Hoewel hij zijn gebedsriem niet meer omdoet, neemt hij even de tijd om God te danken dat hij in veiligheid is.

Wanneer de zomer zijn warme hoogtepunt bereikt, gaat hij vooruit. Met een beetje inspanning klinkt hij eerdaags net zoals de mannen die hem hebben aangevallen. Tegen de tijd dat Adolf komt, kunnen ze niet meer met elkaar praten! Het idee maakt Solomon aan het lachen.

Op een ochtend ziet hij een aanplakbiljet dat de komst aankondigt van een nieuw toneelgezelschap dat zich heeft gespecialiseerd in de beste drama's, komedies en spannende stukken enzovoort, enzovoort. Doorgaans zou hij zijn goede geld niet aan dergelijke dingen verspillen, maar dan beseft hij hoeveel hij daarvan kan opsteken: op het podium wordt alleen maar gepraat. Hij hoeft niets anders te doen dan goed naar de woorden te luisteren. Hij schrijft de informatie van het biljet over. De première van de Merritt Players is diezelfde avond om zeven uur in de schouwburg in Water Street.

De Merritt Players blijken te bestaan uit één boom van een acteur in een fluwelen cape. Zijn baard wekt de indruk alsof een roedel stinkdieren zich half in zijn kin heeft begraven en met zijn staarten kwispelt wanneer hij zijn teksten buldert en maaiende en stekende bewegingen maakt met zijn worstvingers om zijn woorden kracht bij te zetten. In zijn broek passen twee Solomons, één in elke pijp.

Hij declameert in rap tempo een selectie uit het werk van Shakespeare, en nu en dan pauzeert hij even om van een specifieke regel te genieten. Al doet Solomon zijn uiterste best, de man is niet bij te houden. Bovendien heeft hij het gevoel dat zijn dictie niet overeenkomt met wat hij op straat hoort. Met andere woorden, de voorstelling als leermiddel is een totale mislukking.

Toch blijft Solomon zitten. Hij heeft tenslotte een kaartje gekocht en wil zijn geld eruit halen.

Het volgende uur gebeurt er zijns ondanks iets onverwachts: de acteur betovert hem. De man heeft weliswaar een stem die een trein tot stilstand kan brengen, maar hij kan ook verleidelijk en onschuldig klinken. Al verstaat Solomon niet alle woorden, de emoties erachter begrijpt hij heel goed. De gespeelde pijn roept Solomons eigen pijn naar boven; hun verlangens en vreugde en angst lopen in elkaar over, zodat hij even het gevoel krijgt dat hij een vriend heeft.

Het doek valt en het handjevol bezoekers staat op om te vertrekken, maar Solomon blijft zitten. Hij wil zich niet verroeren uit angst dat dit magisch vreedzame gevoel van thuiszijn en vriendschap dat hij zo lang heeft gemist – de menselijkheid die in zijn volstrekt eenzame bestaan ontbreekt – verloren zal gaan. Dus blijft hij diep weggezakt zitten, onzichtbaar voor de schouwburgdirecteur, die de zaak zonder plichtplegingen afsluit, zodat Solomon wordt ingesloten.

Wanneer het licht uitgaat en hij zich bewust wordt van zijn penibele situatie, raakt hij niet in paniek. In het ergste geval moet hij de nacht binnen doorbrengen. Dan beseft hij dat zijn kar nog buiten staat, dus zoekt hij in het halfduister op de tast naar een uitgang. Alle uitgangen zijn vergrendeld, evenals de trap naar de eerste verdieping. Onthutst beklimt hij het toneel en verdwijnt in de coulissen. Zijn zoektocht wordt geholpen door een bundeltje maanlicht, maar dat voorkomt niet dat hij over een berg zandzakken struikelt en met zijn hoofd tegen een decorstuk slaat, dat omvalt en hem bijna verplettert. Wanneer hij wegspringt om zich in veiligheid te brengen, duwt hij per ongeluk een ongeziene deur open, waarachter een trappenhuis naar een halfdonkere gang voert. Er zijn een heleboel deuren die allemaal op slot zijn behalve de laatste. Opgelucht maakte hij hem open en dan staat hij oog in oog met de acteur zelf: naakt tot zijn middel, druipend van het zweet, met een onverzorgde baard en smerig: een varkenskluif in een lange onderbroek.

'Mijn god!' buldert hij. 'Wie hebben we hier?' Hij tilt Solomon aan zijn revers van de grond. 'Nou? Wie ben jij? Hé! Mijn god, man, trek je mond eens open, of ik breek je als een twijgje! Nou? Wat zeg je? Hè? Zeg eens wat, man! Heb je je tong verloren?' De man sleept hem niet onvriendelijk naar een stoel en duwt hem er met twee stevige handen op zijn schouders in. 'En nu, hoe heet je. Je naam, man, hoe heet je!'

'Solomon Mueller.'

'Zei je Solomon Mueller?'

'Ja.'

'Wel, wel. Nou, goed dan, Solomon Mueller! Zeg eens, Solomon Mueller, kennen wij elkaar?'

Solomon schudt zijn hoofd.

'Wat doe je dan in mijn kleedkamer!? Mary Ann!'

Een mollige vrouw in een katoenen jurk steekt haar hoofd door een rek met kostuums. 'Wie is dat?'

'Solomon Mueller!' zegt de acteur.

'Wie is Solomon Mueller?'

'Alstublieft…' zegt Solomon.

'Wie ben jij?' vraagt Mary Ann.

Hulpeloos wijst Solomon naar het podium boven.

'Heb je de voorstelling bijgewoond? Ja? Ja? Aha! En? Ja? Heb je ervan genóten?' Hij pakt Solomon bij de schouders en schudt hem goedmoedig door elkaar. 'Ja? Já?'

Solomon glimlacht zo goed en zo kwaad als hij kan.

'Ja!' roept de acteur. 'Mooi zo! Hoor je dat, Mary Ann? Hij heeft van de voorstelling genoten!' Hij schudt van het lachen, zijn buik danst op en neer en zijn borsten trillen.

'Isaac, je moet je aankleden.'

De acteur negeert haar, gaat op zijn hurken zitten, neemt Solomons gehavende, pezige handen in zijn klamme handen en zegt: 'Vertel eens, Solomon Mueller, je hebt echt genoten van de voorstelling, hè? Ja? Dan wil ik je het volgende vragen: wil je me op een maaltijd trakteren?'

De acteur heet voluit Isaac Merritt Singer. Bij een maaltijd van aardappels met worst – die hij alleen opeet – legt hij uit dat Mary Ann zijn tweede vrouw is. Hij was al eens eerder getrouwd, maar het leven gaat door. 'Vind je ook niet, Solomon!'

'Ja,' zegt Solomon, die graag alles beaamt wat die vreemde man zegt.

Isaac heeft het over Shakespeare, voor wie hij niet genoeg superlatieven heeft.

'De Troubadour van Avon! De Parel van Stratford! De Trots van Engeland!'

Af en toe doet Solomon een poging iets aan het gesprek bij te dragen, maar Isaacs monoloog wordt slechts onderbroken wanneer hij een stuk worst doorslikt of de pul aan zijn mond zet. Hij lijkt verrukt dat hij tafelgezelschap heeft, vooral wanneer Solomon hem trakteert op een tweede bord en een derde pul bier.

'Welnu,' zegt Isaac wanneer hij zijn mond afveegt en zijn handen ineenslaat. 'Vertel eens, Solomon Mueller, jij bent niet van hier, hè?'

Solomon schudt zijn hoofd. Dan ziet hij dat Isaac wacht. Zijn kans om iets te zeggen is gekomen.

In het kort vertelt hij over zijn jeugd in Duitsland, de bootreis naar Amerika, het succes van zijn handeltje en de tragische overval. Terwijl hij praat, zit Isaac te fronsen, te sputteren, afkeurend te kijken en te lachen. Zelfs wanneer hij luistert, houdt zijn optreden nooit op, zodat Solomon aan het eind van zijn relaas het gevoel heeft als een soort Homerus een meesterwerk te hebben gewrocht.

Bovendien heeft hij het accentloos gedaan, voor zover hij het kan bepalen.

'Mijn god,' zegt Isaac Merritt Singer, 'dat is een prachtverhaal.'

Solomon glimlacht.

'Ik zou best nog zo'n verhaal willen horen. Ik zou zo'n verhaal best eens willen opvoeren. Ik hou wel van mensen die een verhaal kunnen vertellen. Wie een verhaal kan vertellen is mijn vriend. Niet dan? Ha! Nou, Solomon…' Hij neemt een grote slok bier. '… Ik ben blij dat we elkaar hebben leren kennen. Volgens mij kunnen we heel goede vrienden worden. Wat denk je?'

Ze worden goede vrienden.

Het is een vriendschap die aan de ene kant drijft op Solomons eenzaamheid en zijn behoefte om te praten, aan de andere kant op Isaac Singers behoefte om niet voor zijn maaltijden te betalen. Later stelt Solomon vast dat hij die zomer naar schatting vijfentwintig tot dertig procent van zijn inkomen heeft gespendeerd aan maaltijden met Isaac Singer, uitgaven die hij zich niet kon veroorloven! Verkwistend! En aan leningen aan Singer om zijn broek op te lappen, of voor een speeltje voor een van zijn talrijke kinderen, of voor bloemen voor Mary Ann, of zómaar, wanneer hij Singer domweg geld gaf omdat zijn vriend het vroeg.

Hij bewijst hem die diensten niet met het oogmerk rijk te worden. Hij doet het omdat hij iemand iets moet geven, en Singer maakt dat hij zich niet meer zo alleen voelt.

Niettemin komt zijn gulheid in miljoenvoud bij hem terug. In 1851 verhuist Singer met zijn gezin, zijn wagen en een deel van het geld dat hij van Mueller heeft geleend naar New York. Daar richt hij een bedrijf op dat de 'Jenny Lind Sewing Machine Company' heet, een naam met dubbele bodems. Lind is Singers lievelingszangeres. Door zijn bedrijf naar een *singer* – een zangeres – te vernoemen, maakt hij een woordspeling op zijn achternaam, en de naam is tevens een verwijzing naar zijn liefde voor het theater

Maar de naam blijkt, hoe betekenisvol ook, een tikje omslachtig en weldra beginnen mensen zijn naaimachines Singers te noemen.

Een heleboel mensen in Amerika maken naaimachines; wanneer die van Singer in de winkel staan, zijn er vier andere concurrerende modellen. Maar die van hem spant de kroon en binnen de kortste keren wordt hij een van de rijkste mensen in de Verenigde Staten, en Solomon Mueller deelt daarin mee.

Toch kunnen we ons afvragen: stel dat. Stel dat Solomon nooit bijna dood was geslagen; stel dat hij naar Duitsland was teruggegaan; stel dat hij niet van de voorstelling had genoten; stel dat hij had geweigerd voor die maaltijd te betalen. Stel dat hij destijds had geweten – zoals hij later ontdekte – dat Mary Ann in werkelijkheid niet Isaac Singers tweede vrouw maar zijn maîtresse was, en dat zij de eerste van velen zou zijn, en dat Singers rokkenjagerij hem uiteindelijk zou nopen het land te verlaten… Als jongeman had Solomon Mueller iets van een zedenprediker; als hij de waarheid had geweten, zou hij zich misschien van Singer gedistantieerd hebben. Er stonden talrijke alternatieve werkelijkheden tussen Solomon en het enorme fortuin dat zijn deel zou worden. Zou hij op eigen houtje ook zo'n succes hebben geboekt?

Een van de laatste dingen die Isaac Merritt Singer zei voordat hij met schande beladen naar Europa vertrok, was: 'Je doet me aan mijn vader denken.'

Dat gesprek vond vele jaren later plaats, in een chique salon van een huis van dertig meter hoog. Inmiddels heette Solomon Mueller Solomon Muller, en Mueller Dry Goods was uitgegroeid tot Muller Bros. Manufacturing, Fabrikant van de Beste Machineonderdelen; Muller Bros., Importeur van Exotische Waar; Muller Bros. Spoorweg- en Mijnbouw; Muller Bros. Textiel; Ada Muller Bakkerijen; Muller Bros. Projectontwikkelaars en Muller Bros. Spaarbank en Bank van Lening.

'Hoezo?' vroeg Solomon.

'Je stem heeft altijd op de zijne geleken,' zei Isaac Singer. 'Hij heette Reisinger, wist je dat?'

Solomon schudde zijn hoofd.

'Saksen! Hij heeft tot mijn vijfde Duits tegen me gesproken. Mijn god! Ik kan je vertellen dat het griezelig is, man.' Singer glimlachte. 'De eerste keer dat ik je hoorde, zei ik tegen mezelf: "Kijk eens aan, Singer, die knaap is de geest van je vader!" Ha! Net als de vader van Hamlet, ja? Ja. Nou, wat scheelt eraan, Muller? Je kijkt alsof ik je hond heb doodgeschoten en opgegeten.'

Solomon legde uit dat hij meende dat zijn accent was verdwenen toen ze elkaar leerden kennen.

'Vriend. Je klinkt nu nóg als mijn vader.'

'O ja?' zei Solomon nors.

'Natuurlijk, man. Telkens wanneer jij en ik elkaar spreken, hunker ik ernaar om die oude hufter nog eens te zien... Ha! Goed, kijk niet zo sip, Muller. Die stem van jou is een groot deel van je charme.'

Solomon Muller geboren Mueller zei: 'Ik zou liever klinken als de Amerikaan die ik ben.'

Isaac Merritt Singer, de man van het libido en het fortuin en de buik en de lach, de lach als een scheepshoorn, het sirenenlied van Amerika, lachte, beukte zijn vriend op zijn schouder en zei: 'Maak je niet dik, ouwe jongen. In dit land ben je wat je zegt dat je bent.'

4

Tegenwoordig is het idee van een 'opening' min of meer een farce; meestal zijn alle tentoongestelde werken al op voorhand verkocht. Ik besloot de trend het hoofd te bieden door alle voorvertoningen en verkoop-op-voorhand te weigeren. In de loop van de zomer kreeg ik bezorgde telefoontjes van verzamelaars en adviseurs, die ik allemaal geruststelde met de verzekering dat geen mens een voorkeursbehandeling kreeg. Ze moesten Victor Cracke allemaal zelf ontdekken.

Marilyn vond dat ik een vreselijke vergissing maakte. Dat zei ze ook bij de lunch, een week voor de opening.

'Je wilt toch verkópen?'

'Vanzelf,' zei ik. En dat wilde ik ook, niet zozeer vanwege het geld als wel de legitimiteit: door andere mensen over te halen om letterlijk in mijn opvatting van genialiteit te investeren, maakte ik mijn creatieve daad een openbare zaak. Maar diep vanbinnen wilde ik de tekeningen helemaal voor mezelf houden. Ik voelde altijd een scheut van pijn als ik afstand van een lievelingswerk moest doen, maar die bezitterigheid had ik nog nooit zo sterk gevoeld als bij Victor, grotendeels omdat ik mezelf meer als zijn partner dan als zijn vertegenwoordiger beschouwde.

Ik zei: 'Of ik ze nu of na de expositie verkoop, ze worden toch wel verkocht.'

'Verkoop ze nu,' zei Marilyn, 'dan wórden ze ook nu verkocht.'

Mijn relatie met Marilyn vonden mensen maar lastig te begrijpen. Om te beginnen was er de kwestie van leeftijd: zij is eenentwintig jaar ouder dan ik. Nu ik erbij stilsta, is dat onderdeel misschien niet zo moeilijk te begrijpen voor vrouwen van middelbare leeftijd.

Maar mijn minder discrete vrienden hadden na een glaasje op de neiging me te wijzen op het eigenaardige van mijn situatie.

Nieuws!

Ze is oud genoeg om je moeder te zijn.

Niet helemaal. Als mijn moeder nog had geleefd, zou ze vier jaar ouder zijn dan Marilyn. Maar toch bedankt; reuze bedankt. Die overeenkomst was mij totaal ontgaan tot jullie er de aandacht op vestigden. Ik stel het op prijs dat jullie me op de hoogte houden.

Diezelfde vrienden voegden er doorgaans voorzichtigheidshalve aan toe (waarschijnlijk om me het harde nieuws wat vriendelijker te openbaren): ze ziet er goed uit. Dat moet ik toegeven.

Nogmaals bedankt. Dat was me ook ontgaan.

Marilyn ziet er inderdaad goed uit, en niet alleen voor haar leeftijd: objectief gezien is ze een mooie vrouw en dat is ze altijd geweest. Toegegeven, er is wat aan gedaan. Maar bij welke vrouw in deze contreien is dat niet het geval? Ze is tenminste eerlijk aan haar schoonheid gekomen: in 1969 was ze Ironton High School Homecoming Queen. Wat je ziet is eerder het resultaat van onderhoud dan een totale fictie.

Ironton, de zuidelijkste stad van Ohio, liet zijn schoonste dochter een felle eerzucht na, en als ze zich ergert, krijgt haar stem iets van het lijzige van Noord-Kentucky, wat handig is, zowel wanneer ze onschuld wil veinzen als wanneer ze de sloopkogel van de zuidelijke minachting wil laten dalen. Je moet Marilyn niet kwaad maken.

Tegenwoordig kost haar kapper evenveel als haar eerste auto. Ze heeft telefoonnummers van mensen die geen telefoonnummer hebben. Ik heb het sterke vermoeden dat ze bij Barney's, wanneer zij de zaak in komt, op een speciale knop drukken om het voltallige winkelpersoneel te mobiliseren. Maar elke New Yorker weet dat onroerend goed, en wat je ermee doet, de ware maat van je succes is. Marilyn is geslaagd. In de eetkamer van haar herenhuis in de West Village hangt een De Kooning die tien keer zo veel waard is als haar ouders met een halve eeuw eerlijk ploeteren bij elkaar hebben geschraapt. Haar appartement op de hoek van Fifth Avenue en Seventy-fifth heeft een royaal uitzicht op Central Park, en wanneer de zon aan de andere kant van het eiland ondergaat en de Dakota en San Remo in tegenlicht staan en de huiskamer zich in een zachte oranje gloed hult, waan je je zwevend op een roze wolk.

Je krijgt Ironton niet uit het meisje. Ze staat nog altijd om half vijf 's morgens op om haar oefeningen te doen.

Het rijzen van haar ster is legendarisch. Een gezin van elf koppen; de aankomst in New York, letterlijk op een Greyhound-bus; winkelmeisje op de handtassenafdeling van Saks; de bankier die een verjaarscadeau voor zijn vrouw koopt en ook met Marilyns telefoonnummer weggaat; de verhouding; de scheiding; het nieuwe huwelijk; de liefdadigheidsbals; de museumbesturen; de groeiende collectie; Warhol en Basquiat en disco en cocaïne; de tweede scheiding, even rancuneus als een bloedvete op de Balkan; de schikking waarvan je mond openvalt; plus de opening van de Marilyn Wooten Gallery op 9 juli 1979. Ik was toen zeven.

Hoe willekeurig of fortuinlijk die reeks gebeurtenissen ook mag lijken, ik heb me altijd voorgesteld dat ze het allemaal had uitgestippeld, misschien al op de Greyhound terwijl ze naar het oosten snelde, misschien had ze het allemaal opgeschreven in een Gatsby-achtig opstelschriftje. MIJN EIGEN TIENSTAPPENPLAN VOOR ZELFVERBETERING, ROEM EN RIJKDOM.

Ze vond de overeenkomsten tussen het verkopen van kunst en van handtassen veel talrijker dan de verschillen. En verkopen kon ze. Het huis in de Hamptons, de appartementen in Rome en Londen: ze kocht ze allemaal met eigen geld, de alimentatie had er geen fluit mee te maken.

Iedereen kent haar; ze is met alle mensen op haar pad opgelopen, of over hen heen gewalst. Clement Greenberg, de meest prominente Amerikaanse criticus van de twintigste eeuw, noemde ze recht in zijn gezicht een onuitstaanbare kwal. Ze was de eerste die Matthew Barney, die ze nog altijd 'the Boy' noemt, exposeerde. Ze heeft munt geslagen uit de neiging tot recyclen in de huidige cultuur, door ongewild werk op te kopen om vervolgens met pure wilskracht en charisma een wederopleving te creëren waarvan de winst grotendeels naar haar toe stroomt. Ze verkoopt kunstwerken die niet van haar zijn op basis van de verzekering dat ze vroeg of laat wél van haar zullen zijn: een praktijk waardoor ze een poosje uit de veilinghuizen werd geweerd. Telkens weer wordt ze doodverklaard. Altijd herrijst ze als een triomfantelijke feniks in een getailleerd pakje met een cocktail in haar hand: *not quite yit, honey.*

We hebben elkaar leren kennen bij een opening. Destijds werkte ik voor de vrouw die me haar galerie zou nalaten. Ik draaide inmiddels al een paar jaar mee in de kunstwereld, en hoewel ik natuurlijk wist wie Marilyn was, had ik haar nog nooit gesproken. Ik zag dat ze me begluurde door de bodem van haar wijnglas en vervolgens kwam ze, tipsy of niet, recht op me af met een Wervende Glimlach.

'Jij bent hier de enige normale man die ik nog niet heb geneukt of ontslagen.'

Het was een veelbelovend begin.

Mensen plachten over mij te zeggen dat ik haar heb getemd, wat bespottelijk is. We leerden elkaar domweg op het juiste moment kennen en de relatie bleek zo opportuun, aangenaam en intellectueel stimulerend dat geen van beiden een reden zag er een eind aan te maken. Zij is een prater, ik ben een knikker. We verkochten allebei, zij het op een totaal verschillende manier; en hoewel we allebei controlefreaks zijn, handhaven we elk ons eigen privéleven, wat botsingen voorkomt. En al zal ze het nooit toegeven, volgens mij heeft de naam Muller een snaar van ontzag bij haar geraakt. In het pantheon van Oud Amerikaans Geld scoor ik misschien niet zo hoog, maar in de ogen van Marilyn 'Mijn vader was onderhoudsmonteur' Wooten moet ik iets weg hebben gehad van John Jacob Astor.

Wat ook hielp, was dat we geen trouw van elkaar eisten. Dat was een onuitgesproken regel. Wat niet weet wat niet deert.

'Echt iets voor jou,' zei ze, terwijl ze in haar gegrilde hapje van gepeperde geitenkaas prikte, 'om de enige te vinden die echt kan tékenen. Ik dacht dat het juist de bedoeling van outsiderkunst was om als rotzooi over te komen.'

'Wie zegt dat het outsiderkunst is.'

'Het beestje moet toch een naam hebben.'

'Ik zie niet in waarom.'

'Omdat de mensen graag bij de hand genomen willen worden.'

'Ik denk dat ik ze maar wat laat bungelen.'

'Je bent het echt aan het verknallen, weet je.'

'Ik doe het niet voor het geld.'

'Ik doe het niet voor het geld.' Ze leunde naar achteren en veegde haar mond af. Marilyn eet als een ex-gedetineerde: voorovergebogen alsof ze permanent bang is dat haar voedsel weggekaapt zal worden, en als ze even pauzeert, is ze opgelucht in plaats van verzadigd. Acht broers en zussen maken wel dat je je bord verdedigt. 'Jij zult nooit over je liefde voor mooie dingen heen komen, Ethan. Dat is jouw probleem.'

'Ik zie niet in waarom dat zo'n probleem is. En mooi zijn ze niet. Heb je ze wel eens bekeken?'

'Jawel.'

'Ze zijn niet mooi.'

'Ze hebben iets weg van wat Francis Bacon in de gevangenis zou maken. Luister maar niet naar me, lieveling. Ik ben gewoon jaloers op je winstmarge. Mag ik die?'

Ik gaf haar de rest van mijn salade.

'Dank je wel.' Ze tastte toe. 'Ik hoor dat Kristjana op oorlogspad is.'

'Ik moest haar laten gaan. Het zat me niet lekker, maar…'

'Maak je niet druk. Ik neem het je niet kwalijk. Ik heb haar ook een poosje gehad, wist je dat?'

Ik schudde mijn hoofd.

'Ik heb haar ontdekt.'

Dat was gelogen. 'O ja?'

Ze haalde haar schouders op. 'In zekere zin. Ik ontdekte haar bij Geoffry Mann. Die deed niets voor haar. Dus heb ik haar herontdekt.'

'Gestolen zul je bedoelen.'

'Is iets stelen als je het wilt teruggeven?'

'Ik heb aangeboden haar expositie te verzetten, maar ze wilde niet luisteren.'

'Ze overleeft het wel. Iemand raapt haar wel op, dat is altijd zo. Ze heeft mij ook gebeld, weet je.'

'O ja?'

'Mm. Dank u wel,' zei ze tegen de ober die haar eend opdiende. 'Ze wilde mij met haar project opzadelen. Dat ijsproject? Ik zei "nee dank je". Ik zet de airco in mijn galerie niet uit zodat zij zich kan klaar vingeren op het milieu. Alsjeblíéft, zeg. Maak iets wat ik kan verkopen.'

'Vroeger was ze een goeie schilder.'

'Zo beginnen ze allemaal,' zei ze. 'Hongerig. Dan krijgen ze een paar slijmerige kritieken en denken ze opeens dat ze briljant zijn als ze in een blikje poepen.'

Ik wees erop dat Piero Manzoni inderdaad blikjes met zijn eigen poep had verkocht.

'Dat was toen origineel,' zei ze. 'Veertig jaar geleden. Nu stinkt het gewoon.'

Ik gaf Marilyn wel gelijk: Victor Crackes kunst paste in geen enkel vakje, wat mijn rol bij het succes – of de mislukking – des te sterker maakte. Het talent van de handelaar, zijn creativiteit, is een werk van de juiste context te voorzien. Iedereen wil graag met z'n vrienden over zijn kunst praten, met kennis van zaken komen. Zo kun je goedpraten dat je een half miljoen aan krijt en touw hebt uitgegeven.

In theorie was mijn werk supereenvoudig, ik kon namelijk verzinnen wat ik wilde. Niemand zou me tegenspreken als ik van Victor een bordenwasser, een beroepsatleet of een gepensioneerde huurmoordenaar maakte. Maar uiteindelijk besloot ik dat het boeiendste verhaal helemaal geen verhaal zou zijn: Victor Cracke, de Grote Onbekende. De mensen mochten zijn verhaal zelf schrijven, dan konden ze er al hun hoop, dromen, angsten en lusten in projecteren. Het werk wordt een rorschachtest. Alle waardevolle kunst krijgt dat in zekere mate voor elkaar, maar ik vermoedde dat de schaal van Victors werk, in zijn hallucinogene totaliteit, voor een heleboel reacties van de kant van het publiek zou zorgen. Of voor een scheepslading verwarring.

En zo bleek ik een heleboel vragen op de avond van de opening op soortgelijke wijze te beantwoorden.

'Ik weet het niet.'

'Dat weten we eigenlijk niet.'

'Goeie vraag. Ik weet niet of ik dat wel weet.'

Of: 'Wat denkt ú?'

Bij een opening kun je een nieuweling herkennen aan zijn belangstelling voor het tentoongestelde. Galeriehouders nemen niet eens de moeite om te kijken. Die zijn er voor de wijn en de hapjes, en om te praten over wie er die week in of uit is.

'Te gek,' zei Marilyn, terwijl ze haar plastic bekertje achteroversloeg.

'Dank je.'

'Ik heb een cadeautje meegebracht. Heb je het al gezien?'

'Waar.'

'Daar, gekkie.' Ze maakte een hoofdbeweging naar een lange, knappe man in een slank gesneden maatpak.

Ik keek haar verrast aan. Kevin Hollister was een goede vriend van Marilyn, de kamergenoot van haar ex in Groton. Hij had Harvard als quarterback drie Ivy League-titels bezorgd, dat had hem direct na zijn afstuderen een spectaculaire luizenbaan bij een bank opgeleverd en sindsdien ging het alleen maar bergopwaarts. Hij leidt, zeg maar, een comfortabel bestaan. Zijn hedgefund heet Downfield.

De laatste tijd had hij zijn belangstelling van het short verkopen van Oost-Europese valuta verlegd naar kunst; hij was een typische cultuuratleet voor wie een doek weinig meer betekende dan een prijzig toegangskaartje voor een exclusief feest. Het zal me eeuwig blijven verbijsteren hoe lui met geld en hersens – mannen die de dienst uitmaken op wereldmarkten, die belangrijke bedrijven leiden, naar wie politici luisteren – voor een schilderij in kwijlende imbecielen veranderen. Niet wetend waar ze moeten beginnen hollen ze naar de eerste de beste bron van informatie, ongeacht hoe bevooroordeeld of roofzuchtig die is.

In een spectaculair vertoon van onbenul had Hollister Marilyn als adviseur in de arm genomen en haar praktisch toegang tot zijn bankrekening gegeven. Het behoeft geen betoog dat ze hem uitsluitend werk verkocht van kunstenaars die zij vertegenwoordigde en iedereen afblafte die zich op haar terrein waagde. Ze had me al eens eerder verteld: 'Hij begrijpt niet dat een collectie van wereldklasse het product is van veel nadenken en geduld, en dat die niet van de ene dag op de andere een feit kan zijn. Maar ik help het hem graag proberen.'

Ik had hem al een paar keer ontmoet, maar nooit langer dan een paar minuten gesproken. Dat Marilyn hem vanavond had meegenomen kon twee dingen betekenen: ze vond Victor Cracke goed, of ze beschouwde mij en mijn kunst als geen enkele bedreiging voor haar monopolie.

'Ik ben bezig zijn horizon te verbreden,' zei ze met een knipoog en ze liep naar Hollister om hem een arm te geven.

Ik circuleerde de hele avond om de *usual suspects* op te warmen. Jocko Steinberger, die eruitzag alsof hij zich niet meer had geschoren sinds zijn eigen opening in december daarvoor, kwam de hele avond catatonisch naar één werk staren. We kregen een verrassingsbezoek van Etienne St. Mauritz, die vroeger met Castelli en Emmerich een van de meest vooraanstaande Amerikaanse kunsthandelaren was. Nu was hij een oude halfgod met levervlekken die in een rolstoel werd rondgereden door een vrouw in een lange bontmantel en schoenen van Christian Louboutin. Hij vond het werk uitmuntend en stak het niet onder stoelen of banken.

Nat had zijn vriend meegenomen en ze stonden geanimeerd te praten met een andere handelaar, die Glenn Steiger heette, een voormalig assistent van Ken Noland en een vuilbek met een arsenaal van smerige verhalen. Toen ik hen passeerde, ving ik op: '… probeerde een doek van me te kopen met achtenveertigduizend dollar… in ééndollarbiljetten… die goddomme naar wiet stonken… dopegeld nota bene…'

Ruby, die haar haar in een ingewikkelde vlecht had gebonden, had zichzelf afgezonderd bij de dagboeken van Cracke. Ik had haar vriend nog nooit ontmoet, al had ze hem wel eens genoemd.

'Dit is Lance DePauw, Ethan.'

'Aangenaam,' zei ik. 'Ik heb veel over je gehoord.'

'Ik ook over jou.' Lance' ogen waren bloeddoorlopen en flitsten constant heen en weer. Hij rook ook naar dopegeld. 'Dit is behoorlijk maf werk.'

'We hebben het voedingsdagboek bekeken,' zei Ruby. 'Er gaat iets geruststellends van uit, zoals hij altijd hetzelfde at. Mijn moeder maakte vroeger altijd mijn lunchtrommeltje klaar, en zij gaf me ook altijd dezelfde broodjes met smeerkaas en jam. Daar doet dit me aan denken.'

'Of aan de gevangenis,' zei Lance.

Gedrieën keken we even naar het voedseldagboek.

Lance zei: 'Gestoord.'

Marilyn wuifde naar me van de andere kant van de zaal. Ik verontschuldigde me en ging met Hollister praten. Zijn hand was helemaal niet de mannelijke bankschroef die je zou verwachten, maar droog en behoedzaam. Ik zag ook dat hij zich had laten manicuren.

'We stonden net dit stuk te bewonderen,' zei Marilyn.

'Goeie keus,' zei ik.

'Heb ik gelijk als ik denk dat dit het hart van het werk is, Ethan?'

Ik knikte. 'Paneel één.'

'Wat bizár,' zei Marilyn. 'Wat zíjn het? Baby's?'

'Het lijken wel cherubijntjes,' zei Hollister.

'Leuk dat u dat zegt,' zei ik. 'Zo noemen wij ze ook. "Victors Cherubijnen."'

In het midden van het paneel stond een ster met vijf punten, het doffe bruin was een onkarakteristiek gedempte kleur op een anderszins schel getint palet. Eromheen danste een cirkel van gevleugelde kinderen. Hun gelukzalige gezichtjes stonden in schril contrast met de rest van de kaart, die wemelde van strijd en bloedvergieten. Victor was een buitengewoon bekwaam vakman, maar blijkbaar waren deze figuren zo belangrijk voor hem dat hij geen enkel risico had willen lopen: ze waren zo nauwgezet weergegeven dat het leek alsof ze waren overgetrokken in plaats van uit de vrije hand getekend.

Marilyn zei: 'Ze lijken wel… o, ik weet het niet. Alsof Botticelli Sally Mann ontmoet. Beetje pedofíél, vind je niet?'

Ik trok een wenkbrauw naar haar op.

Hollister boog zich met samengeknepen ogen naar voren. 'Het verkeert in opmerkelijk goede staat, een en ander in aanmerking genomen.'

'Ja.'

'Hebt u de plek gezien toen die er zo uitzag?' vroeg hij met een gebaar naar een wand met vergrotingen van het appartement voordat het werd leeggehaald.

'Ik heb hem ontdekt,' zei ik. Achter hem zag ik Marilyn glimlachen.

'Kevin wil graag meer over de kunstenaar weten.'

'Ik weet eerlijk gezegd niet hoeveel ik u nog meer kan vertellen,' zei ik.

'Hoe zou u hem vergelijken met andere outsiderkunstenaars?' vroeg Hollister.

'Nou,' zei ik, terwijl ik Marilyn vlug een boosaardige blik toewierp, 'ik weet niet zeker óf ik hem wel een outsider zou noemen.'

Hollister verbleekte en ik voegde er haastig aan toe: 'Niet per se, bedoel ik. Ik weet niet of hij met alle geweld te vergelijken is met een andere kunstenaar, dus misschien hebt u wel gelijk door hem een outsider te noemen, omdat de definitie van outsiderkunst voor een deel bestaat uit een gebrek aan referentiekader.'

Achter hem wreef Marilyn haar duim en wijsvinger tegen elkaar.

Ik ratelde mijn lesje af over Jean Dubuffet, art brut en de anticulturele beweging. 'Meestal hebben we het over werk van gevangenen, kinderen en geesteszieken, en ik weet niet of Victor Cracke in een van die groepen moet thuishoren.'

'Volgens mij was hij alle drie,' zei Marilyn.

'Was hij een kind?' vroeg Hollister. 'Ik dacht dat het een oude man was.'

'Nou nee,' zei ik. 'Ik bedoel ja. Nee, hij was geen kind.'

'Hoe oud was hij?'

'Dat weten we niet precies.'

'Ik bedoel het niet létterlijk,' zei Marilyn. 'Ik bedoel: kijk maar naar

zijn visie op de wereld. Zo puberáál. Dansende engeltjes? Kom nou
toch. Wie doet dat nou? Zoiets doe je toch niet? Dat kun je niet met een
uitgestreken gezicht doen, en ik vind het vreselijk lief dat hij het wel
doet.'

'Suikerzoet,' zei Hollister.

'Kan wel zijn, maar het overgrote deel is dat helemaal niet, integendeel zelfs, dat is verschrikkelijk bloederig. Dat maakt het werk voor mij
zo interessant, die schrille emotionele tegenstelling. Verbeter me maar
als ik het mis heb, Ethan, maar het heeft er veel van weg dat er twee Victor Crackes zijn. Eentje die jonge hondjes en taartjes en elfenkringen tekent, en de ander…' wijzend op een aanschouwelijke tekening van slag-
veldscènes, 'die onthoofdingen, martelingen, enzovoort tekent.' Ze
glimlachte naar me. 'Wat vind jij.'

Ik haalde mijn schouders op. 'Hij probeerde alles te vangen wat hij
zag. Hij zag hartelijkheid en wreedheid. Het zijn geen twee Victor
Crackes; het is de schuld van de wereld dat hij niet consequent is.'

Marilyn gebaarde om zich heen. 'Je kunt niet ontkennen dat het werk
een gestoorde hoedanigheid heeft. Die obsessie om elke vierkante centimeter van het papier te vullen… Alleen een gek zou veertig jaar tekenen en alles in een doos stoppen.'

Ik bekende dat dit ook mijn eerste gedachte was geweest.

'Zie je nou wel. Dat is natuurlijk een deel van de aantrekkingskracht.'

'Ik weet alleen dat het goed werk is.'

'Ja, oké, maar zou je niet een tikje minder zin hebben om het exposeren als je wist dat het een eindwerkstuk van een student van de kunstacademie was?'

'Een student van de academie zou niet zo'n eerlijk werk kunnen produceren,' zei ik. 'Dat is het punt nou juist.'

'Nu klink je net als Dubuffet.'

'Best. Ik vind het verfrissend om niet in vier lagen ironie te hoeven
denken.'

'Laten we ons even voorstellen dat hij een misdadiger was…'

'Wacht even,' zei ik.

'Ik zeg maar wat. Bij wijze van hersengymnastiek.'

'Er is niets wat daarop wijst. Hij was een einzelgänger. Hij viel nooit iemand lastig.'

'Wordt dat niet ook van seriemoordenaars gezegd?' zei ze. 'Doet geen vlieg kwaad.'

Ik draaide met mijn ogen.

'Hoe dan ook,' zei ze. 'De term "outsider" klopt volgens mij wel.'

Ik geloofde niet echt dat Victor Cracke zich zo makkelijk en netjes in een hokje liet stoppen. Maar uit Marilyns gezicht leidde ik af dat ze mij een plezier wilde doen door Hollister iets te geven waaraan hij zich kon vasthouden. Ik begreep dat hij een man van etiketten en categorieën was.

'Zo kunnen we hem wel noemen,' glimlachte ik tegen Hollister. 'Ter wille van het onderwerp.'

Hij tuurde weer naar de tekening. 'Wat betekent het.'

'Wat denkt u?'

Een poosje tuitte en onttuitte hij zijn lippen. 'Niets intrinsieks.'

We besloten het daarbij te laten.

De hele avond keek ik of ik Tony Wexler zag. Ik had hem een uitnodiging gestuurd en had die opzettelijk naar zijn huisadres in plaats van zijn kantoor gestuurd. Ik wist dat hij niet kon komen. Hij kwam nooit. Hij kon niet komen als mijn vader was gepasseerd, en hem passeerde ik altijd, wat het zinloos maakte om Tony een uitnodiging te sturen.

Gezien zijn belangstelling voor de kunstenaar en zijn bijdrage aan de ontdekking van diens werk, dacht ik dat ik minstens een telefoontje zou krijgen, maar ik hoorde niets. Dat deed een beetje zeer. Zelfs die godvergeten huismeester Shaughnessy kwam opdagen in een dik, afgedragen sportjack. Eerst dacht ik dat het een kunstenaar was die zich opzettelijk haveloos had gekleed, als een slechte parodie op de kledingstijl van de lagere middenklasse. Daarna zwaaide hij van een afstand naar me en wist ik weer wie hij was: die smerige bril en die dikke polsen. Ik had geen idee waarom hij was gekomen, of hoe hij wist dat er een expositie was. Ik zei dat tegen Nat en die antwoordde dat we, op mijn verzoek, bij wijze van bedankje een kaartje hadden gestuurd aan iedereen met wie we gesprekken hadden gevoerd.

Ik was verbijsterd. 'Heb ik dat gezegd?'

Nat glimlachte. 'Nu al seniel.'

'Ik heb in een cocon geleefd,' zei ik. 'Hoe dan ook, volgens mij had ik niet verwacht dat iemand de uitnodiging serieus zou nemen.'

'Hij wel.'

'Blijkbaar.' Ik had met Shaughnessy te doen, die de hele avond rondliep, naar de tekeningen keek en onhandig probeerde zich in de gesprekken te mengen. Uiteindelijk ging ik naar hem toe om hem een hand te geven.

Hij gebaarde naar de tekeningen. 'Te gek, hè? Had ik gelijk of niet?'

'En of.'

'Ik wist het zodra ik ze zag.'

'Dat mag u wel zeggen.'

'Ik vind deze wel mooi.' Hij liet me een tekening zien waarop Victor een brug had getekend – Ruby vond hem eruitzien als de Fifty-ninth Street Bridge – die veranderde in een draak waarvan de gespleten tong weer veranderde in de sporen van een straalvliegtuig, die in een oceaan verdwenen, die op zijn beurt veranderde in de open bek van een kolossale vis… enzovoort. De beelden leken wel in elkaar te nestelen, en telkens wanneer je de grootste had gevonden, ontdekte je op een volgens paneel een nog indrukwekkender superstructuur.

'Ruig werk,' zei Shaughnessy.

Ik knikte.

'Heb je er al verkocht?'

'Nog niet.'

'Denk je dat het nog gaat gebeuren?'

Ik wierp een blik op Hollister. 'Ik hoop het wel.'

Shaughnessy ging met zijn tong langs zijn lippen. 'Hé, ik wil je wat vragen. Denk je dat ik wat kan versieren?'

Even dacht ik dat ik een onzedelijk voorstel kreeg. 'Versieren?'

'Ja, je weet wel.'

'Bedoel je… een tekening kopen?'

'Dat niet direct.' Hij ging weer met zijn tong langs zijn lippen.

'Wat dan.'

'Als een soort commissie.' Hij glimlachte. 'Vindersloon.'

In de verte zag ik Hollister en Marilyn pratend naar de uitgang lopen. Ik zei: 'Je wilt dat ik je een tekening geef.'

Opeens liep hij rood aan. 'Ze zijn toch niet van jou.'

'Neem me niet kwalijk,' zei ik, en ik liet Shaughnessy aan zijn lot over.

Voordat Hollister wegging, gaf hij me zijn kaartje met het verzoek hem maandag te bellen. Hij trok een spoor; iedereen deed een stap opzij om hem na te kijken. Ze hadden hem de hele avond nagelopen om te horen of hij nog steeds taboe was als cliënt.

Ik draaide me weer om naar Shaughnessy en zag hem aan de andere kant van de zaal, waar hij als een gek bezig was hapjes in zijn mond te proppen. Vervolgens verborg hij een hele fles wijn onder zijn jack, rolde drie catalogi op en vertrok zonder afscheid te nemen.

De enige werkelijke dissonant op een verder harmonieuze avond deed zich tegen het eind voor, toen alleen ik, mijn personeel en een handjevol noeste drinkers nog over waren. Nat was achter de balie om een paar promotieansichten te pakken en probeerde Kristjana nog tegen te houden, maar ze stevende gewoon door. Daarna probeerde hij me te waarschuwen, maar inmiddels was het te laat: ze had haar positie in het midden van de galerie al ingenomen.

Aller ogen waren op haar gericht. Je kon haar ook moeilijk over het hoofd zien: een manisch depressieve kunstenaar uit IJsland van een meter tachtig met een commandokapsel en plakband over haar mond in een…

'Is dat een dwangbuis?' fluisterde Ruby.

Inderdaad. Een dwangbuis van rood lakleer.

'Asylum van Jean Paul Gaultier,' fluisterde Nat.

We fluisterden, omdat we opeens met zijn allen deel uitmaakten van een stukje performancekunst.

Lang duurde het niet. Ze hield haar armen in de lucht, boog gracieus haar rug en begon langzaam, heel langzaam het plakband van haar gezicht te trekken. Het sissende geluid was in de hele galerie te horen. Het was pijnlijk om te zien. Met een polsbeweging gooide ze de tape op de grond. Daarna boog ze zich met een ruk naar voren en braakte ze een schokkende hoeveelheid slijm pardoes op de vloer van mijn galerie, waar het glimmend als een kikker bleef liggen.

Ze maakte rechtsomkeert en beende weer weg.

De eerste die reageerde was Ruby's vriend Lance. Alle anderen waren nog te verbijsterd om zich te verroeren, maar hij stond op van zijn stoel en kuierde naar de fluim, die inmiddels kleine, natte, groene tentakels had gekregen. Hij haalde een camcorder onder zijn trainingsjack vandaan, zette hem aan, draaide de lensdop eraf en ging door de knieën om een close-up van Kristjana's jongste werk te maken.

5

De expositie was een succes. Ik kreeg mooie recensies in de vakbladen, waaronder een artikel in *Artbox* van een oude vriend die niets liever deed dan tegen de stroom in zwemmen, en van wie ik had verwacht dat hij me zou neersabelen. Het Musée d'Art Brut, het hedendaagse voortvloeisel van Jean Dubuffets persoonlijke collectie, toonde belangstelling om het werk naar Lausanne te halen. En iemand moest de *Times* hebben getipt, omdat ze een verslaggever stuurden, niet van de kunstredactie, maar van het stadskatern.

Ik twijfelde of ik wel met hem zou praten. Iedereen weet dat de *Times* zo goed als irrelevant is; als zij verslag doen van een trend, kun je er zeker van zijn dat die al dood en begraven is. Bovendien maakte ik me zorgen over wat ze ervan zouden brouwen. Als de waarheid maar een klein beetje werd opgerekt, konden ze me neerzetten als een lijkenpikker die zich te goed doet aan de resten van een arme rechteloze.

Maar uiteindelijk moest ik wel toestemmen, anders had ik helemaal geen zeggenschap meer over de situatie. Ik kon hen er niet van weerhouden iets te publiceren waarin mijn gebrek aan commentaar werd uitvergroot tot een vorm van zelfbeschuldiging.

De eigenschappen die me tot een goede verkoper maken, maken me ook tot een goed interviewobject, en toen het artikel verscheen, zag ik tot mijn vreugde dat ik de journalist ervan had overtuigd dat we vrienden waren. Hij noemde de expositie 'hypnotiserend' en 'onthutsend' en had een grote close-up van een van Victors cherubijnen op de voorpagina van het katern laten zetten. Mijn foto zag er ook niet verkeerd uit.

Irrelevant of niet, de *Times* heeft een zeker prestige, vooral bij de cultuurjagers. Binnen enkele dagen kreeg ik diverse offertes die veel hoger waren dan die op de opening. Op advies van Marilyn hield ik de boot af tot ik met Kevin Hollister had gesproken. Ze beloofde dat die zou bellen zodra hij terug was uit Cap Juluca.

Ze stelde me niet teleur. Twee dagen later nodigde hij me uit voor de lunch in een restaurant op de parterre van een wolkenkrabber in het centrum waarvan hij de eigenaar was. De bediening boog en knipte, griste zijn jas weg toen hij die afschudde, schoof zijn stoel uit, legde een servet op zijn schoot en drukte zijn favoriete cocktail in zijn hand voor hij de kans kreeg één woord te zeggen. Gedurende al die hectiek leek hij voor niemand anders oog te hebben dan voor mij. Hij informeerde hoe ik in de kunstwereld terecht was gekomen, hoe ik Marilyn had leren kennen, enzovoort. We kregen een tafel in een privévertrek, waar de kok ons persoonlijk een assortiment sushi opdiende, die eruitzagen als sieraden. Ze smaakten uitstekend. Hollister liet nog een rondje aanrukken en halverwege bood hij honderdzeventigduizend dollar voor 'de Cherubijntjes'. Ik zei dat dit bod me laag voorkwam, vooral omdat ik de integriteit van het werk als geheel – dat eigenlijk bijeen moest blijven – verstoorde als ik hem één enkel paneel verkocht. Zonder met zijn ogen te knipperen verdubbelde hij het bod.

We werden het eens over driehonderdvijfentachtigduizend. Dat bedrag zou de krant niet halen, maar je mag niet vergeten dat de tekening nog niet zo lang daarvoor voor de vuilstort bestemd was geweest. Het genoegen dat ik ervoer toen ik Hollister de cheque zag tekenen, viel in het niet bij de kick dat ik iets uit niets had gewrocht, geld uit de belt, schepping *ex nihilo*.

Toen de transactie rond was, bespeurde ik een verandering bij Hollister; hij blaakte opeens van het zelfvertrouwen. Nu hij eigenaar was, wist hij wat hem te doen stond. Mensen zoals hij geloven dat er niets is wat buiten hun bereik ligt, een stuk land, een kunstwerk, een vorm van kennis of een persoon. Hebben ze eenmaal afgerekend en is de orde hersteld, dan kunnen ze weer Heer van het Heelal spelen.

Het is een metamorfose die ik herkende dankzij jarenlange omgang met mijn vader.

Die middag keerde ik verrukt door de transactie, maar bedrukt door het vooruitzicht van het verlies van het kunstwerk terug naar de galerie. *Mijn kunstwerk*, en ik geneerde me niet eens om het zo te stellen.

Als een expositie goed gaat, of wanneer ik een ongewoon goede deal heb gemaakt, stuur ik mijn personeel naar huis, sluit ik de galerie en nodig ik de kunstenaar uit om een poosje van nabij in contact te komen met het object dat we samen hebben gecreëerd. Ik zal de eerste zijn om toe te geven dat het een sentimenteel ritueel is. Maar geen enkele kunstenaar heeft het ooit geweigerd. Wie zo blasé is dat hij geen gevoel van verlies ervaart, kan kunst naar mijn mening niet zien, noch haar transcendente hoedanigheid ervaren. Zo iemand wil ik niet vertegenwoordigen.

Zonder Victor Cracke stond ik alleen in de uitgestrekte witte ruimte te kijken naar de zacht opbollende panelen van zijn werk. Ik trok mijn overhemd uit, maakte er een prop van voor onder mijn hoofd, en ging bij de eerste de beste tekening op de grond liggen. Ik voelde me als een kind dat voor het eerst de zee ziet, overweldigd door zijn melancholieke uitgestrektheid.

Ik mag mijn leven graag opdelen in segmenten van ongeveer vijf jaar. Mijn moeder stierf toen ik vijf was. Op mijn elfde stuurde mijn vader me naar kostschool omdat hij het beu was om naar me te luisteren. De volgende vijf jaar werd ik van diverse scholen over de hele wereld getrapt. Laat eens kijken of ik me de juiste volgorde kan herinneren: Connecticut, Massachusetts, Brussel, Florida, opnieuw Connecticut, Berlijn, Vermont en Oregon. Tegen de tijd dat ik weer in New York was, kon ik 'één gram wiet' en 'pijpen' zeggen in diverse Amerikaanse dialecten, en ook in het Turks, Duits, Frans en Russisch.

Op mijn zestiende belde Tony Wexler – hij en niet mijn vader had voor mijn wel en wee gezorgd – radeloos mijn halfzuster Amelia om haar te smeken mij een poosje in huis te nemen.

Amelia en ik waren nooit dik met elkaar geweest. Ze woont in Londen sinds haar moeder en mijn vader in 1957 uit elkaar gingen; dat geeft je ook een idee van de generatiekloof die ons scheidt. Ik zag haar zelden, bij de begrafenis van mijn eigen moeder, bijvoorbeeld. Ik had in elk geval weinig gedaan om me bij haar geliefd te maken. Ik beschouwde mijn twee halfbroers en mijn halfzus niet als mijn gelijken, maar als schimmige ouderfiguren die niet te vertrouwen waren. Mijn halfbroers, die ik minstens eens in de maand zag, waren je reinste kontlikkers, en destijds had ik geen reden om te denken dat Amelia anders zou zijn. Ik ging met lood in de schoenen naar Londen.

Tot ieders stomme verbazing – die van mezelf incluis – bloeide ik op. Het natte Engelse klimaat stemde overeen met mijn adolescente onheilsstemming, en de droge Britse humor vond ik veel aangenamer dan de onbeteugelde leut van de Amerikaanse popcultuur. Op school lukte het me om niet permanent te worden verwijderd en dankzij bijles slaagde ik voor mijn eindexamen. In die jaren leerde ik mijn beste vrienden kennen, vrienden met wie ik nog steeds contact heb en die ik altijd opzoek wanneer ik naar het buitenland ga, wat ik vaker doe dan nodig is, alleen maar om bij te praten. In bepaalde opzichten heb ik het gevoel dat mijn echte leven nog steeds daar ligt.

Amelia is verantwoordelijk voor mijn belangstelling voor de kunst. Haar man is lid van het Hogerhuis, en terwijl hij zijn tijd besteedt met wetsvoorstellen die de vossenjacht beschermen, steunt zij met zijn geld de radicale kunst. Gedurende mijn jaren in Engeland nam ze me mee naar openingen en feestjes in de Tate; ik was de charmante jongste broer, de zorgeloze yank met zijn verwarde haren. Ik was dol op de praalzucht, het snobisme en de liefde en haat waarmee alle gesprekken waren doordesemd. De mensen toonden interesse, althans zo leek het, en dat was op die leeftijd belangrijk voor me. Na het leven met mijn vader, een spreekwoordelijk ijskonijn, voelde mijn Londense tijd als een prachtige, melodramatische droom.

Amelia leerde me kijken, niet door mijn ogen, maar door die van de kunstenaar; ze leerde me een kunstwerk op zijn eigen voorwaarden te aanvaarden, een vaardigheid die me in staat stelde hedendaagse kunst te begrijpen en aan anderen uit te leggen. Met haar hulp gebruikte ik mijn eerste spaargeld – dat op mijn achttiende uit mijn moeders nalatenschap mijn kant op kwam – om mijn eerste echte kunstwerk te kopen, een tekening van Cy Twombly, die ik meenam toen ik naar de Verenigde Staten terugkeerde om aan Harvard te gaan studeren, waar ik werd ondergebracht in een studentenhuis waar voor mij ook mijn halfbroers, mijn vader, grootvader en oudooms hadden gewoond, wat mensen aan het lachen bracht toen ze mijn naam hoorden. Woon je in Muller Hall?

Verstoken van Amelia om een oogje in het zeil te houden, verviel ik weer in mijn oude gewoonten. Mijn volgende vijf jaar werden getekend door veel wodka, cocaïne, seks, tijdelijke verwijdering en een consilium abeundi.

Je hebt geen idee hoe moeilijk het is om van Harvard getrapt te worden. Ze doen daar alles om wat riekt naar mislukking te mijden. Uiteindelijk lukte het me door een handgemeen in een collegezaal met een vrouwelijke hoogleraar, die ik dronken – maar niettemin terecht – een 'vleesgeworden candidiasis zonder hersens' noemde. Maar toen moest ik toch nog de eerste klap uitdelen.

Nadat Tony Wexler me uit Yale had opgehaald, bood hij me een stoel en kreeg ik te horen dat ik onterfd zou worden als ik geen werk zocht.

Het deed hem duidelijk pijn om te moeten dreigen, en al wisten we allebei dat niet hij de lakens uitdeelde, ik minachtte hem toch omdat hij de uitvoerende macht was. Ik gebruikte mijn laatste duizend dollar voor de eerste de beste vlucht naar Londen, waar ik bij Amelia aanklopte, bijna brandgevaarlijk door alle Tanqueray-tonics die ik in het vliegtuig had weggewerkt.

Ze nam me direct op. Ze vroeg nooit hoe lang ik van plan was te blijven en evenmin wat er was gebeurd. Ze gaf me te eten, liet me slapen en velde nooit een oordeel, misschien omdat ze wist dat ik mezelf uiteindelijk het hardst zou veroordelen.

Omdat ik niets anders te doen had dan in de tuin zitten lezen, begon ik te begrijpen wat een zooitje ik van mijn leven had gemaakt, een besef dat me niet alleen treurig en eenzaam maakte, maar vooral ook boos. Ik weet nog dat ik op een bankje aan het eind van een pergola naar de vogels zat te luisteren en me opgefokt voelde omdat ik al twee dagen geen drank of drugs had gebruikt. Ik stond op en liep naar de kast waarin Amelia's man zijn whisky bewaarde. Ik had zonder meer verwacht dat de drankkast op slot zat. Tony had waarschijnlijk van tevoren gebeld om te zeggen dat ze de drank moesten verstoppen. Ik had al bij voorbaat een hekel aan haar omdat ze deed alsof ze me aardig vond, maar geen haar beter was dan de rest, ze was gewoon de zoveelste ondergeschikte van mijn vader.

De kast zat niet op slot. Rood van schaamte deed ik hem weer dicht en glipte de kamer uit.

Het breekpunt kwam een paar dagen later toen Amelia tussen neus en lippen door vroeg wat er van mijn Twombly was geworden, het kunstwerk dat we samen hadden gekocht en waarop ik dol was.

Pas toen besefte ik dat ik het op Harvard had achtergelaten. Mijn vertrek was zo abrupt en mistig verlopen, het was zo'n heksenketel van advocaten en ultimatums geweest, dat ik was vergeten het mee te nemen. Voor zover ik wist, was het daar nog.

Ik belde een corpsvriend om te vragen even naar mijn kamer te gaan. De Twombly had boven mijn bed gehangen, waar de tekening direct de aandacht trok van iedereen die binnenkwam. Wie het konden weten – onveranderlijk studenten kunstgeschiedenis, en voornamelijk meisjes – gingen er, tot ik hen verbeterde, van uit dat ik die van Fogg's kunstuitleen had, waar zelfs de armste beursstudenten voor dertig dollar een jaar lang eigenaar konden zijn van een Jasper Johns. Wanneer ik vertelde dat de tekening van mij was, kregen die studentes kunstgeschiedenis in veel gevallen zin om met me naar bed te gaan. Ik was om talrijke redenen blij met de keuze van mijn hoofdvak.

Hoe dan ook, mijn vriend belde terug om te zeggen dat de Twombly, voor zover hij het wist, net als alle andere eigendommen die ik had achtergelaten met het vuilnis was meegegaan.

Ik was verpletterd. Voor het eerst sinds de dood van mijn moeder moest ik huilen. Amelia's man, niet toegerust om zulk lichtzinnig vertoon van zelfmedelijden te verdragen, liep dagenlang met een boog om me heen. Amelia bracht me thee en hield mijn hand vast, en langzaam maar zeker daagde het dat de werkelijke tragedie niet school in het verlies van mijn tekening, maar in het feit dat ik alleen maar tranen kon plengen voor een stuk papier.

Tot op de dag van vandaag is de lust om te drinken me vergaan. Al mijn zwarte gedachten en verbittering die de brandstof van mijn drang tot zelfvernietiging waren, zijn gekanaliseerd in twee nieuwe gebieden van expertise: de kunst en de haat jegens mijn vader. Terecht of niet, we hebben allemaal zo onze uitlaatkleppen.

Met behulp van Amelia kreeg ik werk bij een Londense galerie, en toen ik besloot weer naar Amerika terug te gaan, belde ze haar vriendin Leonora Waite die een galerie op de vierde etage van West Twenty-fifth Street dreef.

Leonora en ik konden het meteen geweldig met elkaar vinden. Ze was een wulpse, kettingrokende lesbienne uit de Bronx met een voorkeur voor feministische kunst, pulplectuur en films over seriemoordenaars. Ze kon bulderend lachen, gaf ongelooflijke feesten en had zo'n pesthekel aan Marilyn Wooten dat ze dreigde me te ontslaan toen zij en ik een relatie kregen.

Ze deed het niet. In plaats daarvan verkocht ze me haar galerie voor een schandalig lage prijs toen ze na 11 september met pensioen ging. Een half jaar later overleed ze en liet ik het uithangbord in MULLER GALLERY veranderen. Ter nagedachtenis aan haar bestond mijn eerste expositie uit nieuw werk van het Lilit Collective, een zichzelf bedruipende kunstenaarsgemeenschap op het platteland van Connecticut, waarvan medeoprichter Kristjana Hallbjörnsdottir weldra mijn kunstenaar zou worden.

Terwijl ik daar op de vloer van de galerie lag en die lange, merkwaardige weg die ik had bewandeld overdacht, voelde ik me vreedzaam. Victor

Cracke vertegenwoordigde mijn eerste volwassen stap als handelaar. Met uitzondering van Kristjana had ik mijn hele klantenbestand van Leonora geërfd en in veler ogen was de Muller Gallery er niet in geslaagd zich van zijn voorganger te onderscheiden. Hoezeer ik Leonora's smaak ook bewonderde, ik had allang mijn stempel op de galerie willen drukken door een kunstenaar te vinden wiens werk ik zag zitten en een ster van hem te maken. Victor had me die kans gegeven en ik had hem niet teleurgesteld.

'Dank je wel,' zei ik tegen de tekeningen.

Ze wuifden als zeewier.

Had ik geweten wat er weldra zou gebeuren, dan zou ik zijn opgestaan om de telefoon al bij voorbaat uit de muur te trekken. Of misschien zou ik zijn opgesprongen om op te nemen. Dat hangt ervan af of je wat volgde goed of slecht vindt.

Hoe dan ook, het volgende deel van het verhaal begint met een rinkelende telefoon. Dit is een detectiveverhaal, weet je nog?

Het antwoordapparaat nam op. Een zachte stem zei vermoeid: 'Meneer Muller, mijn naam is Lee McGrath. Ik heb het verhaal in de krant gelezen en wil graag iets meer weten over de kunstenaar Victor Cracke. Zou u mij misschien terug willen bellen?' Hij sprak een nummer in met het kengetal 718.

Ik ging die avond zonder terug te bellen naar huis en toen ik de volgende ochtend terugkwam, was er weer een bericht.

'Hallo, meneer Muller, Lee McGrath. Sorry dat ik u weer moet storen. Als u er geen bezwaar tegen hebt, zou ik het erg op prijs stellen als ik iets van u hoorde.'

Ik belde zijn nummer en stelde me voor.

'Hallo,' zei hij. 'Bedankt voor het terugbellen.'

'Kleine moeite. Wat kan ik voor u doen?'

'Ik las de krant en stuitte op het artikel over die kunstenaar, Victor Cracke. Wat een verhaal.'

'Inderdaad.'

'Ja, het is een heel boeiend verhaal. Mag ik vragen hoe u hem en de tekeningen hebt gevonden? Ik wil namelijk iets meer over hem te weten komen.'

Het was duidelijk dat McGrath het verhaal niet al te grondig had gelezen, want de verslaggever had met zo veel woorden geschreven dat ik Cracke nooit had ontmoet. Aan het eind van het stuk hadden ze mijn nummer afgedrukt voor nadere informatie.

Dat zei ik ook tegen McGrath, die reageerde met 'Hm'.

Op dat moment zouden veel collega's met een excuus hebben opgehangen. Veel handelaren besluiten binnen enkele seconden of je de moeite van een gesprek waard bent. Maar in mijn ervaring loont het de moeite om geduld te oefenen. Ik had een keer een sjofel stel (printbroek van Mervyn, Hush Puppies) op bezoek. Ze wandelden een minuut of tien rond, stelden vriendelijk een paar vragen en vertrokken weer. Twee weken later belden ze me op uit Lincoln, Nebraska, om zeven schilderijen à raison van honderdtwintigduizend dollar per stuk te kopen, gevolgd door nog eens een half miljoen aan beeldhouwwerk.

Dus probeer ik geduld te oefenen, al betekent het overbodige vragen beantwoorden en wachten tot de oude man (ik had zonder duidelijke reden vastgesteld dat McGrath oud was) zijn gedachten had geordend. Als hij de moeite nam om te bellen over een foto in de krant, kon hij het type zijn aan wie ik in de toekomst iets kon verkopen.

Hij zei: 'Ik begrijp dat er een heleboel van dat soort tekeningen waren, en niet alleen het exemplaar dat ze in de krant hebben afgedrukt.'

Alweer een bijzonderheid die de verslaggever had gemeld. 'Er zijn er nog veel meer.'

'Hoe hebben ze de tekening gekozen die ze hebben afgedrukt?'

Ik legde uit dat ze genummerd waren.

'O ja?' zei hij. 'Dus dat is paneel nummer één?'

'Ja.'

'U meent het… Ik zou dat exemplaar heel graag zelf willen zien. Kan dat?'

'U bent welkom wanneer u maar wilt. We zijn van dinsdag tot zaterdag van tien tot zes open. Waar komt u vandaan?'

Hij grinnikte, en dat mondde uit in een hoestbui. 'Ik kan niet meer rijden. Ik kom niet vaak meer buiten. Ik hoopte eigenlijk dat ik u kon overhalen langs te komen.'

'Het spijt me zeer, maar ik denk niet dat dat kan. Ik kan u foto's van het werk e-mailen. Al moet ik eraan toevoegen dat het werkstuk dat u in de krant hebt gezien al verkocht is.'

'Tjonge, dat is pech. Maar als u er geen bezwaar tegen hebt, zou ik toch iets meer over meneer Cracke te weten willen komen. Bestaat de kans dat u eens langskomt voor een babbeltje?'

Ik trommelde met mijn vingers op het bureau. 'Ik zou graag willen dat ik u nog meer kon vertellen, maar…'

'Hoe zit het met die, eh…' Ik hoorde het geritsel van een krant. '… dagboeken. De dagboeken die hij bijhield. Zijn die ook verkocht?'

'Nog niet. Ik heb wel diverse aanbiedingen gehad.' Dat was niet helemaal waar. Sommige verzamelaars hadden de dagboeken wel bewonderd, maar nog niemand had een prijs genoemd. Mensen willen objecten aan de muur, geen dikke, saaie tekst.

'Denkt u dat ik ze kan zien?'

'Als u naar de galerie komt, zal ik ze u met plezier laten zien,' zei ik. 'Ik ben momenteel bang dat ik ze nergens heen kan brengen. Ze vallen toch a bijna uit elkaar.'

'Dit is niet mijn geluksdag, hè?'

'Het spijt me echt,' zei ik. 'Laat me alstublieft weten als ik u op een andere manier van dienst kan zijn.' McGrath had iets ouwejongensachtigs waardoor ik juist de neiging had zo vormelijk mogelijk te doen. 'Kan ik u nog met iets anders van dienst zijn?'

'Waarschijnlijk niet, meneer Muller. Maar ik moet het risico nemen en nu nogmaals vragen of u wilt overwegen bij me langs te komen. Het zou een heleboel voor me betekenen. Ik woon niet ver bij u vandaan.'

Zonder te beseffen wat ik deed, vroeg ik: 'Waar?'

'Breezy Point. Weet u waar dat is?'

Nee dus.

'Rockaway. U neemt de Belt. Weet u hoe u bij de Belt komt?'

'Meneer McGrath. Ik heb niet gezegd dat ik zou komen.'

'O, ik dacht van wel.'

'Nee, meneer.'

'O. Nou ja, oké.'

Er viel een stilte. Ik wilde gaan zeggen: 'Bedankt voor uw telefoontje,' maar hij vroeg: 'Wilt u niet weten waar het over gaat?'

Ik zuchtte. 'Goed dan.'

'Het gaat over die tekening in de krant. Van die jongen.'

Ik besefte dat hij de cherubijn in de *Times* bedoelde. 'Wat is daarmee?'

'Ik ken hem,' zei McGrath. 'Ik weet wie het is. Hij heette Eddie Cardinale. Veertig jaar geleden heeft iemand hem gewurgd, maar we hebben de dader nooit gevonden.' Hij hoestte. 'Moet ik u vertellen hoe u moet rijden, of weet u hoe u op de Belt komt?'

6

Hoewel het lange, vlakke schiereiland Rockaway in feite deel uitmaakt van Queens, steekt het vlak onder de dikke buik van Brooklyn uit als de ingetrokken poten van een rustende watervogel. Om er te komen, rijd je door het Jacob Riis Park, een moerasachtig natuurgebied dat meer bij de Chesapeake Bay zou passen dan bij New York. Als je naar het noordoosten afslaat, kom je bij de luchthaven JFK en een paar achterbuurten van de Five Boroughs, wijken die je nooit als gevaarlijk zou bestempelen, domweg omdat ze aan het strand liggen. Hoe kan het strand nu gevaarlijk zijn? Ga maar naar Rockaway, dan merk je het vanzelf.

Breezy Point Cooperative ligt aan het uiteinde van het schiereiland. Niet-blanke gezichten worden schaarser naarmate je meer naar het zuidwesten gaat, evenals het verkeer, dat uitdunt wanneer je in de buurt van het parkeerterrein komt. Omstreeks een uur of drie arriveerde ik er met een taxi. Vlak bij de toegang tot de buurt was een café waar het behoorlijk druk was. De chauffeur knikte vaag toen ik vroeg of hij wilde wachten, of over een uur kon terugkomen. Zodra ik had afgerekend, spoot hij ervandoor.

Ik betrad een doolhof van lage bungalows en Cape Cod-achtige villa's en voelde direct de bries van de naam en het zilte zand dat van het strand honderd meter verderop werd geblazen. Mijn lage schoenen vulden zich met zand toen ik door de smalle straatjes liep, langs huizen die versierd waren met nautische voorwerpen en thema's: reddingsboeien en borden die van verweerde teak waren gemaakt: JIM'S CLIPPER of THE GOOD SHIP HALLORAN. Overal wapperde de Ierse driekleur.

Later hoorde ik dat de meeste huiseigenaars seizoenbewoners zijn die begin september vluchten. Maar half augustus waren ze nog volop buitenshuis, op hun overvolle veranda's of op de promenade, waar ze zwetend blikjes Budweiser samenknepen en naar blonde skateboarders keken die duikvluchten uitvoerden op de stoep. De geur van houtskoolvuurtjes maakte de lucht benauwd. Iedereen leek iedereen te kennen en niemand kende mij. Kinderen die basketbal speelden met een lage basket op een met water verzwaarde voet staakten hun spel om naar me te staren, alsof ik een grote rode letter op mijn borst had. Zoiets als de V van Vreemdeling.

Op zoek naar het huis van McGrath verdwaalde ik, en uiteindelijk belandde ik op het strand bij een monument voor brandweerlieden uit de buurt die in het World Trade Center waren omgekomen. Ik schudde mijn schoenen uit.

'De weg kwijt?'

Ik draaide me om en zag een meisje van een jaar of negen in een denim short over een badpak.

'Ik ben op zoek naar Lee McGrath.'

'U bedoelt de professor.'

Ik zei: 'Als jij het zegt.'

Ze wenkte en liep het doolhof weer in. Ik probeerde alle afslagen in me op te nemen, maar gaf het op en liet me brengen naar een krot met een goed onderhouden voortuin met pioenrozen, viooltjes en een vlekkeloos gemaaid gazon, een tuin die zo op de voorpagina van *Martha Stewart Living* kon. Aan het eind van de veranda hing een hangmat met een kussen vol builen, en daarachter stond een oud Coca-Cola-bord tegen de houten gevel. Op de brievenbus aan de straat stond MCGRATH; daaronder zat een sticker met NYPD. Achter het raam aan de voorkant zat een verbleekte poster van de Twin Towers met een adelaar en de Amerikaanse vlag.

NEVER FORGET

Ik klopte aan en hoorde trage voetstappen.

'Bedankt voor uw komst.' Hoewel Lee McGrath niet zo oud was als hij aan de telefoon had geklonken, hadden de jaren hem niet vriendelijk bejegend. Zijn onbehaarde kuiten gaven hem iets vrouwelijks en zijn slappe huid verried dat hij ooit veel omvangrijker was geweest. Hij droeg een blauwe badjas en aftandse pantoffels, die een spookachtig schuifelgeluid maakten toen hij zich omdraaide en weer naar binnen slofte. 'Trek maar wat uit.'

Het interieur rook naar zalfjes en de janboel contrasteerde sterk met die keurig onderhouden tuin. Voordat McGrath me een stoel aan de eetkamertafel bood, was hij meer dan vijf minuten bezig ruimte te maken; hij verplaatste stapels ongeopende post, halfvolle weggooibekertjes en flesjes pillen naar een doorgeefluik, één ding per keer, een proces om gek van te worden. Ik wilde hem helpen, maar dat wuifde hij weg terwijl hij amechtig keuvelde.

'Kon u het vinden?' vroeg hij.

'Met een beetje hulp.'

McGrath grinnikte zwakjes. 'Ik zei toch dat u de weg moest opschrijven. De eerste keer verdwaalt iedereen hier. Het is een interessante buurt, maar het is heel lastig om een bepaald adres te vinden. Ik woon hier nu eenentwintig jaar en raak nog steeds in de war.' Hij bekeek het vrijgemaakte deel van het tafelkleed en achtte het voldoende. 'Koffie?'

'Nee, dank u.'

'Ik heb ook sap en water. Misschien zelfs een pilsje, als u wilt.'

'Ik hoef niets.' Ik wilde opstappen. Ziekte maakt me nerveus. Dat kan je gebeuren als je je moeder ziet wegteren.

'Zeg het maar als u wel iets wilt. Wilt u me even helpen voor we beginnen?'

Op een sleets tapijt in de achterkamer stonden een gammel bureau met een computer, een kleine tv op een tafeltje met wieltjes en twee grote boekenkasten. De ene was gevuld met pockets en de andere met ordners. Een gele relaxfauteuil zag eruit alsof er net iemand op had gezeten. Op de leuning lag een opengeslagen thriller van John le Carré. Aan de tegenoverliggende wand hing een tiental foto's: van een jongere en meer robuuste McGrath in een politie-uniform; McGrath die Mickey Mantle een hand geeft. Diverse ingelijste eervolle vermeldingen waren, als bij nader inzien, dicht bij elkaar in een hoek gehangen. De aangrenzende muur was kaal, op een laserprinteruitdraai van een gezocht-poster van Osama bin Laden na.

Op de grond stond een kartonnen doos met een houtpatroon. McGrath wees ernaar. Ik tilde hem op – hij was loodzwaar – en bracht hem naar de tafel in de eetkamer.

'Dit zijn kopieën van het dossier van de man die Eddie Cardinale heeft vermoord,' zei hij terwijl hij plaatsnam. Hij haalde er klemborden uit, gele enveloppen die met touw bijeen werden gehouden en politie- rapporten van vijf centimeter dik, bij elkaar gehouden door krokodil- lenklemmen. Hij haalde een stapel zwart-witfoto's van plaatsen delict tevoorschijn en draaide ze vlug om, maar niet zo vlug dat de slachting me ontging.

'Hier.' Hij schoof een foto over de tafel. 'Komt hij u bekend voor?'

Dat kon je wel zeggen. Al mijn poriën gingen tegelijkertijd open. Er bestond geen twijfel dat de glimlachende jongen op de foto een van de cherubijnen op de tekening van Victor Cracke was.

De shock moet van mijn gezicht te lezen zijn geweest, want McGrath leunde naar achteren en wreef over zijn ongeschoren kin.

'Ik dacht het wel,' zei hij. 'Eerst dacht ik dat ik gek werd. Daarna zei ik: "Hé, Lee, zo oud ben je nou ook weer niet. Je hebt nog een beetje her- sens over. Bel die man gewoon op."'

Ik zweeg.

Hij vroeg: 'Zeker weten dat u geen sapje wilt?'

Ik knikte.

'Mij best.' Hij pakte de foto van Eddie Cardinale. 'Arme drommel. Er zijn dingen die je nooit vergeet.' Hij legde de foto weer neer, sloeg zijn armen over elkaar en glimlachte me toe met een intelligentie die niet strookte met de persona van domme oude zak die hij aan de telefoon had voorgewend.

Ik vroeg onnozel: 'Bent u professor?'

Zijn lachbui mondde uit in een hoestaanval. 'O, nee hoor. Zo noemen ze me alleen maar.'

'Waarom?'

'Weet ik het. Ik denk vanwege mijn bril.' Hij wees naar zijn kruin, waar de genoemde bril zat. 'Vroeger zat ik altijd op de veranda te lezen en de kinderen uit de buurt zagen me en gaven me vervolgens die bijnaam. Ik ben afgestudeerd aan het City College.'

'Afgestudeerd waarin?' Ik stelde de vragen liever.

'Vaderlandse geschiedenis. En u?'

'Kunstgeschiedenis.' Ik verzweeg maar dat ik mijn bul nooit had gehaald.

'Moet je ons eens zien. Stelletje historici.'

'Jawel.'

'Alles goed? U lijkt wel van streek.'

'Ik ben niet van streek,' zei ik. 'Wel een tikje verbaasd.'

Hij haalde zijn schouders op. 'Hoor eens, ik weet niet wat het te betekenen heeft. Misschien is het niets.'

'Waarom hebt u me dan gebeld?'

Hij glimlachte. 'Ik ben gepensioneerd en verveel me rot.'

'Eerlijk gezegd weet ik niet hoe ik u van dienst kan zijn,' zei ik. 'Afgezien van wat ik u al aan de telefoon heb verteld, weet ik niets van de man.'

Ik weet niet waarom ik me zo in de verdediging gedrongen voelde. McGrath had niemand beschuldigd, laat staan mij. Een moord van veertig jaar geleden was voor mijn tijd, tenzij je in karma en reïncarnatie gelooft, en McGrath kwam niet op me over als een mystiek type. (Zo. Ik heb er een cynische zin uit. Ben je niet trots?)

'U weet vast wel iets meer,' zei hij. 'U zou niet zomaar een stel tekeningen uit een container halen en in uw galerie ophangen.'

'Daar komt het eigenlijk wel op neer.'

'Hoopte u dat hij het artikel zou lezen en zijn gezicht zou laten zien?'

Ik haalde mijn schouders op. 'De gedachte is wel bij me opgekomen.'

'Maar u hebt geen oproep in de krant geplaatst of zo.'

'Nee.'

'Aha.' Ik kreeg de indruk dat hij dacht dat ik het verhaal over de 'vermiste kunstenaar' om publiciteitsredenen uit mijn duim had gezogen. In zekere zin was dat ook zo. Ik loog niet wanneer ik mensen vertelde dat Victor werd vermist, maar ik was niet meer naar hem op zoek.

'Als dat echt zo is,' zei McGrath, 'verdoe ik misschien uw tijd.'

'Zoals ik vanmorgen al zei.'

'Nou, dat spijt me dan oprecht.' Het leek hem helemaal niet te spijten. Hij leek me te peilen. 'Maar omdat u er nu toch bent, wil ik u graag het een en ander over Eddie Cardinale vertellen.'

Edward Hosea Cardinale, geboren op 17 januari 1956, woonachtig in Seventy-fourth Street 34-17, Jackson Heights, Borough of Queens, Queens County. New York. P.S. 069; lief joch, populair. Op zijn klassenfoto heeft hij iets weg van een prepuberale Ricky Ricardo; grote boord met punten, achterovergekamd haar met brillantine, zijn glimlach onthult een gleufje tussen zijn twee voortanden.

Dinsdagavond 2 augustus 1966 zit Eddies moeder Isabel halverwege een verpletterende hittegolf op het bordes van hun appartement; haar blouse is stoffig en gekreukt omdat ze zich constant heeft gebukt om rommel en speelgoed op te ruimen. Ze is bezorgd. De tweeling heeft net leren lopen en de opvoeding is een volledige baan. Ze wil ruimte om te kunnen nadenken en stuurt Eddie met zijn honkbalhandschoen naar het park. Hij moet om zes uur terug zijn.

Inmiddels is het al half negen en is hij in geen velden of wegen te bekennen. Ze vraagt haar buurman een oogje op de tweeling te houden en gaat op zoek naar haar oudste zoon.

Een uur later komt Eddies vader Dennis, manager van de ploegendienst in een suikerfabriek in Brooklyn thuis uit zijn werk, en wanneer hij hoort dat Eddie is verdwenen, gaat hij ook op zoek. Isabel blijft thuis om de ouders van Eddies vrienden te bellen. Volgens jongens die in het park zijn geweest, had het partijtje ongeveer van een tot vijf uur geduurd. Daarna gingen de spelers uiteen om naar huis te lopen. Eddie had zich de hele dag niet laten zien.

Om tien uur bellen de Cardinales de politie. Twee agenten worden naar hun adres gestuurd, waar ze verklaringen en een signalement opnemen. Patrouillerende agenten worden gewaarschuwd uit te kijken naar een jongen van tien met zwart haar in een blauw overhemd en een spijkerbroek, die een honkbalhandschoen bij zich heeft.

Aanvankelijk gaat de politie ervan uit dat Eddie, ontevreden over de hoeveelheid tijd die zijn moeder met zijn kleine broertjes doorbrengt, is weggelopen van huis om aandacht te trekken en waarschijnlijk binnen een straal van een kilometer zal opduiken. De Cardinales houden stug vol dat hun zoon te volwassen is om zo'n stunt uit te halen, een overtuiging die drie dagen later op gruwelijke wijze wordt bevestigd wanneer een beheerder van de begraafplaats St. Michael vlak bij het kerkhof, in de buurt van de Grand Central Parkway een lijk vindt. De autopsie brengt sperma op zijn billen en dijen aan het licht, en bloed op de spijkerbroek en het ondergoed van het slachtoffer. Een gebroken tongbeen en ernstige blauwe plekken op zijn hals wijzen op wurging als de doodsoorzaak.

Hoe sensationeel en opwindend de zaak ook mag zijn, het nieuws komt niet verder dan de plaatselijke krant. Een ander, nog veel sensationeler misdrijf beheerst het nationale nieuws: de massamoord van sluipschutter Charles Whitman op de Universiteit van Texas in Austin. Het Amerikaanse collectieve bewustzijn kan maar een beperkte hoeveelheid duisternis herbergen, en die wordt in de zomer van 1966 een paar weken geheel geannexeerd door Whitman. Men verliest de belangstelling voor de moord op Eddie Cardinale.

McGrath zei: 'Hij was niet de eerste.'

Ik keek niet op van de stapel misdaadfoto's die McGrath me onder het praten had gegeven. Ik zag Eddie, Eddies moeder en vader, beiden zagen er verpletterd uit; ik zag de dode jongen, ontluisterd als een gebroken viool. McGrath zei dat de hitte de ontbinding had bespoedigd, waardoor de slanke, knappe jongen in een opgeblazen zak was veranderd en zijn gezicht er onmenselijk uitzag. Ik stelde vast dat de foto's het midden hielden tussen die van Weegee en Diane Arbus, en toen herinnerde ik me dat ik naar een dood kind keek, een echt dood kind, en niet naar een kunstwerk. Vervolgens herinnerde ik me dat Weegee en Diane Arbus ook naar echte mensen hadden gekeken. Alleen doordat ik de slachtoffers niet had gekend, kon ik hun beeltenis zien. Nu ik Eddie Cardinale kende, vond ik het moeilijk om naar hem te kijken.

Ook zag ik bladzijden vol transcripten van gesprekken met buren, met plaatselijke ondernemers, met de Cardinales, met Eddies vriendjes die wel in het park waren geweest. Ik zag het rapport van de lijkschouwer met de bijbehorende foto's. Ik zag een kaart van Queens waarop de locatie van het lijk en van de woning van de Cardinales in Jackson Heights was aangegeven; er zat nog geen anderhalve kilometer tussen. De plek was ook minder dan anderhalve kilometer van een andere plek die niet op de kaart was aangegeven, maar waarvan de nabijheid van Eddies laatste stappen aan duidelijkheid niets te wensen overliet: Muller Courts.

Uiteindelijk drongen de woorden van McGrath tot me door. 'Pardon?'

'Voor hem was er nog een,' zei hij. 'Niemand bracht de twee moorden met elkaar in verband tot ze een nieuwe rechercheur op de zaak zetten.'

Hij hoefde me niet te vertellen dat hij de bewuste rechercheur was; ik herkende het air waarmee hij erover sprak. Ik klink net zo als ik het over mijn kunstenaars heb.

'In die tijd hadden we nog geen computers. Je bewaarde alles op papier en daarom zag je overeenkomsten snel over het hoofd, al waren ze nog zo talrijk.' Hij scharrelde in de kartonnen doos en haalde weer een schat aan materiaal tevoorschijn, waarop STRONG, H. stond. 'Deze jongen, Henry Strong, verdween ongeveer een maand voor Eddie Cardinale, op Onafhankelijkheidsdag, 4 juli. Zijn familie had een feest en hij kuiert weg. Getuigen waren allemaal dronken en niemand kon ons ook maar het geringste vertellen, behalve een oom die meldde dat hij een kleurling in een leren jack had gezien. Het lijk hebben ze nooit gevonden.'

'Victor Cracke was geen kleu... Geen zwarte.'

'In het artikel zei u niet te weten hoe hij eruitzag.'

'Ik weet wel dat hij blank was,' zei ik. 'Dat is het enige.'

McGrath haalde zijn schouders op. 'Oké. Eerlijk gezegd denk ik dat de man die ons dat vertelde alleen maar probeerde zichzelf nuttig te voelen. We hebben het nooit een bruikbare onderzoekslijn gevonden.'

Ik zweeg.

'Wilt u de rest zien?' vroeg hij.

Ik vroeg hoeveel hij met 'de rest' bedoelde.

'Drie.'

Ik haalde diep adem en schudde mijn hoofd.

'O nee?'

'Nee,' zei ik.

Hij leek verrast. 'Zoals u wilt.' Hij sloot Henry Strongs dossier en deed het weer terug in de doos. 'Hebt u kans gezien de tekening mee te nemen?'

Op verzoek van McGrath had ik een kleurenfoto van het centrale paneel meegenomen, de tekening met de vijfpuntige ster en de dansende cherubijnen. Het origineel had ik achtergelaten. Er was geen reden een kunstwerk dat al broos was te veel aan te raken.

'Ik ben het vergeten,' loog ik.

Als ik me verbeeldde dat ik Victor Cracke kon beschermen, had ik het mis; liegen kon hem – en mij – alleen maar verdachter maken. Ik zag direct hoe zinloos de leugen was, maar wat kon ik op dat moment doen? Terugnemen? Voordat hij blijk van zijn teleurstelling kon geven, vroeg ik om een glas water.

'In de koelkast,' zei hij.

Ik ging naar de keuken en bleef even voor de open koelkast staan. Er was geen airconditioning en ik liet de koelte over me komen, terwijl ik afwezig mijn vingers over pakjes met plakken ham, een half opgegeten stuk lichte cheddar en een pot met koosjere augurken liet gaan. In de deur zag ik naast een pak jus d'orange en een plastic kan met water nog meer medicijnen staan, amberkleurige flesjes met KOEL BEWAREN. Wat mankeerde hem? Ik besloot de moed te verzamelen het te vragen.

Maar McGrath was me te vlug af en toen ik terugkwam, hoestte ik bijna een slok water uit bij de aanblik van de foto's van de drie andere slachtoffers die hij als een groepsfoto had neergelegd: Victors Slachtoffers. De woorden flitsten door mijn hoofd en ik stiet een geschrokken lachje uit.

'Ik…' begon ik, maar ik merkte dat ik niets te zeggen had. Wat kon ik ook zeggen? De vermoorde jongens waren stuk voor stuk cherubijnen, het vijftal klopte als een bus.

'Allemaal gewurgd, allemaal binnen een afstand van tien kilometer van elkaar. Als je Henry Strong meetelt, begint het op 4 juli 1966. De laatste was in het najaar van '67,' zei hij. 'Althans voor zover ik weet. Ik durf te wedden dat er nog meer zijn die aan zijn modus operandi voldoen, later of elders. Wat denkt u?'

'Pardon?' zei ik.

'Denkt u dat hij zijn net verder heeft uitgeworpen?'

'Ik heb geen idee.'

'Waarom zou u ook. Maar het kan geen kwaad een mening te vragen, hè?' Hij lachte, maar kreeg weer een hoestbui.

'Nee.' Ik voelde me onrustig, alsof McGrath me murw maakte alvorens me in de val te laten lopen met de belastende bekentenis dat ik Victor Cracke in mijn garderobe had laten onderduiken.

Wat ik natuurlijk niet had gedaan. Er was niets om me schuldig over te voelen.

'Ik wilde dat ik nuttiger kon zijn,' zei ik.

'Weet u helemaal niets? De plekken waar hij graag kwam bijvoorbeeld?'

'Ik heb zijn adres,' zei ik, voordat ik mezelf verbeterde: 'Waar hij vróéger woonde. Hij was allang vertrokken voordat ik op het toneel verscheen.'

'Wat was dat adres eigenlijk? In het stuk stond Queens, maar niet precies waar.'

'Jawel hoor. Muller Courts.'

'O ja?' McGrath pakte de *Times* en zette zijn leesbril op. 'Ik word zeker seniel.' Hij las. 'Inderdaad. Ik had het mis. Es kijken…' Hij gooide de krant opzij en pakte de kaart van Queens. '… waarschijnlijk is de uitkomst wel te raden.' Met een pen stipte hij de locaties van de andere drie lijken aan. Ze waaierden keurig uit van de plek waar Cracke had gewoond: de dichtstbijzijnde was op nog geen kilometer en de verste in Forest Hills.

'De laatste,' zei hij. 'Abie Kahn.' Hij pakte een foto van een jongen met een keppeltje. Zonder in het dossier te hoeven kijken vertelde hij me de datum van de verdwijning: 29 september 1967. 'Op vrijdagmiddag. Zijn vader is klusjesman en haast zich vooruit naar de synagoge om voor de sabbatdienst een lek in het kantoor van de rabbijn te repareren. Abie scharrelt thuis nog wat rond en uiteindelijk roept zijn moeder dat hij moet opschieten, anders komt hij te laat. Op dat tijdstip is er geen mens op straat, iedereen is al in de synagoge, of thuis bezig met het avondeten. Abie vertrekt te voet en komt nooit aan. Hij was tien.'

Op dat punt vroeg ik me af of McGrath wist dat ik had gelogen over de tekening, en of hij het macabere rijtje had neergelegd om op mijn geweten te werken.

'Dat is mijn dochter,' zei hij toen hij mijn blik volgde, die tot dat moment op oneindig had gestaan. De dochter in kwestie, een magere brunette met een bedachtzame blik, leek niet zozeer op McGrath, maar weerspiegelde wel zijn intensiteit. Aan de andere kant van de deuropening hing nog een foto, ook van een vrouw. Zij had hetzelfde postuur, zag er nog strenger uit en was een jaar of vijf ouder dan de eerste.

'Mijn andere dochter.'

Ik knikte.

'Hebt u kinderen?' vroeg hij.

Ik schudde mijn hoofd.

'Er is nog tijd,' zei hij.

'Ik wil geen kinderen,' zei ik.

'O, nou ja.'

Het geluid van de branding, Springsteen op de radio; vrolijke kreten.

'Mijn taxi wacht,' zei ik.

McGrath stond op. Overeind komen maakte hem buiten adem, hij hijgde reutelend en oppervlakkig en grijnsde als Bela Lugosi.

'Ik loop wel even mee,' zei hij.

Op de rand van de veranda bleef hij staan. Hij legde uit dat als hij de trap afdaalde, ik hem weer naar boven moest dragen en dat sloeg nergens op, hè?

Dat beaamde ik.

'Als u nog iets te weten komt, laat u het weten, hè?'

'Absoluut.'

'U hebt mijn nummer.'

Ik voelde aan mijn borstzak, waar ik het geeltje had gestopt dat hij me had gegeven.

'Goed dan,' zei hij. 'Rij voorzichtig.'

Er was meer tijd verstreken dan ik besefte, en als de chauffeur inderdaad had besloten terug te komen, was hij alweer verdwenen toen ik eindelijk uit de doolhof kwam en op het gemeenschappelijke parkeerterrein belandde. Het café zat vol happyhourklanten en ik trok een heleboel nieuwsgierige blikken toen ik naar binnen ging en het barmeisje het nummer van een plaatselijk taxibedrijf vroeg.

'U kunt het proberen,' zei ze, 'maar ze werken niet graag.'

Een half uur later belde ik de centrale weer om te vragen waar mijn taxi verdomme bleef. De man aan de andere kant van de lijn was niet erg behulpzaam, dus ging ik het café weer in voor het nummer van een ander bedrijf. Daar vertelden ze me dat er geen voertuigen beschikbaar waren.

Inmiddels had ik ruim een uur gewacht en restten me nog maar twee mogelijkheden: naar de metro zien te komen, die op zich zo'n acht kilometer verderop was, of een vriend bellen. Ik probeerde Marilyn, maar die nam niet op. Vrienden met een auto – die ik op de vingers van één hand kon tellen – namen ook niet op. Ik belde Ruby, die aanbood zelf een taxi te nemen om me te komen ophalen. Maar het was spitsuur en dat betekende dat alleen al naar me toe komen minstens een uur zou kosten. Ik zei dat ze voorlopig nergens heen moest gaan en liep terug naar het huis van McGrath.

Deze keer vond ik het op eigen kracht, hoewel ik een paar keer een verkeerde afslag nam. Ik klopte aan en nu klonken er snelle voetstappen. Ik vroeg me af of hij soms had gesimuleerd om medelijden te wekken.

'Ja?' De vrouw die opendeed droeg een grijs broekpak, een zwarte katoenen blouse en eenvoudige zilveren oorbellen in de vorm van de Franse lelie. Ik herkende haar als de jongste dochter. Ze zag er in het echt veel beter uit dan op de foto, die haar op de voorzitter van het dispuut deed lijken. Was ze al die tijd al daar geweest?

'Kan ik u helpen?'

'Ik ben Ethan,' zei ik.

'Kan ik iets voor je doen, Ethan?'

'Ik ben hier net geweest,' zei ik. 'Bij uw vader. Mijn taxi heeft me niet opgehaald. Zou ik misschien even mogen binnenkomen om hem te vragen… Ik moet een nummer hebben zodat ik… ik thuis kan komen.' Ik zweeg even om de onnozelheid van de voorgaande zinnen te overdenken. Ik zag dat die haar niet was ontgaan.

'Ik woon in Manhattan,' voegde ik eraan toe.

Binnen riep McGrath: 'Sammy?'

'Is hij dat? Zeg maar dat ik het ben, Ethan Muller.'

De vrouw nam me nog een keer vlug van top tot teen op. 'Wacht even,' zei ze, en ze deed de deur voor mijn neus dicht. Even later kwam ze met een verontschuldigende glimlach terug. 'Het spijt me. Hij heeft de pest aan colporteurs.'

(Zag ik er echt uit als een Jehova's getuige?)

'Ik weet niet wat er aan Breezy Point mankeert,' zei ze toen ze me binnenliet, 'maar het kost moeite om hier een taxi te vinden. Ze denken dat het ergens in Jersey is of zo. Ik ben Samantha, trouwens.'

'Ethan.'

'Er is iemand in de buurt die een taxi heeft.' Ze draaide het nummer voor me en gaf de hoorn aan mij.

'Dank je.' Ik liet hem tien keer overgaan. 'Ik denk niet dat hij opneemt.'

'Sammy.' De stem van McGrath kroop de trap af. Hij klonk halfdood.

'Ik kom eraan.' En tegen mij: 'Als je even geduld hebt, breng ik je wel naar de metro.'

Ik zei dat ik dat prima vond en ging aan de eetkamertafel zitten. Samantha ging naar de keuken. Ik hoorde haar een pan in de gootsteen leggen. Ze kwam terug met een theedoek en zette een glas water voor me neer voordat ze naar boven ging.

Toen ik alleen was, ging ik naar de keuken. Samantha leek me geen beste kok. In een vergiet in de gootsteen lag een klodder spaghetti uit te druipen. Vlakbij stond een ongeopende pot marinarasaus. Ik vond haar schamele diner – of was dit het zijne? – aandoenlijk, dus schonk ik de saus in de lege pan en zette hem op het vuur.

Boven hoorde ik een woordenwisseling tussen Samantha en haar vader. De woorden waren onduidelijk, maar de toon liet niets te raden over: ze smeekte vergeefs. Je staat ervan te kijken hoeveel je van een liedje begrijpt zonder de tekst te verstaan. De frustratie die ze zong was een beetje hartverscheurend, en mijn hart verscheur je niet gauw, vooral wanneer het om vaders gaat.

Terwijl ik naar haar luisterde, bleef de gedachte bij me opkomen: als ik haar was, was ik allang vertrokken, als ik al de moeite had genomen überhaupt naar boven te gaan. Ik moest aan mijn eigen vader denken, die me via Tony Wexler gebiedende boodschappen stuurde. Je vader wil. Je vader zou graag zien. Je vader geeft er de voorkeur aan. Wat een nachtmerrie zou mijn leven zijn als mijn familie zich geen tussenpersoon had kunnen veroorloven.

Boven hoorde ik Samantha zeggen: 'Verdómme, pa.'

De saus borrelde. Ik roerde erin en draaide de vlam laag.

Een half uur later kwam ze naar beneden om zich te verontschuldigen. 'Hij heeft een kwaaie bui.' Daarna zag ze de pan met saus. 'Dat had je niet hoeven doen, hoor.'

'Warm smaakt het beter.'

95

'Hij zegt dat hij geen trek heeft.' Ze masseerde haar voorhoofd. 'Hij is erg koppig.'

Ik knikte.

Ze bleef nog even zo staan: met de muis van haar hand die haar voorhoofd streek, haar vingers opgekruld als een schelp. Ze had een prachtige pruilmond en haar wangen waren bespikkeld met sproeten die verbleekt waren door kantoorwerk. Had ze een scheepvaartbedrijf? Zat ze in de publiciteit? Ik besloot dat ik haar te laag aansloeg. Ik stelde vast dat ze het type meisje was dat haar ouders harde werk had beloond. Waarschijnlijk was ze maatschappelijk werkster...

Terwijl ik haar zag kalmeren, nam de overeenkomst tussen haar en haar vader toe. Wat ik daarvoor had geïnterpreteerd als intensiteit was stoïcisme, begreep ik nu. Boven kreeg haar vader een hoestbui en van haar gezicht viel bijna niets af te lezen; niet meer dan een heel lichte toename van haar vastbeslotenheid, ze kneep haar ogen een fractie toe en haar kaaklijn verstrakte minimaal. Ze was zeker niet de meest betoverende vrouw die ik kende, maar zoals ze zich daar niet druk stond te maken over wat ik als een penibele situatie beschouwde, had ze een onopgesmukte kwaliteit die ik merkwaardig aantrekkelijk vond. Ik ontmoette niet vaak gewone meisjes.

Ze zei: 'Ik breng je naar de trein.'

We liepen naar het parkeerterrein. Achter de vooruit van haar Toyota zat een politiebordje.

'Je bent een smeris,' zei ik.

Ze schudde haar hoofd. 'Officier van justitie.'

Tijdens de korte rit raakten we aan de praat. Ze lachte – een gulle, gnuivende lach – toen ik haar vertelde van het eerste telefoontje van haar vader.

'Tjongejonge,' zei ze. 'Die zaak weer, hè? Nou, succes ermee.'

'Waarmee.'

'Hij zei dat je hem hielp.'

'Heeft hij dat gezegd?'

'Ik begrijp dat je het oneens bent.'

'Ik zou hem graag hepen,' zei ik. 'Maar ik kan het niet. Ik heb een hele poos geprobeerd hem dat uit te leggen.'

'Hij schijnt te denken dat je heel behulpzaam bent.'

'Als hij het zegt.'

Ze glimlachte. 'Soms,' zei ze, 'haalt hij zich van alles in z'n hoofd.' Bij de metro bedankte ik haar voor de lift.

'Bedankt dat je helemaal hierheen bent gekomen,' zei ze.

'Graag gedaan, hoewel ik echt niet zou weten wat ik heb gedaan.'

'Je hebt hem iets omhanden gegeven,' zei ze. 'Je hebt geen idee hoeveel dat waard is.'

7

Het was lang geleden dat ik in de metro had gezeten. In mijn jeugd was het openbaar vervoer taboe. Ik ging met een taxi of met een auto of, wanneer Tony erbij was, met een Rolls-Royce Silver Wraith uit 1957 bestuurd door een zwijgzame Belg die Thom heette. Ik kan Tony's angst voor het openbaar vervoer niet helemaal ongegrond noemen. Denk je maar eens in hoe de situatie in New York in de jaren tachtig was en zet vervolgens mij – een schriele blanke kakker met een heleboel opgepotte razernij – in een van die smerige, onbewaakte treinen, en dan heb je pas echt een reden om je zorgen te maken. Natuurlijk maakten al die beperkingen van mijn vrijheid het des te waarschijnlijker dat ik juist een kaartje kocht of, als ik me extra rebels voelde, dat ik over het draaihekje sprong. *Viva la revolución.*

De rit naar huis duurde anderhalf uur, wat meer dan genoeg tijd was om na te denken over mijn gesprek met McGrath en de consequenties ervan voor mij, gedachten die ik de volgende avond met Marilyn deelde toen ik met haar ging eten bij Tabla.

Haar eerste reactie was giechelen.

'Ben je met de metro gegaan?'

'Dat was niet waar het verhaal om ging.'

'Arme jongen.' Ze streelde mijn wang. 'Doet je zitvlees pijn? Moet ik een kompres voor je bestellen?'

'Ik ben wel meer met de metro gegaan.'

'Je hapt zo gauw. Je kunt net zo goed een grote knop op je borst aanbrengen met DRUKKEN MAAR.'

'Heb je wel gehoord wat ik je net heb verteld?'

'Ja hoor.'

'En?'

'En het verbaast me niets. Je zult je herinneren dat ik je heb gewaarschuwd, lieveling. Bij de opening heb ik gezegd dat die kunstenaar van jou een slechterik is; dat zie je aan de wellust waarmee hij pijn afbeeldt.'

'Dat hij de slachtoffers heeft afgebeeld, zegt niets,' zei ik. 'Hij kan ze in de krant hebben gezien en nagetekend hebben.'

'Hébben ze in de krant gestaan?'

'Dat weet ik niet,' gaf ik toe. 'Maar wat het geval ook mag zijn, het werk als geheel is kolossaal. Er staat van alles op, allerlei krankzinnige scènes, en een heleboel daarvan zijn herkenbaar. We schrijven de bouw van het Yankeestadion ook niet aan hem toe, terwijl hij het toch heeft getekend.'

'O ja?'

'Of iets wat er veel op lijkt.'

'Kijk, daar gaat je verdediging al.'

'Dit ís geen verdediging…'

'Weet je, ik vind het heerlijk dat je een moordmysterie oplost. Daar zitten we nou net op te wachten, een lekker moordverhaal.'

'Ik los niets op.'

'Persoonlijk kan ik wel een paar mensen bedenken die ik graag zou vermoorden.'

'Daar twijfel ik niet aan.'

'Of zou laten vermoorden.' Ze nam een grote slok wijn. 'Ik weet zeker dat ik het niet graag zelf zou doen. Ik ben meer een meisje voor het grote plaatje, vind je ook niet?'

Ik zweeg en haalde mijn brood net zo lang door de olijfolie tot het uit elkaar viel.

'Hou alsjeblieft op met piekeren,' zei Marilyn.

'Denk je echt dat hij ze heeft vermoord?'

'Kan het iemand iets schelen?'

'Mij.'

'Waarom zou jij je daar in hemelsnaam druk over maken?'

'Stel jezelf maar eens voor in mijn plaats,' zei ik.

'Goed,' zei ze. Ze stond op, liet me van plaats verwisselen en legde een vinger tegen haar slaap. 'Hm. Nee, het kan me nog steeds niets schelen.'

'Ik vertegenwoordig een moordenaar.'

'Wist je dat toen je hem in je portefeuille nam?'

'Nee, maar…'

'Zou de wetenschap je ervan hebben weerhouden?' vroeg ze.

Daar moest ik even over nadenken. Ook al was Victor Cracke een kindermoordenaar, hij was niet de eerste kunstenaar die zich misdroeg. De beroemdste outsiderkunstenaar aller tijden, Adolf Wölfli, heeft het grootste deel van zijn leven in een gekkengesticht doorgebracht nadat hij was gearresteerd omdat hij meisjes had aangerand, van wie er een pas drie was. Als groep doen de niet-outsiderkunstenaars het op de schaal van modelburgers niet veel beter. Ze doen zichzelf en anderen verschrikkelijke dingen aan: ze drinken zichzelf dood, schieten zichzelf dood, steken zichzelf dood, verwoesten hun werk en vernietigen hun gezin. Caravaggio heeft iemand vermoord.

Waarom keek ik er zo van op dat Cracke – volgens de meeste beschrijvingen volslagen asociaal – een wormstekige ziel had? Ging het daar niet juist om? Een deel van wat ons in kunstenaars aantrekt is hun anderszijn, hun weigering zich te conformeren, hun grote opgestoken middelvinger voor de neus van de samenleving, en wel zo dat juist die immoraliteit, of amoraliteit hun kunst kunstzinnig in plaats van academisch maakt. Gauguin is beroemd door zijn uitspraak dat de beschaving een ziekte is. Hij zei ook dat kunst plagiaat of revolutie is, en geen mens wil herinnerd worden als iemand die plagiaat bedrijft. Verhongerende kunstenaars troosten zich met de gedachte aan een dag in de verre toekomst waarop hun krankzinnige gedrag als vooruitstrevend zal worden erkend.

Maar belangrijker was dat ik Victor Cracke als persoon had losgemaakt van zijn werk. Daarom deed het er niet toe hoeveel mensen hij had vermoord. Door me zijn werk toe te eigenen, had ik het mijn werk gemaakt en het getransformeerd tot iets groters, belangrijkers en waardevollers dan ooit zijn bedoeling was geweest, net als Warhol deed toen hij soepblikken tot icoon verhief. Dat Cracke de tekeningen had vervaardigd, leek me van ondergeschikt belang. Ik had net zomin iets met zijn zonden te maken als Andy met de zonden van de firma Campbell. Dat ik zelfs de moeite nam om bij de morele kant van het vraagstuk stil te staan, maakte dat ik me ongelooflijk saai en achterlijk voelde. Ik hoorde Jean Dubuffet zich al omdraaien in zijn graf en me verbijsterd in het Frans verwensen omdat ik bourgeoiswaarden slikte.

'Bekijk het maar van deze kant,' zei Marilyn. 'Of hij al dan niet iemand heeft vermoord, alleen al de suggestie zal zijn mystieke imago opvijzelen. Als je er de juiste draai aan geeft, heb je een nieuwe commerciële invalshoek.'

'Tralies op de deur van de galerie?'

'Te kitscherig.'

'Ik maakte maar een grapje.'

'Ik niet. Je moet je speelsheid weer terug zien te krijgen, Ethan. Deze hele ervaring maakt je erg seriéus en dat is niet goed voor je.'

'Wat is er speels aan verkrachting en moord?'

'O, mijn god, alsjeblieft zeg. Dat is gewoon een andere manier om 'seks' en 'geweld' te zeggen, en dat is gewoon een ander woord voor 'commercieel massavermaak'. Bovendien mag je niet vergeten dat je de waarheid nog niet weet. Zoals je al zei, kan hij de foto's wel in de krant hebben gezien. Ga op onderzoek uit of zo.' Ze glimlachte. 'O, wat hou ik toch van dat woord. Maak je geen zorgen, dit wordt leuk.'

Ik ging naar de New York Public Library en speelde vier uur met microfiches. Ik wist niet aan welke kranten Victor Cracke de voorkeur gaf, dus controleerde ik de *Times* en alle boulevardbladen in de weken rond de moorden, waarvan ik de data van McGrath kreeg.

'Nog nieuws over de tekening?' vroeg hij toen ik hem belde.

'Welke tekening.'

'Je zei dat je me een kopie zou sturen.'

'O ja.'

Maar voordat ik hem iets zou sturen, wilde ik zien wat ik zelf boven water kon krijgen.

En wat ik kreeg bevestigde mijn intuïtie: alle vijf de slachtoffers hadden wel in een of andere krant gestaan. De overeenkomst tussen de krantenfoto's en de cherubijnen trof me als buitengewoon groot. Niet alleen de gezichten, maar ook de houdingen en uitdrukkingen. Ik maakte kopieën en nam ze mee terug naar de galerie om ze te vergelijken. En ziedaar, ze klopten. Niet perfect – misschien was er sprake van enige artistieke vrijheid? – maar zo nauwkeurig dat ik Marilyn met een gerust hart kon melden dat ik de originelen had gevonden.

'Wat zijn we toch vindingrijk.'

Ik was blij dat ze me de volgende voor de hand liggende vraag bespaarde. Ik wist dat die in haar hoofd speelde, want dat was ook het geval bij mij: waarom zij?

In New York worden een heleboel mensen vermoord. Een heleboel foto's halen de pagina's van de kranten. Alleen al in de eerste twee weken van augustus 1966 telde ik nog drie andere moorden, en dat waren dan nog moorden die gruwelijk genoeg waren om het nieuws te halen. Maar die jongens waren letterlijk het centrum van Victors universum geworden, de opmaat van een levenswerk. Waarom?

En ik werd geplaagd door nog een vraag: hoe had hij de misdrijven met elkaar in verband gebracht? Niet alle artikelen verwezen naar elkaar. De zaak-Henry Strong was niet als moord beschreven, omdat er ten tijde van zijn verdwijning geen lijk was gevonden. Om te weten dat zowel hij als Eddie Cardinale het werk van een en dezelfde persoon was geweest, en dat diezelfde persoon vervolgens nog drie jongens had vermoord, moest een lezer in staat zijn zowel de slachtofferprofielen als de overeenkomsten van de zaken met elkaar in verband te brengen, zoals het feit dat alle jongens waren gewurgd. Iemand die achteloos een krant doorbladert, zou dat waarschijnlijk niet opvallen tenzij hij wel bijzonder scherpzinnig was... of als hij zich al bewust was van de gemeenschappelijke noemer.

Beide omstandigheden waren potentieel van toepassing op Victor, van wie ik me voorstelde dat hij alleen op zijn kamer zat, bang om naar buiten te gaan, bol van de samenzweringstheorieën, de connectie tussen de jongens en hem napluizend, tussen de jongens en de federale overheid... Misschien hoopte hij zichzelf te vrijwaren van datgene wat hen had belaagd, door hen om zijn centrale ster te groeperen bij wijze van brandoffer aan een naamloze moordenaar... zichzelf in slaap wiegend met zijn talismannen in zijn hand, achtervolgd door de waan dat hij wel eens het volgende slachtoffer kon zijn... ongeacht het feit dat hij geen tien was, dat hij nooit buiten kwam... ongeacht... Hij is bang, zo vreselijk bang...

Vergezocht? Zonder meer. Maar ik wilde zo graag geloven dat hij onschuldig was.

Nu moet ik je nog iets bekennen: ik wilde Victor wel beschermen, maar dat had meer met mij te maken dan met hem. Ik had met hem te doen, dat is waar; ik wilde inderdaad zijn goede naam beschermen. Maar mijn grootste zorg was dat hij te veel een mens van vlees en bloed zou worden. Toen hij alleen nog maar een naam was, kon ik mijn scheppende macht loslaten op de kunst en invloed uitoefenen op de wijze waarop mensen die interpreteerden. Maar hoe meer hij zijn aanwezigheid liet gelden – hoe echter hij werd – des te minder ík eraan te pas kwam. En ik had niet veel op met de Victor die zich begon te ontpoppen: een viespeuk die als een idioot tekende, een manische kluizenaar. Pure boosaardigheid is niet erg boeiend, die heeft geen diepte. Eerlijk gezegd botste het met mijn ideeën.

Om maar niet te spreken van de invloed ervan op de verkoop. Wie wilde er nu een tekening van een seriemoordenaar?

Een heleboel mensen, zou blijken. Mijn telefoon rinkelde zowat van de haak. Verzamelaars die ik kende, anderen die ik kende maar nooit had ontmoet, plus een assortiment onsmakelijke types lieten boodschappen achter of wilden met mij over Victor Cracke praten. Eerst was ik wel blij met die piekende belangstelling, maar na de eerste telefoontjes begreep ik dat men minder belangstelling had voor de kunst dan voor het groezelige verhaal erachter. Blijkbaar was het meer waard om 'psychopaat, zedendelinquent en moordenaar' op je cv te hebben dan een graad van de kunstacademie op Rhode Island.

Een man wilde weten of het waar was dat hij hen had verkracht. Hij had namelijk net een perfecte plek aan de wand van zijn eetkamer vrijgemaakt.

Ik wist dat de zaak uit de hand was gelopen toen ik van Hollywood begon te horen. Een bekende regisseur van onafhankelijke films belde om te vragen of ik een aantal stukken wilde uitlenen die moesten dienen als decor van een muziekclip.

Ik belde Marilyn.

'O, rustig nou maar,' zei ze. 'Ik amuseer me alleen maar een beetje.'

'Hou alsjeblieft op met geruchten verspreiden.'

'Dat noemen ze "de bijen laten gonzen".'

'Wat heb je ze in hemelsnaam vertéld?'

'Niet meer dan wat jij mij hebt verteld. Als mensen overdreven reageren zegt dat veel meer over hen dan over jou, mij of het werk.'

'Je maakt dat ik de greep op het verhaal kwijtraak,' zei ik.

'Ik wist niet dat jij de rechten had.'

'Jij weet net zo goed als ik hoe belangrijk het is om de discussie in de hand te houden en…'

'Dat is nou precies wat ik probeer aan te tonen, lieveling: je moet eens ophouden met je pogingen de discussie in de hand te houden. Relax.'

'Ook al,' zei ik, 'óók al zou dat zo zijn, dan nog heb ik er geen behoefte aan dat jij geruchten verspreidt.'

'Ik zei toch dat ik…'

'Marilyn. Marilyn. Stil. Stop. Hou d'r gewoon mee op, goed? Hoe je het ook wilt noemen, kappen.' En ik hing op, veel bozer dan ik had beseft.

Nat wierp me van de andere kant van de kamer een blik toe.

'Ze zegt tegen Jan en alleman dat hij pedofiel was.'

Hij grinnikte.

'Dat is niet geestig.'

'Nou, eigenlijk wel,' zei Ruby.

Ik wierp mijn handen in de lucht en liep naar mijn computer.

Ongeveer een week na mijn gesprek met McGrath had ik hem nog altijd geen kopie van de tekening gestuurd. Toen hij belde, liet ik hem door Nat en Ruby afpoeieren. 'Het spijt me, meneer Muller is momenteel niet beschikbaar. Hij zal u zeker terugbellen zodra hij een momentje heeft. Dank u wel.' Het maakte me onrustig om hem op afstand te houden; ik wilde niet de indruk wekken dat ik bang was. Dat was ik niet. Ik wil duidelijk stellen dat McGrath me helemaal geen angst aanjoeg. Hij was oud, hij was met pensioen en hij zat achter Victor aan, niet achter mij. Voor hem was ik niets anders dan een bron van informatie. En omdat er niets was om me voor te schamen, niet echt, had ik misschien besloten hem zijn zin te geven.

Maar dat hij me niet had bedreigd wilde nog niet zeggen dat ik van alles moest doen om hem te helpen. Ik besloot dat hij gewoon naar de galerie kon komen als hij de tekening wilde bekijken, net als ieder ander.

Dat veranderde allemaal toen ik die middag mijn post openmaakte. Tussen de rekeningen en ansichtkaarten zat een witte envelop met het poststempel New York, geadresseerd aan E. Muller, de Muller Gallery, vierde etage, West Twenty-fifth Street 567 NY, NY 10001.

Ik maakte hem open. Er zat een brief in. Daarin stond, vijfhonderd keer:

STOP

Het pietepeuterige, uniforme en bibberige handschrift herkende ik alsof het van mijzelf was, al kwam er geen Sherlock Holmes voor kijken om te zien dat ditzelfde handschrift in de hele galerie hing en de namen weergaf van rivieren, wegen, landen en monumenten: duizenden voorbeelden die bevestigden dat ik een brief van Victor Cracke had gekregen.

Intermezzo: 1918

En Solomon Mueller verwekte zichzelf opnieuw, Solomon Muller.

En Solomon Muller verwekte drie dochters, die zich in andere firma's introuwden.

En zijn broer Bernard, lui als altijd, trouwde laat en kreeg geen kinderen. Zijn voornaamste liefhebberijen – paarden, feesten en tabak – hielden hem tot de hoge leeftijd van eenennegentig van de straat, nadat hij alle drie zijn andere, nijvere broers had overleefd.

En de derde broer Adolf verwekte twee jongens, Morris en Arthur, die geen van beiden financieel bedreven waren. In het begin gaf Solomon hun alle ruimte. 'Mensen moeten fouten maken om te leren,' zei hij tegen Adolf. Maar weldra begrepen de stamoudsten dat de enige lering die de jongens uit hun fouten trokken, was dat ze die zonder repercussies konden herhalen. Adolf kreeg grijze haren van zijn pogingen om hun een baan te bezorgen die hun achternaam waard was, maar het familiefortuin niet in gevaar bracht.

En de jongste broer Simon verwekte Walter, die Solomon als een zoon beschouwde en die de scepter overnam toen zijn neven nonvaleurs bleken.

Dat Solomon zonder een cent op zak was gekomen, dat hij beginkapitaal bijeengebedeld had, dat hij tienduizend kilometer achter een wagen had gelopen, werd allemaal uit de familiegeschiedenis gewist. Ze namen een genealoog in de arm in wiens handen de joodse paupers (Hayyim, Avrohom en Yonason) transformeerden tot Duitse aristocraten (Heinrich, Alfred en Johann). Op het briefpapier van de onderneming verscheen een wapenschild. Ze sloten zich aan bij een kerk. Verenigingen werden opgericht. Leningen van Solomon aan de zaak van de Unie werden kwijtgescholden, wat leidde tot diners op het Witte Huis, winstgevende overheidscontracten en het aannemen van moties in de Senaat waarin werd gepleit de Mullers tot ereburgers van de Verenigde Staten van Amerika uit te roepen.

Isaac Singer had de waarheid gesproken. Je werd wat je beweerde te zijn.

En Walter, gemaakt naar het evenbeeld van zijn oom, verwekte Louis.

En Louis verwekte consternatie, toen hij werd betrapt toen een keukenjongen fellatio met hem bedreef. Wat was er mis met de keukenmeisjes? Bérnard had niets te klagen gehad over hen. Wat was er mis met vrouwen, met jonge meisjes die over elkaar heen vielen om de knappe, jeugdige miljonair te behagen, die in katzwijm vielen op hun introductiebal, die wedijverden wie er het langst in zijn nabijheid overeind kon blijven en het er stilzwijgend over eens waren dat hij de meest gewilde vrijgezel van Manhattan – zo niet van de hele oostkust – was; wat was er mis met hen? Wat was er mis met vrouwen? Met de dochters van partners om banden aan te halen, met de dochters van de concurrenten om nieuwe te smeden, met de dochters van buitenlandse hoogwaardigheidsbekleders en gemeentelijke politici en staatssenatoren, dochters van het aloude land; wat was er mis met al die vrouwen? Wat was er mis met een vrouw, met een beleefde, knappe, fatsoenlijke vrouw met brede heupen die voor nakomelingen kon zorgen, nou? Wat? Wat was er in hemelsnaam mis met vrouwen?

Louis trouwde.

Begin van de avond, 23 april 1918. Louis loopt door de gangen van zijn huis op Fifth Avenue, een geschenk van zijn ouders ter gelegenheid van de bruiloft twee jaar daarvoor. Op de dag dat hij en Bertha het betrokken, zei zijn moeder: 'Alle kamers moeten vol, hoor,' en sindsdien hoort hij alleen nog maar klachten. Je zou zweren dat de dood hun in de nek hijgt, zo hunkeren ze naar kleinkinderen.

Alle kamers moeten vol. Wat een bespottelijk idee. Dan zou hij een harem moeten hebben. Dan zou hij Dzjengis Khan moeten zijn. Vijf torenhoge etages in Frans-gotische stijl vol hout, marmer, glas, goud en edelstenen, met gewelfde ribben, kolossaal en tochtig. Dat huis op Fifth zal nooit vol zijn. Jaarlijks verbranden ze duizenden kilo's kolen, alleen al om het warm genoeg te houden voor menselijke bewoning.

Al dat natuursteen met zijn holle echo's als de krochten van de hel.

Bertha heeft de pest aan het huis. Ze heeft tegen Louis gezegd dat ze nog liever in een mausoleum woont. Hij betwijfelt of ze dat letterlijk bedoelt, hoewel het familiegraf wél smaakvol is en hij vermoedt dat daar minder dingen kapotgaan. Het huiseigenaarschap zegt hem geen fluit, met al die teleurstellingen: een gebarsten leiding hier, een opbollende vloer daar. De doden zouden zich weinig gelegen laten liggen aan zulke onbenullige rampen. Laat díe maar op Fifth wonen, dan verhuizen hij en Bertha wel naar Salem Hills!

Overdag kan hij tenminste naar zijn werk. Bertha blijft alleen achter en moet personeel in dienst nemen om niet gek te worden. Op een doorsneedag hebben er zevenentwintig mensen in het Muller-huishouden een voltijdbaan, stuk voor stuk gescreend door de vrouw des huizes in eigen persoon. Wie Louis' geaardheid niet kent, zal Bertha's vereisten geheel achterlijk vinden: het moeten vrouwen zijn, of mannen die al zo oud zijn dat ze hun aantrekkelijkheid kwijt zijn.

Ze krijgt wat ze wil. Dat is nooit anders geweest.

Op 23 april 1918 is het dagpersoneel al vroeg naar huis gestuurd en het interne personeel heeft opdracht de avond vrij te nemen, wat een stilte teweegbrengt die Louis niet heeft meegemaakt sinds de eerste, vreselijke nacht die ze er alleen met z'n tweeën doorbrachten, een stilte die het tikken van de klok verandert in het geluid van een vallende bijl; en die ook zijn zorgelijkheid uitvergroot, omdat de stilte alleen heerst tussen het gillen door. Er valt een lentebui, wat het uitzicht vanaf de derde etage waar hij op de volgende krijsbui staat te wachten vertroebelt.

Daar gaat ze weer.

Wat een lawaai! Louis heeft bewondering voor de energie van zijn vrouw. Waarschijnlijk heeft ze bewezen dat ze een betere metgezel is dan hij had kunnen hopen. Ze verspilt tijd, geld noch woorden. Zodra ze zwanger was, trok ze haar eis in dat hij 's nachts naar haar kamer zou komen. Ze wierp hem zelfs een kluif toe in de vorm van een nieuwe hulpkok. Haar doel had ze bereikt. 'Eén kind,' had ze tegen hem gezegd. 'We zullen blij zijn met wat we krijgen.'

Hij heeft ingezien dat één kind reeds talloze veranderingen teweeg zal brengen. Sinds zijn vroegste jeugd is Louis eens per jaar naar de geneeskrachtige bronnen in Bad Pappelheim geweest, eerst met zijn ouders, later met Bertha. Toen hij zijn moeder vertelde dat Bertha het eerstvolgende zomeruitstapje had geannuleerd en dat ze eiste dat hij zou blijven om haar en het nog ongeboren kind te vergezellen naar hun huis in Bar Harbor, verwachtte hij dat zijn moeder hem zou steunen.

Maar ze koos partij voor Bertha. 'Natuurlijk kan ze niet op de boot. We zullen allemaal blijven en we gaan met z'n allen naar Bar Harbor. Je vader zal het een prachtidee vinden.'

Grote veranderingen wierpen hun schaduw vooruit, seismische veranderingen.

Opnieuw klonk het gegil, waardoor hij de tere antimakassar scheurde die hij net in zijn handen had. Hij laat hem op de grond dwarrelen, ijsbeert door de kamer en masseert zijn oorlelletjes, wat hij altijd doet in tijden van crisis.

Hij beseft dat hij dankbaar zou moeten zijn. Zijn schande had veel groter kunnen zijn. Niemand heeft een vermanende vinger geheven, niemand heeft tegen hem geschreeuwd. Ze brachten hem alleen naar een kamer om hem voor te stellen aan een meisje met golvend bruin haar en een moedervlek onder haar linkeroog. Aantrekkelijk, dat besefte hij wel, knap zoals meisjes horen te zijn. Ze had een dromerige glimlach alsof ze constant in een warm bad zakte en leek zich niet bewust van wat zich allemaal afspeelde. Later kwam hij erachter dat het allemaal maar schijn was; niemand had beter in de gaten en noteerde nauwkeuriger wat er zich op het sociale vlak afspeelde dan Bertha.

Dat hebben ze met elkaar gemeen: de worsteling om de schijn op te houden. Hij moest overkomen als de Muller-man en zij als een gewone vrouw, terwijl ze de firma in werkelijkheid met één pink kon leiden.

De firma. In dat opzicht had hij zijn vader in elk geval niet teleurgesteld. Hij en zijn vader hebben een andere stijl, maar ze werken goed samen. Walter is in de loop van zijn leven een beetje een politieke patser geworden, wiens obsessie om de vakbeweging te vernietigen aan het ziekelijke grenst. Hij en Roosevelt hebben elkaar bij diverse gelegenheden gesproken. 'Ik heb die man nooit gemogen. Hij doet me denken aan een kind dat een pak voor zijn broek nodig heeft.'

Louis daarentegen is een voorstander van verzoening. Je krijgt meestal je zin door anderen te laten geloven dat zíj hun zin krijgen.

Het gegil wordt frequenter. Goed teken? Of een slecht? Is ze bijna klaar? Bevallingen zijn een raadsel voor hem. Zwangerschap ook. Hij heeft haar al die tijd amper gezien. Hij ging 's ochtends naar zijn werk voordat ze op was, en wanneer hij thuiskwam, was ze al naar bed. Telkens wanneer hij haar zag, leek ze wel in omvang verdubbeld en uiteindelijk was ze zo enorm dat ze geen persoon meer leek, maar een ei op poten.

Grote god, moet je toch eens horen.

Hoort dat zo te klinken? Hij ijsbeert. Misschien dat hij niet van haar houdt op de manier die mensen veronderstellen, maar geen mens kan zonder een sprankje medeleven naar dat soort gejammer luisteren. De dokter heeft haar op de vierde etage afgezonderd, tezamen met een drietal verpleegkundigen en twee dienstmeisjes die ze het meest vertrouwt, twee vrouwen die in Louis' ogen identiek zijn, al zijn ze geen familie van elkaar. Hij spreekt hen nooit rechtstreeks aan omdat hij hun namen niet kan onthouden, Delia en… Delilah. Alsof het al niet lastig genoeg is om hen uit elkaar te houden! In het algemeen zijn er veel te veel namen om te onthouden. Waarom is het leven zo gecompliceerd? Dikwijls wil hij helemaal niemand spreken, maar domweg weer in bed kruipen en slapen.

Het gegil gaat nog een half uur door en dan, net wanneer Louis aan het kabaal begint te wennen, wanneer hij wenst dat hij op zijn minst de kok thuis had gehouden, want zijn honger wordt ondraaglijk, wordt het doodstil in huis.

Zijn hart slaat over. Hij krijgt een wilde gedachte: ze is dood. Bertha is dood en hij is weer vrijgezel. De een zijn dood is de ander zijn vrijheid. Hij zal weer vrij zijn, zalig vrij, maar alleen tot ze hem zullen dwingen te hertrouwen. En dat zullen ze zo snel mogelijk doen. Ze zullen een roze blom voor hem zoeken, iemand die tien jaar jonger is dan hij, een meisje dat niets van zijn verleden weet, dat zal denken dat hij verpletterd is door zijn verdriet; dat hem zal willen vertroetelen en troosten; dat haar best zal doen om Bertha's geest te verdrijven door elke avond bij hem in bed te kruipen... Elke nacht! O, lieve god!

Zijn borst doet zeer. Hij zal nog een erfgenaam moeten maken. Hij wilde dat ze het weer op een gillen zette, alleen maar om te horen dat ze nog leefde. Gil dan toch in godsnaam. Gillen, dan weet ik dat je je kind hebt. Misschien houdt hij niet van Bertha, maar het had erger kunnen zijn. Het is meer, het is meer: hij koestert een soort genegenheid voor haar. Als ze sterft, zou hij alleen achterblijven in dat huis, niet in staat bevelen te geven. Bertha deelt de lakens uit, Bertha kent alle namen en hoeveel de mensen betaald krijgen; uit angst voor Bertha gaan ze er niet met de kostbaarheden vandoor. Hij acht haar hoog. Zij heeft het roer in handen. Misschien houdt hij zelfs een beetje van haar, zoals je van een oude vriend houdt. Hij wil niet dat ze sterft, ook al kolken de bevrijdingsvisioenen door zijn hoofd; de stress van de botsende emoties verhaast zijn tred; het enorme bronzen wapenschild boven de haard knipoogt boosaardig bij elk rondje. Schreeuw dan, verdomme, gil dan toch!

Hij kan het niet langer aan en stormt naar boven, de deur naar de bewuste suite door. Achter de zitkamer is een slaapkamer die ze vol hebben gelegd met zware zeilen van rubber en canvas. Hij heeft het hen een paar weken geleden zien doen en zich afgevraagd wat dergelijke voorzorgsmaatregelen in hemelsnaam nodig maakte. Was een bevalling soms een eruptie?

De slaapkamerdeur zit op slot, maar binnen klinkt gemompel. Louis bonst op de deur.

'Hallo! Hallo, wat is er aan de hand?!'

Het gemompel houdt op.

Binnen zegt de dokter: 'Meneer Muller?'

'Wat is er met mijn vrouw.'

De arts zegt iets wat Louis niet verstaat.

'Bertha?' Louis is het zat. Hij rammelt aan de deurknop en de deur zwaait abrupt open, een zuster botst tegen hem op en duwt hem van de drempel. Hij probeert over haar schouder te kijken, maar een andere zuster heeft de deur al dichtgedaan.

'Ik eis te horen wat er daarbinnen gebeurt.'

'Deze kant op alstublieft, meneer.'

'Hoor je me niet? Zeg op…'

De zuster pakt hem bij de arm en trekt hem de kamer uit.

'Wat spoken jullie úít?'

'Voor moeder en kind is het 't beste als u met mij meegaat, meneer.'

'Ik… Ik duld niet…' Hij rukt zich los. 'Wat had al dat gegil te betekenen? Geef antwoord, of je vliegt eruit.'

'Het was een normale bevalling, meneer.'

'Vanwaar dan al dat geschreeuw?'

'Dat is normaal, meneer.'

'Waarom hield het dan opeens op? Waar is Bertha?'

'Ze slaapt, meneer. Ze heeft een flauwte gehad.'

'Hoezo "flauwte"?'

'Weeën kunnen een beproeving zijn, meneer.' Haar gezicht is uitdrukkingsloos, maar Louis voelt zich duidelijk bespot.

'Ik wil haar zien,' zegt hij.

'Alstublieft, meneer, waarom gaat u niet naar beneden, en als de dokter het gevoel heeft dat het veilig is…'

'Onzin. Ze is mijn vrouw, dit is mijn huis en ik ga als ik dat wil.' Hij maakt aanstalten om door te lopen, maar de zuster verspert hem de weg.

'Het is beter als u haar laat slapen, meneer.'

'U hebt uw standpunt duidelijk gemaakt. En nu opzij.'

'Ik kan de dokter vragen even met u te praten, meneer.'

'Terstond.'

Ze neigt het hoofd en maakt rechtsomkeert. Louis blijft midden in de gang staan.

Vijf minuten later komt de dokter tevoorschijn. Hij heeft zijn best gedaan om zich te reinigen, maar Louis schrikt toch van het bloed op zijn kraag.

'Gefeliciteerd, meneer Muller. U hebt een dochter.'

Een dochter? Onaanvaardbaar. Hij moet een zoon hebben. Hij wil de arts opdracht geven het nog eens te proberen. 'Waar is Bertha.'

'Ze slaapt.'

'Ik wil haar spreken.'

'Uw vrouw heeft een enorme beproeving doorstaan,' zegt de arts. Zijn handen trillen. 'Het is beter als we haar laten slapen.'

'Mankeert haar iets?'

'Helemaal niet, meneer. Zoals ik al zei, ze is moe, maar verder in goede gezondheid.'

Louis is niet op zijn achterhoofd gevallen. Hij weet dat er iets mis is. Hij herhaalt zijn vraag en de dokter stelt hem opnieuw gerust. Maar die bevende handen… Er schiet hem iets anders te binnen.

'Is er iets mis met de baby?'

De dokter wil iets gaan zeggen, maar Louis valt hem in de rede.

'Ik wil haar zien. Nu. Breng me naar haar toe.'

Weer aarzelt de dokter. 'Komt u maar mee.'

Wanneer ze door de zitkamer lopen, vraagt Louis zich af wat er zal gebeuren als de baby sterft. Dan moeten ze het opnieuw proberen, maar zouden ze dat hoe dan ook niet moeten doen? Een meisje is niet genoeg. Als de baby sterft, zal hij vooral bedroefd zijn voor Bertha, voor wie het hele proces – van conceptie tot bevalling – een project is geweest dat ze vrijwel alleen heeft moeten dragen. Omdat ze zo veel hoop en verlangen in dat ene ogenblik heeft geïnvesteerd, zal ze ontroostbaar zijn tot ze een echte, levende baby aan haar borst heeft. Dat is hij haar wel verplicht. Als de baby sterft, neemt hij zich voor dat hij een moedig gezicht zal trekken en haar zo spoedig mogelijk weer zwanger zal maken.

De dokter zegt iets, maar Louis heeft niet geluisterd: '… zulke dingen gebeuren nu eenmaal.'

Zulke dingen… Waar heeft hij het over. Een doodgeboren baby is geen zeldzaamheid, dat weet Louis best. Zijn moeder heeft er ook een gehad. Voor de draad ermee, wil hij tegen de arts zeggen. Wees een kerel.

Aan de zitkamer grenst nog een slaapkamer. Het dienstmeisje – al sloeg je hem dood, Louis weet niet wie van de twee het is – heeft een bundeltje op schoot en haar schommelstoel kraakt kalmerend. In een flits ziet hij een stukje rood vlees; het huilt even; het leeft.

Hij had niet verwacht dat hij blijdschap zou voelen. Hij was onvoorbereid. Hij heeft het gezichtje van de baby nog niet eens gezien, maar hij weet nu al dat hij van haar zal houden, en dat deze liefde anders zal zijn dan alle liefde die hij voorheen heeft gevoeld, die uitsluitend zijn eigen bevrediging tot doel had. Wat hij nu voelt is een overweldigende behoefte om te beschermen.

De dokter heeft het bundeltje uit de armen van het dienstmeisje genomen. Louis moet zich bedwingen om hem de baby niet uit handen te grissen. Zijn kind. Hij wil niet dat het door die bevende handen wordt vastgehouden.

De arts laat zien hoe hij het hoofdje moet ondersteunen en legt het bundeltje in de holte van zijn elleboog. Het gezichtje wordt nog grotendeels door de stof aan het oog onttrokken.

'Ik kan haar niet zien,' zegt hij.

Met een nerveus gezicht trekt de arts de doek weg. 'U moet goed begrijpen,' zegt hij, 'dat we geen middelen hebben om dit te voorspellen.'

Louis kijkt verward naar zijn dochter. Het lijkt wel of ze hem een Chinese baby hebben gegeven. Is Bertha ontrouw geweest? Hij begrijpt er niets van. Zijn dochter heeft een klein mondje en haar tong hangt er slap uit… en dan die ogen. Ze zijn smal en scheef, de irissen hebben witte vlekjes. De dokter spreekt van een geestelijke stoornis en diverse therapieën, woorden die Louis wel hoort maar niet begrijpt.

'Zoals ik al zei, weten we niet waarom zulke dingen gebeuren, omdat de wetenschap ze vooralsnog met geen mogelijkheid kan voorspellen, en helaas kan ik u geen afdoende behandeling bieden. Tot nu toe is er heel weinig vooruitgang geboekt, hoewel er nog een heleboel onderzoek gedaan…'

Louis begrijpt geen woord van al dat geklets, hij begrijpt niets van zijn gepraat over 'mongolisme', begrijpt niet waarom het dienstmeisje zacht is gaan huilen. Hij begrijpt alleen dat hij alweer een reden tot schaamte heeft en dat sommige dingen niet verborgen kunnen blijven, zelfs niet in Amerika.

8

Zodra ik de brief zag, belde ik McGrath.

Hij zei: 'Weet je nog hoe je hier moet komen?'

Deze keer trof ik een paar voorbereidingen en huurde ik voor de volgende dag een auto met chauffeur. Het kostte me bijna een hele middag om de dagboeken uit de stellage te halen en in te pakken, samen met kopieën van 'de Cherubijnen' en de krantenfoto's die ik had gevonden. Verder kon ik niets bedenken wat nuttig kon zijn, behalve de brief zelf en die had ik in een grote plastic zak met een druksluiting gedaan. Ik verbeeldde me dat McGrath een vingerafdrukset tevoorschijn zou halen en de informatie in een databank zou invoeren die Crackes locatie en levensgeschiedenis zou ophoesten.

Maar hij grinnikte alleen maar. Hij legde het zakje met de brief op tafel en keek een poosje naar het beknopte bevel STOP. Na een poosje zei hij: 'Ik weet niet waarom ik dit nog steeds lees. Ik weet vrij zeker wat er verder gaat gebeuren.'

'Wat moet ik doen?'

'Doen?'

'Hiermee.'

'Nou, je kunt ermee naar de politie.'

'U bent de politie.'

'Wás,' zei hij. 'Tuurlijk. Je kunt ermee naar de politie als je wilt. Desgewenst zal ik ze voorbereiden. Maar je kunt je de moeite besparen: ze kunnen niets voor je doen. Je weet niet wie hij is, je weet niet zeker of hij het wel heeft geschreven, en zelfs als je die twee dingen rond hebt, heeft hij de wet niet overtreden.' Hij glimlachte als een doodskop. 'Iedereen kan wel zo'n brief schrijven, dat staat in de grondwet.'

'Wat doe ik dan hier?'

'Zeg jij het maar.'

'U liet doorschemeren dat u iets te bieden had,' zei ik.

'O ja?'

'U vroeg of ik nog wist hoe ik hier moest komen.'

'Dat is zo,' zei hij.

Ik wachtte af. 'En?'

'En, nou ja. Nu je hier bent, ben ik net zo in de war als jij.'

We staarden allebei naar de brief.

STOP STOP STOP

De neiging tot herhalen die me eerder had geboeid, vond ik nu weerzin-wekkend; waar ik eerder passie had gezien, las ik nu boosaardigheid. Kunst of bedreiging? Ik kon de brief van Victor Cracke zo in mijn galerie ophangen. Als ik wilde, kon ik hem voor een leuk bedrag aan Kevin Hollister verkopen.

'Ik hou hem wel hier,' zei McGrath. 'Als er iets ernstigs gebeurt, moet je hem in het dossier hebben om aan de politie te laten zien.'

Ik zei: 'Bovendien weet je maar nooit wat hij ooit gaat opbrengen.'

McGrath glimlachte. 'Goed, hoe zit het met die tekening.'

Ik gaf hem de kopie van 'de Cherubijnen'. Terwijl hij die bekeek, viel het me op dat het aantal flesjes met pillen op de eettafel de afgelopen week leek te zijn toegenomen. Ook McGrath zelf was veranderd: hij was afgevallen en zijn huid had een ongezonde teint gekregen. Ik kon de etiketten op een aantal flesjes wel lezen, maar omdat ik niets van medicijnen wist, kon ik er geen conclusies uit trekken, behalve dat hij veel pijn leek te hebben.

'Dat is Henry Strong.' Hij tikte licht op 'de Cherubijnen'. 'En dat is Elton LaRae.'

'Ik weet het,' zei ik. Ik haalde de fotokopieën van de microfiches tevoorschijn en liet hem de foto's zien. 'Die heeft hij hiervan.' Ik hield mijn eigen bedenkingen tegen die theorie voor me, maar McGrath sprong er meteen bovenop.

'Ik heb geen idee,' bekende ik toen hij vroeg hoe Cracke dan in staat was geweest om Henry Strong met de rest in verband te brengen.

'We moeten onszelf ook afvragen waarom hij van alle mensen die in de krant staan juist deze specifieke kinderen tekende.'

'Daar heb ik over nagedacht,' zei ik. 'U mag niet vergeten dat hij letterlijk duizenden en nog eens duizenden gezichten heeft getekend. In zijn werk kunnen allerlei echte mensen voorkomen. De aanwezigheid van deze toont alleen maar aan dat hij grondig was.'

'Maar dit is paneel nummer één,' zei McGrath. 'Ze waren belangrijk.'

'Dat is subjectief,' zei ik.

'Wie zegt dat ik objectief ben?'

Het voelde bizar om met hem te redetwisten: ik de kunsthandelaar, die aandrong op een duidelijkere maatstaf voor de waarheid; hij de politieman, die beweerde dat zijn kritisch vermogen scherp genoeg was om conclusies te trekken over de bedoeling van de kunstenaar. Het was ook merkwaardig dat hij bepaalde vragen van mij had voorzien. Ik voelde een raar soort mentaal synergisme, en volgens mij voelde hij het ook, omdat we op dat moment ophielden met praten en naar de tekening keken.

'Ik zal je eens wat zeggen,' zei hij. 'Hij kon echt wel tekenen.'

Ik knikte.

Hij legde zijn vinger op een van de andere cherubijnen. 'Alex Jendrzejewski. Tien jaar. Zijn moeder stuurt hem voor het avondeten naar de kruidenier om nog een paar boodschappen te halen. We vinden een opengebarsten fles melk op de hoek van Forty-fourth en Newton. Het had die middag gesneeuwd, dus we vonden bandensporen en een voetafdruk. Geen getuigen.' Hij wreef over zijn hoofd. 'Dat was eind januari 1967 en deze keer gingen de kranten er wel mee aan de haal. *Zijn uw kinderen nog wel veilig?* en dat soort teksten. De schrik moet hem om het hart zijn geslagen, want een hele poos heeft hij niets gedaan. Of misschien hield hij niet van de kou.'

'In de winter zijn er minder kinderen op straat.'

'Je hebt gelijk, dat kan het ook zijn.' Hij wees naar een andere cherubijn. 'Abie Kahn. Zijn verhaal heb ik je al verteld. Hij was nummer vijf.'

'Geen getuigen.'

'Nou, dat dacht ik. Toen ik het dossier nog eens las, zag ik dat we wel met iemand hebben gepraat, een buurttype, zo'n vrouw die de godganse dag in haar portaal zit. Zij herinnerde zich dat er een vreemde auto langskwam.'

'Meer niet?'

Hij schudde zijn hoofd. 'Ze zei dat ze wist in wat voor auto iedereen reed. Alsof het een hobby van haar was. En die auto paste niet in de buurt.'

Had Victor een auto? Ik dacht het niet en dat zei ik ook tegen McGrath.

'Dat zegt nog niets. Hij had er een kunnen stelen.'

'Ik zie hem niet inbreken in een auto.'

'Jij ziet hem helemaal niet. Je weet niets van hem. Zie je hem hiertoe in staat?' Hij wees naar 'de Cherubijnen'.

Ik zweeg. Ik wist een beetje door wat McGrath me over de slachtoffers vertelde; ik had de krantenberichten gelezen. Het voornaamste verschil tussen een gedrukt verhaal lezen en het uit zijn mond horen, was de vaderlijke devotie die in zijn stem doorklonk.

'Met dat joch, LaRae, had ik erg te doen. Ik had met al die jongens te doen, maar hij… Hij was een einzelgänger, hield van lange wandelingen in z'n eentje. Volgens mij had hij weinig vrienden. Je ziet aan zijn glimlach dat hij het niet leuk vindt om gefotografeerd te worden. Hij was de oudste van die knapen, twaalf, maar hij was klein voor zijn leeftijd. Op school had hij het moeilijk omdat hij zo klein was en een alleenstaande, zwarte moeder had. Je kunt je voorstellen hoe dat joch werd gepest. En dan de moeder, mijn god, het was goddomme hartverscheurend. Blanke man ervandoor, laat haar met het kind zitten. En vervolgens wordt het vermoord. Tjongejonge, het leek wel alsof ik haar hart met mijn blote handen eruit rukte.'

Stilte.

'Wil je een joint?' vroeg hij.

Ik keek hem aan.

'Ik ga er namelijk een opsteken.' Met enige moeite kwam hij overeind en schuifelde naar de keuken. Ik hoorde hem een la opentrekken en rekte me uit over de tafel om te kijken. Ik had in mijn leven duizenden mensen een joint zien draaien, maar nog nooit een politieman, en nog nooit zo handig. Hij was klaar, drukte het zakje weer dicht en kwam terug naar de eetkamer.

'Dit werkt beter dan al die troep die ze me voorschrijven,' zei hij terwijl hij opstak.

Vervolgens stelde ik hem een oerdomme vraag. 'Hebt u een recept?'

Zijn hilariteit deed kleine wolkjes uit zijn keel ontsnappen. 'Dit is Californië niet, beste jongen.'

Afgaand op het aanplakbiljet achter het raam aan de voorkant en de gezocht-poster van Bin Laden, had ik aangenomen dat McGrath niet bepaald vooruitstrevend was. Ik informeerde naar zijn politieke voorkeur.

'Ik ben voor vrijheid,' zei hij. 'Mijn dochter wordt er gek van.'

'En zij is…?'

'Socialer dan zij vind je ze niet.' Hij inhaleerde en zei met verstikte stem: 'Weerhoudt haar er niet van mensen achter slot en grendel te zetten. Vroeger rekende haar vriendje haar daarop af.'

Ik had me minder teleurgesteld moeten voelen dan het geval was toen ik hoorde dat Samantha al bezet was. Ik had haar hooguit, hoe lang was het, zo'n twintig minuten gesproken. Toch kon ik de verleiding niet weerstaan om me over de tafel te buigen en de joint van McGrath over te nemen.

Hij zag me een stevige hijs nemen. 'Dat is strafbaar, hoor,' zei hij.

Ik deed alsof ik de joint wilde weggooien, maar hij griste hem uit mijn hand.

'Ik ga dood,' zei hij. 'Wat is jouw excuus?'

Daarna bekeken we de dagboeken. Toen ik ze opensloeg, zei ik dat ik het een zinloze bezigheid vond, tenzij het weer of Crackes eetgewoonten iets met de zaak te maken hadden. Dat vond McGrath ook, maar hij wilde toch een blik op de data van de moorden werpen.

Henry Strong werd vermist op 4 juli, 1966. Het weerlog van die dag vermeldde

zonnig	34 gr	luchtvochtigheid 90%

'Klinkt aannemelijk,' zei McGrath, 'voor Queens in juli.' De volgende paar dagen bleken even oninteressant.

zonnig	33 gr.	luchtvochtigheid 78%
zonnig	36 gr.	luchtvochtigheid 82%
h.bew.	29 gr.	luchtvochtigheid 90%

'Kloppen die getallen?' vroeg ik.

'Hoe weet ik dat nou?' Hij bladerde het dagboek door. 'Hier schiet ik weinig mee op, jij?'

Ik schudde mijn hoofd.

'En dat voedingsdagboek?'

MAANDAG 4 JULI 1966

ontbijt	roerei
lunch	appel ham & kaas
avondeten	appel ham & kaas

DINSDAG 5 JULI 1966

ontbijt	roerei
lunch	appel ham & kaas
avondeten	appel ham & kaas

'Dit is tijdverspilling,' zei ik.

'Ik denk het ook,' zei hij. 'Even bij Eddie Cardinale kijken.'

WOENSDAG 3 AUGUSTUS 1966

ontbijt	roerei
lunch	appel ham & kaas
avondeten	appel ham & kaas

'Wat mij nou zo benieuwt,' zei hij, 'is hoe die vent goddomme dag in dag uit hetzelfde kon eten. Dat is echt een mysterie.'

ZONDAG 22 JANUARI 1967

ontbijt	roerei
lunch	appel ham & kaas
avondeten	appel ham & kaas

'Tevreden?' vroeg ik.

'Hou je goddomme nog even koest.'

MAANDAG 23 JANUARI 1967

ontbijt	havermout
lunch	appel ham & kaas
avondeten	appel ham & kaas

McGrath keek me aan. 'Dat is daags na de verdwijning van Alex Jendrze-jewski.'

Ik las het dagboekfragment nog een keer.

ontbijt	havermout

'Weet ik,' zei ik. 'En wat dan nog?'

'Dus hebben we een verschil.'

'Havermout? Wat zou dat.' Ik merkte dat we sinds onze rookpauze losser in de mond waren geworden.

'Het is een verschil en dat is van belang.'

'Afwijkend eten.'

McGrath vroeg of ik het dossier van Jendrzejewski even uit de doos wilde halen. Daarin trof ik het bekende kiekje: kortgeknipt haar, vierkante tanden, kogelrond gezicht, stompe neus. Was de kleine Alex volwassen geworden en had het lot de tijd niet stilgezet toen hij nog leuk was, dan zou hij waarschijnlijk apelelijk zijn geworden.

'We hebben met zijn moeder gepraat,' zei hij, terwijl hij de bladzijden van het transcript omsloeg. 'Dat weet ik nog. Ze had haar zoon naar de winkel gestuurd. Ik herinner me die melkfles nog.'

'U zei dat u een voetafdruk had.'

'Maar we wisten niet of die van de juiste man was. Er wonen daar een hoop mensen.'

'Hoe kan hij de jongen dan hebben meegenomen zonder dat iemand daar erg in had?'

'Misschien had hij hem de auto in gelokt. Misschien had hij hem een lift naar huis aangeboden. De bewuste avond vroor het. Kijk maar naar het weerlog, dan zul je het zien.'

Ik keek. Het zou de hele avond sneeuwen.

'Waar zit je?' zei hij tegen de doos.

'Wat zoekt u?'

'Ik zoe... Ha. Hier. Moet je horen, hier is de moeder aan het woord. "Ik heb Alex naar de supermarkt gestuurd." Rechercheur Gordan: "Hoe laat?" Pamela Jendrzejewski: "Om een uur of vijf. Ik had een paar dingen nodig."'

'Wie is rechercheur Gordan?'

'Mijn vroegere partner,' zei hij zonder op te kijken. Zijn lippen bewogen toen hij het transcript doornam. 'Hm, hm, hm. Kom nou. Ik zou toch zweren dat ik me herinnerde dat ze iets over...' Hij maakte zijn zin niet af.

'Waarover.'

'Hier staat het niet in,' zei hij. Hij pakte een ander transcript en stiet een triomfantelijk gegrom uit. 'Hierzo.'

Ik schoof mijn stoel dichterbij om mee te kijken. Het was een transcript van een vraaggesprek van de rechercheurs L. McGrath en J. Gordan van het New York Police Department, 114th Precinct, January 25, 1967. Het was een gesprek met Charles Petronakis, de eigenaar van de supermarkt op de hoek waar de moeder van Alex hem heen had gestuurd voor een paar boodschappen.

Rech McGrath: Herinnert u zich die jongen?
Charles Petronakis: Ja ik heb hem gezien.
M: Wanneer was dat?
P: Hij kwam omstreeks kwart over vijf binnen.
M: Was er nog iemand bij hem?
P: Nee.
Rech Gordan: Was er behalve u nog iemand anders in de winkel?
P: Nee.
G: Is u nog iets ongewoons opgevallen, aan de jongen of iemand op straat?
P: Ik denk het niet. Het was die avond erg koud, ik zag niet zo veel mensen. Die jongen was de eerste klant van de hele middag. Toen hij binnenkwam, wilde ik net afsluiten. Hij moest melk, havermout en suiker hebben. Ik zei dat ik hem zou helpen dragen als hij nog even kon wachten terwijl ik afsloot. Hij zei dat hij niet kon wachten; hij moest meteen weg anders zou zijn moeder boos worden. Dus ging hij.

Ik hield op met lezen en keek naar McGrath, die een potlood pakte en een kringetje om het woord 'havermout' zette.

9

Ik bewaar geen vroege herinneringen aan mijn vader. Dat komt omdat hij meestal weg was. Hij werkte ongelooflijk hard (voor zover ik weet doet hij dat nog), soms wel achttien uur per dag, en al ben ik geen getuige geweest van het mislukken van zijn eerste drie huwelijken, ik kan wel raden dat zijn gewoonte om op kantoor te overnachten niet heeft geholpen. Het is een mysterie hoe hij me überhaupt heeft weten te verwekken. Door de leeftijdskloof tussen mij en mijn broers en zus heb ik vaak gedacht dat ik een ongelukje was en, tenminste voor hem, geen heuglijk ongelukje.

Ik moet hem nageven – iets wat me zelden over de lippen komt, dus kun je ervan op aan dat wat nu volgt op waarheid berust – dat hij eigenhandig de naam Muller in zijn oude luister heeft hersteld, nadat hij een bedrijfsstructuur had geërfd die bol stond van de ondoelmatigheid. Hij haalde de broekriem aan voordat die uitdrukking bestond. Hij stootte verouderde branches van het bedrijf af of sloot ze, branches waarmee hij eigenlijk geen voeling had: een commerciële bakkerij in New Haven, een textielfabriek in Secaucus. Hij had verstand van onroerend goed, dus concentreerde hij zich daarop, en zo veranderde hij een reeds gezonde heuvel oud geld in een kolossale berg nieuw geld.

Het is zuiver en alleen aan mijn moeder te danken dat ik niet nog erger verwend ben dan het geval is. Ondanks onze weelderige omgeving en de tientallen mensen die voor me klaarstonden vanaf het moment dat ik ter wereld kwam, heeft ze haar best gedaan ervoor te zorgen dat ik rijkdom nooit als substituut voor fatsoen beschouwde. Het valt niet mee om zowel rijk als een waarachtig humanist te zijn. Zij was zo iemand. Zij geloofde in de inherente waarde van ieder mens en gebruikte dat als uitgangspunt van al haar handelingen. Kinderen beschikken over een buitengewoon gevoelige leugendetector en daarom maakten haar lessen indruk op me. Als mijn vader me op soortgelijke wijze de les had gelezen, had ik hem direct doorzien; hij had zelden oog voor het personeel, en dan nog was hij bruusk. Mijn moeder daarentegen was nooit neerbuigend tegen de mensen die voor haar werkten; tegelijkertijd speelde ze geen ouwe-jongens-krentenbrood, wat op zich net zo beledigend is. Ze zei altijd 'hallo' en 'tot ziens' en 'alsjeblieft' en 'dank je wel'. Hield iemand een deur voor haar open, dan haastte ze zich om naar binnen te gaan. Ze hield zelf ook wel eens een deur open. Ik heb eens gezien hoe ze bleef staan om te helpen een taxi uit de sneeuw te duwen.

Ik heb nooit goed begrepen waarom ze mijn vader tolereerde, laat staan liefhad; die man kon zo ongevoelig zijn voor andermans leed. Ik kan alleen maar hopen en geloven dat hij voor haar dood een beter mens was, of zij zag iets in hem wat voor anderen onzichtbaar bleef. Of misschien hield ze van uitdagingen.

Zo begint mijn bewustzijn van hem met haar dood, en de meest schrijnende herinnering is meteen mijn eerste. Het was de ochtend van de begrafenis en ik kleedde me aan, of liever gezegd ik stribbelde tegen bij de pogingen van het kindermeisje om me aan te kleden. Dat ik een driftbui kreeg was mijn eigen schuld. Waarschijnlijk had ik de verlamming moeten voelen die in de lucht hing, en moeten weten dat ik een last op mijn schouders had. Terugkijkend besef ik dat ik waarschijnlijk meer in de war was dan wat ook: de mensen om me heen gedroegen zich al dagen schichtig, wat me het gevoel gaf dat ík de oorzaak van ieders ellende was. Ik was niet in de stemming om me onder de mensen te begeven; ik wilde met niemand iets te maken hebben en zeker niet in een pak met een stropdas gedwongen worden.

De dienst zou om negen uur 's morgens zijn en om half negen was ik nog steeds half gekleed. Als het kindermeisje erin was geslaagd mijn overhemd in te stoppen, trok ik het weer los terwijl zij mijn das pakte. Vervolgens begon ik de knoopjes van boven af los te maken terwijl zij het weer instopte. Toen Tony Wexler kwam om me naar beneden te brengen, stond ze op het punt in tranen uit te barsten. Hij zag dat ik mijn broek weer uittrok en kwam tussenbeide om het over te nemen, en toen hij mijn arm wilde pakken, gaf ik hem een klap op zijn oog.

Meestal was Tony het toonbeeld van geduld. (Later zou hij nog veel ergere dingen te verduren krijgen.) Maar die ochtend kon hij het niet aan. Misschien had hij tegen me kunnen schreeuwen of me een klap in het gezicht kunnen verkopen; dat gezag had hij wel. Hij had tegen het kindermeisje kunnen zeggen me vast te houden. In plaats daarvan deed hij iets effectievers: hij ging mijn vader halen.

Het was vrijdag. Mijn moeder was op dinsdag daarvoor overleden nadat ze drie dagen in coma had gelegen. Gedurende die drie dagen mocht ik niet naar binnen om haar te zien, iets wat ik mijn vader nooit heb vergeven. Ik denk dat hij me op de een of andere idiote manier wilde beschermen, maar ik word nog steeds gespannen als ik er alleen al aan denk. Omdat ik was buitengesloten en hij zich in de kamer had opgesloten om haar te zien wegglippen, hadden mijn vader en ik elkaar die week nauwelijks gezien; ik was onder de hoede van het kindermeisje of bij Tony. Dit zou dus de eerste keer zijn dat we als gezin bijeen waren, een gezin dat tot twee koppen was teruggesnoeid. Hoewel ik te jong voor symboliek was, had ik wel het gevoel dat het gesprek dat zou plaatsvinden een keurig overzicht zou geven van het leven zonder moeder.

Hij kwam zwijgend de kamer in. Zo was hij. Mijn vader is groot, net als ik; net als zijn eigen vader loopt hij een beetje gebogen. Destijds was hij in de vijftig, maar zijn haar was nog donker en dik, net als dat van zijn moeder. Die ochtend droeg hij een zwart pak, wit overhemd en een grijze das; maar wat ik het eerst zag was de neus van zijn schoenen. Ik lag op de grond, weigerde op te staan en die twee glimmende torpedokoppen kwamen op mij af.

Ik draaide me om en begroef mijn gezicht in het kleed. Er viel een lange stilte. Even dacht ik dat hij weer was vertrokken. Daarna deed ik mijn ogen open en zag ik dat hij er nog steeds stond en op me neerkeek, alleen had hij nu een voorgeknoopte das in zijn hand, alsof het een riem was en ik een weerspannige pup.

'Als je je niet aankleedt,' zei hij, 'dan ga je zo mee.'

'Best,' zei ik.

Voor ik wist wat er gebeurde, werd ik schreeuwend en schoppend door de gang naar de lift gesleurd. Het kindermeisje hield één arm vast, een dienstmeisje mijn andere; mijn vader liep twee stappen voor me uit en keek niet één keer om terwijl ik het uitgilde. Je kunt je voorstellen dat het die bewuste ochtend extra stil was in huis, dus klonk die driftbui nog afschuwelijker en doordringender dan mijn gewone. Toen we met zijn vieren in de lift stapten, zag ik mijn vaders gezicht vertrekken. Dat was alleen maar koren op mijn molen. Misschien zouden ze me loslaten als ik nog harder krijste. We gleden naar de parterre, waar de deuren openschoven en ik een tafereel zag dat me met een schok het zwijgen oplegde: ongeveer twintig gezichten – de vrouwen betraand, de mannen met een rood aangelopen en vertrokken gezicht – die naar me keken terwijl ik me schoppend en kronkelend tegen mijn cipiers verzette. Het voltallige personeel, in de rouw, had zich verzameld om mijn vader en mij bij ons vertrek respect te betuigen.

Op dat moment besefte ik wat ik deed – wat er aan de hand was – en wat een vernedering het zou zijn als ik me niet behoorlijk aankleedde. Ik smeekte mijn vader om me weer naar boven te laten gaan. Hij zei niets; hij stapte gewoon de lift uit en liep stijfjes tussen de geweken gelederen door, opnieuw twee stappen voor mij, het kindermeisje en dienstmeisje uit, die mijn vaders opdracht gehoorzaamden om me half-naakt door die beproeving van met afgrijzen vervulde blikken het bordes af naar de limousine te tillen, die met draaiende motor stond te wachten. In de auto wachtte Tony met mijn broek.

De moeilijkheid van oude, onopgeloste zaken, legde McGrath uit, was dat ze niemand het leven kostten. Ze lieten geen vliegtuigen op gebouwen storten. Ze lieten geen gifgas los in een sneltrein, noch bliezen ze zichzelf op in het hart van Central Park, noch maaiden ze op een drukke markt met een machinegeweer om zich heen. Met de prioriteiten van tegenwoordig werd het voor rechercheurs die aan onopgeloste zaken werkten steeds moeilijker om aan de nodige tijd, geld en goedkeuring van hogerhand te komen.

McGrath had de laatste acht jaar van zijn loopbaan bij de bewuste dienst gewerkt en hield contact. 'Stuk voor stuk degelijke lui,' zei hij. 'Het zijn toegewijde jongens en ze gooien niet graag het bijltje erbij neer. Maar zij hebben het niet voor het zeggen. De wereld is veranderd.'

'Veranderd' wilde zeggen dat oude moorden in de rij moesten om hun beurt af te wachten. Het betekende dat het aantal rechercheurs dat aan die zaken werkte afnam, terwijl de rij steeds langer werd, omdat de intelligentste naar antiterreureenheden werden overgeplaatst, of het zat werden en vertrokken. Het betekende dat letterlijk duizenden dozen met bewijsstukken – dozen zoals het exemplaar dat McGrath in zijn eetkamer had, de doos waarover wij ons de volgende weken zouden buigen – al tientallen jaren genegeerd waren, al was het DNA dat erin zat in de tussenliggende jaren in goud veranderd.

'Vlak voor mijn vertrek,' zei hij, 'kregen we een subsidie van het ministerie van Justitie. Een half miljoen dat we konden gebruiken om oud DNA te onderzoeken. Zal ik je eens wat zeggen, ik denk dat ze nog steeds niet al dat geld hebben opgemaakt. Die troep ligt daar maar te wachten tot iemand het tevoorschijn haalt. Het ontbreekt ze aan mankracht. Telkens wanneer je iets wilt, moet je naar de opslag, het spul naar het lab sturen en alle formulieren invullen. Hoe moeten twaalf lui dat in godsnaam voor alle onopgeloste misdrijven van New York voor elkaar krijgen? Dan hebben we nog lui die in onze nek hijgen, de FBI die loopt te jammeren over de veiligheid in de haven en de pers die ophef maakt over iets wat vorige week is gebeurd. Probeer jij maar eens degene te zijn die zijn commissaris benadert met: "Hé, weet je wat, ik heb iets van dertig jaar geleden, waar ik heel misschien een naam bij kan vinden. Tuurlijk, de dader is waarschijnlijk al dood, maar wilt u de familie van het slachtoffer geen genoegdoening bezorgen?" Vergeet het maar.'

Sinds zijn pensionering had hij zich beziggehouden met het door-
bladeren van oude zaken die hem bleven achtervolgen. Zijn vroegere
collega's waren maar al te blij dat ze er een ervaren denker bij hadden
die zijn schouders onder een klein deel van hun werklast zette. Volgens
hem werden oude zaken meestal met het verstrijken opgelost, omdat
getuigen die destijds te bang waren om zich te melden dat nu wel deden.
Dat had weer zijn eigen specifieke nadelen: namelijk dat mensen waren
vergeten wat ze hadden gezien, of waren gestorven voordat ze de moeite namen hun mond open te trekken. Maar met de Queens-moorden
was er niemand geweest, bereidwillig of niet, om mee te praten. Geen
geruchten, geen dronken gepoch in een kroeg. Het leek hopeloos. Maar
McGrath had zichzelf al lang geleden gezworen dat hij het pas zou opgeven als hij de pijp uitging.

'Wat moet ik anders?' vroeg hij. 'Naar *Dr. Phil* kijken?'

Nat was eraan gewend geraakt de galerie te drijven toen ik aan de tekeningen werkte, dus was hij maar al te blij om de touwtjes weer in handen te nemen, en zo verliep mijn leven een week of wat als volgt: om een
uur of drie werd ik opgehaald met een auto; ik stapte in en verduurde
de worsteling om bij de Brooklyn Battery Tunnel te komen; door de
achterruit zag ik de skyline van Manhattan in een decor veranderen; ik
keek naar de grauwe snelweg en luisterde naar de meeuwen boven Riis
Park. We stopten vlak bij de ingang van Breezy Point op het moment dat
ze het bord met de speciale drankjes van die avond voor het café zetten.
Om half vijf zat ik aan McGrath' eetkamertafel over de zaak te praten.
Een groot deel van de tijd zat ik op hem wachten als hij naar de wc ging.

De meeste avonden bleef ik tot Samantha kwam. In feite was het geluid dat ze het bordes opkwam voor mij het sein om te vertrekken. Er
was altijd een moment waarop ze haar tas met eten en haar werkspullen
moest neerzetten om haar sleutels te zoeken, die blijkbaar nooit op de
plek zaten waar ze die voor het laatst had opgeborgen. Wanneer ze die
eindelijk had gevonden, had ik al opengedaan, en terwijl ze haar spullen
oppakte, hadden wij onveranderlijk een kort leutergesprekje. Ze leek zo-

wel verwonderd over als dankbaar voor mijn aanwezigheid en vroeg gereserveerd of we al iets hadden gevonden. Dan zei ik nee. Zij haalde haar schouders op en zei dat we het niet moesten opgeven. Wat ze eigenlijk wilde zeggen was: laat hem niet in de steek. Als ik een handje wilde helpen met haar tassen, wuifde ze me weg en verdween ze in het schemerdonker van het huis terwijl McGrath riep: 'Woensdag zelfde tijd!'

Vrijnemen van mijn werk rechtvaardigde ik door mezelf voor te houden dat ik mijn kunstenaar moest beschermen. Ik wilde een oogje op McGrath houden zodat ik, als hij iets over Victor Cracke te weten kwam, de eerste zou zijn die het hoorde en er op de juiste manier gebruik van kon maken. Wat McGrath zelf aanging, nam ik aan dat hij een soortgelijk motief had. Door mij aan het onderzoek te laten deelnemen, kon hij voorkomen dat ik in de weg liep, of verkeerde hij op z'n minst in een betere positie als dat gebeurde. Bovendien had hij iemand nodig die gezond van lijf en leden was omdat hij vrijwel alleen en gehandicapt was en ik de eerste was die langs was gekomen.

Maar ik had nog een drijfveer om naar Breezy Point te gaan: die paar minuten met zijn dochter.

Hier heb je een stijlfiguur voor een detectiveverhaal: instantromance. Maar deze vergt wat uitleg, omdat ik meestal geen last heb van blinde verliefdheid. Bovendien had ik Marilyn. Zoals eerder gemeld verwachtten zij en ik een zekere mate van buitenschoolse activiteiten van elkaar. Althans dat verwachtte ik: bij de intensiteit van haar libido verbleekt die van de meeste mannen, en we brachten ieder zo veel nachten door in ons eigen appartement dat ik niet kon geloven dat ze na een opening nog nooit een cateringbediende mee naar huis had genomen. Wat mijzelf betreft, ik rotzooide niet zo veel. Omdat ik tussen mijn vijftiende en vierentwintigste een heleboel had uitgeleefd, besefte ik tegen mijn dertigste hoe fortuinlijk ik was dat ik nooit iets kwaadaardigers had opgelopen dan een paar uitgelezen beledigingen en een glas studentenchampagne in mijn gezicht. In de laatste vijf jaar waren er maar een stuk of drie andere vrouwen geweest. Het kan aan mijn leeftijd te danken zijn, maar feit is dat ik nog steeds een dikke bos haar had, ik paste nog altijd in dezelfde maat broek en ik liep nog vier keer per week. Ik was niet blasé, ik had alleen geleerd dat het afgezaagde adagium over kwantiteit en kwaliteit zelfs op seks van toepassing is. Seks zonder de geringste uitdaging verveelde me. Dat verklaart voor een groot deel waarom ik het zo lang met Marilyn uithield: ik moest altijd op mijn tenen lopen en op elke willekeurige dag kon ze tien verschillende vrouwen zijn.

Met Samantha had ik zonder meer minder gemeen dan met de vrouwen die ik dagelijks in de galerie ontmoette, van wie de meesten Marilyn probeerden te zijn. En niets aan onze korte ontmoetingen op het bordes van huize McGrath deed iets intiemers vermoeden dan twee mensen die in het voorbijgaan een paar hartelijke woorden wisselen, zoals twee mensen die naast elkaar in een vliegtuig zitten. Geen profetische woorden, geen iets te lange blikken, althans niet dat ik me herinner. Ik wilde dat ik beter had opgelet.

McGrath en ik gingen eerst rondbellen. De meeste mensen die in het dossier figureerden waren onvindbaar of dood: ouders van slachtoffers, de kruidenier die Alex Jendrzejewski zijn havermout had verkocht, de vrouw in het portaal in Forest Hills die het onbekende voertuig had gezien, en dus leek het aannemelijk dat de moordenaar zelf ook dood was.

Dat zou de zaak terugbrengen tot papier en tastbare bewijslast, en dat laatste lag opgeslagen in het politiearchief van Queens. Om erbij te kunnen belde McGrath een vriend, een rechercheur genaamd Richard Soto, die zei dat als McGrath wilde gaan vissen, hij zijn zegen gaf.

Alle slachtoffers waren buitenshuis gevonden, waardoor forensische analyse des te lastiger was. De jongens waren elders vermoord, werden gedumpt of anders gewoon buiten gelaten om door het weer te worden geteisterd. Hoe dan ook, er bleef weinig over dat als bewijsmateriaal kon dienen, en nog minder dat met enige mate van zekerheid met de moordenaar in verband kon worden gebracht. Er zwerft een hoop troep in New York en blijkbaar was het in de jaren zestig al niet anders. ('Het was nog erger,' zei McGrath. 'Dat hadden we aan Giuliani te danken.')

Onder de opgeslagen stukken bevonden zich een sigarettenpeukje, de kapotte melkfles en een afgietsel van de voetafdruk. Er was een heel smalle, gedeeltelijke vingerafdruk, afkomstig van een weggegooide koffiebeker, die in de tussenliggende jaren zelf vermist leek te zijn geraakt. Alles ging terug naar het lab voor een tweede analyse en nieuwe afdrukken. Het belangrijkste onderdeel was een spijkerbroek met aangekoekt bloed en sperma. Ook die ging naar het lab, en toen dat gebeurde, kreeg ik het gevoel dat de zaak spoedig rond zou zijn. Maar McGrath zei dat ik geduld moest oefenen. We konden op z'n vroegst in december een antwoord verwachten. 'Ze zijn nog steeds bezig stoffelijke resten van 11 september te identificeren. Nog daargelaten dat wat ze ons ook geven nutteloos is als er niets is om het mee te vergelijken, iets waarvan we weten dat het van hem was. Er moet iemand naar zijn appartement.'

'Daar is niets,' zei ik. 'Ik heb het laten schoonmaken.'

McGrath glimlachte quasizielig. 'Waarom heb je dat gedaan.'

'Omdat het een zwijnenstal was. Telkens als ik naar binnen ging, kreeg ik een hoestaanval.'

'Waar is al die kunst?'

'Opgeslagen.'

Hij ondervroeg me: was er iets wat DNA-sporen kon dragen? Een tandenborstel? Een haarborstel?

'Een paar schoenen,' zei ik. 'En een trui. Ik weet het niet, misschien heb ik er nog iets achtergelaten.'

'O ja?'

'Ik betwijfel het. We hebben alles geregistreerd.'

'Shit. Nou ja, het kan geen kwaad een kijkje te nemen. Heb je maandag omstreeks lunchtijd iets te doen?'

In theorie had ik een afspraak om iemand de tekeningen te laten zien. De cliënt was een Indiase staalmagnaat die New York aandeed op weg naar de beurs in Miami. We hadden elkaar op de laatste biënnale leren kennen en sindsdien had ik hem warm gehouden met correspondentie. Dit was mijn eerste kans om spijkers met koppen te slaan. Als ik de afspraak wilde verzetten, zou ik hem waarschijnlijk verliezen; hij was berucht om zijn grilligheid en ongeduld.

Ik had McGrath makkelijk om een andere dag kunnen vragen, maandag leek geen dwingend vereiste.

'Ik ben vrij,' zei ik en ik voelde de kick van mijn flagrante onverschilligheid.

Ik denk dat die het eerste teken was dat mijn leven bezig was te veranderen.

'Mooi,' zei McGrath. 'Er zal iemand komen. Niet ik, maar daar was je natuurlijk al achter.'

'Kom je ooit je huis uit?'

'Als ik een goede dag heb, ben ik sterk genoeg om van de veranda te pissen.' Hij grinnikte. 'Zo erg is het niet. Ik heb kabel. Ik krijg al mijn boeken via internet. Ik heb Sammy. Dus het gaat wel.' Hij gaf me de joint. 'Nou ja, dat is gelul, weet je wel. Het is net een gevangenis.'

Ik nam een trek en zweeg.

Hij zei: 'Elke morgen ruikt de wind die hier binnenkomt naar zout. Als mijn geheugen me niet in de steek laat, is het strand mooi.'

'Dat is zo.'

Hij knikte en wenkte naar de joint. 'Goed. Aan de slag.'

Op de afgesproken maandag stond ik voor de ingang van Muller Courts, precies waar Tony negen maanden daarvoor ook had gestaan. Ik was sinds juli niet meer in het gebouw geweest en terwijl ik op het team van McGrath wachtte, voelde ik me schuldig, alsof ik van plan was een feestje in een graftombe te geven. Ik had mijn best gedaan de kunst aan de wanden van de galerie te scheiden van een persoon van vlees en bloed die ergens woonde. Ik had een spook van hem gemaakt. Maar nu was ik op zoek naar het tegendeel: letterlijk een stukje van zijn lichaam. 'Grafschennis' was misschien een betere metafoor.

Wie zaten er precies in McGrath' team, trouwens? Iets specifiekers had hij niet gezegd, en ik keek uit naar een grote, witte politiebus vol mannen in kogelvrije vesten.

In plaats daarvan stopte er een kleine, blauwe Toyota.

'Kijk niet zo verbaasd,' zei Samantha. 'Wie anders zou z'n lunchpauze eraan geven, denk je? Ik ben een enorme sukkel, anders zou ik hier niet zijn.' Ze leek in een goed humeur, althans een beter humeur dan wanneer ik haar in Breezy Point zag. Als haar gang naar huis haar deprimeerde, zou ik de laatste zijn om haar te bekritiseren.

Fluitend scheurde ze een pakje crackers met pindakaas open en bood mij er een aan. 'Voedzaam en verrukkelijk.'

'Nee, dank je.'

'Hier leef ik op,' zei ze.

'Dan neem ik er zeker geen.'

'Mijn bloed bestaat ongeveer voor twee procent uit pindakaas... Heeft hij niet gezegd dat ik zou komen?'

'Nee.'

'Dat is hilarisch. Wat had je verwacht? Een vent in een witte jas?'

'Ik dacht meer aan een arrestatieteam.'

'Hebben we dat nodig, dan?'

'Ik hoop het niet. Ik wist niet dat DNA verzamelen bij je werk hoorde.'

'Niets hiervan hoort bij mijn werk. Dit is een manier om hem bezig te houden.'

'Denk je niet dat hij iets op het spoor is?'

'Op grond waarvan, de havermouttheorie?'

Ik knikte. 'Plus de rest.'

'Voor zover ik weet, is er niet veel meer. Het is interessant, maar ik denk niet dat er iemand de cel indraait wegens iets wat hij voor zijn ontbijt heeft gegeten. Bovendien weet je niet waar die vent zit, hè?'

'Nee.'

'Zie je nou wel. Ik besteed mijn tijd liever aan de jacht op mensen van wie ik weet dat ze schuldig zijn en die ik kan vinden.'

'Jij moet weten hoe je mensen op het spoor komt. Je doet waarschijnlijk niet anders.'

'Niet echt,' zei ze. 'Dat is het werk van de politie. Bovendien zijn mensen die een misdaad begaan dom. Meestal bevinden ze zich precies waar we ze verwachten: in de kelder bij hun moeder waar ze zich bezatten en met zichzelf spelen.'

'Wat doe je hier dan?'

'Dochterliefde. Hoe dan ook, om antwoord te geven op je vraag: nee. Ik verzamel niets. Daar heb ik een vriendin voor. Nu ben ik haar drie gunsten schuldig.'

Voor ik kon informeren naar de eerste twee, draaide ze zich om en zwaaide ze naar een donkere vrouw die onze kant opkwam. Ze had zwarte krullen en paarse lippen en droeg een getailleerd leren jasje. Ze zette haar tas neer en verhief zich op haar tenen om Samantha een kus op de wang te geven. 'Dag, schat.' Daarna gaf ze mij een hand, waardoor ik een tatoeage van een bloedende roos aan de binnenkant van haar pols zag. 'Annie Lundley.'

'Ethan Muller.'

'Aangenaam.' Ze wees naar Samantha. 'Dat zijn er drie.'

Samantha knikte. 'Kom op.'

'Ik dacht dat ik een klein huis had.' Annie tuurde vanaf de drempel naar binnen. Ze droeg rubberhandschoenen en een haarnetje. 'Je hebt niet veel achtergelaten toen je het liet schoonmaken, hè?'

'Niet echt,' zei ik. 'Ik hou van netjes.'

'Hoeveel mensen zijn hier binnen geweest?'

'Een heleboel.'

'Die moeten we elimineren, dus moet je een lijst maken.' Ze keek zuchtend op haar horloge. 'Misschien wil je over een uur of vier, vijf terugkomen.'

Samantha en ik gingen naar buiten om Annie de ruimte te geven.

'Jij hoeft niet te blijven, hoor,' zei ik.

'Dat is grappig,' zei ze. 'Ik wilde dat net tegen jou zeggen.'

'Moet je niet terug naar je werk?'

'Uiteindelijk wel. De ambtenarij is niet zo streng als je denkt.'

'Ik denk helemaal niet dat ze zo streng zijn.'

'Dan sla je de spijker op z'n kop. Ze zijn nog aan het lunchen. De lui op mijn kantoor zullen alles doen om hun werk te ontlopen. Je hebt geen idee hoeveel porno ze me per uur mailen.'

'Mooi dat je dit doet,' zei ik. 'Voor je vader.'

Ze glimlachte flauwtjes. 'Dank je.' Haar toon impliceerde dat ik geen recht had haar gedrag van een cijfer te voorzien. 'Het valt niet mee me dat te herinneren als hij me belt om te zeggen dat ik maandag klokslag twaalf uur ergens moet zijn. Hij kan behoorlijk dominant zijn. Tunnelvisie. Niet alleen hiermee, met alles.'

'Hij beseft waarschijnlijk niet dat hij veel van je vraagt.' Ik voelde me hypocriet omdat ik het voor McGrath opnam. Wie kon er nu beter medeleven tonen met iemand die te lijden had onder de bespottelijke verlangens van een vader dan ik? Maar de dingen die je eigen ouders doen om je tot waanzin te drijven kunnen deerniswekkend en begrijpelijk lijken wanneer het om andermans ouders gaat.

'O, dat beseft hij wel, ja hoor. Hij weet dat hij een lastpak is. Daaróm vraagt hij het aan mij. Ik ben de enige die het wil doen. Als je me niet gelooft, moet je het maar aan mijn moeder vragen. Ik weet zeker dat ze met alle liefde haar krijgsverhalen met je wil delen.'

Ik vroeg niet verder naar mevrouw McGrath. Ik had het gevoel dat ze ergens heel ver weg woonde.

Samantha leunde tegen de muur. 'Dus jij bent kunsthandelaar. Dat is vast heel leuk.'

'Af en toe.'

'Meer glamour dan mijn werk.'

'Niet echt. Het grootste deel van de tijd ben ik aan het mailen of bellen.'

'Wil je een dagje ruilen? Kun je slachtoffers van verkrachting uithoren.'

'Dat klinkt afschuwelijk.'

'Ik zeg het niet graag, maar het went zo.' Haar telefoon ging over. 'Sorry.' Ze liep een eindje de gang in om op te nemen.

Haar vriendje, nam ik aan. Ik probeerde vergeefs te horen wat ze zei. Dan zou ik me moeten oprichten om haar te volgen. Ze bleef ruim een kwartier aan de telefoon. Uiteindelijk deed ik de voordeur van het appartement open om mijn hoofd naar binnen te steken. Ik zag Annie bij de plint gehurkt zitten en langzaam met een zaklantaarn heen en weer gaan.

'Je bent echt heel grondig, hoor,' zei ze.

Samantha keek over mijn schouder. 'En?'

'Haar, maar ik denk niet dat het van je mannetje is.'

'Waarom niet?'

'Had hij zijn haar dan roze laten verven?'

'Dat zal Ruby zijn,' zei ik. 'Mijn assistente.'

'Ik moet je zeggen,' zei Annie, 'ik blijf wel zoeken, maar ik denk niet dat ik hier veel vandaan haal. Hoe zit het met die andere spullen waar je het over had?'

'In de opslag?'

'Ja. Wat heb je daar.'

'Honderdvijftigduizend vellen papier,' zei ik. 'En een paar oude schoenen.'

'Heerlijk,' zei Annie. 'Ik kan amper wachten.'

Twee dagen later had ik weer een afspraak met McGrath, maar toen ik voor zijn deur stond, deed er niemand open. Ik bonkte maar door en vervolgens probeerde ik de klink. Hij was open. Ik ging naar binnen en riep zijn naam. Uit de wc klonk een zwak 'ogenblikje'. Ik ging aan de eettafel zitten wachten. En wachten. En uiteindelijk ging ik naar de wc en klopte aan. Ik hoorde kokhalzen. Ik probeerde de deur maar die zat op slot.

'Lee? Alles goed?'

'Ja.' Nog meer kokhalzen.

'Lee?'

'Wacht nou even, godverdomme.' Hij klonk belabberd, en toen hij de deur opendeed en ik zag hoe hij eruitzag, plus het bloed op de wc-bril dat hij niet helemaal weg had gekregen, zei ik: 'Jezus christus.'

Hij schuifelde langs me heen. 'Help me even met die doos.'

'Je moet naar het ziekenhuis.'

Hij zei niets en liep door naar de achterkamer. Ik volgde.

'Lee, hoor je me?'

'Ga je me nou helpen, of moet ik hem zelf optillen?'

'Je moet naar de dokter.'

Hij grinnikte.

'Je ziet er niet uit,' zei ik.

'Dank je, insgelijks.'

'Je moet naar het ziekenhuis.'

'Wil jij me brengen?'

'Best.'

'Je moet niet "ja" zeggen, je moet ophouden me tegen te spreken.'

'Ik zeg "ja".'

'Mijn arts werkt alleen op afspraak, je kunt niet onaangekondigd komen.'

'Dan bel ik een ambulance.'

'Godallejezus.' Hij klonk dieptreurig. 'Pak die doos en…' Hij kreeg een hoestaanval. De hand voor zijn mond zat onder het bloed.

Ik pakte de hoorn van de telefoon op zijn bureau en had net het alarmnummer gebeld voordat McGrath naar me toe was gehobbeld en de hoorn uit mijn hand had gewrongen. Hij was verrassend sterk voor iemand in zijn toestand, en hij had ook het voordeel dat ik niet terug zou vechten uit angst dat ik hem pijn zou doen. Hij trok het snoer van de hoorn los en stak hem in de zak van zijn badjas. Hij wees naar de doos.

Ik bleef staan en overwoog mijn mobiel te gebruiken. Die zou hij waarschijnlijk ook in beslag nemen of uit het raam gooien. Ik besloot hem even de tijd te geven om tot bedaren te komen voordat ik iets zou zeggen. Ik tilde de doos op en droeg hem naar de eettafel. 'Zitten,' zei hij. Ik ging zitten. Zwijgend spreidden we ons werk uit. Zijn neus liep en ik gaf hem een papieren zakdoekje, dat hij gebruikte en vol minachting op de grond smeet, minachting voor mij of voor zijn eigen toestand, dat kon ik niet zeggen.

Hij zei: 'Ik heb Rich Soto over die zaken gebeld.'

Met "die zaken" bedoelde hij alles wat Soto kon vinden met een gelijksoortige modus operandi. McGrath was het idee gaan omhelzen dat de moordenaar van Queens nog meer op zijn kerfstok had, en dat we misschien meer informatie zouden krijgen als we iets konden vinden. Een verdachte misschien, of iemand die al vastzat.

'En?'

'Hij zoekt de dossiers bijeen. Hij zei "twee weken", maar stel je er niet te veel van voor.'

'Oké.'

Hij deed zijn ogen dicht en ik kon wel zien hoezeer onze worsteling hem had uitgeput.

'Lee.' Ik legde mijn hand op zijn arm. Die was warm en broos. 'Misschien moesten we vandaag maar vrij nemen.'

Hij knikte.

'Wil je gaan liggen?'

Hij knikte weer, en ik hielp hem naar de achterkamer en in de relaxfauteuil.

'Wil je de tv aan?'

Hij schudde zijn hoofd.

'Glaasje water?'

Nee.

'Red je het?'

Ja.

'Heb je te eten? Komt Samantha?'

'Morgen.'

'Hoe staat het met vanavond?' Ik tikte met mijn voet. 'Lee. Wat heb je vanavond te eten?'

'Dondert niet.'

'Moet je een joint?'

Ja.

Ik ging naar de keuken, vond zijn voorraadje en de vloeitjes. Het was lang geleden dat ik er zelf een had gedraaid en uiteindelijk lag de grond bezaaid met kruimels. Ik veegde de troep op, vond een aansteker en bracht McGrath zijn medicijn.

'Dank je.' Hij tastte rond naar een asbak. Die was verplaatst naar de andere kant van de kamer. Ik bracht hem naar hem toe en keek toe hoe hij rookte.

'Heb je al trek?'

Zijn lach klonk als een leeglopende ballon.

'Ik zal Samantha bellen om te vragen of ze even bij je langsgaat.'

'Niet doen,' zei hij.

Ik zweeg. Ik wachtte tot hij zijn ogen dichtdeed en zijn ademhaling veranderde. Daarna ging ik naar de andere kamer om te bellen. Ik vertelde wat er was gebeurd.

'Ik kom eraan,' zei ze.

Toen ik terugkwam in de achterkamer, lag er een flauwe glimlach om zijn lippen.

'Je verpest mijn kick echt, wist je dat?'

'Nou, wat moet ik anders?'

'Naar huis gaan,' zei hij.

'Geen sprake van.'

'Val dan maar dood,' mompelde hij.

Ik ging aan zijn voeten op de grond zitten wachten.

Het zou even duren voordat Samantha uit Borough Hall daar zou zijn, en ik overwoog intussen een ambulance te bellen, maar dat deed ik niet. McGrath zag er al wat beter uit; hij was opgehouden met hoesten en ik wist dat wakker worden achter in een ambulance de ultieme aanslag op zijn waardigheid zou zijn. Hij wilde thuisblijven en zijn lot in eigen hand houden. Dat wilde ik respecteren.

Toen ze eindelijk kwam, was McGrath onder zeil: hij lag te snurken en te gieren als iemand van twintig jaar ouder. Ze wierp me een gekwelde glimlach toe en zei geluidloos 'bedankt'. Ik knikte en maakte aanstalten om te vertrekken. Toen ik me omdraaide, hoorde ik McGrath zeggen: 'Volgende week gaan we verder.'

Samantha en ik wisselden een blik van verstandhouding.

'Ik moet volgende week naar Miami,' zei ik. 'Dat wist je toch?'

McGrath knikte vaag. 'Goeie reis.'

'Ik kom gauw terug,' zei ik. 'Dan maken we dit af.'

10

De volgende dag was de debuutexpositie van Victor Cracke afgelopen. Ik werd knap chagrijnig toen ik de panelen verwijderde, al was een deel van me opgelucht omdat Victor niets meer te klagen had. Hij had STOP gezegd en ik had gehoorzaamd. Ik had ook veel minder reden om 's morgens naar mijn werk te willen.

Drie dagen voor mijn vertrek naar Miami regelde ik het transport van Kevin Hollisters aankoop naar zijn huis, anderhalf uur buiten de stad in een chic gedeelte van Suffolk County, dat blijkbaar helemaal van hem was, alsof de rustieke elementen in de verte – een postkantoor met dakspanen, knusse, bouwvallige boerderijen, grijsblauwe weiden met paarse vlekjes vee – er door een tuinarchitect waren neergezet om een authentiek gevoel op te roepen. Ik besloot het werk te vergezellen, toezicht te houden op de plaatsing en de man zelf de hand te schudden, die dolblij klonk dat het paneel eraan kwam.

Op zijn verzoek huurde ik een gepantserde wagen. Dat leek me een beetje overdreven, maar vervolgens legde Marilyn uit dat ik niet alleen het werk van Cracke afleverde, maar ook enkele tientallen werken die Hollister van haar had gekocht.

'Over hoeveel geld hebben we het eigenlijk?'

'Plusminus elf miljoen,' zei ze.

Mijn transactie leek niet meer zo indrukwekkend.

'Je hebt het huis nog nooit gezien, hè.'

'Nee.'

'Nou schat, dan staat je een zeldzame ervaring te wachten.'

'Ga jij niet mee?'

'Nee. Dan hebben jullie de kans elkaar beter te leren kennen.'

In aanmerking genomen waar ik ben opgegroeid, komt er heel wat huis voor kijken om mijn mond te laten openvallen, en van het neoklassieke monstrum dat opdoemde toen we door de bewaking – identiteitscontrole, explosievenonderzoek – waren en het kitscherige smeedijzeren hek waren gepasseerd, werd mijn lichtblauwe bloed niet warm of koud. Het was groot, maar door en door banaal, een nouveau-richetempel, ongetwijfeld tot de nok toe gevuld met beeldhouwwerk en aanstellerige raamdecoratie. Ik keek ervan op dat Marilyn me niet had gewaarschuwd.

'Kolere,' zei de chauffeur van de gepantserde wagen. Hij keek met open mond naar een lang gebouw, dat blijkbaar de garage was. Ervoor was een groepje mannen liefdevol bezig een Mayfair en een Ferrari te wassen. De garage had nog acht deuren, als het decor van een spelprogramma.

Aan het eind van de vierhonderd meter lange oprijlaan werden we opgewacht door een butler en twee mannen in een rode jumpsuit. Ik stapte uit en bleef staan terwijl de butler de chauffeur instructies gaf. Daarna volgde ik de butler de bordestreden op, die onnodig breed en ondiep leken, zodat ik iets voorover moest lopen. Ze deden me denken aan de paleizen van de mogolvorsten, waarvan de deuropeningen met opzet laag waren gemaakt zodat eenieder die binnenkwam het hoofd moest buigen.

'Ik ben Matthew,' zei de butler met een schokkend Californisch accent. 'Kevin wacht al op u.'

Ondanks mijn verwachtingen was er binnen niets lelijks te bekennen. Er was zelfs helemaal niets: de ontvangsthal was leeg, de wanden waren galeriewit en baadden in koud licht. Het torenhoge plafond met dakramen creëerde een duizelingwekkend gevoel van opwaartse druk en ik had het gevoel dat ik gevangenzat in een minimalistische droom: Donald Judds idee van de hemel.

'Wilt u een Pellegrino?' vroeg Matthew.

Ik keek nog steeds naar het plafond. Het huis leek ongeschikt voor menselijke bewoning.

'U zult ons moeten verontschuldigen. We zijn bezig met een verbouwing. Om de zoveel tijd wil Kevin iets anders.'

'Dit lijkt meer op een volledige revisie.'

'We hebben een binnenhuisarchitect in vaste dienst. Kevin houdt haar graag aan het werk. Wilde u die Pellegrino?'

'Nee, dank u.'

'Deze kant op, alstublieft.'

Hij ging me voor door een lange, lege gang.

'Waar is de kunst?' vroeg ik.

'Het merendeel is in het museum. We hebben nog niet echt de tijd gehad om deze vleugel te doen. We komen er wel. Zoals Kevin zegt, het is werk in uitvoering.'

Ik had zo mijn twijfels bij de beslissing om de voorkant van het huis onvoltooid te laten. Wilde je geen goede indruk op bezoekers maken? Misschien had Hollister weinig vrienden om indruk op te maken.

We betraden een lift (blanco), liepen weer een gang (blanco) door, sloegen nog een paar keer af naar andere gangen (allemaal blanco) en kwamen uiteindelijk bij een zware deur. De butler drukte op een zoemer. 'Ethan Muller is hier.'

Er klonk een klik in de deur en Matthew hield hem voor me open.

'Ik ben zo terug met uw verversing,' zei hij, en hij was verdwenen voor ik kon zeggen dat ik geen verversing wilde.

Hollisters werkkamer was de eerste ruimte in het huis die niet als het interieur van een inrichting voelde, al kan ik niet zeggen dat hij erg knus was. Om te beginnen waren er geen ramen. Dan had je de inrichting, die ik het beste kan omschrijven als een hypermoderne uitvoering van een traditionele Engelse jachthut. Overal stonden lage divans en Eames-achtige chaises longues. Er stond een metalen wereldbol die groot genoeg was om de afgunst van James Bond-schurken te wekken; er lagen vijf identieke, gitzwarte berenhuiden; er hing een elandskop van kunsthars. De wanden, voorzien van zwarte leren panelen met koperen noppen, absorbeerden veel omgevingslicht waardoor de kamer, die toch al enorm, donker en masculien was, eindeloos, donker en niet zo'n klein beetje homo-erotisch leek. Hollisters bureau – een blok craquelé rookglas, verlicht door halogeenspotjes – was verreweg het lichtste object in de kamer en hulde de man erachter in een onaards schijnsel dat hem iets van de Tovenaar van Oz gaf.

Hij had een telefoon met een headset op en gebaarde dat ik moest plaatsnemen. Net als in de rest van het huis hing er geen kunst, als je de kamer niet meerekende, waar je volgens mij niet omheen kon.

'Nee,' zei hij, en hij nam de telefoon van zijn hoofd. 'Alles heel?'

'Ik denk het wel.'

'Mooi. Ik heb gezegd dat ze op ons moeten wachten voordat ze alles een plaats geven. Ik wil graag uw mening als u daar geen bezwaar tegen hebt.'

'Geenszins.'

Er klonk een bliepje op zijn computer. Hij wierp een blik op het scherm en raakte een plekje op het bureaublad aan. Ik zag geen knopje of zoiets, maar achter me klikte de deur open en verscheen de butler met een dienblad met drank, dat hij op een tafeltje zette voordat hij zonder iets te zeggen vertrok.

We keuvelden wat over het huis, dat drie jaar had gekost om te bouwen. Het oorspronkelijke ontwerp 'was van mijn ex-vrouw. Allemaal slordige chic. Toen we uit elkaar gingen, besloot ik opnieuw te beginnen. Ik nam een binnenhuisarchitect in de arm, fantástische meid, buitengewoon creatief en intelligent. Tot nu toe hebben we verschillende paden bewandeld. Eerst hebben we alle kunstnijverheid erin gezet; vervolgens sloegen we de art-nouveauweg in. Niets was het helemaal, dus nu is het op naar versie drie-punt-nul.'

Ik had kunnen voorstellen om een architecte te vinden die wat minder 'fantástisch' (ik nam aan dat dit sloeg op haar tieten en kont) was, en wat meer planning aan de dag legde. Maar ik vroeg: 'Waar mikt u op?'

'Ik zou het iets intiemer willen.'

Ik knikte en zweeg.

'U acht dat niet mogelijk, zeker.'

'Alles is mogelijk.'

Hollister stiet een snorkend lachje uit. 'Marilyn heeft zeker gezegd dat u het eens moet zijn met alles wat ik zeg.'

'Inderdaad. Maar als geld geen rol speelt, denk ik echt dat alles mogelijk is.'

'Heeft ze het nog over mijn geheim gehad?'

'Ik denk het niet.'

Hij glimlachte en raakte een ander plekje op zijn bureaublad aan. Ik hoorde een mechanisch gezoem. De leren panelen op de muur begonnen langzaam te draaien. De achterzijden bleken blanco schildersdoeken. Ik telde er twintig.

'Ik heb haar een lijst van de beroemdste schilderijen gevraagd,' zei hij. '*Full Fathom Five* komt daar.' Hij wees naar het volgende doek, dat veel kleiner was. '*Gezicht op Delft.*' De volgende. '*De sterrennacht.*' En zo liep hij door de kamer, noemde een canoniek werk en wees naar het op juiste grootte gesneden en voorbewerkte schilderslinnen.

Ik vroeg me af hoe hij van plan was *The Persistence of Memory* te kopen, om maar niet te spreken van *Les demoiselles d'Avignon*, *De nachtwacht* en de *Mona Lisa*.

'Ze heeft me een uitstekende vervalser aanbevolen.' Hij noemde een Argentijn die in Toronto woonde en vooral beroemd was omdat hij was gearresteerd – maar nooit veroordeeld – wegens het vervalsen van werken van Rembrandt.

Ik vond het besluit om al die rivaliserende schilderijen naast elkaar te hangen op z'n zachtst gezegd dubieus. Maar Hollister leek oprecht begeesterd door het idee. Hij noemde zichzelf een 'ernstig kwantitatieve denker' en gaf hoog op over Marilyns vermogen om hem zonder jargon een duidelijk beeld te geven van welke kunst ertoe deed en welke niet. Ze had hem een soort numeriek richtsnoer gegeven om de waarde van een stuk te bepalen en met die schaal in de hand had hij besloten een bod uit te brengen op de tekening van Cracke.

'Eerlijk gezegd,' zei, 'was ik wel tot vierhonderdvijftig gegaan.' Hij raakte het bureaublad weer aan, waardoor de panelen langzaam terugdraaiden naar hun oorspronkelijke positie.

Op één na, de toekomstige rustplek van *De begrafenis van de graaf van Orgaz*, dat na zo'n kwartslag bleef steken. Hollister gaf er een klap op, merkte dat het paneel hardnekkig vast bleef zitten en raakte met een rood aangelopen gezicht het bureaublad aan om Matthew te ontbieden. De butler arriveerde met spoed, zag de catastrofe en repte zich met zijn mobiel in de hand de kamer uit. Toen Hollister en ik het kantoor verlieten om naar de lift te lopen, hoorde ik de Californische stem zijn hoogste volume bereiken.

Hollisters privémuseum stond op het hoogste punt van het landgoed. Het was een glazen koepel, gegolfd en getralied door een netwerk van buizen, en het bouwwerk deed me vooral denken aan een reusachtige, half begraven golfbal. Ik kon me slechts een voorstelling van de kosten maken: alleen al het funderingswerk liep waarschijnlijk in de acht cijfers, als je in aanmerking nam dat de top van de heuvel afgegraven had moeten worden. Voeg daarbij een architect die zo prominent is dat Hollister zijn naam niet wilde noemen ('Het was een gunst. Hij wil niet dat bekend wordt dat hij residentieel werk doet.') en kogelvrij glas voor de hele buitenkant, en je belandt in een heel ander financieel universum.

De gepantserde auto stond bij een laad-en-losplek en de mannen in jumpsuit wachtten ons op. Net als de butler spraken ze Hollister aan bij zijn voornaam.

Na een irisscan betraden we de koepel en toen ik omhoogkeek, zag ik een reeks concentrische balkons die culmineerde in een enorme mobiel van Calder zeven etages hoger. Wie de architect ook mocht wezen, hij had het Guggenheim in New York dusdanig nageaapt, dat ik me afvroeg of Hollister daar specifiek om had gevraagd. Hij wilde kopieën van de meest begerenswaardige schilderijen ter wereld; waarom zou hij niet ook de beroemdste gebouwen dupliceren? Het glas zag ik als een verwijzing naar I.M Pei en ik wist zeker dat ik er nog meer zou ontdekken als ik maar goed genoeg keek.

Een groenige man in een goed gesneden tweed pak wachtte ons op in de receptie. Hollister stelde hem voor als Brian Offenbach, de museummanager, die naar ik begreep een veredelde schilderijophanger was. Met de cadans van een goed gerepeteerde toespraak legde Offenbach de gedachte achter de indeling van het museum uit: de collectie was niet chronologisch of thematisch geëxposeerd, maar tonaal: de donkerste stukken hingen op de parterre, en elke volgende etage werden ze lichter. Licht en donker konden slaan op de kleur van het werk, maar vaker werd er gedoeld op de emotionele respons die het opriep, of het gevoel van zwaarte of lichtheid dat het je bezorgde. Vandaar dat de nok in beslag werd genomen door de Calder, ondanks zijn immense omvang – vijfduizend kilo geverfd metaal – wegens de vlieggevoelens die de mobiel opriep. Hollister zelf was het brein achter de inrichting en was er trots op. Naarmate je hoger klom, transcendeerde je het rijk van het fysieke en merkte je dat je werd verheven tot een inzicht in bla bla bla bla bla.

Ik wantrouw binaire systemen – licht en donker, goed en kwaad, mannelijk en vrouwelijk – en het systeem leek me zijn eigen doel voorbij te streven: het was een poging om de grillige irrationaliteit van de kunst te reduceren, kunst die in laatste instantie geen orde maar juist chaos schept.

'Het is schitterend,' zei ik.

Ze waren al begonnen de nieuwe kunstwerken naar de derde etage te brengen en toen we uit de lift stapten, werden we geconfronteerd met een tornado van verpakkingsmateriaal en opengebarsten kratten. Hollister moest regelmatig zijn stem verheffen boven het gesnerp van boormachines.

'Ik vraag me af of het STUK VAN CRACKE HIER WEL HOORT BIJ DE REST van de collectie. Ik bedoel het is ZO veront VERONTRUSTEND, EN IK VRAAG ME AF OF IK HET NIET BETER in een afzonderlijke vleugel kan hangen. Voor outsiderkunst. Ik kan er nog een paar zalen aanbouwen. AAN DE ACHTERKANT. DAT ZOU OOK EEN SYMBOLISCHE RESONANTIE HEBBEN, NIET DAN, WANNEER IK de outsiderkunst afzonder in haar eigen sfeer. WAT VINDT U?'

Ik knikte.

'Maar nu ik er nog eens bij stilsta. Het HET HELE IDEE VAN HET VERZAMELEN VAN OUTSIDERKUNST ZOALS IK HET BEGRIJP – MARILYN HEEFT ME EEN PAAR GEWELDIGE geweldige boeken geleend. Kent u…' En hij noemde een aantal obscure monografieën. De enige naam die ik herkende was Roger Cardinal, de Britse criticus die Dubuffets term 'art brut' zijn Engelse equivalent heeft gegeven.

'Het hele idee is OM DE TRADITIONELE MAATSTAVEN VAN DE WESTER-SE CULTUUR TE HERWAARDEREN, EN om het talent van mensen die niet door DE SAMENLEVING worden gehinderd aan de oppervlakte te brengen, NIET DAN?'

De tekening van Cracke was voor Hollister van speciale betekenis, als het eerste werk dat hij op eigen initiatief had gekocht in plaats van Marilyns; de plaatsing ging hem persoonlijk ter harte. Offenbach deed een paar suggesties, maar ze werden allemaal van de hand gewezen. 'Daar verdrinkt het.' 'Daar springt het te veel in het oog.' 'Te steriel.' 'Slechte omgeving.' Het was net alsof dat ene werk alle manco's van het systeem aan het licht bracht.

Uiteindelijk liepen we terug naar de receptie. Het was mijn idee om de arbeiders het kunstwerk meteen links naast de ingang omhoog te laten houden. Daardoor waren 'de Cherubijnen' het eerste werk waarop je blik viel.

'Perfect,' zei Hollister.

'Perfect' wilde zeggen nog eens een half uur discussiëren over hoogte, centreren en belichting. Het mocht niet al te volmaakt in het vierkant, dat zou botsen met het afwijkende van het werk. Maar als je het een beetje naar links bewoog, zat je met een onaangename lege strook; naar rechts zou de rand van de tekening om de hoek steken…

Toen ze klaar waren, deden we allemaal een stap naar achteren om het loon van onze inspanningen te bewonderen.

'Wat is dat?' vroeg Offenbach. Hij liep naar het kunstwerk. 'Het lijkt wel een ster.'

'Volgens mij is het dat ook,' zei ik.

'Hm,' zei hij. 'Is het een verwijzing?'

'Wat vindt ú?'

'Ik vind,' begon Offenbach, en toen zei hij: 'Ik vind dat het er schitterend uitziet. En dat is het voornaamste.'

De opkomst van de kunstbeurs in de laatste drie decennia heeft de hedendaagse markt drastisch veranderd. Tijdens een paar hectische weken worden nu een heleboel zaken gedaan: de Armory Show in New York, op het uitgestrekte terrein van Tefaf Maastricht en Art Basel. Een derde van mijn handel speelt zich af op beurzen. Minder courante galerieën kunnen wel vijftig tot zestig procent van hun jaaromzet uit beurzen halen.

Voor verzamelaars biedt de beurs motivatie. Als je alle galerieën in Chelsea moest bezoeken, wie kon het je dan kwalijk nemen als je het na een paar uur uitgeput zou opgeven? Maar als elke handelaar zijn twintig beste stukken laat zien en er honderden op een rij hangen in een tent met constante temperatuur en luchtvochtigheid – en waar je in een koffiebar kunt uitrusten voor muffins of *confit de canard* – heb je echt geen excuus om thuis te blijven en die verrekte kunst niet te gaan bekijken.

De beurs in Miami waarvoor ik dinsdagmiddag op het vliegtuig stapte, was een voortvloeisel van een Europese beurs en toen de prijzen de afgelopen jaren de pan uit rezen, had hij een ongelooflijke transformatie ondergaan. Hij was veranderd van een provinciale buitenpost in een circus dat geheel en al uniek was: rode lopers en stretch-Hummers, grootmoefti's van de hiphop strak van de bling in hermelijnen mantels tot op de grond, chagrijnige Britten en glibberige Zweden en Japanners met zonnebrillen in gifkleuren; fashionista's, erfgenamen, evenementen, feesten en na-feesten, ouwe-jongens-krentenbrood, flitslicht en het gegalvaniseerde geroezemoes van mensen die op het punt staan met elkaar de koffer in te duiken. Men tutte zich ervoor op.

Dan was er nog de kunst. Zo veel kunst en veelal zo slecht. Er hing een Perzisch tapijt waarin scènes uit Abu Ghraib waren geweven. Er hingen een paar foto's van kop-en-schotels die met kogels kapotgeschoten werden. Er waren ingetogen schilderijen van Britney Spears en panelen van gelamineerde vliegen, welwillend door Damien Hirst ter beschikking gesteld. Midden in de hoofdtent stond een installatie van rory z genaamd *Jizz? Or Salon Secrets Volumizing Conditioner with Hibiscus Extracts?* waarvan de titel zo'n beetje alles zegt: een reeks koffers met een scharnierende deksel met bovenop een kleurenfoto van een object – zeg maar een potlood, of een Tickle Me Elmo – bevlekt met een parelmoerachtige vloeistof uit een fles van bovengenoemd product of uit rory z's eigen voortplantingsklieren. Kijkers konden de foto bestuderen, een gokje wagen en dan de koffer openmaken om de waarheid op een gouden plaatje te lezen.

Een ander werk waarvoor ik even de tijd nam, was een video-installatie van Sergio Antonelli die zichzelf had gefilmd toen hij door Starbucks in het centrum liep, een driedubbele espresso bestelde, die nuttigde, opnieuw in de rij ging staan, een tweede bestelde, die opdronk, weer in de rij ging staan, enzovoort. (Hij leek nooit te moeten plassen, hoewel die scènes er misschien uitgeknipt waren.) Uiteindelijk leek hij voldoende cafeïne te hebben binnengekregen om een hartinfarct te krijgen, of schijnbaar te krijgen. Het is moeilijk om voldoende superlatieven te vinden voor de hilarische scène waarin hij wild om zich heen schoppend in de ochtendmenigte ligt. Eén klant stapte zelfs over hem heen op weg naar de tafel met suiker en melk. In de laatste opname zien we Antonelli op de eerstehulp, waar hij weer tot leven wordt gewekt door een arts in groene operatiekleding. Het stuk heette *Deathbuck*.

Maar het grootste deel van de tijd hield de kunst me niet bezig. Voor iemand als ik was een deel van het plezier het bijpraten met collega's die ik sinds de vorige beurs niet meer had gezien. Marilyn had de geruchtenmolen in werking gezet en onze kraam zag een gestage stroom nieuwsgierigen die hun neus zowat op de tekeningen drukten en vroegen of het wáár was, of hij écht… Het nieuws van de Hollister-transactie had de ronde gedaan – wat ik ongetwijfeld ook aan Marilyn te danken had – en tegen het eind van de week had ik alles verkocht. Ruby noemde onze kraam het Cracke-huis en ons de Cracke-hoeren. Schuldig of niet, Victor was een goudmijn.

Nat berekende dat ik schoon tegen de driehonderd miljoen zou opstrijken als ik de hele collectie zou verkopen tegen de prijzen die ik nu voor de tekeningen kreeg. Dat zou natuurlijk nooit gebeuren. Ik kon zulke hoge prijzen vragen omdat de meeste tekeningen nog als losse stukken in dozen zaten. Na de expositie had ik de resterende stukken overgebracht naar een beveiligde opslag in de buurt van East Twentieth Street en plannen gemaakt om een aantal nieuwe doeken samen te stellen, een handjevol maar, genoeg om de eetlust op te wekken zonder de maag te overvoeren.

Crackes succes had ook zijn weerslag op mijn andere kunstenaars. Ik verkocht een paar Ardath Kaplans, een paar stukken van Alyson Alvarez, de resterende werken van Jocko Steinberger, en ik kreeg een verzoek voor de eerste keus uit de nieuwe Oshima's wanneer die binnenkwamen. Ik raakte zelfs een oud stuk van Kristjana kwijt, een werk dat ik als onverkoopbaar was gaan beschouwen. Ik wilde haar het goede nieuws vertellen, maar ze nam niet op.

Toen ik terugkwam in New York was ik uitgeput en moesten mijn kleren hoognodig naar de stomerij. Ik sloot de galerie voor een dag en hing rond in mijn appartement om bij te komen. Daarna belde ik McGrath om te vragen of er sinds onze laatste ontmoeting nog iets was gebeurd.

Hij nam niet op, en de volgende twee dagen evenmin. Toen er op woensdag eindelijk werd opgenomen, was ik inmiddels bezorgd.

De stem die opnam was van een vrouw die ik niet kende.

'Met wie spreek ik?'

'Ethan Muller.'

Een hand werd op het spreekgedeelte gelegd. Ik hoorde stemmen. De vrouw kwam weer aan de lijn. 'Ogenblikje.' Even later klonk er een andere vrouwenstem die zo droog en gebarsten was dat ik eerst niet doorhad dat het Samantha was.

'Hij is dood,' zei ze.

Ik zei dat ik een taxi zou nemen.

'Nee, wacht. Niet komen, alsjeblieft. Het is nu een gekkenhuis.' Iemand op de achtergrond zei haar naam. 'Momentje,' zei ze. Vervolgens: 'De begrafenis is vrijdag. Ik heb nu geen tijd om te praten, het spijt me.'

'Wat is er gebeurd?' vroeg ik, maar ze had al opgehangen.

11

Terugkijkend ben ik blij dat ze mijn vraag niet had gehoord. Die was een automatische reactie die geen antwoord behoefde. Ze hoefde me niet te vertellen wat er was gebeurd, ik wist het wel. Ik had het de afgelopen zes weken zien gebeuren.

Omdat ze niet had gezegd waar de kerkdienst zou zijn, bracht ik de rest van de dag door met rondbellen om te informeren naar de begrafenis van McGrath. Uiteindelijk vond ik de juiste plek, een kerk in Maspeth en ik bestelde een auto voor vrijdag.

Ik had altijd gehoord dat begrafenissen van politiefunctionarissen grote, ceremoniële plechtigheden waren, maar misschien gaat dat alleen op voor agenten die in het harnas sterven. Er was een flink aantal blauwe uniformen bij de dienst voor McGrath, maar niemand van de top en zeker geen vertegenwoordiger van de burgemeester.

De eucharistie begon. Er werd gebeden, er klonken psalmen. Niet wetend wat er van me werd verwacht – de Mullers zijn geen gelovige familie – stond ik achteraan met de handen op mijn rug, en probeerde ik naar voren te kijken, waar Samantha met haar hoofd op de schouder van een vrouw stond, waarschijnlijk haar moeder.

Het Woord van de Heer
Geloofd zij God

De broer van McGrath hield een toespraak, net als Samantha's oudste zus, wier naam ik me niet herinnerde. Had McGrath die wel gezegd? Ik wist het niet. We hadden een merkwaardig intieme tijd met elkaar doorgebracht, maar vrijwel alle persoonlijke dingen waren een mysterie gebleven. Ik maakte mezelf wijs dat ik een beetje wist wat voor man hij was geweest – een wrang gevoel voor humor, een sterk rechtvaardigheidsgevoel – maar wat kon ik nu eigenlijk weten? Ik keek naar de zee van hoofden voor me en probeerde namen bij de verschillende mensen te bedenken: zijn vroegere partner? De beroemde Richard Soto? Annie Lundley ontdekte ik wel, en ik was zo blij dat ik een bekende zag dat ik bijna zwaaide.

'Ik betwijfel of er hier iemand is die hem als iets anders dan een politieman beschouwde. Dat was hij ook, dat is hij altijd geweest en hij was geweldig goed in zijn werk. Ik weet nog dat hij me wel eens meenam voor een ritje toen ik nog een klein meisje was. Dan zette hij even de sirene aan, zodat de mensen in het voorbijgaan naar ons keken. Ik weet nog dat ik dacht: dat is mijn vader. Ze kijken naar mijn vader. Ik was zo trots op hem. Papa, ik ben zo trots op je. Dat zijn we allemaal, en ik weet hoeveel je in je werk hebt geïnvesteerd, hoeveel je gaf om de mensen die je hielp. Je bent altijd de man gebleven op wie ik trots was.'

De eucharistie, de wijn, de hostie.

Aan uw handen, genadige Vader, vertrouwen we toe onze broeder Leland Thomas McGrath

Zes potige mannen namen de kist op hun schouders.

De processie duurde maar kort, zes straten. Ik liep in mijn eentje op met de plechtige rij suv's en Town Cars. Het was een frisse dag en het licht was schel, alsof de zon uit medeleven zijn groot licht had aangezet.

Tijdens de begrafenis hield ik mijn oog op Samantha gericht. Ze stond apart en leunde niet meer op haar moeder, die arm in arm stond met een man met een walrussnor. Hij droeg een lichtblauwe blazer die eruit sprong in het overwegende zwart, en wanneer Samantha naar hem keek, kreeg ik onmiskenbaar het gevoel dat ze hem niet mocht. Haar zus leek die vijandigheid minder te voelen; zij pakte op een zeker ogenblik zijn hand.

In gedachten overwoog ik diverse mogelijkheden en ik verwierp alle behalve de meest voor de hand liggende: de man was de tweede echtgenoot van McGrath' ex. Het was duidelijk dat het mislukken van het huwelijk van Samantha's vader haar zwaarder was gevallen dan haar zus. Misschien was de zus al uit huis, waardoor Samantha getuige was geweest van de doodsstuipen van de relatie van haar ouders.

Heer, verhoor onze gebeden

Na de plechtigheid verdwenen de mensen in groepjes van twee en drie. Ik liep naar Samantha om haar te condoleren, maar wendde me af toen ik haar op zachte toon ruzie zag maken met haar moeder. Ze hadden hun hoofd naar voren gebogen en zwaaiden met hun handen. Moeder en dochter hadden dezelfde, ietwat brutale mond en uitspringende heupen. De vroegere mevrouw McGrath had de onnatuurlijk gebruinde huid van iemand die veel tijd onder de zonnebank doorbrengt. Daarbij vergeleken leek Samantha's bleke gezicht een desperate poging van iemand om niet op haar moeder te lijken.

'Zullen we een taxi delen?'

Achter me stond Annie.

'Thuis is een receptie,' zei ze.

Ik zei dat ik een auto had gehuurd. 'Kost je niets.'

'Dat mag ik hopen,' zei ze.

Onderweg hoorde ik haar uit over de familiedynamiek van de McGraths. Veel conclusies die ik had getrokken waren juist: de bruine vrouw was inderdaad de ex van McGrath en de man met de walruskop haar tweede man. Maar er was ook een complicatie: walrus was ook McGrath' vroegere partner.

Ik probeerde me de naam op het transcript te herinneren. 'Gordan?'

'Volgens mij heet hij Jerry.'

'Dat klopt. J. Gordan. Jerry dus.'

'Als jij het zegt.'

'Dat zal best wat spanning geven.'

'Denk je?'

'En ik dacht nog wel dat ík de vreemde eend in de bijt was.'

'Bij lange na niet.'

'Hoe is het gegaan?'

'Volgens mij was het niet zo ingewikkeld. McGrath was een work-aholic. Zijn vrouw was eenzaam. Het geijkte verhaal. Maar ze heeft wel wraak genomen, hè?'

Ik moest denken aan de toespraak van Samantha's zus. *Ik betwijfel of er hier iemand is die hem als iets anders dan een politieman beschouwde.* Dat had ik aanvankelijk als compliment uitgelegd. Nu klonk het meer als een aantijging. Dat Samantha had besloten voor justitie te gaan werken, leek me een manier om de kant van haar vader te kiezen. Waarom had zíj dan geen toespraak gehouden om hem te verdedigen?

Ik zei tegen Annie: 'Jij bent een dikke vriendin.'

'Heel dik.' Ze vertelde dat ze elkaar hadden leren kennen op een forensische conferentie tijdens een werkgroep voor politiemensen en officieren van justitie.

'Het klikte meteen,' zei Annie. 'Als zussen.'

'Haar zus… Hoe heet ze ook weer?'

'Juliette. Die woont in North Carolina.'

'O ja. Nou, bedankt voor het kijkje in de keuken.'

'Je bent geïnteresseerd.'

'Geïnteresseerd?'

'In haar.'

Ik moest lachen. 'Ik heb een vriendin.'

'Jammer. Ze kan wel iemand als jij gebruiken.'

'Hoezo als ik?'

'Rijk,' zei ze, en ze moest lachen.

'Waarom denk je dat ik rijk ben?'

'Je schoenen.'

'Mijn schoenen?'

Ze lachte nog steeds en haalde haar schouders op.

Ik zei: 'Hoe dan ook, ik dacht dat ze al een vriend had.'

Annie keek me bevreemd aan.

'Is het uit?'

Ze zei: 'Hij was brandweerman.'

'O,' zei ik.

En toen waren we zomaar uitgepraat. We herinnerden ons allebei waar we net vandaan kwamen en waar we heen gingen. Annie draaide zich af en keek uit het raampje. Ik volgde haar voorbeeld. De rit duurde langer dan ik me herinnerde.

Schalen met stukjes fruit en zompige broodjes hadden de plaats van de medicijnflesjes op de eettafel ingenomen. Samantha was nergens te bekennen, haar zus en moeder zag ik evenmin. De meeste mensen dromden om de drank heen, en toen Annie en ik in een andere richting waren gedwaald, was ik opeens in gesprek met de zwaargebouwde man met verwarde grijze krullen. Hij gaf me een hand en stelde zich voor als Richard Soto. 'Jij bent Lee's mannetje,' zei ik toen ik mijn naam had genoemd.

'Zo kun je het noemen,' zei ik.

'Dan ben ik je een borrel schuldig,' zei hij, en hij nam me mee naar een buffet met flessen.

'Waarvoor?'

'Omdat je me van die hufter hebt verlost. Vroeger belde hij me om de vijf minuten tot jij op het toneel verscheen. Jameson,' zei hij en hij gaf me een glas, dat ik beleefd hief. 'Je hebt echt veel voor hem betekend. Je bent een goed mens. Proost.'

Terwijl hij zijn bekertje achteroversloeg, leegde ik het mijne vlug in het tapijt. Daarna zette ik het aan mijn lippen en deed ik alsof ik mijn gezicht vertrok.

'De volgende is makkelijker,' zei hij. Hij pakte mijn glas en schroefde de dop van de fles.

'Wat gaat er nu gebeuren?' vroeg ik.

'Wat?'

'Met die zaak. Dank je.' Weer dronk hij en gooide ik mijn glas leeg.

'Lekker.'

'Neem je hem over?'

Soto keek me wezenloos aan. 'Wat?'

'Die zaak.'

'Wat is daarmee?'

'Ga jij ermee door? Er is nog een hoop te doen. Ik heb tegen Annie gezegd dat ik haar een lijst zou bezorgen van mensen die in het appartement zijn geweest, maar ik krijg de huismeester niet te pakken, die schijnt op vakantie te zijn. Ik was van plan er deze week zelf langs te gaan. Zij en ik moeten ook naar de opslag, want als de resultaten van het lab eenmaal terug zijn…'

Onder het praten zag ik Soto's blik over mijn schouder dwalen naar een groepje rechercheurs dat luidruchtig grappen maakte en proostte. Hij kreeg een valse blik in zijn ogen en zei: 'Wil je me even verontschuldigen?'

Ik volgde hem naar de groep. Jerry Gordan had het hoogste woord. Door de snor heen zag ik de reden waarom hij die had laten staan, een grote moedervlek op zijn bovenlip. Hij was rood aangelopen en praatte zwetend over de goeie ouwe tijd met zijn makker Lee McGrath. De andere rechercheurs wisselden grijnzend blikken van verstandhouding.

'Hé, Jerry, jij en Lee waren heel dik met elkaar, hè?'

'Boezemvrienden.'

'Allen voor één en één voor allen, hè, Jerry?'

Er werd gegrinnikt. Gordan zelf leek het niet te merken.

'Hij was een goed mens, goddomme,' zei hij met dikke tong.

'Hé, Jerry,' zei Soto, 'was hij eerlijk?'

'O, dat weet je best.'

'Ik wil het uit jouw mond horen: Lee McGrath was een eerlijk mens.'

'De eerlijkste man in Queens, Lee McGrath.'

'Zweer je het?'

'God is mijn getuige.'

'Eerlijk genoeg voor jullie allebei, niet dan, Jerry?'

'Nou en of.'

'Kun je donder op zeggen. En gul was hij ook, hè? Heel royaal, hè?'

Gordan lachte zich een ongeluk.

'Zo is het maar net, Jerry. Hij gaf zijn hele hebben en houden. Alles met elkaar delen, hè, Jerry?'

Nog meer gegrinnik.

De teneur van het gesprek beviel me niet, dus maakte ik me uit de voeten en waadde door de menigte. Ik wilde het dossier zien om me ervan te vergewissen dat het er nog was en om een reden te hebben om in McGrath' huis te zijn.

De deur naar de achterkamer was op slot. Ik klopte niet aan, maar omdat ik aan de klink rammelde, deed Samantha open. Ze had rood behuilde ogen.

'O,' zei ze, terwijl ze haar gezicht afveegde. 'Ik wist niet dat jij er was.' Ze blokkeerde de deuropening, maar over haar schouder zag ik haar zus met een natte doek op haar voorhoofd op de relaxfauteuil liggen.

'Ik ben met Annie meegekomen,' zei ik. Ik bedoelde het als verklaring, maar zij vatte het op als een verzoek om uit haar schuilplaats te komen.

'Wat lief van je. Erg lief van jullie allebei. Ik kom zo meteen.'

'Je hoeft niet te komen, hoor.'

'Maar dat wil ik. Niet weggaan. Niet weggaan voordat ik er ben.'

'Oké.'

'Beloof je het?'

'Ik beloof het.'

'Oké. Ik kom zo,' zei ze en ze deed de deur weer dicht.

Kauwend op een stengel selderij en knikkend naar vreemden wachtte ik in een hoekje. Ik was alleen van plan Samantha sterkte te wensen en naar huis te gaan, maar na veertig minuten was ze nog steeds niet tevoorschijn gekomen. Ik liep langs het groepje rechercheurs, die inmiddels allemaal aangeschoten en praatziek waren. Ze hadden mijn afwezigheid niet gemerkt, spraken me aan alsof ik al die tijd bij hen had gestaan, trokken me in de kring en gaven me glazen drank die ik discreet in een nabije potplant kieperde. Toen ik die zo goed als vermoord had, glipte ik weg en liep naar de keuken, waar ik een legertje vrouwen met rubberhandschoenen trof dat probeerde een tsunami van gebruikte glazen af te wassen.

Ik gaf het op. Ik ging naar buiten en wandelde naar het strand.

Samantha stond bij het monument voor 11 september. Haar pumps lagen naast haar, waar het beton van de promenade overging in het zand. Ik bleef op afstand, zag de wind met haar lokken spelen en weerstond de neiging om haar van achteren te benaderen en te omhelzen. Ze hing een beetje opzij met haar hand op haar heup en zag er breekbaar uit, net als McGrath tegen het einde. Ik werd overvallen door de merkwaardige angst dat zij ook stervende was. De wind was guur; ze rilde.

Toen ik aanstalten maakte om te vertrekken, kreeg ze me in de gaten en hief ze haar hand. Ik gebaarde dat ik mijn schoenen wilde uittrekken en ze knikte. Ik ging naast haar staan en samen keken we naar het monument.

'Sorry dat ik ben weggeslopen,' zei ze. 'Ik wilde nog gedag komen zeggen, echt waar.'

'Dat is niet erg.'

'Ik kan nu niet terug naar binnen.'

'Dat hoeft ook niet.'

Er was een nieuwe windvlaag en ze beefde. Ik gaf haar mijn jas.

'Dank je wel.'

Ik knikte.

'Heb je nog nieuwe vrienden gemaakt?' vroeg ze.

'Vanavond gaan we met z'n allen uit als die deprimerende ellende achter de rug is.'

Ze glimlachte flauwtjes.

Stilte.

'Ik ben zo móé.' Ze keek me aan. 'Snap je wat ik bedoel?'

'Na de begrafenis van mijn moeder heb ik een week geslapen. Ze dachten dat er iets mis was met me. Ze brachten me naar het ziekenhuis.'

'Ik wist niet dat je moeder dood was.'

Ik knikte.

'Hoe oud was je?'

'Vijf.'

'Mag ik vragen waaraan ze gestorven is?'

'Borstkanker.'

'Dat moet heel moeilijk voor je zijn geweest.'

Ik glimlachte. 'Heb jij hier iets aan?'

'Eigenlijk wel, ja.'

'Oké.'

'Vind je het erg?'

'Helemaal niet.'

'Goed dan,' zei ze, maar ze vroeg niet door.

Ik zei: 'Misschien heb je narcolepsie.'

Ze glimlachte.

Stilte. De zee vuurde glinsterende hagel.

Ze zei: 'Ze hebben de hele nacht bij hem gewaakt. Die politielui. Ze hebben een feestje gehouden alsof het zijn verjaardag was. Ik weet dat ze het goed bedoelen, maar zij kunnen morgen weer naar hun werk. Ik moet hiermee verder.'

Ik knikte.

Ze wees naar het gedenkteken. 'Ik heb hem gekend.'

'Ik weet het.'

Ze keek me aan.

'Dat heb ik van Annie,' zei ik.

'O ja?'

Ik knikte.

'Ik wou dat ze dat niet had gezegd.'

'Het spijt me.'

'Daar kun jij niets aan doen.'

'Het spijt me toch.'

'Het is niet anders.'

Ik zweeg.

'Dat is hem.'

'Ian.'

Ze knikte, veegde haar gezicht af en lachte even. 'Ik bedoel, het is een beetje raar. Ik was daar nog maar net mee klaar... En nu dít. Nee toch.' Ze lachte weer. 'Te gek voor woorden.'

Ik sloeg mijn arm om haar schouder en ze leunde tegen me aan. We bleven daar staan tot de wind wild tekeerging en haar voeten gevoelloos werden.

Het handjevol mensen dat nog over was, zat al half in zijn jas. Jerry Gordan was weg en Samantha's zus ook. Samantha zei dat ik naar boven moest gaan om daar op haar te wachten, maar ik kreeg de kans niet, want haar moeder kwam uit de keuken terwijl ze een theedoek in een beker draaide.

'Waar was je?' vroeg ze aan Samantha.

'Een frisse neus halen.'

'Ik had je nodig. Julie moest Jerry...' Ze keek naar mij, daarna naar Samantha en toen weer naar mij. Er verscheen een akelige glimlach om haar mond. 'Hallo. Wie ben jij?'

'Ethan Muller. Ik was bevriend met meneer McGrath.'

Ze snoof. 'Meneer?'

'Mam.'

'Ik denk niet dat hij ooit zo genoemd werd.'

'Mam.'

'Wat is er, lieverd? Waar zit je mee?'

Samantha keek met gebalde vuisten naar de grond.

'Hij zal het vast prettig hebben gevonden dat je hem zo noemde,' zei Samantha's moeder tegen mij. 'Héérlijk zelfs. r-e-s-p-e-c-t.' Eerst dacht ik dat ze alleen maar boos was, maar nu zag ik dat ze stomdronken was. De beker bleef uit haar handen glijden, maar ze ving hem telkens net op tijd op.

'Wat was er met Jerry?' vroeg Samantha.

'Je zusje moest hem naar de eerstehulp brengen. Kijk niet zo, niks ernstigs hoor. Hij moet een paar hechtingen hebben.'

'Wat was er gebeurd.'

'Een van je vaders klotevrienden…' Ze zweeg weer even en keek naar mij, waarschijnlijk om vast te stellen of wat ze te zeggen had wel goed was voor mijn tere gehoor. '… nou ja, we zijn hier allemaal vrienden, hè.'

Ik knikte behoedzaam.

'Richard heeft hem een oplawaai verkocht,' zei ze. 'Hij heeft hem halverwege een toost bewusteloos geslagen.'

'O mijn god.'

'Ik heb ze d'r uit gegooid, stelletje godvergeten lamzakken. Zijn lip was kapot. Ik had je nodig. Waar zat je?'

'Dat heb ik al gezegd. Ik ben een eindje gaan lopen.'

Haar moeder keek haar aan, bereidde zich voor op een nieuwe tirade, maar toen wendde ze zich weer naar mij en vroeg glimlachend: 'En wat doe jij?'

'Ik ben kunsthandelaar.'

'Parbleu. Ik wist niet dat Lee daar belangstelling voor had, pardon, menéér McGrath.'

'Ik hielp hem met een oude zaak,' zei ik.

Samantha's moeder bescheurde zich; ze bleef maar lachen. 'Je meent het,' zei ze uiteindelijk. 'En welke zaak mag dat dan wel wezen?'

'Mam.'

'Het is maar een vráág, Samantha.'

'Waarom ga je niet even naar boven?' zei Samantha tegen mij.

'Eigenlijk wil ik naar huis…'

'O, Lee. Helemaal tot het bittere eind. O, jezus, wat een mop.'

'Kan ik even met je praten, mam?' Samantha sleurde haar moeder de keuken in. Ik twijfelde en ging vervolgens stilletjes naar boven.

Bij al mijn bezoekjes aan McGrath was ik nog nooit boven geweest, en op de eerste verdieping had ik twee mogelijkheden, een grote slaapkamer in geel en bruin die nog alle tekenen van een ziekenkamer vertoonde: wandelstok, braakemmer. Op de deur van de andere kamer zaten stukjes boomstam gelijmd.

Binnen trof ik een stapelbed met identieke, pluizige dekbedden die naar stof roken. Op de grond lag een plunjezak met het logo van het kantoor van de Queens County District Attorney. Hij lag half open en er hingen kleren uit die er in de haast in waren gepropt, deodorant, een sportschoen.

Beneden klonk geschreeuw.

Ik nam de boeken op het bureau door. *A Wrinkle in Time. The Catcher in the Rye. Are You There, God? It's Me, Margaret.* Julie had 'vriendinnen voor het leven' volgens een fotolijstje. Op een prikbord hing Samantha's nummer van de New York City Marathon van 1998.

Een crescendo in het geschreeuw. Een deur werd dichtgeslagen.

Even later kwam Samantha binnen en deed de deur achter zich dicht.

'Smerig loeder.' Ze bleef even staan met haar gezicht in haar handen. Toen ze weer opkeek, was haar uitdrukking nuchter en doelbewust. Ze staarde naar een lege plek op de muur terwijl ze haar blouse openknoopte, van haar schouders schudde en op de grond liet vallen.

'Wil je me hier even mee helpen?' vroeg ze terwijl ze zich omdraaide.

'Wil je dat ik boven ga liggen?'

'Het gaat wel.'

'Ik denk niet dat dit bed is gemaakt voor iemand van jouw lengte.'

'Waarschijnlijk niet.'

'Hoe groot ben je trouwens?'

'Een negentig.'

'Dat ligt vast niet makkelijk. Ik ga wel naar boven.'

'Blijf maar.'

'Zeker weten?'

'Ja.'

'Oké. Goed, want ik wil eigenlijk niet in het bovenste bed. Dat is van

Julie.' Stilte. Ik voelde dat ze glimlachte. 'Hoe voelt het om misbruik te maken van een kwetsbare vrouw?'

'Fantastisch.'

'Dit is niet echt mijn gewoonte,' zei ze.

'In de rouw doe je rare dingen.'

'In bed.'

'Ja.'

'Nee: in bed. Ken je dat spelletje niet?'

'Welk spelletje.'

'Met het gelukskoekje.'

'Nooit van gehoord.'

'Je leest je gelukskoekje voor en dan voeg je eraan toe "in bed". Heb je dat nooit gedaan?'

'Volgens mij bedoel je dat ik klink als een gelukskoekje.'

'Dat deed je net ook.'

'Wanneer.'

'Toen je zei: "In de rouw doe je rare dingen".'

'Dat is ook zo.'

'Oké,' zei ze, 'maar het blijft mal om zo te praten.'

Eerst voelde ik me op mijn tenen getrapt, maar toen zag ik haar glimlachen en moest ik ook lachen. Jarenlang had Marilyn 'kijk eens wat vrolijker' gezegd. Wat zou ze zich ergeren als ze wist dat daar maar één guitige blik voor kwam kijken.

Ik zei: 'Jouw geluksgetallen zijn vijf, negen, vijftien, tweeëntwintig en dertig.'

'In bed.'

'In bed. Ik kan me niet heugen wanneer ik voor het laatst een gelukskoekje heb gehad.'

Ze zei: 'Op kantoor eten we twee keer per week Chinees. Vreselijk, maar beter dan crackers met pindakaas.'

'Ik kan je wel eens mee uit lunchen nemen.'

'Dat zou leuk zijn.'

'Nou, goed dan.'

'Goed.'

Stilte.

Ze zei: 'Maar ik meen het echt, ik ben dit niet gewend.'

'Dat zei je al.'

'Ik weet niet wat dit is.' Ze richtte zich op haar elleboog op. 'Wat is het?'

Ik zei: 'Weet ik het,' en ze barstte in lachen uit.

'Wat is er?'

'Je had je gezicht eens moeten zien.'

'Hoe keek ik dan?'

'Je keek alsof je wilde zeggen: o, shit, nu denkt ze dat ze verkering met me heeft.' Ze zakte lachend op haar rug. 'Wat heb ik gedaan!'

'Dat dacht ik niet.'

'Oké.'

'Echt niet.'

'Oké, ik geloof je. Je keek alleen zo grappig.'

Ik glimlachte. 'Het zal wel.'

Ze was uitgelachen en droogde haar ogen. 'Daar knap ik van op.'

'Blij het te horen.'

Ze knikte en keek me vervolgens ernstig aan. 'Ik wil er nu eigenlijk niet aan denken. Het enige wat ik wil is niet huilen.'

Ik knikte.

'Mooi,' zei ze. 'Ik ben blij dat we dat uit de weg hebben geruimd.'

Ik knikte weer, al wist ik niet goed wat we uit de weg hadden geruimd.

'Jij en mijn vader leken het goed met elkaar te kunnen vinden.'

'Ik mocht hem wel,' zei ik. 'Hij deed me aan mijn eigen vader denken, alleen was hij geen eikel.'

'Hij kon ook een eikel zijn hoor.'

'Dat wil ik best geloven.'

'Wat mankeert er aan jouw vader?'

'Een heleboel.'

'Ga ja het me niet vertellen?'

'Nee.'

'Best,' zei ze. Daarna zei ze: 'Ik weet wie het is, weet je.'

Ik keek haar aan.

'Ik heb je naam gegoogeld. Jij kwam hem opzoeken, dus wilde ik zeker weten dat je niet een van die lui bent die oude mensen een oor aannaaien.'

'Voor zover ik weet, was Lee McGrath er niet de persoon naar om zich makkelijk een oor te laten aannaaien.'

'Je kunt niet voorzichtig genoeg zijn.'

'Goed dan, nu weet je wie ik ben.'

'Een beetje. Genoeg om niet bang te zijn dat je het op zijn pensioenfonds voorzien had.'

Ik lachte. 'Als je denkt dat ik zo rijk ben als mijn vader, vergis je je ernstig.'

'Verdikkeme.'

'Wat.'

'Hoopte ik net dat je iets van een morning-aftercadeau zou sturen. Een diamanten halsketting of zoiets.'

'Je kunt een litho krijgen.'

'Zie je nou wel. Ik krijg niet eens een schilderij.'

'Alleen voor lievelingscliënten.'

'Ach rot toch op,' zei ze.

'Kus je je moeder met zo'n mond?'

'Alsjeblieft, zeg,' zei ze. 'Van wie denk je dat ik het geleerd heb.' Het was even stil. 'Het spijt me dat ik haar een loeder noemde. Dat is ze niet.'

Ik schudde mijn hoofd.

'We zijn deze tijd allemaal een beetje gespannen.'

'Snap ik.'

'Ze was boos dat ik jou hierheen had gehaald.'

'Als je wilt, kan ik haar mijn verontschuldigingen aanbieden.'

'Ben je bedonderd? Geen sprake van.'

'Als het helpt, doe ik het zo.'

'Ze is niet boos op jou. Ze is boos op mij. En weet je, ze is ook niet eens boos op mij. Ze drinkt nooit. Dit is voor het eerst van mijn leven dat ik haar zo heb gezien. Vroeger vond ze het vreselijk dat mijn vader dronk.'

'Ik wist niet dat hij dronk.'

'Het grootste deel van zijn leven heb je hem niet gekend.' Ze haalde haar neus op. 'Hij rookte ook. Je krijgt geen slokdarmkanker tenzij je er erg je best voor doet.'

Ik zweeg.

'Ik zal ze nooit begrijpen,' zei ze. 'Ze hield van hem. Volgens mij is dat nooit opgehouden. Weet je wat ze een keer heeft gezegd? Dat heb ik van Julie. Mijn moeder was bij haar op bezoek in Wilmington. Ze zaten in de auto en ze zegt: "Los van het feit dat Jerry een volslagen malloot is, is hij een goede echtgenoot."' Ze ging verliggen. Ik voelde haar glimlachen tegen mijn arm. 'Niet te geloven, hè?'

'Jawel hoor.'

'Ik zou boos zijn geworden als ik het niet met haar eens was geweest.'

'Jij en Jerry kunnen het niet met elkaar vinden.'

'We hebben elkaar niets te zeggen.'

'Dat heb ik begrepen.'

Ze glimlachte weer. 'Heeft Annie dat ook gezegd?'

'Daar ben ik zelf achter gekomen. Ze heeft me wel iets over je moeder en Jerry verteld.'

'Ze heeft je echt een kijkje in onze keuken gegeven, hè?' Ze wentelde zich op haar zij en onze gezichten lagen vlak bij elkaar. Ik veegde het haar uit haar ogen. Ze zei: 'Is er nog iets wat je niet weet?'

'Zat,' zei ik en ik kuste haar nog een keer.

12

En vervolgens gebeurde er niets.

Een week lang werd mijn leven rustiger dan ooit, het had iets van de stilte in de tijd voor Victor Cracke. In de galerie hingen we de werken voor de volgende expositie op. Het hectische gebel was zo zoetjesaan afgenomen; na een grote kunstbeurs hebben de liefhebbers tijd nodig om te herstellen en te kijken of ze niet blut zijn en nog iets om kunst geven. Ik lunchte met cliënten en vrienden. Het was een volslagen normale en volslagen lege week, en terwijl de dagen zich voortsleepten, bleek de leegte die McGrath had nagelaten onverwacht groot. Ik nam de telefoon herhaaldelijk van de haak om hem te bellen en dan bleef ik een poosje stom met de hoorn in de hand staan, me afvragend wie de zaak nu in handen had.

Het antwoord was natuurlijk 'niemand'. Het Victor Cracke- mysterie zou een mysterie blijven.

Ik moest mezelf afvragen of dat wel zo verkeerd was. De expositie was geweest, de transacties waren doorgegaan, de cheques geïnd. Ik schoot er heel weinig mee op om nog meer vragen te stellen. Het is weliswaar zo dat we, met opzet of bij toeval, een nieuwsgierige soort zijn, en dat onwetendheid vanbinnen schuurt als zand in een oester, maar ik had me er al heel lang in geoefend om ambivalentie te accepteren en te omhelzen. Waarom zouden vijf jongens die vier decennia geleden waren vermoord iets voor me betekenen, terwijl ik dagelijks over moorden, oorlog en mondiaal onrecht las zonder te worden geprikkeld om in actie te komen? Verplichtingen die ik jegens McGrath voelde, waren puur mijn eigen verzinsel. Ik had de man niet lang genoeg gekend om me schuldig te voelen als ik zijn laatste wil onvervuld liet. Dus was het gevoel van verlies dat me trof even verrassend als overweldigend.

Zoals gezegd, waren mijn redenen om McGrath te helpen zuiver egoïstisch. Dat had ik mezelf voorgehouden telkens wanneer ik in de auto stapte om naar Breezy Point te gaan. Maar nu hij er niet meer was, moest ik bekennen dat ik die ouwe zak echt miste. Toen ik mijn aandacht weer op mijn werk richtte, besefte ik de mate waarin hij diametraal het tegenovergestelde was van alle andere mensen met wie ik in mijn leven te maken had. Hij had geen pretenties, was niet bang om toe te geven dat hij iets niet wist, of om open kaart te spelen wanneer hij iets wilde. Hij had nooit moeite gedaan de schijn op te houden, ook niet toen hij lichamelijk instortte, en in zijn fysieke broosheid herkende ik een grote mate van eerlijkheid die af en toe bijna iets van schoonheid had. In mijn beleving werd hij een wandelend kunstwerk, een vleesgeworden Giacometti: door zijn ziekte bijna tot zijn kale essentie teruggebracht, het licht straalde door de barsten.

Bovendien begon ik me af te vragen of ook McGrath nog een andere drijfveer had gehad. Waarom had hij überhaupt vertrouwen in mij gehad? Hij was er vast en zeker van overtuigd geweest dat ik er belang bij had als Victor onschuldig zou blijken. (Als hij de waarheid had geweten – dat Victors populariteit was verdriedubbeld nadat de geruchtenmachine op gang was gebracht – zou hij me misschien hebben verdacht van de vooringenomen hoop dat hij wel schuldig was.) Door hem zo lang aan het lijntje te houden na zijn verzoek om een kopie van de tekeningen had ik mijn achterdocht vrij duidelijk gemaakt. En toen ik vervolgens telefonisch was geflipt en met die brief was komen aanzetten, kon ik amper voldoende rationeel en nuchter zijn overgekomen om van enig nut te zijn. Ik zou de dingen ofwel achterhouden, ofwel overdrijven.

Misschien was ik, zoals Samantha had laten doorschemeren, de enige die bereid was om hem te helpen.

Of misschien mocht hij mij ook wel.

170

Hoe dan ook, het idee dat de zaak domweg weer op een of andere berg troep zou belanden en nooit zou worden opgelost, deprimeerde me bovenmatig. Ik heb al eens gezegd dat ik falen vreselijk vind. Misschien vind je dat wel grappig, nu je me wat beter kent en weet hoezeer mijn eerste jaren door mislukking zijn getekend. Ik heb mijn zelfontwaardiging altijd heel serieus genomen. Toen ik me er eenmaal op had toegelegd een mislukkeling te worden, streefde ik er ook naar de beste mislukkeling te worden die er te vinden was, de prins der liederlijkheid. Die drijfveer maakt deel uit van mijn karakter en was evenzeer een cadeautje van mijn voorouders als mijn opgeblazen gevoel van eigenwaarde – het ene is waarschijnlijk een voortvloeisel van het andere, al weet ik niet zeker waar het begint – en nu de zaak was heropend, wilde ik niet geloven dat die me te slim af was geweest.

Samantha bellen zou de makkelijkste beginzet zijn geweest. Maar dat kon ik eigenlijk niet doen. Uit het feit dat ze mij niet had gebeld leidde ik af dat ze spijt had van de nacht die we samen hadden doorgebracht. Wat kon ik daartegen inbrengen? Maar dat weerhield me er niet van aan haar te denken. Fysiek was het een van de onhandigste vrijpartijen van mijn leven geweest; het bed leek steeds op het punt van instorten te staan en de lakens krulden er in de hoeken af, en daarom was het des te opwindender.

En opeens was mijn leven weer terug in het oude ritme en ik vond de sleur verpletterend. De telefoon in mijn hand was loodzwaar; een klant in de deuropening bezorgde me hoofdpijn. Ik was afwezig en merkte dat ik me niet langer dan een paar minuten achtereen op iets kon concentreren, laat staan een sprankelend gesprek kon voeren.

'Ethan.'

Marilyn legde haar bestek neer, voor haar doen een ernstig gebaar. Ze had oeverloos zitten praten over iets wat iemand in Miami iemand anders had aangedaan, niet te geloven, hè, de brutaliteit.

'Sorry.'

'Waar zít je met je hoofd? Ben je ziek?'

'Nee.' Ik dacht even na. 'Ik was met mijn hoofd bij McGrath.'

Let wel, ik had niet gelogen. Ik had alleen niet gespecificeerd welke McGrath.

'Wie? O, die politieman van je.'

Over de drie of vier – of misschien weet ik het juiste aantal niet meer, misschien waren het er vijf of zes – slippertjes sinds Marilyn en ik een relatie hadden, had ik naderhand nooit tegen haar opgeschept. Maar ik had ook nooit gelogen.

'Die politieman van je.'

Daarna loog ik. Ik loog met een knikje.

'Ja,' zei ze. 'Het is diep, díép treurig. Ben je te treurig om dat op te eten?'

Op dat moment werd ik opeens getroffen door een vlaag van afkeer. In het verleden had ze me dikwijls geërgerd, maar dit was anders, en ik moest me even verontschuldigen.

Ik ging naar het toilet, waste mijn gezicht en gaf mezelf een paar keer een pets. Aandacht erbij houden. Dat is niet meer dan hoffelijk. Ik besloot de familie McGrath van me af te zetten en beschaafd te zijn. Vervolgens zou ik laten doorschemeren dat ik met iemand anders had geslapen, niet vanavond, maar over een dag of wat, en in vage bewoordingen. Ik hoefde niet te zeggen met wie. Ze zou er geen moeite mee hebben en ik zou het kwijt zijn. Ik zou er wel overheen komen en zij ook. Ik droogde mijn handen af en keerde terug naar het tafeltje. Marilyn had al afgerekend en was vertrokken.

Een telefoontje – weer een telefoontje – luidde het eind van mijn rustige weekje in. Het was Tony Wexler.

'Je vader wil je graag spreken. Voordat je nee zegt…'

'Nee.'

Tony zuchtte. 'Mag ik alsjeblieft uitspreken?'

'Je kunt het proberen.'

'Hij wil een paar kunstwerken kopen.'

Dat was nieuws. Mijn vader had een heleboel schilderijen, maar zijn smaak neigde nogal naar zeegezichten en fruitschalen. Eerlijk is eerlijk, ik was in geen jaren bij hem thuis geweest en in de tussenliggende tijd had hij misschien een uitzonderlijke collectie twintigste-eeuwse kunst verzameld; misschien had hij Julian Schnabel in de arm genomen om zijn behang te ontwerpen en Richard Serra voor het tafelgerei. Maar ik had het onmiskenbare gevoel dat Tony zijn best deed om ernstig te klinken.

'Je mag best lachen hoor,' zei ik. 'Mijn fiat heb je, en ik zal het niet verder vertellen.'

'Het aanbod is honderd procent oprecht.'

'Ik dacht dat je uitvluchten op zouden raken. Bravo.'

'Het is geen uitvlucht. Hij wil dat je hem bezoekt. Beschouw hem in deze context maar als een klant.'

'Als hij een klant is, kan hij net als ieder ander naar de galerie komen.'

'Jij weet net zo goed als ik dat niet al je klanten naar de galerie hoeven te komen.'

'Ik bezorg werk bij cliënten met wie ik al een relatie heb.'

Hij grinnikte vermoeid. 'Touché.'

'Als hij kunst wil kopen zal ik met plezier een afspraak voor hem regelen met iemand die beter aan zijn behoeften kan voldoen. Wat heeft hij op het oog?'

'De Cracke-tekeningen.'

Dat overviel me. Het duurde even voordat ik antwoord kon geven. 'Nou, in dat geval heeft hij pech.'

'Luister, waarom kom je vanavond niet even langs?'

'Ik heb al gez…'

'Je hoeft hem niet te spreken. Je kunt rechtstreeks met mij zakendoen.'

'Ik geloof je niet.'

'Kom maar gewoon. Als iets je niet zint, kun je altijd weer weg. Of… Het hoeft niet hier. Ik tref je op een plek van jouw keus. Je kunt iemand vooruitsturen om te zien of ik wel alleen ben. Net als in een spionagefilm. Noem je voorwaarden, noem de plek.'

'Kom jij dan maar hierheen.'

'Ik wil het echt graag privé houden.'

'Je zei dat ik mijn voorwaarden mocht noemen. Dat zijn ze.'

Hij stopte en begon een paar keer opnieuw. Zijn gehaspel bevestigde mijn vermoeden dat de transactie afhing van mijn komst naar hem en niet andersom. Hij probeerde me ofwel in één ruimte met mijn vader te krijgen, of hij had opdracht gekregen ervoor te zorgen dat ik begreep wie er voor wie werkte.

'Dit is kinderachtig,' zei hij uiteindelijk.

'Kinderachtig is mij bellen om te verlangen dat ik mijn zaken afhandel volgens andermans regels.'

'Hij is serieus. Het is een serieus aanbod. Een serieus en eerlijk aanbod.'

'Hoeveel?'

'Pardon?'

'Hoeveel wil hij er? Ik ga alleen op huisbezoek bij mijn meest serieuze en eerlijke cliënten, dus laat maar eens horen hoe serieus en eerlijk hij is. Hoeveel wil hij er hebben?'

'Hij wil ze allemaal.'

Ik zuchtte. 'Ik weet niet wat je hier probeert uit te halen, Tony, maar hier heb ik geen tijd voor.'

'Wacht even, wacht. Ik meen het, hij wil ze allemaal, ook de exemplaren die je al hebt verkocht. Je hebt er al een paar verkocht, hè?'

'Tony, in godsnaam…'

'Ik wil nu een antwoord. Hoeveel heb je er verkocht?'

'Een paar.'

'Nou? Nou? Zeg eens.'

'Een stuk of twaalf.'

'Precies twaalf.'

'Min of meer.'

'Nou, wat is het? Min? Of meer?'

'Ze zijn al verkocht. Die komen niet terug.'

'Hoeveel heb je ervoor gekregen?'

Ik noemde de bedragen.

Er viel een stilte.

'Krijg nou wat,' zei hij.

'Ja. Nu kun je er wel op gaan bieden, maar volgens mij wil geen mens er zo snel afstand van doen, tenzij je je vreselijk laat afzetten.'

'Dat is van later zorg. Hoeveel moet je voor de rest hebben?'

'Jij had de hele rits. Je had ze kunnen houden zonder er een cent voor te betalen. En nu wil je ze terugkopen? Neem me niet kwalijk als ik vind dat dit nergens op slaat.'

'Hiervoor wilde hij ze niet. Nu wel.'

'Is het een gril?'

'Zo mag je het noemen.'

'Gelul. Mijn vader heeft nog nooit van zijn leven iets impulsiefs gedaan. Hij is een berekenende kloothommel, en het spijt me dat hij jou voor zijn karretje spant. Ik wil je iets vragen, Tony. Hoe kún je voor hem werken? Zit dat je nooit dwars? Word je er niet gek van dat je elke dag voor die lul moet werken?'

'Je vader heeft kanten die jij niet kent.'

'Ongetwijfeld. Zo is het leven nu eenmaal. Bedankt voor je telefoontje.'

Ik had amper opgehangen of ik had al spijt van de toon waarop ik tegen hem had gesproken. Tenslotte had Tony me Victor Cracke op een presenteerblaadje aangereikt, en hij had mijn ondankbaarheid al veel te lang geduld. Ik had de neiging hem terug te bellen en ergens af te spreken – niet in de galerie, niet in mijn ouderlijk huis, maar in een museum of restaurant – een aandrang waartegen ik me de rest van de dag moest verzetten, zodat ik van verontwaardiging vervuld was tegen de tijd dat ik naar huis ging.

Wie dacht mijn vader wel dat hij was? Het besluit om mij de kunst toe te spelen was kennelijk van hem geweest en niet van Tony; de laatste handelde in zijn capaciteit van capo. Echt iets voor mijn vader, zo typerend. Eerst een deal maken, dan de voorwaarden veranderen. Geef hem iets zodat hij zich verplicht voelt. Er was geen enkele reden me schuldig te voelen omdat ik Tony had gezegd dat hij de boom in kon, niet één. Althans niet meer reden dan al die andere keren dat ik mijn vaders verwrongen pogingen tot intimiteit uit de weg was gegaan. Ik was hun niets verschuldigd. Victor Crackes kunst was als uit het niets bij mij gekomen, alsof ik die zelf bij het grof vuil had aangetroffen. Ik had al het werk gedaan. Eigenhandig.

Twee dagen later had ik mezelf daar bijna van overtuigd toen ik weer een brief kreeg. Net als de eerste was hij in Victors keurige, uniforme handschrift op wit papier van tweeëntwintig bij achtentwintig centimeter geschreven. Net als de eerste had hij maar één eindeloos herhaalde, simpele boodschap: IK WAARSCHUW JE.

13

Het kostte meer moeite dan ik had verwacht om Samantha aan de telefoon te krijgen. Het privénummer dat ze me had gegeven bleef eindeloos overgaan en haar mobiel schakelde direct door naar de voicemail. Nadat ik Victors tweede brief had gekregen, sprak ik 's middags twee boodschappen in en daags daarop nog twee. Uit angst dat ze me opdringerig zou vinden wachtte ik nagelbijtend een etmaal voordat ik haar op haar werk belde. Ze leek verrast om van me te horen en niet erg blij. Ik zei dat ik al dagen probeerde haar te bereiken en wachtte even om een excuus te horen. Toen dat uitbleef, zei ik: 'Ik moet je spreken.'

'Ik weet niet of dat wel zo'n goed idee is.'

Ze klonk afstandelijk en ik besefte dat ze me verkeerd had begrepen. 'Daar gaat het niet om. Ik heb weer zo'n brief gekregen.'

'Brief?'

'Van Victor Cracke,' zei ik. Toen ze niet reageerde, voegde ik eraan toe: 'De kunstenaar?'

'O. Ik wist niet dat je een eerste had gekregen.'

'Had je vader dat niet gezegd?'

'Nee. Dus kun je contact met hem opnemen.'

Eerst dacht ik dat ze haar vader bedoelde en dat het een macaber grapje was. 'Er staat geen adres op. Weet je zeker dat je vader er niets over heeft gezegd.'

'Absoluut.'

'Dat is raar.'

'Hoezo raar.'

177

'Omdat ik ervan uitging dat hij je op de hoogte wilde houden van wat er met die zaak gebeurde.'

'Die had niets met mij te maken. Het was iets tussen hem en jou.'

'Dan kan wel zijn, maar ik moet je dit laten zien. Kan ik je oppikken, dan…'

'Wacht,' zei ze.

'Wat is er.'

'Ik vind dat je dat niet moet doen.'

'Waarom niet?'

'Omdat ik gewoon… Ik vind gewoon van niet.'

Ik zei: 'Het heeft daar niets mee te maken.'

'Dat begrijp ik. Ik wil je toch niet zien.'

'Waarom niet.'

'Omdat ik het niet wíl.'

'Samantha…'

'Alsjeblieft. Ik wil het er niet meer over hebben, oké? Ik denk dat het beter is voor ons allebei als we alles vergeten en de draad van ons leven weer opvatten.'

Ik zei: 'Ik zweer het je, het gáát daar niet over.'

Bovendien, wat bedoelde ze met 'alles vergeten'. Het zou misschien nooit meer gebeuren, maar de werkelijkheid kun je niet ongedaan maken. Ik had genoten van de bewuste nacht en zij ook, dacht ik. Mijn fantasie had zich twee weken aan de herinnering te goed gedaan terwijl ik het filmpje voor mijn geestesoog afdraaide. Met haar had niets mis geleken, maar nu vroeg ik me af ik in mijn gretigheid soms iets over het hoofd had gezien, iets afwezigs dat ik als extase had uitgelegd. En had ze naderhand, toen ze daar lag, uitgeput, bevredigd en een beetje beschaamd, een tikje eenzaam en behoeftig, nog iets anders gevoeld, iets vreselijks? Ze leek helemaal geen haast te hebben gehad me het huis uit te werken. Hadden we elkaar bij het aankleden nog aangekeken? Nee, maar zo ongewoon is dat niet. Ik had haar vaarwel gekust, en dat was een prettige, lange kus geweest. Ze had niets gezegd wat erop wees dat ze van plan was de herinnering te wissen.

Ze zei: 'Als je probeert een manier te vinden om me…'

'Om wat?'

'Om me te spreken te krijgen, dan is het…'

'Ben je nou helemaal? Dit heeft níéts te…'

'Dan is dit niet de manier om…'

'Luister je wel naar me?' Ik zag haar zo voor me, gebogen over haar bureau, met de hand op haar voorhoofd, die pruilmond. De andere hand speelde met een pen. Ze bedacht een reden om me af te poeieren. Het speet haar dat ze iets met me had gehad, blijkbaar was ik een plakker…

'Ik zal je een kopie van de brief faxen,' zei ik. 'Dan mag je het zelf beslissen.'

'Best.'

Tien minuten later belde ze terug.

'Goed dan,' zei ze.

'Dank je wel.'

'Maar ik denk nog steeds dat ik niet de persoon ben die je moet hebben.'

'Zeg dan maar wie wel.'

'De politie.'

'Volgens je vader kan die niets doen.'

'Ze kunnen meer dan ik,' zei ze. 'Ik ga niet eens over jouw arrondissement.'

'Wat moet ik dan?'

'Ik…'

'Jij bent de enige die weet wat er gaande is. We moeten nog steeds iets met dat DNA doen, we zitten nog met transcripten…'

'Ho ho ho. Ik heb hier niets mee te maken.'

'Hij moet toch iets over de zaak hebben gezegd.'

'En passant, maar…'

'Dan ben je erbij betrokken, of je het wilt of niet. Je gaat me niet vertellen dat het jou niets kan schelen of we dit kunnen afmaken of niet.'

'Het kán me ook niets schelen.'

'Dat geloof ik niet,' zei ik.

'Je mag geloven wat je wilt.'

'Hij zou hebben gewild…'

'O, alsjeblieft, niet zo beginnen.'

'Ik ben erbij betrokken. Jij bent erbij betrokken. Het is misschien zijn zaak geweest, maar hij is er niet meer, dus nu is het onze zaak en ik heb jouw hulp nodig.'

'Ik kán het niet,' zei ze en ze barstte in snikken uit.

Ik besefte direct dat ik weliswaar niet had zitten schreeuwen, maar wel met veel kracht had gesproken. Ik begon mijn excuses te maken, maar daar wilde ze niets van horen.

'Je snapt het niet, hè? Ik wil niets meer met die hele toestand.'

'Het spijt me echt…'

'Hou je kóp. Die zaak kan me niets schelen, nou goed? Die zaak, die brief, of wat dan ook kan me geen ruk schelen. Ik wil met rust worden gelaten. Heb je dat begrepen?'

'Ik…'

'Zeg nou maar gewoon dat je me begrijpt. Iets anders wil ik niet horen.'

'Ik begrijp het, maar…'

'IK WIL HET NIET HOREN. Ja? Ik hang op en daarmee uit.'

'Wacht…'

En weg was ze. Ik bleef met de hoorn in mijn hand zitten tot hij begon te piepen.

Ik belde de politie van New York. De man die opnam leek het niet te begrijpen, dus pakte ik de brief en een kopie van de eerste (het origineel was nog in het lab) en ging naar het bureau in West Twentieth. Door verbouwingswerkzaamheden in de receptie verstond de brigadier van dienst geen woord van wat ik zei, dus stuurde hij me naar een geüniformeerde agent in een zijkamer, ver van het kabaal.

'Wat?' zei de agent nadat ik het verhaal uit de doeken had gedaan. 'Dus u hebt al met iemand in Queens gesproken?'

'Niet precies. Hij was met pensioen en vervolgens is hij overleden.'

'Hè?' Hij pakte de brieven op, een in elke hand, alsof hij ze met elkaar wilde vergelijken.

'We hebben geprobeerd de briefschrijver te achterh… Luister, ik wil niet onbeleefd zijn, maar kan ik iemand anders spreken?'

Hij keek me even aan. Toen keek hij weer naar de brieven. 'Momentje.'

Terwijl hij weg was, keek ik door een raam van gepantserd glas naar een agente die vragen stelde aan een snotterig kind. Achter haar hing een vaandel waarop het tiende arrondissement werd gefeliciteerd met weer een kwartaal recorddalingen. Op een prikbord hing een overzicht van statistieken en daarnaast een poster van de Twin Towers.

De politieman kwam terug. Ik zag dat hij Vozzo heette. Hij gaf me de brieven terug en zei: 'Ik heb kopieën gemaakt. Die moeten we hebben als de schrijver iets doet wat ingrijpen vergt. Maar het is waarschijnlijk niets anders dan een grap. Ik zou me niet ongerust maken als ik u was.'

'Dat is het?'

'Ik kan helaas weinig meer voor u doen.'

'Mij lijkt het anders geen grap.'

'Dat begrijp ik, en ik wou dat ik u meer kon vertellen. Maar van onze kant uit bekeken kan ik niet veel meer beginnen, althans niet hiermee.'

'En er is niemand anders…'

'Momenteel niet.'

De dalende misdaadstatistieken en de poster van 11 september vertelden hun eigen verhaal, een vervolg op wat McGrath al was begonnen. 11 September had iets veranderd aan de wijze waarop in New York met de misdaad werd omgegaan. Een paar boze brieven, een onopgeloste moord, het mocht wat.

'Kan ik u nog met iets anders van dienst zijn?'

'Nee, dank u.'

'Goed. Hebt u nog vragen, dit is mijn kaartje. Belt u gerust.' Hij hield de kopieën omhoog. 'Intussen zal ik deze bewaren.'

Ik betwijfelde of hij ze nog verder zou dragen dan de volgende prullenbak, maar ik bedankte hem nogmaals en keerde terug naar de galerie.

Ik popelde om iets te doen, dus besloot ik mijn aandacht weer te richten op het enige bewijsmateriaal dat ik tot mijn beschikking had, de opgeslagen tekeningen. Ruby en ik waren bij lange na niet klaar en de exemplaren díe ik had gezien waren op zijn hoogst vluchtig bekeken. Ergens in die uitgestrekte landkaart hoopte ik de weg naar Victor Cracke te vinden.

Nadat ik had afgesloten, nam ik een taxi naar de opslag aan de andere kant van de stad. Ik tekende het register en ging met de lift naar de zesde etage, waar ik door gangen liep die te fel verlicht waren door tl-buizen. Mosley's was New Yorks belangrijkste kunstopslag en elke kluis kon een Klimt, Brancusi, of John Singer Sargent bevatten. In mijn kluis, waar temperatuur, vochtigheidsgraad en luchtkwaliteit constant waren, en die gevrijwaard was van uv-straling en 5760 dollar per maand kostte, bewaarde ik alleen Victor Cracke, dertig dozen nog wel, de belichaming van tien maanden emotionele en professionele inspanning.

Er was een schouwvertrek aan het eind van elke etage, maar ik was niet van plan de hele nacht in een benauwde cel te zitten; daar had ik genoeg van. In plaats daarvan koos ik een willekeurige doos, reed hem met een steekwagentje terug naar de receptie, tekende voor vertrek en zeulde de doos naar buiten om een taxi aan te houden.

Ik woon in TriBeCa. Ik geloof niet dat ik dat al heb gemeld. Mijn appartement heeft aan de achterkant een terras met een gezellige tuin, nagelaten door de vorige eigenaar, een tuin die al mijn pogingen tot moord door verwaarlozing heeft overleefd. Ik ben geen goede verzorger. De rest van het huis vertegenwoordigt mij wel: stukken die ik apart heb gezet omdat ik meende dat ze te zijner tijd beter te verkopen zouden zijn, of die ik voor mezelf wilde houden. Ik heb een flinke hoeveelheid art-decomeubilair en een alcoholistische buurman die elke zondagavond met veel kabaal een kolossale draagtas lege wijnflessen in de vuilniskast deponeert. Ik ben gesteld op mijn huis en de wijk die ik heb uitgekozen. Het is dicht bij de galerie, maar ook weer niet zo dichtbij dat ik het gevoel heb niet van mijn werk los te komen; het is zo dicht bij Marilyns herenhuis dat ik daar in een paar minuten kan zijn, maar ook weer niet zo dichtbij dat we onaangekondigd bij elkaar binnenvallen. Om de hoek is een sushibar met vijftien plaatsen waar ik twee keer in de week ga eten, en daar ging ik heen.

De gastvrouw begroette me bij mijn naam. Meestal ga ik aan de bar zitten, maar die avond vroeg ik om een tafeltje. 'Voor mij en mijn vriend,' zei ik met een gebaar naar de doos.

'Ooo,' zei ze, en toen ik 'ga uw gang' knikte, peuterde ze de deksel eraf. Ik vroeg wat ze ervan vond. Ze beet op haar lip. 'Duizelig,' zei ze uiteindelijk.

Dat kon je wel zeggen.

Ik bestelde een maaltijd voor mezelf en een karaf sake, die ik voor de doos neerzette. 'Opdrinken, klootzak.'

Voor ik vertrok, vroeg de gastvrouw of ik de kunst aan de manager wilde laten zien. Ik gehoorzaamde. Algauw stond het voltallige personeel om me heen o en ah te zeggen, goed- of afkeurend, dat kon ik niet zeggen. Hoe dan ook, ze klonken wel gefascineerd. Ik liet hun zien hoe de tekeningen op elkaar aansloten, wat nog meer bewondering wekte. Hun reacties verrukten me, en toen ik het werk door hun ogen zag, wist ik weer waarom ik me er überhaupt toe aangetrokken had gevoeld. Het was gigantisch complex en gigantisch barok. Als ik goed genoeg keek, zou ik een aanwijzing vinden. Die moest er zijn. Kon niet anders.

Het was een frisse avond. Oktober zette door. Het was een maanloze nacht en veel straatlantaarns waren kapot of werden verduisterd door steigerwerk, dat in mijn wijk als zevenblad uit de grond schiet. Eén keer struikelde ik bijna en had ik de doos haast laten glippen. Anderhalf blok lopen kan behoorlijk ver zijn als je een Saville Row-pak en een overjas draagt, plus twintig kilo papier. Maar op dat punt zou een taxi te dol zijn, mijn complex was nog geen tien meter verderop.

Ik zette de doos op de stoep neer en boog mijn rug naar achteren. Het was half twaalf en ik was moe. Vanavond zou ik niet meer aan de kunst toekomen. De volgende morgen zou ik vroeg opstaan en doorwerken tot ik iets had gevonden of Samantha van gedachten was veranderd.

In New York let je niet op andere mensen. Ze zijn er altijd, maar je ziet hen niet. Wie besteedt er nu aandacht aan de mensen op straat? In mijn wijk is het 's avonds veilig. Daarom draaide ik me niet om, om te zien wie er vlak achter me liep. Ik geloof zelfs dat ik me niet eens bewust was van iemand anders, tot ik een dreun op mijn achterhoofd kreeg met iets wat buitengewoon hard en zwaar was, en meteen daarna was ik buiten kennis.

Intermezzo: 1931

Op vrijdagavond leest moeder een boek en luistert vader naar de radio. David maakt geen geluid. Hij zit op het kleed en speelt in zijn hoofd; hij beschikt over een heleboel spelletjes. Of hij vertelt zichzelf verhalen. De verhalen die hij het liefst verzint, draaien om de beroemde vliegende ontdekkingsreiziger Roger Dollar. Roger Dollar werkt zich altijd in de nesten, maar werkt zich er ook steeds weer uit omdat hij slim is en een grote trukendoos heeft. Soms speelt David treintje, maar dan vergeet hij rustig te blijven en zegt mama vroeg of laat dat hij stil moet zijn. Als je lawaai wilt maken, ga je maar naar je kamer.

David vindt het niet leuk om op zijn kamer te spelen. Hij heeft een hekel aan zijn kamer; zijn kamer jaagt hem angst aan. Het hele huis is hoog en vochtig en donker. Toen hij werd geboren, schilderde zijn moeder de kamer in een heldere, zachte tint blauw, een jongenskleur. Maar in het donker zien alle kleuren er hetzelfde uit, en geen enkele verf kan voorkomen dat de commode in een dreigend beest verandert. David ligt dan met zijn deken tot zijn kin opgetrokken omdat het zo koud is in zijn kamer. De commode knarst met zijn tanden en opent zijn kaken om hem te verzwelgen. David gilt het uit. Het dienstmeisje komt aanhollen. Wanneer ze ziet dat hem niets mankeert, dat hij alleen maar een nachtmerrie heeft, geeft ze David een standje omdat hij zo'n bangerik is. Wil hij opgroeien en een grote jongen worden, of wil hij zijn hele leven een bangerik blijven? Nee, hij wil een grote jongen worden. Waarom is hij dan zo'n angsthaas, waarom is hij dan niet dapper? Waarom doet hij zijn ogen dan niet dicht om te gaan slapen? Het dienstmeisje heet Delia en zij ziet er ook uit als een monster, met die gevlekte wangen en knokige vingers en haar slaapmuts hoog op haar hoofd als hersens die uit een opengebarsten schedel puilen. Ze schreeuwt altijd tegen hem. Ze schreeuwt tegen hem als hij te laat komt of te vroeg is. Ze schreeuwt als hij te veel eet en als hij niet eet. Ze bakt taarten maar geeft hem geen stukje, ze laat ze onder een kristallen stolp staan tot ze oudbakken zijn en uiteenvallen. Dan gooit ze ze weg en bakt ze nieuwe. David begrijpt er niets van. Waarom bak je taarten als je ze niet opeet? Waar is taart anders voor? Een keer probeerde hij een stukje en gaf ze hem slaag. Nu beschouwt hij de taartstandaard als een verrader en loopt hij er met een grote boog omheen.

Op avonden dat hij gilt, geeft ze hem een standje, en soms zelfs slaag als ze in een slecht humeur is; daarna laat ze hem daar liggen in bed, te midden van de monsters. Hij probeert wel dapper te zijn, hij probeert wel te gaan slapen. Roger Dollar zou niet gillen, dus is er voor hem ook geen reden om te schreeuwen, hij moet niet zo'n angsthaas zijn. Maar telkens wanneer hij zijn ogen opendoet, ziet hij er nog meer; ja, die commode, maar ook de spiegel, de kleine houten kamerdienaar, de bewerkte bedstijlen aan het voeteneind. Zijn pettenrek, overdag zo'n vrolijk ding, wemelt van de sissende, spugende slangen die over het matras kronkelen naar het enige lichaamdeel dat onbedekt is: zijn ogen, ze gaan hem bijten, in zijn ogen, straks kronkelen ze op zijn gezicht, en dan kán hij niet eens meer gillen, dan eten ze zijn tong op, hij kan maar beter schreeuwen zolang het nog kan…

Toch leert hij zijn geschreeuw binnen te houden. Hij leert zijn lesje. In huis moet je je mond houden en niets zeggen. Dat is de regel.

Op vrijdagavond (vader noemt het 'gezinsavond') zit David op het kleed en speelt hij in zijn hoofd, want al schreeuwt moeder niet vaak, haar regels zijn dezelfde als die van Delia en ze worden sneller nageleefd. Soms vraagt hij zich af of ze misschien zussen zijn, moeder en Delia, ze gedragen zich zo gelijk. David heeft gemerkt dat Delia soms tegen vader praat zoals moeder dat ook doet: brutáál. Ze is het enige lid van het personeel dat het mag en ze doet het omdat moeder haar beschermt. David mag zeker niet brutaal zijn. Ze hebben hem gewaarschuwd. Hoe het komt dat Delia brutaal mag zijn tegen vader en moeder brutaal mag zijn tegen vader en vader brutaal mag zijn tegen iedereen, begrijpt hij niet. Als hij brutaal is, krijgt hij slaag. Krijgt Delia slaag als ze brutaal is? En moeder? Gebeurt het als hij er niet bij is? Er zijn een heleboel dingen die hij niet begrijpt. David wordt eerdaags zes. Misschien mag hij dan ook wel brutaal zijn. Misschien is dat de betekenis van ouder worden.

Het nieuws op de radio gaat allemaal over de Crisis. Net als Delia's onaangeroerde taarten en de regels over brutaliteit, is de Crisis ook iets wat David wil begrijpen. Vader heeft het over de broekriem aanhalen en moeder reageert door te zeggen dat ze als mensen moeten leven. David snapt het verband niet. Als je de broekriem aanhaalt, waarom kun je dan niet als een mens leven, maar dan met een broek die wat strakker zit? Kun je als een mens leven als je broek afzakt? Natuurlijk niet. David staat beslist aan de kant van zijn vader.

De Crisis is er altijd geweest. Toch praten zijn ouders over Ervoor. Ervoor hadden we meer personeel. Ervoor konden we verbouwen. Delia heeft het ook over Ervoor; voor de Crisis had ze een vriendin en nu heeft ze niemand om mee te praten. David ziet wel dat Delia eenzaam is. Waarom? Er zijn genoeg andere mensen om haar heen: moeder en vader en de kok en de chauffeur en de butler en de man die foto's komt maken en de dokter met die vette leren tas en allerlei andere mensen, de hele tijd. Het huis is nooit leeg. Waarom lijkt Delia dan zo eenzaam? En áls ze dan zo eenzaam is, waarom doet ze dan zo akelig? David kan zo wel zien dat er meer mensen tegen haar zouden glimlachen als ze zelf eens lachte. Dat begrijpt hij wél. Ze weet misschien een heleboel dingen die hij niet weet, maar hierover kan hij zich tenminste iets slimmer voelen.

Voor zover David het begrijpt, heeft de Crisis iets met een stoel te maken, want dat zegt vader. We moeten hem uitzitten. Misschien ook met zinkende schepen, maar daar is David niet zo zeker van. Hij wilde dat hij er meer van begreep omdat de Crisis een sterke invloed heeft op het humeur van zijn ouders, vooral van zijn vader. Soms komt zijn vader heel chagrijnig thuis en maakt hij dat het hele huishouden in een sombere stemming is. Aan tafel blijft het stil, het enige geluid is dat van krassende messen. Vader begint dan wel eens over het nieuws te praten, maar dan zegt moeder 'Alsjeblieft, Louis, niet onder het eten' en dan houdt vader weer zijn mond.

Op vrijdagavond, Gezinsavond, trekt vader zich terug in een hoek bij de grote radio, doet hij de lamp met die mooie groene kap aan, gaat hij met de benen over elkaar zitten, zet hij zijn vingers tegen elkaar als een tent of kauwt hij op de hoekjes van zijn jasje, wat Delia een smerige gewoonte noemt. Of hij trekt zacht aan zijn oorlelletjes alsof hij ze probeert uit te rekken, als een toffee. Hij lijkt wel in de kussens te verdwijnen en David staakt de spelletjes in zijn hoofd wel eens om naar hem te kijken, met zijn harige lip en ingevallen wangen en ogen als knikkers die over de grond willen vliegen. Hij friemelt aan zijn das maar doet hem nooit af. Hij draagt glimmende zwarte schoenen, en als David voldoende dichtbij kruipt, ziet hij zijn bolle spiegelbeeld in de glanzende, ronde neus.

Moeder leest boeken. Die hebben namen als *The Rose of Killarney* en *The Wife of the Saxon Chieftain*. David heeft er eens in gekeken, maar hij begreep er niets van. Niet omdat hij niet kan lezen. Hij heeft al leren lezen van de huisonderwijzer. Om te oefenen leest hij plaatjesboeken. Delia leest de krant hardop voor aan de kok, die uit Italië komt en een accent heeft, waardoor het lijkt of hij altijd zingt, ook al is dat niet zo. Wanneer Delia de krant heeft weggegooid, vist David hem uit de vuilnisbak en sluit hij zich ermee op in de kast. Net als vader heeft de krant alleen maar belangstelling voor de Crisis.

Op vrijdagavond gaat David voor het raam staan en kijkt hij omlaag naar de mannen en vrouwen met hoeden en sjaals die daar lopen. Vroeger toeterden de auto's tot moeder er gek van werd en het geen seconde langer kon verdragen en ze iemand liet komen om er een tweede stel ramen met glas zo dik als Davids vingers in te laten zetten. Nu is het leven op straat een stomme film geworden. Dat vindt David niet erg. De stemmen en geluiden kan hij in zijn hoofd produceren, waar hij zo veel heeft opgeslagen.

Ga daar eens weg, David.

Hij keert weer terug naar zijn plek op het tapijt, gaat liggen en kijkt naar het plafond waarop vader schilderingen van engelen heeft laten aanbrengen, ze blazen op trompetten en er komen bloemen uit. Uit de trompetten, niet uit de engelen. Het zou wel grappig zijn als er bloemen uit de engelen kwamen. Maar nu ze uit de trompetten komen, ziet het er gewoon raar uit. David zegt er nooit iets van, want vader lijkt erg gesteld op zijn engelen.

Deze bewuste vrijdagavond bevindt hij zich midden in een worsteling om Roger Dollar uit een heel lastig parket te bevrijden. Roger is ontvoerd door gewetenloze bandieten die uit zijn op zijn goud. Met een roeiriem slaat hij hen van zich af en terwijl de bandieten op hem schieten, hoort David iemand de trap afkomen. Daar kijkt hij van op. Niemand mag op Gezinsavond de huiskamer binnenkomen. Wie dat doet krijgt er waarschijnlijk nog erger van langs dan wanneer hij brutaal is. Hij kijkt naar zijn moeder en vader, maar geen van tweeën lijkt iets gemerkt te hebben.

David vraagt zich af of hij zich de voetstappen heeft verbeeld. Hij heeft een sterke verbeelding, zo sterk dat hij zich er af en toe in verliest. In plaats van zijn huiswerk van wiskunde, Duits of muziek te doen, concentreert hij zich wel eens op de vage roep van een rode kardinaal, twee langzame en daarna een reeks scherpe, of op het traject van een scheur in het pleisterwerk van de muur, als een rivier die omhoogstroomt. Van die beelden weeft hij ingewikkelde verhalen, ontdekkingsreizen in het oerwoud, botsingen tussen woeste stammen van mannen met puntige tanden en tekeningen op hun lichaam, die hij heeft gezien in *Ripley's Believe It or Not*. David weet dat hij makkelijk wordt afgeleid. Wanneer hij weer terugkeert naar de werkelijkheid, is dat meestal door een tunnel van boze kreten: aan het eind daarvan staat Delia te tandenknarsen en met haar knokkels te knakken.

Hij heeft zich de voetstappen niet verbeeld. Ze komen dichterbij, in uitbarstingen van vier of vijf treden, alsof de bewuste persoon nog moet leren lopen.

Moet hij opstaan? Hij kan doen alsof hij naar de wc moet en de naderende vreemde onderweg waarschuwen rechtsomkeert te maken. Het is Gezinsavond, je mag daar niet naar binnen gaan!

Maar stel dat de vreemde een gevaarlijk monster is, of nog erger? Stel dat David zijn moeder en vader moet beschermen? Stel dat hij maar een van tweeën kan redden? Wie zou hij dan kiezen? Het antwoord komt snel: vader. Vader is magerder en David houdt meer van hem. Moeder kan zich waarschijnlijk wel zelf redden met haar zware boezem en enorme bolwerk van dikke rokken. En zo niet dan is dat ook goed.

Nu legt moeder haar boek neer.

'Louis.'

Vader is onder zeil, zijn oogleden trillen.

'Louis.'

Vader wordt wakker. 'Wat is er, moeder?'

'Er is iemand op de gang.'

'Wie is dat?'

'Ik hoor geluiden.'

Vader knikt slaperig. 'Ja.'

'Nou? Ga eens kijken.'

Vader haalt heel diep adem en hijst zich uit de diepte van zijn leunstoel. Het lijkt wel of hij spinnenpoten heeft, ze zijn broos en lang en knokig, en hoewel hij er klein uitziet in zijn stoel, rijst hij altijd tot ontzagwekkende hoogte wanneer hij opstaat.

'Heb jij ook iets gehoord?' vraagt hij aan David.

David knikt.

Vader trekt geeuwend aan zijn kraag. 'Laten we dan maar eens een kijkje nemen.'

Maar voordat hij de kans krijgt, zwaait de deur piepend open. Vader deinst naar achteren, moeder slaat haar hand tegen haar borst en David knippert als een bezetene met zijn ogen in een poging rustig te blijven. Er komt een meisje binnen dat hij nog nooit heeft gezien. Ze draagt een witte nachtjapon die zo dun is dat je erdoorheen kunt kijken. En ze ziet er raar uit, met kleine borstjes en een bolle buik en harige armen. Ze is klein. Haar gezicht ziet eruit alsof het geplet is, als van een kikker. Haar tong steekt uit haar mond alsof ze iets bedorvens heeft geproefd. Haar haar zit met een gele strik strak naar achteren gebonden. Ze heeft scheve ogen die door de kamer schieten; ze kijkt naar een stoel hier en een muur daar en vervolgens naar moeder en vader. Daarna kijkt ze naar David en lijkt het alsof ze wil glimlachen. Hij glimlacht niet terug; hij is bang en wil zich verstoppen.

Moeder springt op en laat haar boek op de grond vallen.

Vader zegt: 'Bertha…'

Moeder is met drie grote stappen de kamer door gelopen; ze pakt het meisje bij de pols en trekt haar uit het zicht. David hoort ze de trap op gaan.

Vader vraagt: 'Alles goed met jou?'

Waarom zou het niet goed met hem zijn? Met hem is niets gebeurd. David knikt.

Vader gaat met zijn hand over zijn overhemd en strijkt zijn das glad. Hij voelt aan zijn snor alsof die door de commotie in de war is geraakt. Hij zoekt zijn bril – die zit als altijd in zijn borstzak – maar in plaats van hem op te zetten, stopt hij hem weer in zijn zak.

'Weet je zeker dat alles goed is met je?'

'Ja, vader.'

'Mooi. Mooi. Mooi.' Vader strijkt zijn das weer glad. 'Lieve god.'

Hoezo 'lieve god'? Het klinkt alsof vader een brief wil schrijven. Maar verder doet hij er het zwijgen toe.

Mister Lester Schimmings variété-uurtje wordt gesponsord door Mealtime, Mealtime, het voedzame poeder dat u één keer per dag…

Vader zet de radio uit. Hij krult zich op in zijn leunstoel en wordt weer klein. Hij is bleek, ademt zwaar en trekt aan zijn oorlelletje. David wil naar hem toe gaan en een hand op zijn voorhoofd leggen, zoals moeder doet wanneer hij ziek is. Hij wil hem een glaasje water brengen of dat scherp ruikende paarse spul dat vader voor het slapengaan drinkt. Maar David weet dat hij zijn mond moet houden. Hij verroert zich niet en zwijgt.

Later komt moeder weer terug. Haar mond is een dun streepje. Ze kijkt niet naar David, noch naar vader, maar pakt haar boek op en gaat weer op de chaise longue liggen. Ze slaat de bladzijden om alsof ze helemaal niet onderbroken is, en hoewel vader haar met een angstig gezicht aankijkt, schraapt ze luidruchtig haar keel en wendt ze het hoofd af.

Nu heeft David een mysterie.

Meer dan één zelfs. Hij heeft zo veel mysteries dat hij zich amper kan inhouden. Wanneer hij die nacht wakker ligt in bed, is het niet van angst, maar van opwinding. Hij kan ontdekkingsreiziger worden, net als Roger Dollar. Hij gaat een plan maken. Hij zal – net als de detective in het hoorspel op de radio – de onderste steen boven krijgen.

Hij begint een vragenlijst op te stellen.

Wie is dat meisje?

Waarom ziet ze er zo raar uit?

Hoe is ze in huis gekomen?

Hoe oud is ze?

Waar is ze nu?

Waarom reageerde moeder zo?

Waarom reageerde váder zo?

Waarom werd moeder boos op vader?

Waarom hebben ze David de rest van de avond genegeerd? (Eigenlijk hoeft die vraag niet beantwoord te worden. Ze negeren hem altijd.)

De vragen fladderen rond in zijn hoofd als uilen die 'wie wie wie', 'hoe hoe hoe', 'waarom waarom waarom' roepen.

Eén ding weet hij zeker: hij kan het niet aan moeder of vader vragen. Hij weet zeker dat hij een pak slaag krijgt als hij het hun wel vraagt. Hetzelfde geldt voor Delia. Hij moet zelf de antwoorden zien te vinden. En hij moet heel voorzichtig te werk gaan, want hij heeft het gevoel dat moeder geen greintje kattenkwaad zal dulden.

Eerst informatie verzamelen. De volgende avond aan tafel observeert David zijn ouders om te zien of hij iets ongewoons bespeurt. Ze eten gerstsoep en rosbief en de kleine pastaschelpjes die de kok maakt. Vader drinkt al vroeg zijn paarse drankje. Wanneer hij gebaart dat hij er nog een wil, kijkt moeder hem vuil aan en verandert zijn verzoek in een half glaasje. Verder verloopt alles gewoon.

Althans tot het einde van de maaltijd. Maar in plaats van elk huns weegs te gaan – vader naar zijn werkkamer en moeder naar de naai-kamer – staan beide ouders op en gaan ze dezelfde deur uit naar de oos-telijke vleugel van het huis. David wil hen achternagaan, maar Delia komt om hem naar de badkamer te brengen.

Daarna gaat hij naar bed. Delia vraagt of ze een verhaaltje moet ver-tellen en hij zegt 'nee, dank je'. Hij kan niet wachten tot ze de kamer uit is, en als ze weg is, telt hij tot vijftig, dan glipt hij stilletjes uit bed en blijft even met zijn sokken aan staan huiveren om een plan te smeden.

Het huis heeft vier etages. Evenals zijn slaapkamer is moeders naai-kamer op de derde. Vaders werkkamer is op de vierde. David gaat ervan uit dat ze elkaar waarschijnlijk niet in een van beide kamers treffen; ze hebben hun patronen veranderd en kiezen waarschijnlijk een derde plek. Maar welke?

Op de begane grond is een hal waar de gasten cocktails drinken. Er zijn een heleboel vertrekken die vol schilderijen hangen en een daarvan herbergt de familieportretten: van zijn grootvader en overgrootvader, en van zijn oudooms en oud-oudooms, mannen van bijna honderd jaar geleden, een onvoorstelbaar lange tijd. Daar is Solomon Muller met zijn vriendelijke glimlach. Naast hem zijn broers Adolf met zijn kromme neus en Simon met de wratten en Bernard met de bolle plukken borste-lig haar aan weerskanten van zijn hoofd. Vader Walter die eruitziet als-of hij te veel gekruid eten heeft gegeten. David weet dat vaders portret bijna af is. Vader heeft hem de plek laten zien waar het komt te hangen als het klaar is. En dat van jou komt daar. En dat van je zoon komt daar. David zag de lege lijsten als ramen van de toekomst.

De tweede etage lijkt hem geen ontmoetingsplek. Afgezien van de eetkamer en de keuken wordt die etage voornamelijk in beslag genomen door de donkere balzaal, waarvan de luiken het hele jaar dicht blijven, behalve op de avond waarop moeder het herfstbal geeft. Dan gaan de deuren open en wordt er met de plumeaus gezwaaid. De riemen worden van de stapels stoelen gehaald en ze worden uitgezet. Er komen tafels, die worden gedekt, het zilver wordt gepoetst en netjes neergelegd. Het orkest arriveert en de zaal vult zich met ruisend satijn in alle kleuren van de regenboog. Vorig jaar mocht David er voor het eerst bij zijn. Iedereen dweepte met hem in zijn rokkostuum. Hij walste met moeder. Ze gaven hem wijn. Hij viel in slaap en de volgende morgen werd hij wakker in zijn bed. Hij is er gerust op dat zijn ouders hun gesprek niet in de balzaal zullen voeren.

Op de derde etage zijn moeders naaikamer, zijn slaapkamer en een heleboel logeerkamers. Zijn kamer is eigenlijk een logeervertrek waarvan ze een speciale kamer voor hem hebben gemaakt. Je bent altijd een welkome gast, zegt vader. David weet niet goed wat dat betekent. Op de derde etage zijn ook de bibliotheek, de muziekkamer, de ronde kamer, de radiokamer (waar ze de vrijdagavond doorbrengen) en een heleboel kamers vol breekbare voorwerpen waarvan hij de bedoeling nog moet ontdekken. Al die vertrekken lijken David te klein en gewoon voor een evenement dat in zijn beleving belangrijk moet zijn.

Op de vierde en hoogste etages zijn de privésuites van zijn ouders. Het is een rijk waar hij zelden komt en dat naar onbeantwoorde vragen riekt. Daar gaat hij eerst kijken.

Een gemakkelijke operatie is het niet. Hij kan niet met de lift, die maakt te veel kabaal. Hij kan niet via de trap aan de oostkant, want die wordt gebruikt door de bedienden, en als zij hem zien, wordt hij weer naar bed gebracht. De zuidelijke trap is vlak bij Delia's kamer. Ook zij heeft een logeerkamer, in tegenstelling tot de rest van het personeel dat zijn kamers in de kelder heeft. 's Nachts laat ze haar kamerdeur open, zodat David kan bellen als hij iets nodig heeft. Op die manier kan ze hem ook horen schreeuwen als hij monsters ziet. Zij zal hem natuurlijk horen als hij langsloopt. Hij slaat zijn deken om zijn schouders en denkt na.

Delia krijgt soms bezoek op haar kamer. David kan ze horen lachen en de rook proeven die door de gang drijft. Hij kan wachten tot haar bezoek er is en hopen ongemerkt langs te glippen…

Nee. Misschien krijgt ze vanavond geen bezoek en zo ja, dan is het maar de vraag hoe laat. Hij heeft al te veel tijd verspild. Hij moet een ander plan maken.

Aan het eind van de gang is een toilet vlak naast Delia's kamer. Om door te spoelen moet je aan een dikke ketting trekken en dat maakt een hoop kabaal. De moeilijkheid is dat hij zelf ook een toilet heeft. Een ander gebruiken zal Delia's argwaan wekken. Wat zou Roger Dollar doen?

Zoals gewoonlijk staat Delia's deur half open. Hij klopt aan. Ze zegt 'binnen' en klinkt vriendelijk; wanneer ze ziet dat hij het is, vraagt ze fronsend wat er is.

'Ik moet naar de wc.'

Haar fronsrimpel wordt dieper. 'Dan ga je toch.'

'Er is geen papier,' zegt hij.

Ze drukt haar sigaret uit, draait haar boek om en gebaart zuchtend naar de gang achter hem. 'Gebruik het mijne maar.'

Hij bedankt haar en zegt welterusten. Ze geeft geen antwoord.

Hij doet de deur dicht als hij de gang opgaat. Niet helemaal, dat zou haar argwaan wekken.

Hij gaat naar de wc. Plassen is niet moeilijk wanneer je dat wilt. Hij maakte een prop toiletpapier en gooit die in de wc. Daarna haalt hij diep adem en trekt door, waardoor het water met veel kabaal omlaag stort en hem acht seconden vrijheid bezorgt. Hij gaat.

Hij staat pas stil als hij op de overloop van de vierde verdieping staat. Op zijn tenen loopt hij door de gang tot hij bij twee stel grote, dubbele deuren komt waarop het familiewapen is uitgesneden, gescheiden door acht meter zijdeachtig behang: de ingang van zijn ouders privésuites.

Achter een van de deuren praat zijn vader.

David drukt zijn oor tegen de deur, maar kan niet verstaan wat er wordt gezegd. De deur is te zwaar en te dik. Hij moet zien binnen te komen, maar hoe? Hij herinnert zich dat de twee suites met elkaar verbonden zijn door een gangetje. Als hij de ene suite binnengaat, kan hij zich in dat gangetje verstoppen om te luisteren. Gaat hij de juiste suite binnen? Daar hangt het welslagen van af. Anders loopt hij hen recht tegen het lijf en zijn de rapen gaar. Hij drukt zijn oor tegen de andere bewerkte deuren. Daar klinken de stemmen harder – al zijn ze nog steeds niet te verstaan – waardoor hij concludeert dat hij maar het beste via de kamer van zijn moeder naar binnen kan gaan.

Zijn hart klopt sneller wanneer hij de deurknop pakt, draait en duwt. Hij is vanbinnen vergrendeld.

Wat nu? Hij tuurt door de gang op zoek naar een andere mogelijkheid en die vindt hij meteen: een kast. Hij controleert of hij er wel in past. Dan gaat hij naar de deur van zijn moeders kamer en drukt op de bel.

De stemmen binnen vallen stil. Voetstappen komen dichterbij. David haast zich naar de kast en doet de deur dicht. In het donker wacht hij af.

'Verdomme,' hoort hij zijn vader zeggen. 'Ik heb…' – het geluid van de grendel – 'nog zo gezegd' – het piepen van een deur – 'dat we niet…'

Stilte.

De deur gaat weer dicht.

David kon opnieuw ademen. Hij telt tot vijftig, verlaat de kast en gaat naar de deur. Hij bidt dat zijn vader is vergeten hem te vergrendelen.

Zijn gebed is verhoord.

David gaat naar binnen en loopt geruisloos over het grote Perzische tapijt. Uit het gangetje klinkt zijn vaders stem. De suites van zijn ouders zijn enorm en tellen talrijke vertrekken – een slaapkamer, een badkamer en een salon; huiskamers en vaders werkkamer… en al die kamers op zich zijn tien keer zo groot als die van David. In moeders suite heeft ze een eigen grammofoon en radio, een bijpassende set ingelegd met parelmoer. David weet wat parelmoer is omdat hij een speelgoedkist met parelmoer op de deksel heeft. In moeders suite staat ook een vleugel en een kleine, beschilderde klavecimbel, die ze geen van beide bespeelt. Boven op een bewerkte tafel staat een dertigtal glazen eieren. Hij weet hoe die heten: handkoelers. Hij pakt een felgekleurd exemplaar en dat helpt inderdaad zijn zweterige handpalmen verkoelen. Hij gaat blootsvoets het gangetje in en volgt de stemmen tot hij de deur van zijn vaders zitkamer bereikt. Hij laat zich op de grond zakken, kruipt verder en gluurt door een kier in de deur. Zijn moeders gezicht kan hij niet zien, dat wordt door een hoge vaas aan het oog onttrokken. Het enige wat hij van haar ziet is een roerloze arm. Vader ijsbeert door de kamer en zijn handen vliegen alle kanten op. David heeft nog nooit zulke stemmen gehoord: woedend gefluister, gefluister dat geschreeuw zou zijn als het maar een heel klein beetje harder zou worden.

Vader zegt: '… voor altijd.'

'Dat besef ik.'

'Wat stel je dan voor. Geef me een beter idee en ik voer het uit.'

'Je weet wat ik vind.'

'Nee. Néé. Lós daarvan. Ik heb je al gezegd dat ik daar nooit – nóóit, nóóit – mee zal instemmen. Nooit. Kan ik mezelf nog duidelijker maken?'

'Ik heb geen andere suggesties. Ik ben al aan het eind van mijn Latijn.'

'Ik niet dan? Denk je soms dat het makkelijker is voor mij dan voor jou?'

'Helemaal niet. Eerlijk gezegd zou ik denken dat het voor jou véél moeilijker is geweest. Jij bent oneindig veel sentimenteler.'

Vader zegt een woord dat David nog nooit heeft gehoord.

'Louis, alsjeblieft.'

'Je helpt me niet.'

'Wat zou je willen dat ik deed?'

'Míj hélpen.' Vader stopt met ijsberen en kijkt naar de plek waar moeders gezicht moet zijn. Hij wijst naar boven. 'Voel jij dan níéts.'

'Niet schreeuwen.'

'Je gaat me niet vertellen dat jij het niet ook voelt.'

'Ik praat niet met je als je zo bent.'

'Geef antwoord.'

'Niet als je met alle geweld moet schr…'

'Luister, Bertha. Kijk omhoog, Kíjk. Kun jij dat niet voelen? Zeg dat je dat niet kunt; het wil er niet bij me in dat iemand zo harteloos is, zelfs niet jij, dat je kunt rondlopen zonder door die last te worden verpletterd.' Stilte. 'Godverdomme, geef antwoord.' Stilte. 'Zo doe je niet, niet na alles wat ik je heb gegeven. Ik heb je alles gegeven waar je om hebt gevraagd, ik ben precies geweest wat je van me hebt verlangd…'

'Niet alles, Louis. Niet helemaal.'

Een stilte van een andere orde: doordrenkt van ontzetting.

Vader keert een tafel om. Aardewerk schalen en een houten sigarenkist en kristallen beeldjes vliegen door de kamer en zorgen voor een donderend geraas. Het glazen tafelblad valt aan gruzelementen. Moeder gilt. In het gangetje krimpt David ineen, klaar om ervandoor te gaan. In een andere hoek van de kamer valt nog iets kapot en als de rust eindelijk is weergekeerd, hoort hij wenen, twee verschillende ritmes in twee verschillende registers.

Hij past de puzzelstukjes in elkaar. Het duurt een paar dagen voor hij zijn vermoeden bevestigd ziet, omdat hij moet wachten tot Delia hem meeneemt naar het park. Wanneer ze terugkomen van hun wandeling, telt David de ramen en ontdekt hij dat hij het altijd mis heeft gehad. Het huis telt geen vier, maar vijf etages.

Hoe hem dat tot nu toe kan zijn ontgaan, weet hij niet. Maar het huis is groot en hij heeft dikwijls een standje gekregen omdat hij op verboden terrein was gedwaald. In een hele vleugel mag hij niet komen, en David, die om de haverklap verdwaalt in zijn eigen gedachten en dikwijls last heeft van langdurig, aanhoudend dagdromen, heeft nooit de neiging gehad om buiten zijn boekje te gaan, zeker niet onder bedreiging van een pak slaag.

Maar om de onderste steen boven te krijgen, moet hij de regels overtreden.

De ingang van de achterste vleugel is voorbij de keuken, een ruimte vol stoom en gevaar. Hij is nooit verder gekomen dan het aanrecht. Vier dagen later, wanneer hij eigenlijk zijn huiswerk Duits moet doen, sluipt hij naar beneden. De kok rolt deeg. David recht zijn rug, trekt een stoutmoedig gezicht en loopt hem voorbij. De kok kijkt niet op.

Via een klapdeur komt hij in een tweede ruimte, waar een berg rauw vlees op een enorme, beschadigde tafel ligt. Het ruikt er naar vet en vlees, op de wanden zitten bloedspatten, aan de voet van de tafelpoten liggen plasjes bloed, de kamer oefent een bizarre, morbide aantrekkingskracht uit en David moet zichzelf dwingen door te lopen en niet stil te blijven staan om de zware, dreigende instrumenten te bekijken die aan de wand hangen en het met bloed bespatte pleisterwerk…

Hij komt bij een gang met zwart-witte tegels. Hij probeert een aantal deuren voordat hij vindt wat hij zoekt, een alkoof met een dienstlift.

Hij stapt erin. In tegenstelling tot de hoofdlift heeft deze een knop voor de vijfde verdieping.

Pas wanneer de cabine omhooggaat, maakt hij zich zorgen wie hij daarboven tegen het lijf zal lopen. Wat moet hij doen als het meisje er inderdaad is? Stel dat er nog meer mensen zijn, zeg maar een bewaker. Of een waakhond! Zijn hart slaat over. Het is te laat voor zorgen. De cabine komt met een schokje tot stilstand en de deur gaat open.

Weer een gang. Hier is het tapijt los en versleten en komt het vrij van de muur. Aan het eind van de gang zijn drie dichte deuren.

De wind huilt en hij kijkt omhoog naar het dakraam. Het is bewolkt. Misschien gaat het wel regenen.

Hij loopt naar het eind van de gang en spitst de oren. Niets.

Hij klopt zacht op elke deur. Niets.

Hij maakt er een open. Het is een kast vol lakens en handdoeken.

De volgende deur zwaait open en hij wordt overspoeld door de geur van kamfer. Hij onderdrukt een hoestbui en stapt naar binnen.

Er is niemand in de kamer. Er staat een keurig opgemaakt bedje en ertegenover staat een kast beschilderd met paarden en andere dieren, een vreedzaam tafereeltje. Hij werpt hem open en deinst naar achteren, klaar om een grommende hond van zich af te slaan.

Er bewegen kale hangers.

Teleurgesteld probeert hij de derde deur en vindt een badkamer die ook leeg is.

Hij keert terug naar de slaapkamer en loopt naar het raam. Daar heeft hij een prachtig uitzicht op Central Park, misschien wel het mooiste van het hele huis. De bomen zijn zachtgroen en huiveren onder de loodgrijze lucht. Vogels cirkelen boven het Reservoir. Hij wil zijn hoofd naar buiten steken om nog meer te zien, maar het raam zit dichtgespijkerd.

Hij probeert garen te spinnen van wat hij te weten is gekomen, alle aanwijzingen op een rijtje te zetten, maar hij komt er niet uit. Misschien begrijpt hij het wanneer hij ouder is. Of misschien had hij het mis en was er geen meisje en heeft hij zich de hele episode maar verbeeld. Het zou niet voor het eerst zijn dat hij per ongeluk een van zijn fantasieën op een echte herinnering had geplakt. Hij begrijpt er niets van en beseft ook dat hij het niet begrijpt; dat bewustzijn maakt zijn onwetendheid twee keer zo pijnlijk.

Neerslachtig maakt hij rechtsomkeert. Even hoopt hij dat er iets is veranderd, maar de kamer blijft leeg, het bed is nog steeds stom, de vloer is nog steeds stoffig en kaal.

Dan ziet hij iets wat hij over het hoofd heeft gezien. Onder het bed, tegen de muur, bijna onzichtbaar. Hij bukt zich, tast ernaar, pakt het beet, trekt het tevoorschijn en houdt het omhoog. Het is een meisjesschoen.

14

Ik kwam weer bij kennis in een bed in St. Vincent's en het eerste dat ik zei, was: 'Waar is de kunst?'

Marilyn keek op van haar tijdschrift. 'O, mooi,' zei ze. 'Je bent weer wakker.' Ze ging de gang op en kwam terug met een zuster, die me aan een batterij onderzoeken onderwierp, er werden vingers en instrumenten in mijn neus en keel gestoken.

'Marilyn.' Het kwam er meer uit als 'Mayawa'.

'Ja, lieverd.'

'Waar is de kunst?'

'Wat zei hij?'

'Waar is de kunst. De kunst. Waar is de kunst?'

'Ik versta er niets van, u wel?'

'Kunst. Kunst.'

'Kunt u hem iets geven zodat hij niet meer blaft?'

Een poosje later werd ik weer wakker.

'Marilyn. Marilyn.'

Ze kwam door het gordijn met een vermoeide glimlach. 'Nogmaals hallo. Heb je lekker geslapen?'

'Waar is de kunst?'

'Kunst?'

'De tekeningen.' Mijn ogen deden pijn. Mijn hoofd deed pijn. 'De Crackes.'

'Weet je, de dokter had al gezegd dat je misschien een beetje in de war zou zijn.'

'De tekeningen, Marilyn.'

'Wil je nog wat tegen de pijn?'

Ik gromde.

'Dat vat ik op als ja.'

Ik zal je de verdere bijzonderheden van mijn herrijzenis besparen. Laat ik volstaan met te zeggen dat ik een barstende hoofdpijn had, dat de drukte op de eerste hulp mijn hoofdpijn nog erger maakte en ik blij was toen ze vaststelden dat ik voldoende hersteld was om te vertrekken. Maar Marilyn wilde niet dat ik naar huis ging en met geld of invloed zorgde ze voor een privékamer voor interne patiënten waar ik mocht blijven zolang ik me niet lekker voelde.

Ze reden me naar boven.

'Je lijkt Étienne wel,' zei Marilyn.

'Hoe lang ben ik hier al?' vroeg ik.

'Ongeveer zestien uur. Weet je dat je heel saai bent als je bewusteloos bent?' Onder haar sarcasme was oprechte paniek.

Ik was niet zo in de war of miserabel dat ik me niet afvroeg hoe zij daar was beland.

'Je buurman had net zijn hond uitgelaten en vond je op je stoepje. Hij belde de ambulance en de galerie. Ruby heeft mij vanmorgen gebeld. Dus hier ben ik. Tussen haakjes, zij zal proberen vanavond weer langs te komen.'

'Weer?'

'Ze is al geweest. Weet je dat niet meer?'

'Nee.'

'Zij en Nat. Ze hadden een doos eclairs meegebracht, die de zusters hebben weggehaald. Om zelf te houden, geloof ik.'

'Dank je,' zei ik. Daarna dankte ik de assistent die me duwde. Vervolgens viel ik in slaap.

Ik herinner me duidelijk dat het volgende bezoek van de politie was. Ik vertelde hun zo veel als ik me herinnerde, beginnend bij het moment dat ik de galerie verliet tot ik de doos op de stoep neerzette. Ze leken teleurgesteld dat ik hun niet eens de schijn van een signalement van mijn belager kon geven, hoewel mijn verslag van de maaltijd in Sushi Gaki hen bijzonder leek te boeien. Zelfs in mijn half verdwaasde toestand leek me het idee dat iemand uit het restaurant me had overvallen voor een doos tekeningen absurd. Ik probeerde hen daarvan te overtuigen, maar ze bleven hameren op het feit dat ik 'met de spullen te koop gelopen' had.

'Ik heb nergens mee te koop gelopen,' zei ik. 'De gastvrouw wilde ze zien.'

'Weet ze wat u doet?'

'Ik weet het niet. Ik denk van niet. Maar misschien heb ik het een keer gezegd. Ze weegt goddorie veertig kilo.'

'Zij hoeft het niet per se geweest te zijn.'

Ze zaagden me door op dat traject tot mijn hoofdpijn me dwong mijn ogen dicht te doen. Toen ik ze weer opendeed, was de politie weg en Marilyn weer terug. Ze had eclairs gebracht ter vervanging van de doos die de zusters hadden gejat.

'Je verdient me niet,' zei ze.

'Je hebt gelijk,' zei ik. 'Marilyn?'

'Ja, lieverd.'

'Ik voel iets op mijn gezicht.'

Ze haalde een poederdoos tevoorschijn en hield me het spiegeltje voor. Ik was van afgrijzen vervuld.

'Zo erg is het niet,' zei ze.

'Het ziet er anders wel erg uit.'

'Het is gewoon een dik verband. Je houdt er niet eens een litteken aan over.'

'Mis ik een tand?'

'Twee.'

'Hoe is het mogelijk dat ik dat niet heb gemerkt?' Ik stak mijn tong in de openingen.

'Je zit onder de medicijnen.' Ze klopte op haar tasje. 'Ik heb zelf ook wat.'

Ruby kwam. 'Sorry dat ik niet eerder kon komen, het is een heksen-ketel geweest. Maar het komt wel klaar, maak je geen zorgen.'

'Klaar waarvoor?' vroeg ik.

'Je hebt een opening vanavond,' zei Marilyn.

'O ja? Van wie?'

'Alyson.'

Ik zuchtte. 'Shit.'

Ruby zei: 'Ze stuurt je de hartelijke groeten. Morgen komt ze langs.'

'Zeg dat ze niet moet komen,' zei ik. 'Ik wil niemand zien. Shit.'

'Het komt wel goed. We hebben alles onder controle.'

'Je krijgt opslag,' zei ik. 'Nat ook.'

Marilyn zei: 'Vraag meteen om een ziektekostenverzekering.'

'Die hebben ze al.'

'Dan een vliegtuig van de zaak.'

'Eigenlijk kunnen we wel een nieuwe minikoelkast gebruiken. De oude maakt kabaal.'

'Sinds wanneer?'

'Een paar weken.'

'Heb ik niets van gemerkt.'

Ruby haalde haar schouders op. Dat sprak boekdelen. Natuurlijk had ik niets gemerkt. Ik was niet in de galerie geweest.

'Ga je gang,' zei ik. 'Koop maar wat je nodig hebt. En bel me na de opening.'

'Dank je wel.'

Ze ging weg en ik zei tegen Marilyn: 'Ik hoop dat ze het redden.'

'Ze redden het best. Voor zover ik het kan bepalen, dient jouw afwe-zigheid alleen maar om aan te tonen dat je niet onmisbaar bent.'

De combinatie van een zware hersenschudding en een dieet van uitslui-tend pijnstillers maakt dat je het verstrijken van de tijd niet al te goed meer kunt volgen. Volgens mij was het op dag drie dat ik 's morgens wakker werd en zag dat Marilyn, die in een paarse kunstleren stoel *US Weekly* zat te lezen niet langer Marilyn maar Samantha was.

Ik vond dat een smakeloze grap van mijn bewustzijn, dus zei ik: 'Nu moet je ophouden.'

Samantha/Marilyn keek op. Ze legde het tijdschrift neer en kwam naast mijn bed staan. 'Hallo,' zei ze. Haar warme hand maakte dat de rest van mij koud werd. Ik huiverde.

'Gaat het?' vroeg ze.

'Nu moet je ophouden…'

'Ik zal de zuster even halen.'

'Ja goed, Marilyn! Haal de zuster maar!'

Ik verwachtte dat de zuster ook Samantha's gezicht zou hebben, maar zij was zwart.

'Heel geestig,' zei ik.

'Waar heeft hij het over?' vroeg Samantha/Marilyn.

'Geen idee.'

Daarna kwam Marilyn zelf binnen met twee bekers koffie uit de automaat. Ze zag dat de zuster mijn bloeddruk opnam en zei: 'Wat is er.'

'Hij sprak mij aan met jouw naam.'

'Nou,' zei Marilyn/Marilyn, 'dat is beter dan mij met jouw naam aanspreken.'

Ik viel in slaap.

Een uur later werd ik helder wakker. Zowel Marilyn als Samantha was er nog. Ze waren verwikkeld in een levendig gesprek, dat goddank niet over mij ging. Marilyn was halverwege een van haar Horatio Alger-verhalen over haar armoedige jeugd toen ze fruit pikte uit de receptie van het Plaza-hotel. Ik kreunde en beiden keken naar me. Ze kwamen aan weerskanten van mijn bed staan.

'Lekker dutje gedaan?' vroeg Marilyn.

'Nu voel ik me een stuk wakkerder,' zei ik.

'Dat spreekt. Ik zag dat je een beetje glazig keek. Daarna noemde je iedereen Marilyn, dus hebben we de dokter erbij gehaald en die heeft je infuus een tikje lager gedraaid. Beter?'

'Ja, dank je.'

'Ik moet bekennen dat ik het wel een beetje vleiend vond dat je mij in iedereen zag.'

Ik glimlachte hulpeloos.

'Samantha heeft me over je zaak verteld,' zei Marilyn. 'Er zit zo veel meer in dan jij me hebt verteld, zo veel heerlijke kleine bijzonderheden. Havermout?'

Ik zei: 'Het is maar een theorie.'

'Nou, ik laat jullie aan je speurwerk, ik ga naar huis. Ik moet douchen. Leuk om kennis met je te maken. Zorg goed voor hem.'

Samantha trok de stoel bij het bed. 'Je had niets over een vriendin gezegd.'

'Onze relatie werkt niet zo,' zei ik.

'Wat bedoel je met "zo"? Serieus.'

'Het zou haar niet dwarszitten als ze het wist,' zei ik. 'Als je wilt, vertel ik het haar nu. Moet je haar gaan halen voordat ze in de lift stapt.'

Samantha draaide met haar ogen.

'Waar hebben jullie het over gehad?' vroeg ik.

'Kleren voornamelijk.'

'Ze heeft geen gebrek aan gespreksstof.'

'Dat heb ik begrepen.'

'Meer niet?' vroeg ik. 'Kleren.'

'Ik heb haar niets verteld als je dat soms bedoelt.' Ze ging verzitten en rechtte de rug. 'Verbaasd om mij te zien?'

'Beetje.'

'Terecht. Ik kijk er zelf van op dat ik hier zit. Wanneer mag je naar huis?'

'Ik hoop gauw. Misschien morgen of vrijdag.'

'Oké. Intussen ga ik dat DNA afnemen van mensen die in het appartement zijn geweest afmaken. Ik heb je lijst gevonden. Ik heb ook met het lab gesproken. Binnen drie weken hebben we de resultaten van het sperma en het bloed. Ben ik nog iets vergeten?'

'De andere zaken.'

'Welke andere zaken?'

'Je vader wilde andere zaken napluizen om te zien of er meer waren die aan het profiel voldeden. Hij had rechercheur Soto erop gezet.'

'Goed, ik zal hem bellen. Rust jij maar uit en wanneer je bent ontslagen zien we wel verder.' Ze stond op. 'Je hebt me echt een klotegevoel over mijn vader bezorgd, weet je.'

'Het spijt me.'

Ze haalde haar schouders op. 'Daar is het te laat voor.'

'Het spijt me toch.'

'Mij ook,' zei ze.

15

De volgende dag mocht ik naar huis. Marilyn liet me ophalen door een limousine en had de chauffeur opdracht gegeven mij naar haar huis te sturen. Ik was bepaald niet van plan naar mijn eigen huis te gaan. De persoon die me had overvallen moest bekend zijn geweest met mijn gangen; hij was me ofwel vanaf de opslag gevolgd, of hij had bij mijn complex om de hoek staan wachten. Hoe dan ook, het leek me wel zo voorzichtig om een paar dagen onder te duiken.

Mijn eigen omzichtigheid was nog niets vergeleken bij die van Marilyn. Achter in de limousine zat een lijfwacht, een mastodont van een Samoaan in een Rocawear-trainingspak. Hij stelde zich voor als Isaac; mijn hand verdronk in de zijne; hij stond tot mijn beschikking zolang het nodig was. Ik vond het tamelijk overdreven, maar had geen zin om met iemand van dat formaat ruzie te maken.

Zoals je wel zou verwachten, is Marilyns huis bijzonder smaakvol ingericht; het is ook verrassend leefbaar, al is het geheel op haar grillen toegesneden. Ze heeft twee keukens, een complete op de parterre en een kleinere bij haar slaapkamer, zodat ze om drie uur 's morgens wafels, eieren of biefstuk kan bakken, of waar ze ook maar trek in heeft. Je hebt haar blok vast wel eens gezien: het heeft als achtergrond voor talrijke tv-programma's gediend, het stadse equivalent van *Murderer's Row*: hoge, smalle, pittoreske West Village-huizen van rode baksteen met een terras aan de achterkant en een menigte op foto's beluste toeristen uit het Midden-Westen ervoor. De bustoer van *Sex and the City* stopt twee huizen verder om zijn klanten de gelegenheid te geven de plek te vereeuwigen waar, zoals ik me heb laten vertellen, Carrie en Aidan in seizoen vier ruzie hebben gemaakt.

Het kostte Isaac, gewend aan de strijd met paparazzi, geen enkele moeite me door de menigte te loodsen.

Het dienstmeisje liet ons binnen. Marilyn had opdracht gegeven een kamer op de parterre in gereedheid te brengen, zodat ik geen trappen hoefde te lopen. Op het bed lagen drie setjes nieuwe kleren met de labels van Barney's er nog aan. Ze had een blad neergezet met kruidkoekjes en een kleine uitgeholde pompoen van plastic met een briefje erin. Ik maakte het open. Er stond 'Boe' op.

Ik ging naar de badkamer om mezelf voor het eerst in vijf dagen goed te bekijken. Ze hadden het verband op mijn gezicht diverse malen verschoond en hadden elke keer een iets lichter verband aangebracht tot ik alleen nog maar pleisters op de linkerkant van mijn gezicht had, van het kuiltje in mijn kin tot mijn haargrens. Ik trok een ervan weg en zag een dun korstje, alsof iemand me met een dunschiller te lijf was gegaan. De ontbrekende tanden waren ook aan de linkerzijde. Ik moest lachen van de schrik: ik zag eruit als een heikneuter.

Ik vond een fles ibuprofen en schudde er vier tabletten uit. In mijn jasje had ik een recept voor Oxycontin, dat ik van plan was af te halen en weg te geven, ofwel aan Marilyn, of als feestversnapering. Ik ging iets te eten halen uit de keuken op de begane grond en trof Isaac op een klapstoeltje voor mijn kamer. Hij blokkeerde met zijn omvang de hele gang.

'Ik denk dat ik hier wel veilig ben, hoor,' zei ik.

'Dat willen ze u graag laten geloven.'

We gingen naar de keuken. Ik slikte mijn pillen. Mijn eetlust verdween na de eerste hap van mijn broodje kalkoen, dus bood ik Isaac de andere helft, die het grootst was. Hij nam hem dankbaar in ontvangst en wierp het brood weg voordat hij het vlees, de sla en de tomaten opat.

'Geen koolhydraten,' zei hij.

'Juist.'

Ik wilde alleen nog maar gaan slapen. Dat krijg je van drie dagen slapen. Ik zette koffie en belde Marilyn op haar werk.

'Heb je alles gevonden?'

'Ja, dank je wel.'

'Hoe is de man die ik je heb gestuurd?'

Aan de andere kant van de keuken maakte Isaac een schaal muesli klaar. Zijn dieet stelde weinig voor. 'Geweldig.'

'Greta had hem aanbevolen. Vroeger heeft hij voor Whitney Houston gewerkt. Je gaat me niet vertellen dat je hem niet nodig hebt. Ik voel dat je dat wilt gaan zeggen.'

'Eigenlijk niet, nee. Ik wilde je alleen bedanken.'

'Graag gedaan.'

'Echt… Ik ben heel blij met…'

'Stil,' zei ze en ze hing op.

Daarna belde ik de galerie. Nat nam op. Ik vroeg hoe de opening was gegaan.

'Schitterend. Alyson was in extase.' Net als ik heeft Nat op Harvard gezeten, maar hij is summa cum laude afgestudeerd op een proefschrift over biseksuele iconografie in de wandkleden van de Renaissance. Hij heeft een vlot, droog en prachtig Bostons accent, waardoor hij iets van een homoseksuele Kennedy weg heeft.

Hij vertelde het een en ander over de expositie en besloot: 'En de koelkast is besteld. O ja, er is een pakje van het parket in Queens gekomen. Zal ik het voor je openmaken?'

'Graag.'

'Momentje.' Hij legde de hoorn neer en kwam even later weer aan de lijn. 'Het is een wattenstaafje en een glazen buisje. Het is een soort… Wat is het?'

Ik hoorde Ruby zeggen: 'Een vaderschapstest.'

'Het is een vaderschapstest,' zei Nat. 'Heb je de officier van justitie van Queens zwanger gemaakt?'

'Nog niet. Stuur het maar per koerier, goed?'

'*Sí, señor.*' Vervolgens tegen Ruby: 'Het klinkt alsof je vreselijk goed op de hoogte bent met dit vaderschapsding, weet je. Ben je nou alwéér zwanger?'

'En wat dan nog?' riep ze.

Ik glimlachte. 'Luister, ik maak me zorgen over jullie. De dader loopt nog vrij rond en ik wil niet dat jullie iets overkomt.'

'Maak je geen zóóórgen.'

'Ik zou er heel wat geruster op zijn als jullie niet rondhingen in de galerie. Ga een paar weken dicht en neem een betaalde vakantie.'

'Maar we hebben net een nieuwe expositie. Alyson zal alle kanten op flippen en dat zou ik haar niet kwalijk nemen.'

'Hou je ogen niet in je zak, in dat geval. Alsjeblieft. Doe het voor mij.'

'Er overkomt ons niets, Ethan. Ruby beheerst kungfu. Zeg het maar.'

'Ki-ai!'

Ik sprak een boodschap in voor Samantha en ze belde binnen een uur terug. Ze klonk zakelijk.

'Heb je de test gekregen?'

'Ja, dank je wel. Ik zal het vandaag nog doen.'

'Mooi. Ik wil dat je goed nadenkt, Ethan. Is er nog iets wat een spoor van Crackes DNA kan dragen?'

'Misschien wel,' zei ik. Toen de zuster in het ziekenhuis het verband verschoonde, was het me opgevallen dat de kleur van het bebloede gaas griezelig veel weg had van de vijfpuntige ster in het hart van 'de Cherubijnen', een theorie die me steeds briljanter voorkwam naarmate ik meer onder de medicijnen kwam te zitten. In het nuchtere daglicht was ze een stuk minder briljant, maar gezien ons gebrek aan sterke aanknopingspunten kon het geen kwaad de mogelijkheid te overwegen.

'Al zou het bloed zijn,' zei ze, 'dan hoeft het nog niet dat van hem te zijn.'

'Dat is zo.'

'Maar het kan geen kwaad. Laten we het maar proberen.'

'Nou, wacht even. Hier heb je het lastige deel. Ik heb die tekening niet meer.'

'Waarom niet?'

'Ik heb hem verkocht.'

'Je meent het.'

Ik vertelde haar over Hollister.

'Zijn er nog meer van dat soort tekeningen?'

'Ik weet het niet. Ik denk van niet. We kunnen ze allemaal wel doornemen, maar dat zal een poos duren. Laat me eerst naar eens zien wat ik aan die ene kan doen.'

Ik wist zeker dat Hollister me voldoende mocht om me nog een keer uit te nodigen. Maar hij zou me heel wat meer moeten mogen om me toestemming te geven proefmonsters uit zijn kunstwerk te knippen. Wat me de keus liet: als ik dat stuk echt wilde, zou ik het moeten terugkopen.

Ik vind het vreselijk om kunst terug te kopen. Er zijn handelaren die garanderen dat ze een kunstwerk tegen de verkoopprijs terugkopen als de marktwaarde daalt, waardoor de koper geen schade lijdt. Ik doe dat niet. Ik vind dat zoiets de klant infantiliseert. De bedoeling van kunst verzamelen is deels om je esthetische gevoeligheid te vergroten, en dat gebeurt alleen als je een persoonlijke interesse voor het werk hebt.

En begrijpelijkerwijs had ik weinig lust om een aanzienlijk bedrag over te lepelen om vervolgens te ontdekken dat de bloedvlek geen bloedvlek was, of een bloedvlek waaraan we niets hadden. Mijn aarzeling was zinloos, want toen ik Hollister de volgende morgen belde, kreeg ik van zijn secretaresse te horen dat hij niet beschikbaar was.

Maandag en dinsdag hing ik rond in Marilyns huis, gevolgd door Isaac, alsof ik van schaduw had geruild met een sumoworstelaar. Toen ik mijn ontbrekende snijtanden ging laten vervangen, pleitte hij voor goud in plaats van porselein. 'Alle grote jongens hebben goud.'

Woensdag stuurde de politie twee man naar me toe. Het was niet hetzelfde stel dat me in het ziekenhuis had opgezocht, althans voor zover ik het me herinnerde en dat was niet ver. Het waren rechercheurs van de brigade voor grote kunstzaken. Ik vond het direct een nogal vreemd stel. Phil Trueg was een en al buik en zijn schreeuwerige Jerry Garcia-das viel op alsof er een Mohawk op zijn buik zat. Hij had een zwaar Brooklyns accent en de neiging te lachen om zijn eigen grappen, waarmee hij je doodgooide. Daarentegen was zijn partner tien jaar jonger, keurig, gebruind en gereserveerd. Zijn kleding was ook gedempt, kaki kleuren die tegen zichzelf wegvielen. Hij heette Andrade, hoewel Trueg zei dat ik hem Benny moest noemen, een instructie die ik in de wind sloeg.

Andrade en Trueg geloofden dat de overvaller het in de eerste plaats op de tekeningen had voorzien en niet op mij, en ter ondersteuning van die theorie wezen ze erop dat mijn portefeuille ongemoeid was gelaten. Ik was evenmin 'meer dan nodig' afgetuigd. (Ik antwoordde dat ik vond dat een pak slaag helemaal niet nodig was). De dief was vrijwel zeker een insider die iets met de kunstwereld te maken had of voor zo iemand werkte. Anders was het moeilijk te verklaren hoe hij van mij kon weten, of hoe hij van plan was de tekeningen te verkopen. De rechercheurs stelden me een hele waslijst van vragen. Ik ontweek de vragen over mijn clientèle; ik wilde niet dat de politie mensen lastigviel die er duidelijk niets mee te maken hadden en die er ernstig aanstoot aan zouden nemen dat hun privacy zou worden geschaad. Ik liet hun de dreigbrieven zien die ik van Victor Cracke had ontvangen en beschreef uitvoerig mijn pogingen hem te vinden, mijn middagen bij McGrath en mijn bezoek aan het wijkbureau.

Andrade tuurde naar de brieven. 'Weet u zeker dat ze van hem zijn?'

'Het lijkt op zijn handschrift.'

'Waarom wil hij dat u stopt?' vroeg Trueg.

'Ik heb geen idee. Ik neem aan dat hij niet blij was met de expositie. Maar in dat geval begrijp ik niet waarom hij nog steeds boos zou zijn. De expositie is al bijna een maand afgelopen.'

'Misschien wil hij zijn tekeningen terug,' zei Andrade.

Ik wist niet wat ik daarop moest zeggen.

'Kunt u nog iemand anders bedenken die een appeltje met u te schillen heeft?'

De beste naam die ik kon bedenken – en die noemde ik met tegenzin – was Kristjana Hallbjörnsdottir.

'Kunt u dat spellen?'

Het plan was af te wachten om te zien waar de kunst zou opduiken. Omdat ze ervan uitgingen dat ik bijna alle tekeningen in mijn bezit had, zouden alle exemplaren die op de markt kwamen per definitie gestolen zijn. De strategie was verre van waterdicht. Er konden wel andere Crackes waarvan ik het bestaan niet wist in omloop zijn, of de dief zou ze misschien nooit verkopen. Maar omdat er geen getuigen waren, hadden we weinig andere mogelijkheden. En omdat ik de identiteit van mijn belager niet kon bevestigen, zou een veroordeling zonder tastbare connectie tussen het misdrijf en de dader – te weten de tekeningen – lastig, zo niet onmogelijk worden.

Toen ze vertrokken, was ik totaal uitgeput.

De eerste dagen van mijn herstel speelde Marilyn de rol van bazige moeder. Ze belde om de haverklap om te vragen hoe het ermee ging, waardoor mijn dutjes dikwijls werden beknot. Ze liet haar assistent boeken brengen waarop ik me niet kon concentreren. 's Avonds kwam ze thuis met een kant-en-klaarmaaltijd of maakte ze zelf iets; kip, hamburgers – zolang er maar eiwit in zat – en ze dwong me te eten met het argument dat ik te veel was afgevallen en dat ik op Iggy Pop begon te lijken. Ik denk dat ze probeerde me op te beuren, maar de eindeloze stroom spot werkte op mijn zenuwen. Haar angst om me te verliezen was bijna even groot als haar angst om clichés te verkopen, dus telkens wanneer ze dacht dat ze op de rand van de sentimentaliteit balanceerde, deed ze een stapje terug en stelde ze de een of andere onredelijke eis, wat leidde tot situaties waarin ze zowel liefhebbend als onbarmhartig was, zoals toen ze me een bord sushi bracht, maar commandeerde dat ik uit bed moest komen om die op te eten.

'Bewegen moet je,' zei ze.

'Ik ben niet gehandicapt, Marilyn.'

'Je benen atrofiëren.'

'Ik ben moe.'

'Dat is het eerste teken. Je moet opstaan en rondlopen.'

Ik zei dat ze een verschrikkelijke dokter zou zijn.

'Goddank ben ik een loeder van een kunsthandelaar.'

Het klinkt onwaarschijnlijk, maar ze wilde ook met alle geweld met me naar bed. Ik voerde aan dat ik hoofdpijn had.

'Je denkt toch niet dat ik daarin trap?'

'Ik heb een hoofdwond.'

'Je hoeft alleen maar te liggen,' zei ze. 'Zoals altijd.'

'Marilyn.' Ik moest haar fysiek van me af wurmen. 'Hou op.'

Ze stond met een rood gezicht op en verliet de kamer.

Hoe vaker ze dat soort dingen deed, hoe meer ik aan Samantha dacht. Ik weet dat het een cliché is dat je wegholt van diegenen die het meest van je houden, en net zo'n cliché om iets te willen wat je niet kunt krijgen, maar voor mij waren dit nieuwe gevoelens. Ik had nog nooit van Marilyn willen weghollen; waarom zou ik? Ze gaf me alle ruimte die een man zich maar kon wensen. Alleen het meest recente vertoon van genegenheid had me een verstikt gevoel bezorgd. En ik had nog nooit eerder naar iemand verlangd die buiten bereik was, voornamelijk omdat er nog nooit iemand buiten bereik was geweest, niet echt.

Kevin Hollister belde terug uit Vail, waar hij genoot van ongewoon vroege sneeuw.

'Bijna een halve meter verse poedersneeuw. Volmaakter kun je het bijna niet krijgen. Gods eigen achtertuin.' Hij klonk buiten adem. 'Ik stuur wel een vliegtuig, kun je om twaalf uur op de piste staan.'

Hoe graag ik ook wilde skiën, ik kon nog niet vlug overeind komen zonder het gevoel te krijgen dat ik een kogel in mijn gezicht had gekregen. Ik zei dat ik me niet lekker voelde.

'Volgend jaar dan. Ik geef thuis een verjaardagsfeestje. Mijn ex heeft een keuken laten plaatsen waar je voor tweehonderd man kunt koken. Er staan twintig ovens en ik kan nog niet eens brood roosteren. Ik laat...' Hij noemde de naam van een beroemde kok. '... de hele boel verzorgen. Jij komt ook.' Nu hijgde en pufte hij en ik hoorde een vaag geluid, als van klittenband.

'Ben je aan het skiën?' vroeg ik.

'Wij zijn...' zei hij.

'Ik hoop dat je een oortje in hebt.'

'Mijn jack heeft een geïntegreerde microfoon.'

Ik vroeg me af wie er nog meer bij was. Waarschijnlijk zijn binnenhuisarchitecte, of een andere bijzondere vriendin van twintig jaar jonger. Zo zou mijn vader het ook doen.

Ik zei dat ons gesprek ook wel kon wachten tot hij weer terug in New York zou zijn.

'Ik ben tot na nieuwjaar op reis. Beter nu.'

'Het gaat over de tekening.'

'Tekening.'

'De Cracke?'

'Aha, juist.' Hij haalde zijn neus op. 'Jij bent deze week al de tweede die daarover belt.'

'Je meent het.'

'Ja, ik heb er een paar dagen geleden zelfs een lang gesprek over gevoerd.'

'Met wie?' vroeg ik. Hij hoorde me niet.

'Hallo, Ethan?'

'Hallo.'

'Ethan, ben je er nog.'

'Ik ben er. Kun jij me…'

'Ethan? Hallo? Shit. Hallo! Godverdomme wat een kloteding.'

Hij verbrak de verbinding.

'Ik moet een nieuw systeem hebben,' zei hij, toen hij opnieuw belde. 'Dit ding heeft altijd panne. Waar waren we?'

'Ik wilde iets weten over de tekening.'

'Ja?'

'Ik vraag me af of je hem aan me wilt terugverkopen.'

'Waarom.' Zijn stem klonk direct koud. 'Heb je een beter bod gekregen?'

'Nee. Nee, helemaal niet. Ik heb gewoon een tikje spijt dat ik het werk heb opgedeeld, meer niet. Tenslotte is het stuk dat jij hebt het middelpunt en ik vind dat de compleetheid van het werk behouden moet blijven.'

'Je had er eerst geen problemen mee om het op te delen.'

'Helemaal waar. Maar nu ik er een poosje over heb nagedacht, ben ik van gedachten veranderd.'

'Ik ben gewoon nieuwsgierig hoor, hoeveel bied je?'

Ik noemde de verkoopprijs plus tien procent. 'Dat is geen slechte winst voor een maand.'

'Ik heb zat betere maanden gekend.'

'Vijftien dan.'

'Je lijkt wel gedreven,' zei hij. 'En hoewel ik dolgraag zou weten hoe dit zou eindigen, ben ik helaas voor jou een man van mijn woord. Het stuk is al toegezegd.'

'Pardon?'

'Ik heb het verkocht.'

Ik was perplex.

'Hallo?' zei hij. 'Ben je d'r nog?'

'Jawel.'

'Heb je me gehoord?'

'Jawel… Wie is de koper?'

'Dat mag ik niet zeggen.'

'Kevin.'

'Het spijt me, echt waar. Je kent me, ik zou het je dolgraag vertellen. Maar de koper wilde heel nadrukkelijk anoniem blijven.'

Hij had meer van een kunsthandelaar dan ik ooit voor mogelijk had gehouden. Marilyn had een monster geschapen.

'Wat heb je ervoor gekregen?' vroeg ik. Ik verwachtte hetzelfde antwoord. Maar hij noemde een ongehoord verbijsterend bedrag.

'En weet je wat het gekste is? Dat was het aanvangsbod. Ik had meer kunnen vragen, maar ik dacht: het heeft geen zin om inhalig te zijn. Toch voelde ik me een godvergeten bandiet.'

Je zou denken dat de verkoop van een kunstwerk voor een man als Hollister niet opwindend zou zijn, vooral gelet op zijn netto fortuin. Van de winst die hij op de tekening had gemaakt stond mijn verstand weliswaar stil, maar voor hem betekende die niet meer dan een fatsoenlijke hap uit zijn elektriciteitsrekening. Toch klonk hij als een vrolijk kind; ik kon hem bijna in zijn handen zien wrijven. Rijke mensen worden in de eerste plaats rijk omdat ze nooit hun jachtinstinct kwijtraken.

Ik vroeg of het stuk al was afgeleverd.

'Maandag.'

Ik overwoog te vragen of ik er nog een laatste blik op mocht werpen. Maar wat zou ik dan doen? De tekening grijpen en ermee weghollen? Hoe ver zou ik komen: ervandoor gaan met een hoofdwond en een werk van bijna zes vierkante meter dat bestond uit honderd aparte vellen vergaan papier? Bovendien had ik een sterk vermoeden wie de koper was. Er waren maar heel weinig mensen die zo veel geld te besteden hadden aan een kunstenaar die in wezen onbekend was, en nog minder mensen met de aandrang.

Nog altijd een beetje duizelig van de schok feliciteerde ik hem met zijn transactie.

'Dank je,' zei hij. 'De uitnodiging is nog steeds van kracht als je wilt komen.'

Ik wenste hem een heerlijke skivakantie en belde Tony Wexler.

16

'Wat kan ik zeggen? Hij is er verliefd op.'

We hadden afgesproken in een steakhouse in oost. Het eerste deel van het gesprek ach-en-wee'de Tony over mijn verwondingen (Waarom heb je niet gebeld? Wat zegt de politie? Dit bevalt me niet, Ethan. Je vader wil dit soort dingen weten. Stel dat er iets ergers was gebeurd? Wat komt er-voor kijken om ons te bellen? Zou je een arm of been moeten verliezen? Overreden moeten worden? Want dan zou je niet eens meer kúnnen bel-len) en hield ik de boot af (Best, Tony, de volgende keer zal ik bellen, Tony. Nee, ik hoop zelf ook niet dat er een volgende keer zal zijn).

Vervolgens zei hij met een blik op Isaac, die drie tafeltjes verderop zat. 'Waar heb je dát in godnaam opgeduikeld?'

Ik ging in de aanval en beschuldigde hem ervan achter mijn rug om te opereren.

Hij snoof. 'Als ik het goed heb, leven we in een vrijemarktsamen-leving. We wilden iets, we boden de juiste prijs, beide partijen waren het eens en we kochten het. Ik weet niet of je wel het recht om te klagen, we hebben de waarde van je kunstenaar aanzienlijk opgeschroefd.'

'Daar gaat het niet om.'

'Waarom dan wel?'

'Die tekening maakt deel uit van het geheel en dat moet weer in zijn oude staat hersteld worden.'

'Waarom heb je hem dan überhaupt verkocht?'

'Dat was een vergissing.' Ik ontspande mijn opeengeklemde kaken en toverde een glimlach om mijn mond. 'Ik wil hem van je overnemen. Ik geef je… Schud nou niet met je hoofd, je hebt mijn bod nog niet gehoord.'

'Ik heb de indruk dat ik dit gesprek eerder met jou heb gevoerd, maar dan andersom.'

'Ik geef je wat je Hollister hebt betaald plus een extra honderdduizend.'

Hij keek beledigd. 'Alsjeblieft, zeg. Hoe dan ook, het doet er niet toe, hij verkoopt hem niet.'

'Je hebt het niet eens gevraagd.'

'Dat hoeft ook niet. Als je je echt druk maakt over de onvolledigheid van het werk… Is dat het? Is het een principiële kwestie?'

'… ja.'

'Dan heb ik een elegante oplossing.'

Ik keek hem aan.

'Verkoop de rest aan ons.'

'Tony.'

'Verkoop ons de rest. Dan is het weer compleet.' Hij nam een slokje water. 'Dat is toch het principe waar het om gaat? Jij wilt de tekeningen herenigen. Prachtig. Verkoop ons de rest van het werk en je kunt weer rustig slapen.'

'Dit is niet te geloven.'

'Wat niet?'

'Waarom doe je dit?'

'Wat doe ik?'

'Je weet best wat je doet.'

'Zeg jij het maar.'

'Je naait me waar ik bij zit.'

'Die taal is onnodig.'

'Ik bedoel, ik meen het, Tony, wat moet ik anders zeggen? "Dank je wel, wat een geweldig aanbod"?'

'In feite wel, ja. Het ís ook een geweldig aanbod.'

'Er zit een luchtje aan. Ik wil de stukken niet aan jullie verkopen. Ik wil één stuk terug. Dat is heel wat redelijker dan jullie de rest van het werk verkopen.'

'Voor zover ik het kan bepalen, is het resultaat gelijk.'

'Nee, dat is niet waar.'

'Wat is het verschil dan?'

'Jullie hebben het en ik niet.'

'Jij bent toch kunsthandelaar? Dat is toch je werk? Kunst aan andere mensen verkopen?'

'Dit heeft niets met de handel te maken,' zei ik. 'Je hebt al geprobeerd de stukken van me te kopen en ik heb al nee gezegd.'

'Dan zijn we volgens mij in een zogeheten impasse beland.'

Het gekletter van bestek en servies nam toe naarmate er meer tafeltjes bezet werden. Ik wendde me van Tony af en zag Isaac op zijn biefstuk aanvallen. Ik moet ontdaan hebben gekeken, want hij ving mijn blik op en vroeg: duim omhoog of duim omlaag? Ik stak mijn duim omhoog en hij hervatte zijn maal. Terwijl Tony aandachtig en kritisch toekeek, slikte ik vier pijnstillers. Voor de lunch had ik er al vier geslikt.

'Voel je je wel goed?' informeerde hij.

'Ja.' Ik wreef in mijn ogen. 'Luister. Ik wil hem niet alleen terugkopen om het werk weer compleet te krijgen. Er is ook een andere reden.'

Hij wachtte af.

'Het is te ingewikkeld om uit te leggen.'

Hij trok een wenkbrauw op.

'Echt waar.'

Hij wachtte weer af.

Ik zuchtte. 'Goed dan, luister.' Ik vertelde over de moorden. Onder het praten knikte hij ernstig, alsof hij het allemaal in zich opnam. Toen ik uitgesproken was, zei hij: 'Ik weet het.'

'Wat?'

'Ik had er al van gehoord.'

Om je de waarheid te zeggen, keek ik er niet zo van op. Ik heb al eens gezegd dat Tony meer van de kunstwereld weet dan hij laat doorschemeren. Hij houdt de vinger aan de pols en hij had ongetwijfeld zijn huiswerk gedaan voordat hij Hollister benaderde. Hij had precies geweten hoe hoog zijn bod moest zijn om het ongemak van de koehandel te omzeilen.

'Waarom moest ik het dan voor je herhalen?'

'Ik kende de geruchten. Ik wist niet waar je de tekening voor nodig had.' Hij leunde achterover en tuitte zijn lippen. 'Dus als ik het goed heb, wil je er een gat in maken.'

'Een kleintje maar, hoop ik.'

Er verscheen een flauwe glimlach om zijn lippen. 'Daarnet had je het nog over het herstel van de volledigheid van het werk.'

'Ik laat het restaureren.'

'En wat denk je. Dat dit de doorslag zal geven?'

'Geen idee. Misschien, misschien ook niet.'

'Voor zover ik het begrijp,' zei hij, 'ook al néém je zo'n monster, en blíjkt het bloed, én komt het overeen, dan zit je nog steeds met hetzelfde probleem.'

'En dat is?'

'Dat je niet weet waar het vandaan komt. Het kan van Victor zijn, het kan van iemand anders zijn.' Dat had Samantha ook gezegd. 'Als hij al die dingen heeft gedaan waarvan je hem beschuldigt, vind ik het niet zo vergezocht dat hij een inktpot met bloed bij de hand had. Met die tekening zul je dus niet veel opschieten.'

'Nou, dat wil ik graag zelf bepalen.'

'Ik denk het niet,' zei hij. 'Voor het geval je het vergeten bent, het stuk is van ons.'

'Kunnen we voorkomen dat we hier een territoriumkwestie van maken?'

'Moet jij nodig zeggen. Jij bent hier degene die eisen stelt. Jij bent degene die roept over *droit moral*. En jij vindt dat ik niet territoriaal mag zijn? Dat noem ik nog eens een gotspe.'

'Waarom zou ik het droit moral niet hebben? Ik heb hem ontdekt.'

Hij glimlachte. 'Heus? Want zoals ik het me herinner, moest ik je smeken om…'

'Toen ik ze eenmaal had gezien…'

'Juist. Pas tóén. Als iemand er aanspraak op heeft, is het je vader. Het terrein is van hem, de inhoud van het appartement was van hem. We hebben je een dienst bewezen.'

Ik zei: 'Hierover ga ik niet met je in discussie.'

'Wat valt er te discussiëren?'

'Je hebt gelijk. Oké, Tony? Je hebt gelijk. Dat kan me niet schelen. Ik wil een deal sluiten. Laten we dat maar doen. Ik geef je het dubbele van wat je Hollister hebt betaald.'

Hij schudde zijn hoofd. 'Je hebt het niet begr…'

'Het driedubbele.' Dat was veel te veel geld voor mij, maar dat kon me niets schelen.

'Vergeet het maar,' zei Tony. Misschien wist hij dat ik me dat niet kon veroorloven.

'Hoeveel wil je dan? Zeg het maar.'

'Het gaat niet om het geld. Jij hebt je principes, wij de onze. We gaan je geen kunstwerk verkopen zodat jij het kunt vernietigen.'

'Doe me godverdomme een lol, zeg.'

'Als je zo praat, betaal ik je toetje niet.'

'Ik maak dat werk niet kapot, Tony.'

'O? Hoe noem jij het dan?'

'Monsters van doeken nemen gebeurt zo vaak,' zei ik. 'Voor onderzoek.'

'Niet uit het hart van een werk. Niet uit een modern stuk. Het is verdikkeme de Turijnse lijkwade niet. En wat kan het jou in godsnaam schelen?'

'Omdat dit belangrijk is, Tony. Het is belangrijker dan een tekening.'

'Moet je jou toch eens horen,' zei hij. Hij haalde zijn portefeuille tevoorschijn en legde twee briefjes van honderd op tafel. 'Je klinkt als een heel ander persoon, weet je dat?'

'Wacht even.'

'Dit is voor de lunch.'

'Is dat alles?' vroeg ik. 'Je gaat het hem niet eens vragen?'

'Dat hoef ik niet,' zei hij, en hij stond op. 'Ik ken zijn prioriteiten.'

Ik belde Samantha.

'Het is een delicate situatie,' zei ik. 'Het spijt me.'

'Er is vast nog een stuk met bloed erop.'

'Kun jij niet, ik weet het niet. Beslag laten leggen?'

'Ik weet niet of iemand zal geloven dat we een overtuigende reden hebben je vader die tekening met een gerechtelijk bevel afhandig te maken. Wat hij tegen je heeft gezegd is in wezen juist: het bloed is misschien geen bloed, het is misschien niet het juiste bloed, we schieten er misschien niets mee op. Als we toestemming vragen een werk van vele miljoenen aan stukken te…'

'Zo veel is het niet waard.'

'Zeg jij.'

'Ik zeg je dat hij veel te veel heeft betaald. Zo veel zou hij er op de vrije markt niet voor krijgen.'

'Nou, ik weet vrij zeker dat je vader een andere deskundige kan vinden die zal getuigen dat het meer waard is. En ik weet ook zeker dat hij een stel uitstekende advocaten met een heleboel vrije tijd tot zijn beschikking heeft. Ik zeg alleen: als je een andere tekening voor me kunt vinden, zou dat ons beider leven een stuk eenvoudiger maken.'

'De vorige keer dat ik een doos uit de loods heb gehaald, werd ik overvallen.'

'Dan hoop ik dat je voortaan voorzichtiger zult zijn.' Ze zweeg even. 'Sorry. Dat was een tikje hard.'

'Geeft niet.'

'Luister, we kunnen de tekeningen samen doornemen, wat vind je daarvan?'

'Prima.'

Er viel een stilte. Toen ze weer iets zei, klonk ze een stuk vriendelijker. 'Hoe is het met je hoofd?'

'Met de dag beter. Maar ik zou me een stuk beter voelen als ik wist wie het op z'n geweten heeft.'

'Ik vind het naar om te zeggen: dat kun je maar beter vergeten.'

Ik voelde even aan de pleisters op mijn gezicht. 'Ziet het er echt zo hopeloos uit?'

'Zonder getuige of signalement? Ja, echt.'

Dat deprimeerde me enorm.

'Laten we over een paar dagen bij elkaar komen,' zei ze. 'We beginnen met het materiaal dat jij en mijn vader hadden.'

Ik stelde voor uit eten te gaan.

'Het lijkt me beter als jij langs mijn kantoor komt. Heb je dat proefsetje teruggestuurd?'

'Ja.'

'Ik zal eens bellen om te horen hoe het staat met de andere monsters.'

'Goed.'

'En, Ethan?'

'Ja?'

'Je moet me niet meer mee uit eten vragen.'

17

De burelen van de officier van justitie in Queens bestaan uit een aantal kantoren, verspreid over diverse gebouwen in de buurt van de rechtbank in Kew Gardens. De afdeling Recherche beslaat een aantal etages van een flitsend onderverhuurd complex, dat in een zwierige hoek aan de overkant van de straat staat. Jonge mannen en vrouwen in pak liepen bedrijvig op de stoep met salades, stollende pizza's en afhaalpasta. Het verkeer raasde over de Union Turnpike en de Van Wijck, en beide straten waren afgezoomd met een strook modderige, opgevroren sneeuw. Toen we uitstapten, werden Isaac en ik bijna omvergeblazen door een rukwind.

Dat klopt niet helemaal. Ik werd bijna omvergekegeld. Isaac leek niets te merken. Hij droeg een hawaïhemd onder een denim jack waaruit genoeg spijkerbroeken gehaald konden worden om een vakantieboerderij te kleden. Hij trok de aandacht van de politiemannen die voor het gebouw zaten en hun geouwehoer staakten om met hun duim te wijzen naar de reus die de trap opkwam.

We betraden de receptie, waar Samantha ons opwachtte. Ze zag Isaac en knipperde verbaasd met haar ogen. 'Eh… Hallo.'

'Hallo,' zei Isaac. Daarna gaf hij me een klopje op de arm, maar naar de maatstaven van de meeste mensen was het een flinke dreun. 'Izzet oké als ik in de auto wacht? Politie maakt me nerveus.'

Ik zei dat ik wel zou bellen als ik klaar was. Samantha keek hem na toen hij naar buiten denderde.

'Tjonge,' zei ze.

Voor de lift was een magneetkaart plus een code nodig. Op de vijfde etage belandden we midden in een rumoerige lunchpauze; drie jonge-mannen en twee jonge vrouwen wier gespreksthema werd beheerst door 'godverdomme', 'kolere' en 'val dood, vuile eikel'. Samantha stelde me voor als een vriend, wat ik ruimhartig van haar vond.

'Hallo,' zeiden ze in diverse toonaarden.

'Wat is er aan de hand?' vroeg Samantha aan een van de meisjes.

'Mantells auto is opengebroken.'

'Vlak voor het gebouw, godverdomme,' zei een van de mannen. Hij had zwart haar en droeg een lijvig gouden horloge.

'Ze hebben zijn gps gejat.'

'En of ze dat gedaan hebben. Het is goddomme tien uur 's morgens. Het wemelt godverdomme van de politie. Aan de overkant zit meneer Wong achter zó'n raam goddomme. En geen mens heeft iets gezien?' Vol weerzin schudde hij zijn hoofd. 'Kolere. De politieagent die ik sprak vraagt: "Kent u iemand die misschien een appeltje met u te schillen heeft?" En ik zeg: "Nou, alleen maar zo'n driehonderd lui die ik de bak in heb laten draaien. Dat beperkt de zaak lekker, hè?"'

Iedereen moest lachen.

'De apocalyps is nabij.'

'De apocalyps is oud nieuws, makker.'

'Hebben ze je badge ingenomen?'

'Waarom zouden ze dat doen? Als ik in hun schoenen stond, zou ik ons niet willen imiteren. Wij kunnen godverdomme niet eens een in-braak – bij klaarlichte dag – in het epicentrum van justitie voorkomen. Dus nee, ze hebben goddomme mijn badge niet ingenomen. Maar weet je wat Shana zei? Ik kon het verdomme niet geloven. Weet je wat ze zei?'

'Nou?'

'Ik vertelde haar wat er was gebeurd en zij zegt iets van: "Wie heeft het gedaan?"'

Er viel een stilte. Daarna sloeg iedereen dubbel.

'Néé...'

'Zei ze dat?'

'Kzweeret.'

'Wie zégt er nou zoiets?'

'Zij dus.'

'Goddomme, wat een randdebiel.'

'Hé, Shana.'

'Ja,' klonk een stem uit een werkhokje in de verte.

'Goddomme wat ben jij een randdebiel.'

'Val dood.'

Samantha ging me voor naar de andere kant van de kantoortuin. Die zag er grotendeels uit als elk ander kantoor, met pluizige grijze schermen, bureaus die in hoeken geperst stonden, een gammel kopieerapparaat, prikborden, archiefkasten bezaaid met magneetjes en familiekiekjes waar er maar ruimte voor was. Een gewoon kantoor, op de posters van de campagne tegen huiselijk geweld na, of de agent van de rijkspolitie met een kaalgeschoren hoofd en een enorm pistool, die met één vinger op een ouderwetse tekstverwerker zat te tikken; of het aanzienlijk deel van een kleine auto – de motorkap, twee portieren en een band – op de gang. ('Bewijsmateriaal,' legde Samantha uit.) Ze begroette iedereen en iedereen groette terug.

'Waarom is iedereen zo jong?' vroeg ik.

'Dick Wolf doet personeelszaken,' zei ze.

Haar kantoor had een glazen deur, die ze dichtdeed om de krachttermen en hilariteit buiten te sluiten.

'Is er echt in zijn auto ingebroken voor het gebouw?'

'Het zou niet de eerste keer zijn.'

'Dat is idioot.'

'Dat is Queens.' Ze rommelde wat op haar bureau en verplaatste formulieren en uitgedraaide e-mails en dossiers en ongeopende enveloppen. Op de vensterbank stonden drie bekers met de logo's van het OM, Fordham en de faculteit rechtsgeleerdheid van de Universiteit van New York. Een teddybeer met klithaar in een brandweeruniform. Een foto van haar vader en nog een van haar en haar zus in badpak op het strand. Een gordiaanse knoop van koper aan een touwtje dat aan een plank met juridische boeken hing. De screensaver van haar computerscherm – roterende beelden van een groen landschap – verscheen en verdween op een tranceverwekkende manier.

'Ierland,' zei ze toen ze me zag staren.

'Komt je familie daarvandaan?'

'Graafschap Kerry. Mijn vaders kant. Mijn moeder is Italiaanse. Ik ben in geen van beide landen geweest, maar als ik opspaar wat er aan het eind van de maand van mijn salaris overblijft, moet het op mijn vijfenzeventigste lukken.'

Ze vond wat ze zocht, de sleutels van haar archiefkast. Ze trok een la vol cd's en transcripten open. Ik wierp er een blik in, maar ze deed hem weer dicht.

'Niet van ons.'

'Liefdesbrieven?'

'Afgeluisterde telefoongesprekken.'

Uit de la daaronder haalde ze onze doos met bewijsmateriaal tevoorschijn. Hij leek me groter dan toen ik hem voor het laatst had gezien, en toen ze er mappen uithaalde en op haar bureau legde, besefte ik dat ze aan de groei had bijgedragen.

'Dit komt van Richard Soto.' Ze gaf me een lijst van oude zaken, vijftien pagina's met namen, data, locaties, korte beschrijvingen en de namen van arrestanten als daar sprake van was. Ik nam ze door en wilde haar net iets vragen toen ik opkeek en haar naar de foto van haar vader zag staren met een opgepropte zakdoek losjes in haar hand.

'Ik mis hem zo.'

Ik zei bijna 'ik ook', maar dat slikte ik in. Ik legde een hand op de mappen en zei: 'Laten we het maar over iets anders hebben.'

In de loop van de daaropvolgende zes weken spraken we elkaar dikwijls, persoonlijk of telefonisch. We troffen elkaar in haar lunchpauze in het Chinese restaurant bij haar werk. Isaac ging dan drie tafeltjes verderop zitten om onvoorstelbare hoeveelheden babi pangang met nasi te verorberen. We gaven hem onze gelukskoekjes.

We besloten van voor af aan te beginnen met de constructie van een nieuwe tijdslijn voor de moorden en we zochten naar een patroon. We lieten de gipsafdruk van het voetspoor opnieuw bestuderen en kregen te horen dat de persoon aan wie die toebehoorde waarschijnlijk langer dan een meter tachtig was. Samantha vroeg hoe groot Victor was en ik moest bekennen dat ik het niet wist, al had één persoon gezegd dat hij vrij klein van stuk was. Nu ik erbij stilsta, hebben we zo het grootste deel van onze tijd doorgebracht, althans in het begin: met vaststellen wat we niet wisten.

'Heeft hij een opleiding?'

'Ik weet het niet.'

'Had hij familie?'

'Ik weet het niet.'

'Wat weet je eigenlijk wel, om precies te zijn?'

'Ik weet het niet.'

'Hoe hard heb je naar hem gezocht?'

'Niet zo hard,' gaf ik toe.

'Goed, dan is het nu je kans om je leven te beteren.'

We gingen verder waar ik was gebleven: we belden kerken en deze keer met meer succes. Door stom geluk of ijver vonden we pastoor Verlaine van de Good Shepherd in Astoria. Hij bezorgde ons het eerste teken dat Victor iemand van vlees en bloed en geen product van iemands verbeelding was geweest. We reden naar de pastorie waar we de priester aan een kruiswoordpuzzel troffen, en hij verwelkomde ons hartelijk.

'Natuurlijk heb ik Victor gekend,' zei hij. 'Hij ging vaker naar de mis dan ik. Maar ik heb hem al een jaar of twee niet gezien. Is er iets mis?'

'We willen uitzoeken of hij in orde is. Al een poosje heeft niemand meer iets van hem gehoord.'

'Ik kan me niet voorstellen dat hij ooit iets verkeerds zou doen,' zei de priester. 'Zijn geweten was zuiverder dan van wie ook, misschien met uitzondering van de Heilige Vader.'

Ik vroeg wat hij bedoelde.

'Telkens wanneer ik het venstertje van de biechtstoel openschoof, zat hij aan de andere kant.'

'Wat biechtte hij?'

De pastoor klakte met zijn tong. 'Dat is iets tussen de mens en God. Ik kan u wel vertellen dat hij veel minder reden had om daar te zitten dan de meeste mensen, de mensen die nooit komen biechten incluis. Ik heb hem een paar keer gezegd dat hij niet zo hard voor zichzelf moest zijn, en als hij die raad in wind sloeg, zich schuldig maakte aan de zonde van de wroeging.' Hij glimlachte. 'Dat had alleen tot gevolg dat ik hem de volgende dag weer in de stoel trof om dát op te biechten.'

'U hebt niet toevallig een foto van hem, hè?'

'Nee.'

Samantha vroeg: 'Kunt u hem beschrijven?'

'O, laat eens kijken. Hij was klein, ongeveer een meter zestig en aan de magere kant. Soms liet hij een snorretje staan. Droeg altijd dezelfde jas, hoe warm of koud het ook was. Die jas had betere tijden gekend. U bent waarschijnlijk niet oud genoeg om zich hem te herinneren… Hoe oud bent u?'

'Achtentwintig.'

'Nou, dan bent u zeker niet oud genoeg, maar ik kan u zeggen dat hij een beetje op Howard Hughes leek.'

'Scheelde er iets aan zijn gezondheid?'

'Hij leek me niet echt gezond. Hij moest vaak hoesten. Ik kon altijd horen dat hij in aantocht was, omdat ik dat hoestje van de achterste kerkbanken af kon horen.'

Ik vroeg: 'Had hij duidelijke psychische problemen?'

Hij aarzelde. 'Ik vrees dat ik u weinig meer kan vertellen. Mijn ambt staat dat niet toe.'

In de auto zei Samantha: 'Het is een begin.'

'Hij zei dat hij klein was. Is hij daarmee niet geëlimineerd?'

'Niet echt. Voetafdrukken nemen is geen exacte wetenschap. Een foto zou handiger zijn geweest, daarmee konden we de buurt rondgaan. Maar dat hoestje? Misschien is hij daar wel voor behandeld.'

'Het heeft er meer van weg dat hij helemaal niet werd behandeld.'

'Maar zo ja, dan moet dat ergens geregistreerd staan. Op basis van wat jij me hebt verteld en het beeld dat ik krijg, vallen mensen zoals hij door de mazen. Die hebben geen vaste huisarts, die gaan naar de eerste hulp.'

'Laten we dan de ziekenhuizen in de buurt afbellen.'

'Ik zal mijn best doen. Je staat ervan te kijken hoe moeilijk het in deze staat is om medische dossiers op te vragen. Had hij werk?'

'Voor zover ik weet niet.'

'Hij moest toch zijn rekeningen betalen. Hij betaalde zijn huur.'

'De manager van het gebouw vertelde dat hij die contant betaalde. Hij kreeg al sinds de jaren zestig huursubsidie. Hij betaalde honderd dollar in de maand.'

Ze floot bewonderend. Even was ze niet meer de arm der wet, maar gewoon een New Yorker die jaloers was op andermans huur. 'Het blijft honderd dollar die hij elke dertig dagen moest brengen. Misschien bedelde hij.'

'Kan,' zei ik. 'Maar wat schieten we daarmee op? Er is geen bedelaarsvakbond die we kunnen bellen.'

'Weet je wat?' zei ze terwijl haar blik van mij afdwaalde en naar de lucht ging. Ik kreeg wel eens de indruk dat ze tijdens een gesprek alleen maar naar me luisterde tot haar eigen gedachten weer op gang kwamen. Daarin verschilde ze van haar vader, die echt belangstelling voor mijn opvatting leek te hebben, althans zo leek het. Ik moet haar nageven dat ze eerlijk was. Van meet af aan heeft ze nooit gepretendeerd dat ze dit voor iemand anders deed dan voor hem. In elk geval niet voor mij.

'Dat papier,' zei ze. 'Hij moest er een heleboel van kopen. Je zou denken dat hij op goede voet stond met de persoon die het hem verkocht. En eten. Als jij dat nu eens aanpakt. Ik blijf jacht maken op getuigen in de oude zaken om te zien wat ik daar kan opspitten. Hier. Ik heb een paar boevenfoto's uit de oude zaken opgeduikeld en kopieën voor je gemaakt die je aan mensen kunt laten zien. Maak je geen zorgen. We vinden wel iets.'

'Denk je?'

'Geen schijn van kans.'

Ik ging weer terug naar Muller Courts en begon bij een van de twee kruideniers. Toen de winkelbedienden uitgestaard waren op Isaac, bevestigden ze mijn beschrijving van Victor. Ze wisten wie het was – 'rare snuiter' – maar behalve dat hij een voorkeur had voor een bepaald soort brood en Oscar Mayer-ham, konden ze me niets vertellen. Ik vroeg hun naar papier en ze gaven me een blocnote met groenige, gelinieerde bladzijden.

'En wit,' vroeg ik. 'Ongelinieerd.'

'Dat hebben we niet.'

Denkend aan zijn voedseldagboek vroeg ik wat voor appels hij kocht.

'Hij kocht geen appels.'

'Hij moet appels gekocht hebben,' zei ik.

'Heb jij hem appels zien kopen?'

'Ik heb hem nooit geen appels zien kopen.'

'Nee, hij kocht nooit geen appels.'

In een poging behulpzaam te zijn stelde een van hen voor dat hij in plaats daarvan wel eens peren had gekocht.

'Ik zei: 'En kaas?'

'Geen kaas.'

'Hij kocht nooit geen kaas.'

'Geen kaas.'

Ik ging naar de andere kruidenier. Deze keer liet ik Isaac buiten wachten, wat hij graag deed, op voorwaarde dat hij even naar de overkant kon om een bal gehakt te kopen. Ik gaf hem tien dollar en hij holde weg als een jongetje.

De caissière, een knappe Latijns-Amerikaanse met een rode plastic bril, legde haar poëzietijdschrift neer toen ik haar benaderde. Ook zij herinnerde zich Victor aan de hand van mijn beschrijving.

'Ik noemde hem "meneer",' zei ze.

'Waarom?'

'Hij leek me het type dat je "meneer" noemt.'

'Hoe vaak kwam hij hier?'

'Twee keer in de week als ik er was. Maar op vrijdag en zaterdag heb ik vrij.'

Ik vroeg wat hij meestal kocht.

Ze liep naar een rammelende zuivelkast en overhandigde me een pakje goedkope Zwitserse kaas in plakjes. 'Altijd dezelfde. Ik geloof dat ik een keer heb gezegd: "Misschien wilt u iets anders proberen, meneer."'

'Wat zei hij?'

'Hij zei niets. Hij zei nooit wat tegen me.'

'Kunt u zich herinneren of hij ooit praatte over…'

'Hij zei nooit iets.'

Ze was ook net zo zeker van haar zaak toen ze zei dat hij nooit appels of papier kocht.

'We verkopen geen papier,' zei ze. 'Daarvoor moet je bij de Staples op Queens Boulevard zijn.'

Tien maanden daarvoor zou ik moeite hebben gehad met het idee dat Victor wel eens buiten Muller Courts kwam, dat hij ooit ergens heen ging zonder dat mijn verbeelding hem er toestemming voor gaf. Nu merkte ik dat ik hém gehoorzaamde. Op diverse kille novemberdagen liep ik wijksupermarkten af en deed ik buurtonderzoek in steeds grotere concentrische cirkels: een straal van één blok, twee blokken, drie… net zo lang tot ik het driehoekige plein op Junction Boulevard bereikte en een fruitstalletje gedreven door een sikh van middelbare leeftijd.

'O, ja,' zei hij. 'Mijn vriend.'

Hij hield een netje granny smith op.

De fruitverkoper, die Jogindar heette, vertelde dat hij en Victor elke dag minstens een paar minuten babbelden.

'Het weer,' zei hij. 'Altijd het weer.'

'Wanneer hebt u hem voor het laatst gezien?'

'O, lang geleden. Zo'n anderhalf jaar terug. Is er iets met hem?'

234

'Ik weet het niet. Daarom ben ik naar hem op zoek. Leek hij in orde?'

'Hij had een vreselijke hoest,' zei Jogindar. 'Ik zei dat hij naar het ziekenhuis moest.'

'Heeft hij dat gedaan?'

Hij haalde zijn schouders op. 'Ik mag het hopen.'

'Was hij ooit met iemand anders?'

'Nee, nooit.'

'Ik wil u nog één ding vragen: was er iets merkwaardigs aan de manier waarop hij zich gedroeg?'

Jogindar glimlachte. Zonder iets te zeggen gebaarde hij om zich heen, naar de bejaarden die ineengezakt op de bankjes van het park wolkjes stoom zaten uit te ademen; naar de sloffende parade op Queens Boulevard en zijn wirwar van elektriciteitsdraden waar de wind doorheen gierde. Naar de hele toeterende hartslag van de metropool, zijn etnische winkels en discountmarkten en CHECKS CASHED en pandjesbazen en manicuresalons en dialysecentra en een pruikenmaker die haar per pond verkocht. Hij gebaarde naar Isaac, drie meter verderop, naar een stokoude dame die de kruising overstak zonder acht op het rode voetgangerslicht en de explosie van getoeter te slaan. Ze schuifelde maar door tot ze aan de overkant was. Daarna reed iedereen weer door.

Ik begreep wat hij bedoelde. Hij bedoelde 'het is allemaal krankzinnig'.

Hij blies in zijn handen. 'Toen hij niet meer kwam, dacht ik dat het een teken was.'

'Waarvan.'

'Ik weet niet. Maar na zo veel jaar had hij iets vertrouwds gekregen. Ik denk eraan ander werk te zoeken.'

'Hoe lang kent u hem?'

'Sinds ik hier kwam staan. Achttien jaar.' Hij glimlachte. 'Dat is een soort vriendschap.'

Impulsief kocht ik een netje van Victors favoriete appels. Op de terugweg naar Manhattan begon ik er aan een. Hij was buitengewoon zuur.

De filiaalmanager van de plaatselijke Staples had geen idee waarover ik het had en zijn caissières evenmin, al leken de meesten pas die ochtend te zijn begonnen. Maar ze boden me wel papier aan.

Toen Samantha en ik weer bijeenkwamen, wees ze op Victors voorliefde voor routine. 'Denk maar eens aan het beeld dat we tot dusverre van hem hebben gekregen. Hij haalt zijn brood bij één winkel. Hij haalt zijn kaas elders en zijn appels ook. Hij doet dat elke dag, God mag weten hoeveel jaar lang. Hoe lang is die Staples daar, vijf jaar? Die moeten we niet hebben.'

Ik belde rond tot ik de oudste winkel in de buurt te pakken had, een kantoorboekhandel bijna een kilometer ten westen van de Courts, die van dinsdag tot en met donderdag van elf tot half vier open was. Ik moest uitzonderlijk vroeg mijn werk in de galerie neerleggen – vroeger dan ik gewend was, en dat was al erg vroeg – om er op tijd te zijn.

Mijn eerste indruk van Zatuchny's was dat Victor de zaak gedreven kon hebben, zo bomvol troep stond het er. Ik liep een wolk van diezelfde houterige geur binnen die ik voor het eerst in Victors appartement had geroken, alleen een paar graden erger. Ik vroeg me af hoe klanten daar konden komen zonder het zeiltje te strijken.

Sterker nog, ik kon nauwelijks geloven dat de winkel ooit een klant binnen kreeg. Vanbuiten leek hij gesloten. De etalage was afgeplakt met kromtrekkende pamfletten en de tl-verlichting deed het niet. Ik liep naar de toonbank en sloeg een paar keer op de bel.

Sjadap sjadap sjadap.

Er verscheen een oude man met spetters tomatensaus op zijn wangen. Hij bleef even staan om naar mij te staren en nog wat langer om naar Isaac te staren. Daarna griste hij de bel met een frons van de toonbank en gooide hem in de la. 'Dat is geen speelgoed,' zei hij.

Als ik niet beter wist, had ik hem voor Victor Cracke zelf kunnen verslijten. Hij had een snor, zag er verfomfaaid uit en voldeed vrij aardig aan het beeld dat ik van Cracke had. Net als de wanorde van de winkel… en die geur…

Ik kreeg een idiote gedachte: hij wás Victor.

Ik moest hem een tikje te intens hebben aangekeken, want hij niesde en zei: 'Ik heb mijn lunch niet onderbroken om jou naar mijn tietjes te laten staren. Wat moet je?'

Ik zei: 'Ik ben naar iemand op zoek.'

'O ja, wie dan.'

Ik liet hem de politieportretten zien.

'Lelijk zooitje,' merkte hij op toen hij ze doorbladerde.

Ik vroeg: 'Vindt u het erg als ik u vraag hoe u heet?'

'Erg? Ja nou.'

'Kunt u het toch zeggen?'

'Leonard,' zei hij.

'Mijn naam is Ethan.'

'Ben jij een smeris, Ethan?'

'Ik werk voor het OM,' zei ik, wat niet helemaal onwaar was.

'En jij, vetzak,' zei hij tegen Isaac, die onbewogen bleef zwijgen achter zijn zonnebril. 'Wat mankeert-ie? Kan hij niet praten?'

'Hij is meer het gespierde, zwijgzame type,' zei ik.

'Mij lijkt hij meer het kolossale vetzaktype. Wat geef je hem te eten, hele schapen?' Hij gaf me de foto's terug. 'Ik ken die klojo's niet.'

Ik kon mezelf er niet toe brengen om rechtstreeks naar Victor te informeren, bang als ik was dat hij het inderdaad zou blijken te zijn en dat hij zich door mijn vragen de achterdeur uit zou reppen. Omdat ik steeds maar om de hete brij heen draaide, werden mijn vragen steeds ingewikkelder, net zo lang tot hij met een blik op de pleisters op mijn gezicht tegen Isaac zei: 'Jij bent zeker het brein van de operatie?'

'Ik ben op zoek naar een zekere Victor Cracke,' gooide ik eruit; ik verwachtte min of meer dat hij op een knopje zou drukken en door een valluik zou verdwijnen. Maar hij knikte slechts.

'O ja?' zei hij.

'U kent hem.'

'En of ik hem ken. Je bedoelt die man met die...' Hij bewoog zijn wijsvinger over zijn bovenlip, waarmee hij 'snor' wilde zeggen, wat bizar was, want hij had zelf ook een snor.

'Was hij een klant van u?'

'Jazeker.'

'Hoe vaak kwam hij hier?'

'Ik zou zeggen een paar keer per maand. Hij kocht nooit iets anders dan papier. Maar hij is al een poosje niet geweest.'

'Kunt u me het soort papier laten zien dat hij kocht?'

Hij keek me aan alsof ik niet goed wijs was. Daarna ging hij me schouderophalend voor naar een voorraadkamertje. Metalen schappen die doorzakten onder het gewicht van ongeopende dozen met pennen, stencilpapier en fotoalbums. Op een kaarttafel stond een magnetron, met daarvoor een schaaltje fusilli die in een waterige tomatensaus dreven. Op een stapeltje stripboeken lag een vork.

Leonard pakte een doos van de laagste plank en trok die naar het midden van de kamer, bukte zich hijgend en puffend, waardoor er een scheur in het zitvlak van zijn broek zichtbaar werd. Hij haalde een mes van zijn riem en sneed het plakband open. Binnenin zat een doos met gewoon, wit papier. Het was minder vergeeld dan de tekeningen, maar het klopte wel, voor zover je gewoon wit papier kunt identificeren.

'Hoe lang is hij klant van u?' vroeg ik.

'Mijn vader is na de oorlog begonnen en in 1963 overleden op de dag dat Kennedy's kop van zijn romp werd geknald. Ik denk dat Victor in die tijd begon te komen, zo'n twee keer in de maand.'

'Wat voor relatie had u met hem?'

'Ik verkocht hem papier.'

'Had hij het ooit over zijn privéleven?'

Leonard staarde me aan. 'Ik… verkocht… hem… papíér.' Voldaan dat hij me mijn stompzinnigheid onder de neus had gewreven, keerde hij terug naar zijn lunch.

'Pardon…'

'Ben je er nou nog?'

'Ik vroeg me af of u ooit iets ongewoons aan Victor is opgevallen.'

Met een zucht draaide hij zich om in zijn stoel. 'Goed, als je een verhaal wilt, krijg je een verhaal. Ik heb een keer met hem gedamd.'

Ik zei: 'Pardon?'

'Dammen. Je weet toch wel wat dammen is?'

'Ja.'

'Nou, dat heb ik met hem gespeeld. Hij kwam binnen met een klein dambord, zette het neer en we deden een partijtje. Hij won het met gemak. Hij wilde nog een keer, maar ik wilde niet twee keer op één dag zo vreselijk verslagen worden. Ik stelde voor een rondje te boksen, maar hij ging gewoon weg. Einde verhaal.'

Het verhaal had iets hartverscheurends. Ik stelde me voor hoe Victor – ik kan niet zeggen hoe ik me hem voorstelde, waarschijnlijk zag ik zijn geest, doorschijnend en wollig – door de buurt zwierf met een dambord onder zijn arm, op zoek naar een tegenspeler.

'Zo tevreden?'

'Gebruikte hij een creditcard?'

'Die accepteer ik niet. Contant of cheques.'

'Goed dan, betaalde hij met een cheque?'

'Contant.'

'Kocht hij ooit iets anders?'

'Ja, pennen en markeerstiften. Potloden. Wat ben jij eigenlijk, verdomme? Van de papiergestapo?'

'Ik maak me zorgen over zijn veiligheid.'

'Wat heeft zijn veiligheid nou met een stelletje pennen te maken?'

Ten einde raad bedankte ik hem voor zijn tijd en gaf ik hem mijn kaartje met het verzoek om mij te bellen als Victor nog eens kwam.

'Best,' zei hij. Toen ik de winkel uitliep, wierp ik een blik over mijn schouder en zag ik hem het kaartje verscheuren.

18

Omdat Samantha overdag werkte, deed ik het merendeel van het loop-
werk alleen. Dat hield natuurlijk in dat ik overdag niet aan mijn werk
toekwam, wat steeds vaker het geval was. In de galerie voelde ik me rus-
teloos en gevangen, en ik bleef excuses verzinnen om weg te kunnen. Al
hoefde ik niet naar Queens, ik wilde ook niet in Chelsea blijven. Dan
maakte ik lange wandelingen om over Victor Cracke en kunst en mezelf
en Marilyn te peinzen. Ik verbeeldde me dat ik een privédetective was
die zijn eigen verteller was. *Hij wankelde een cafetaria in en bestelde een
kop troost. Saxofoonmuziek.* Die egocentrische fantasieën, die oprispin-
gen van ontevredenheid, kende ik maar al te goed. Ik kreeg ze gemiddeld om de vijf jaar.

Samantha's taak was Richard Soto's lijst van oude zaken afwerken. Ze
concludeerde meteen al dat de meerderheid voor ons irrelevant was:
het slachtoffer was een vrouw, of te oud, of ze was vermoord zonder een
spoor van aanranding, maar ze ploos ze voor de zekerheid toch uit.
Wanneer ik naar haar luisterde, begreep ik dat eentonigheid het meest
in het oog springende kenmerk van recherchewerk is. November en december telden een heleboel vruchteloze dagen, een heleboel doodlo-
pende wegen en een heleboel gesprekken die tot niets leidden. We tast-
ten in het duister en voegden ingevingen samen om hypothesen te
vormen die we vervolgens weer in de prullenbak gooiden. Het was een
weg van vallen en opstaan, maar vooral van vallen.

In de week van Thanksgiving begonnen we elkaar 's avonds in de
kunstopslag te treffen. Samantha stapte na haar werk in de metro, we

kozen een willekeurige doos, lieten die door Isaac naar de schouwkamer zeulen en bladerden een uur of twee, drie achtereen de tekeningen door op zoek naar bloedvlekken. Nu ging het werk vlotter dan de eerste keer, omdat ik nog maar één criterium in mijn hoofd had en het werk niet op waarde hoefde te schatten. Niettemin kostte het moeite om me langer dan een half uur of veertig minuten achter elkaar te concentreren. Mijn hoofdpijn nam wel af, maar maakte het turen toch pijnlijk. Op zulke momenten sloeg ik Samantha stiekem gade bij haar werk. Haar slanke vingers zweefden boven het papier, dat prachtige pruilmondje en dat hele aura van concentratie.

'Ik weet niet of hij nu ziek of geniaal was,' zei ze.

'Dat hoeft elkaar niet uit te sluiten.' Ik vertelde haar over de telefoontjes die ik kreeg toen Marilyn de geruchtenmachine had aangezwengeld.

'Daar kijk ik eigenlijk helemaal niet van op,' zei ze. 'Dat is net als die vrouwen die brieven aan seriemoordenaars schrijven.' Ze legde de tekening die ze had bestudeerd opzij. 'Zou het jou dwarszitten als hij schuldig was?'

'Ik weet het niet. Het heeft me wel beziggehouden.' Ik gaf haar mijn minicollege over kunstenaars die zich misdroegen en besloot met: 'Caravaggio heeft iemand vermoord.'

'In bed,' zei ze lachend.

Acht weken klinkt misschien niet lang, maar als je een groot deel van die tijd doorbrengt met praten tegen één persoon, of je zit alleen in dezelfde ruimte met die ene persoon – in wezen leerden we Isaac te vergeten – en je doet dikwijls buitengewoon eentonig werk, dan krijg je een verwrongen tijdsbesef zoals dat waarschijnlijk ook in de gevangenis gebeurt. Hoezeer we ook ons best deden om gericht bezig te zijn, we konden het niet alleen over de zaak hebben. Ik weet niet precies wanneer de dooi versneld intrad, maar het gebeurde wel en we durfden zelfs grapjes te maken; we kletsten over onzin en belangrijke dingen, of over dingen waarvan ik was vergeten dat ze belangrijk waren.

'Jezus,' zei ze toen ik vertelde dat ik van Harvard was geschopt. 'Dat had ik nooit kunnen raden.'

'Hoezo.'

'Omdat je er zo…'

'Saai uitziet?'

'Ik wilde "normaal" zeggen,' zei ze, 'maar "saai" is ook goed.'

'Dat is maar buitenkant.'

'Blijkbaar. Ik heb ook een rebelse fase gehad, weet je.'

'Nee toch.'

'O, ja hoor. Ik hield van grunge. Ik droeg flanel en speelde gitaar.'
Ik moest lachen.

'Niet lachen,' zei ze ernstig. 'Ik schreef mijn eigen muziek.'

'Hoe heette je band?'

'O, nee. Ik was strikt een soloartieste.'

'Ik wist niet dat je in je eentje grunge kon spelen.'

'Ik zou mijn eigen persoonlijke muziek niet als grunge beschrijven.
Ik zou zeggen dat grunge als lifestyle me inspireerde. Alles wat ík zong,
klonk als de Indigo Girls. Een vriendin van me…' Ze begon te giechelen. 'Dit is eigenlijk heel treurig.'

'Dat zie ik.'

'Echt, maar ik…' Ze giechelde weer. '… Het spijt me. Ahum. Die
vriendin van me moest in haar eerste jaar een abortus ondergaan…'

'O, maar dat is hilarisch.'

'Stop. Het was écht triest. Dat was niet wat er zo grappig aan was. Ik
heb er een liedje over geschreven en dat heette…' Ze sloeg dubbel. 'Ik
kan het niet.'

'Te laat,' zei ik.

'Nee. Sorry, het gaat niet.'

'"The Procedure"?'

'Nog erger.'

'"The Decision"?'

'Ik zeg het toch niet. Maar ik kan je wel zeggen dat er een versregel was
waarin het vrouwenlichaam met een veld vol bloemen werd vergeleken.'

'Dat vind ik heel poëtisch.'

'Dat vond ik ook.'

'Hoewel,' zei ik, 'Dalí een keer heeft gezegd dat de eerste man die de wangen van een vrouw met een roos heeft vergeleken natuurlijk een dichter was, maar dat de eerste die dat herhaalde best eens gek kan zijn geweest.'

'In bed.'

'In bed. Nou ja,' zei ik, 'ik vind dat je ouders er makkelijk van af zijn gekomen.'

'Tegen de tijd dat ik oud genoeg was om in opstand te komen hadden zij het te druk met binnenvetten om het in de gaten te hebben. Dat heeft me echt razend gemaakt.'

'Heb je er nog een liedje over geschreven?'

'Over hun scheiding? Nee. Maar ik wilde er wel een gedicht over schrijven.'

'De echtscheiding?'

'Ik zou het *Een stel hufters* hebben genoemd.'

Ik glimlachte.

'Ik heb ook gefotografeerd,' zei ze. 'God, wat is er met me gebeurd? Ik was ooit zo creatief.'

'Het is nooit te laat.'

Ze werd heel stil.

'Wat is er?'

'Wat je daarnet zei. Ian zei dat ook altijd.'

Ik zweeg.

'Wanneer ik over mijn werk zeurde, zei hij dat ook.' Ze was even stil. 'Het is geen vreselijk originele tekst, maar ik herinner me dat hij het dikwijls zei. Misschien omdat ik vaak over mijn werk klaagde.'

Ik zei: 'Het spijt me.'

'Geeft niet. Tegenwoordig kan ik over hem nadenken zonder hysterisch te worden. Dat is al een hele vooruitgang.'

Ik knikte.

'Als ik tegenwoordig aan hem denk, is het warm in plaats van heet. Snap je? Alsof hij een heel goede vriend was. Dat was hij ook. Je zit hier vast niet op te wachten.'

243

'Wel als jij erover wilt praten.'

Ze schudde glimlachend haar hoofd. 'We moeten werken…'

'Hoe was hij?'

Ze aarzelde even en toen zei ze: 'Hij en papa waren dikke vrienden. Volgens mij was het voor mijn vader een grotere klap dan voor mij. Ik verwachtte min of meer dat hem op den duur iets zou overkomen. Dat zat 'm in de aard van zijn werk. Maar dat had ik niet verwacht. Wie kon zoiets voorzien?'

Ik zei niets.

'Hoe dan ook, dat is dat,' zei ze terwijl ze haar ogen droogde. 'Nu krabbel ik weer overeind.' Ze lachte naar me. 'Jij was gewoon een halte op weg naar herstel.'

'Graag gedaan.'

Ze glimlachte en begon weer vellen om te slaan. Ik sloeg haar een tijdje gade. Uiteindelijk zag ze me staren en keek op. 'Wat is er?'

'Ik weet niet waarom je ontevreden bent over je werk,' zei ik. 'In mijn ogen is het veel interessanter dan wat ik doe.'

'Dat geloof ik niet.'

'Echt.'

'Als jij het zegt.'

'Wat zou je anders willen doen?'

'Ik weet het niet,' zei ze. 'Ik heb nooit een afdoend antwoord op dat deel van het vraagstuk gevonden. Dit wilde ik doen en nu zit ik hier. Ik had het idee dat dit me van mijn vader zou onderscheiden. Zijn vader was politieman. Mijn oom is politieman. Mijn moeders vader zat bij de inlichtingendienst. Natuurlijk wilde ik niet bij de politie, dus dacht ik: o, nou ja, maar officier van justitie is nog eens iets anders.' Ze lachte. 'Dat was mijn laatste poging tot rebellie. Ik heb mijn lot aanvaard.'

Ik zei: 'Volgens mij heb ik ook zoiets gevoeld ten aanzien van mijn vader.'

Ze draaide met haar ogen.

'Ik meen het echt,' zei ik. 'Toen ik opgroeide, beschouwde ik hem voornamelijk als een zielloze geldjager, wat hij ook is. Helaas heb ik een metier gekozen dat misschien nog ziellozer en meer op winst gericht is.'

'Je kunt altijd nog officier van justitie worden.'

'Ik denk het niet.'

'Waarom niet?'

'Ik ben een beetje te oud om opnieuw te beginnen.'

'Ik dacht dat het nooit te laat was.'

'Voor mij wel,' zei ik.

'Mag ik je iets vragen?' vroeg ze. 'Waarom heb je zo'n hekel aan hem?'

'Mijn vader?'

Ze knikte.

Ik haalde mijn schouders op. 'Ik kan je niet één enkele reden geven.'

'Dan geef je me er een paar.'

Ik dacht even na. 'Na de dood van mijn moeder had ik het gevoel dat ik een huisdier van haar was waarmee hij opgescheept zat. Hij praatte amper met me, en als hij iets zei, was het een opdracht of een standje omdat ik iets verkeerds deed. Zij was de enige vrouw van wie hij niet was gescheiden en of ze het nu met elkaar hadden uitgehouden of niet – ik heb zo mijn twijfels – toen ze ziek werd, konden ze het nog steeds goed met elkaar vinden. Daarom is hij ooit meer hertrouwd: hij idealiseert haar. Ik heb met hem te doen. Echt. Maar ik ga niet naar Oprah of zo om het weer goed te maken met hem.'

'Kunnen je broers en zussen het wel met hem vinden?'

'Nou, mijn broers werken voor hem, dus of ze hem nu mogen of niet, ze kruipen in z'n kont. Amelia woont in Londen. Ik geloof niet dat ze veel met elkaar hebben, maar er is geen sprake van openlijke vijandigheid.'

'Dat is meer jouw specialiteit.'

'Juist.'

'Je weet toch dat woede je leven bekort?'

'Geniet dan maar van me zolang het nog kan.'

Ze glimlachte wrang. 'Geen commentaar.'

Na vier weken logeren bij Marilyn werd de situatie onhoudbaar. Dat ze me in huis had genomen was ongelooflijk aardig van haar, omdat de verhouding tussen ons al voor de overval onder druk stond. Al vraag ik me, als ik terugkijk, af of ze me niet in de eerste plaats had uitgenodigd om een oogje in het zeil te houden. Als er aanwijzingen waren, heb ik ze niet gezien. Toen ik een keer na een avond met Samantha laat thuiskwam, wees niets van wat Marilyn zei of deed erop dat ze in stilte een offensief voorbereidde. En in feite stoelde dat offensief op niets; ook al had ze me in de kunstopslag op de een of andere manier kunnen afluisteren, dan zou ze niets concreets hebben gehoord om tegen me te gebruiken. Iedereen flirt toch wel eens? Als ik onder het werk met Samantha heb geflirt, deed ik dat in de veronderstelling dat het niets op zou leveren. Dat had ze wel duidelijk gemaakt. Dus wat dacht Marilyn eigenlijk, die avonden wanneer ze me in kimono verwelkomde, me meetrok naar haar 'boudoir' (haar woord) en zich op me stortte? Dacht ze soms dat ze me erop zou betrappen dat ik mijn ogen dichthield, en dat ze dan de waarheid zou weten? Ze heeft misschien een scherp gevoel voor verraad, maar kan geen gedachten lezen.

Misschien is het onaardig van me, maar ik ontkom niet aan de gedachte dat ze die hele cyclus van schuld en verwachting had geregisseerd om me te betrappen, om ervoor te zorgen dat ik onze relatie zou verwoesten, zodat zij een stap terug kon doen van de puinhoop om mij te beschuldigen. Hoe langer ik bij haar logeerde, des te meer ik me bij haar in het krijt voelde staan; en hoe meer ik me aan haar verplicht voelde, hoe nijdiger ik werd; hoe nijdiger ik werd, des te moeilijker was het om te doen alsof ik opgewonden was wanneer we de liefde bedreven, en hoe duidelijker mijn onverschilligheid werd, des te nukkiger en sarcastischer zij zich gedroeg, wat op zijn beurt brandstof was voor mijn schuldgevoel, woede, onverschilligheid, enzovoort.

Het is verbazend hoe snel een relatie kan instorten. Heel lang had ik me niemand kunnen voorstellen die beter bij me paste dan Marilyn. Maar nu had ik vergelijkingsmateriaal. Als ik met Samantha praatte, had ik een beter gevoel over mezelf en over de wereld. Ze was geen Pollyanna. Misschien was zij beter dan wie ook op de hoogte van de vreselijke dingen die mensen elkaar aandoen. Maar zij geloofde dat je kon voorkomen dat de evolutie zich omdraaide als je de strijd niet opgaf; zij geloofde dat goed en kwaad niet verjaarden en dat vijf dode jongens het waard waren om haar lunchpauzes en avonden voor op te offeren en door te brengen met een man bij wie ze zich slecht op haar gemak voelde. Ze was haar vaders dochter en je weet al wat ik voor hem voelde.

Bij Marilyn voelde ik weerzin door het effect dat we op elkaar hadden, de wijze waarop we ons te goed deden aan minachting. Ironie heeft haar plaats, maar kan niet overal zijn. En het zat me geweldig dwars dat ik me niet één niet-ironisch gesprek met Marilyn kon herinneren. Alles wat zich tussen ons had afgespeeld – zeven jaar etentjes, seks, uitjes, gesprekken en roddels – begon kunstmatig te voelen. Tegenover Marilyn hoedde ik me er altijd voor om dom voor de dag te komen. Hoe goed kon ze me eigenlijk kennen? Hoe goed kende ik mezelf in feite? Ikzelf wilde me ook nooit dom voelen. En dat is gewoon niet realistisch, tenzij je alles in humor verpakt.

Het Thanksgiving-maal was een verschrikking. Wij tweeën bestookten elkaar over de tafel, terwijl haar andere gasten – allemaal mensen uit de kunstwereld – maar bleven proberen het gesprek in goede banen te leiden. Marilyn werd stomdronken en begon akelige verhalen over haar ex te vertellen, en dan bedoel ik echt meedogenloze. Ze bespotte zijn onvermogen een erectie te behouden; ze imiteerde zijn bedpraatjes; ze ging tekeer over zijn drie dochters en hoe oliedom die wel waren, dat geen van hen meer dan achthonderd punten had gescoord voor de toelatingstoets voor de universiteit, en hoe hij ze met steekpenningen had moeten inkopen bij Spence en met steekpenningen door hun tentamens had moeten loodsen; de bijzonderheden stapelden zich op terwijl ze mij al die tijd aankeek, zodat je zou denken dat ik de malloot in kwestie was als je halverwege haar tirade de kamer in was gekomen. Uiteindelijk kon ik het niet langer verdragen. 'Genoeg,' zei ik.

Haar hoofd draaide losjes mijn kant op. 'Verveel ik je?'

Ik zei niets.

'Nou?'

Ik kon het niet helpen. Ik zei: 'Niet alleen mij.'

En ze glimlachte: 'Goed, kom jíj dan maar met een onderwerp.'

Ik verontschuldigde me en verliet de tafel.

Ik wist dat ze een kater zou hebben, dus de volgende morgen stond ik vroeg op en zei ik tegen Isaac dat ik zijn diensten niet langer nodig had. Ik pakte mijn spullen en ging naar beneden om een taxi aan te houden die me naar TriBeCa zou terugbrengen. De kleren van Barney's hield ik.

Zoals gezegd, ging het ook niet zo best op mijn werk. Dat moet ik niet zeggen; ik heb eigenlijk geen idee hoe het er die maanden in de galerie aan toeging, omdat ik er zelden was. Ik was weliswaar veel langer afwezig geweest toen ik voor het eerst bezig was met de tekeningen van Cracke, maar toen werkte ik tenminste voor de galerie. Wat kon ik nu aanvoeren? 's Morgens, als ik me al had aangekleed, kon ik mezelf er niet toe brengen mijn appartement te verlaten. In die tijd maakte ik mezelf wijs dat de oorzaak van mijn lamlendigheid fysiek was. Ik was moe. Ik had rust nodig. Ik was net uit het ziekenhuis ontslagen. Maar toen het december was geworden, voelde ik me eigenlijk prima en wilde ik nog steeds niet terug aan het werk. Nadat ik Alysons opening had gemist, kostte het me grote moeite om enthousiasme voor haar expositie op te brengen, en er waren momenten dat ik me niet eens kon herinneren wat er hing, laat staan dat ik de energie had om het te verkopen.

Daar keek ik van op, want ik had me nog maar zo kort geleden beter over mijn werk gevoeld dan ooit. Victor Crackes werk had mijn liefde voor de kunst nieuw leven ingeblazen en ervoor gezorgd dat het kopen en verkopen meer voor me leek te betekenen dan alleen het geld dat het opleverde. Maar misschien was dat wel de kern van het probleem. Zonder het soort elektriciteit dat Cracke bracht, was ik weer overgeleverd aan het verpatsen van werk waarin ik niet helemaal geloofde, met een heleboel uitgekookte en bedekte termen die me nu hol in de oren klonken. En omdat ik er niet op kon rekenen dat Victor Cracke dikwijls langs zou komen, doemde er, als ik naar de toekomst keek, één grote leegte op.

Dus voilà, een keurige dichotomie: Marilyn, mijn galerie en mijn gewone werk aan de ene kant; en aan de andere Samantha, Victor en vijf dode jongens. Ik heb het allemaal netjes in een verhaal verpakt en het je op een bedje symboliek opgediend. Maar je zult nooit helemaal begrijpen hoe drastisch die winter mij veranderde, want tot op de dag van vandaag begrijp ik het zelf ook niet.

Mettertijd ben ik gaan inzien dat die veranderingen langer op de loer hadden gelegen dan ik besefte. Als mensen die we kennen iets volslagen atypisch doen, dwingen we onszelf onze indrukken te herzien; we kijken terug en onbelangrijke dingen worden verhelderend. Het valt niet mee om jezelf kritisch en objectief te bekijken, maar als narcist heb ik veel tijd besteed aan het onderzoeken van mijn eigen leven, en nu weet ik dat ik al veel langer ontevreden was dan ik besefte. Toen ik dit werk ging doen, dacht ik dat ik mijn plek had gevonden. Voordien was ik maar een halve persoonlijkheid, ongevormd en ongeïnformeerd door iets anders dan mijn verlangen me van mijn vader los te maken. Hij leefde niet en kunst wel. Ik maakte mezelf wijs dat kunst iets totaal anders was dan onroerend goed. Ik schaam me er een beetje voor dat ik dat moet bekennen. Misschien lach je me wel uit; ik weet dat Marilyn in haar vuistje zou lachen. Maar het feit dat ik je vertel wat ik dacht en me geen zorgen maak of je erom moet lachen, is volgens mij een vrij goede graadmeter van hoe ver ik ben opgeschoten.

Pas in de derde week van december begonnen de DNA-resultaten binnen te druppelen en hadden we een bespreking met Annie Lundley om de forensische rapporten door te nemen. Het was een frustrerende middag, want er was geen enkel resultaat waarmee we een harde conclusie konden trekken. Alle haren uit het appartement kwamen bijvoorbeeld overeen met monsters van de groep die geëlimineerd moest worden, mezelf incluis.

Samantha keek me aan. 'Je weet wat dat betekent.'

'Nou?'

'Dat je haar uitvalt.'

De oude spijkerbroek leverde twee DNA-profielen op, een van de bloedvlek en het andere van het sperma. Dat laatste was vermoedelijk van de dader. Hoewel het forensisch laboratorium Samantha nog niets had laten horen na haar verzoek om het profiel in te voeren in CODIS, de DNA-databank van de FBI (zie je wel wat een vlotte leerling ik ben?), had Annie dode huidcellen kunnen vissen uit de trui die in Victors appartement was gevonden. Dat profiel kwam niet overeen met het DNA van de spijkerbroek. We waren er wel van uitgegaan dat het een trui van Victor was, maar daar hadden we geen bewijs voor. Bovendien konden we niet de mogelijkheid uitsluiten dat de drager van de trui (als het inderdaad om Victor ging) wel op de plaats delict was geweest maar geen DNA had achtergelaten.

Het meest veelbelovende spoor was een gedeeltelijke vingerafdruk op de binnenkant van een weeralmanak. Op mijn verzoek was Annie buitengewoon voorzichtig geweest met de kunst en ze had de dagboeken heel langzaam, bladzijde voor bladzijde op bruikbare sporen onderzocht. Ook die vingerafdruk was naar de FBI gestuurd, maar de uitslag moest nog komen. Terwijl Samantha en Annie met elkaar praatten, werd het me opnieuw duidelijk hoeveel van wat zij deden administratief was, hoeveel tijd er verloren ging met het inspreken van boodschappen en het versturen van follow-upmails. In die zin had ons werk veel gemeen.

Na Annies vertrek richtten Samantha en ik onze aandacht op de controlegroep van andere zaken. Die had ze tot drie teruggebracht en een daarvan had een slachtoffer dat het had overleefd. De twee andere moorden waren oude zaken en het bewijsmateriaal lag nog opgeslagen. Die dozen zouden we na de vakantie tevoorschijn halen. De overlevende was een jongen – een man inmiddels, aangenomen dat hij nog leefde – die James Jarvis heette. Op zijn elfde was hij aangerand, geslagen, gewurgd en voor dood achtergelaten in een park op een kilometer of zes van Muller Courts. Dat gebeurde in 1973, zes jaar na de vermoedelijk laatste moord. Het was Samantha nog niet gelukt Jarvis op te sporen, maar ze was vastbesloten het te blijven proberen. Toen ze me dat vertelde, kreeg ze dat bekende knobbeltje op haar kaak.

Het was 21 december. We zaten in een eethokje van het Chinese restaurant, moe van het praten over moord, en keken ontspannen naar het verkeer. Buiten was het donker en de blubber op de stoep werd rood en groen gekleurd door de kerstverlichting achter het raam. Ik heb Queens nooit mooi gevonden, maar op dat moment leek het realistischer dan alle plekken waar ik ooit was geweest.

'Je zult een grote beproeving ondergaan,' las ze voor.

'In bed.'

'In bed.' Ze kauwde smakkend. 'Jouw beurt.'

'Je hebt talrijke vrienden.'

'In bed.'

'In bed.' Ik stak mijn hand op. 'Alsjeblieft. Doe geen moeite.'

Grijnzend pakte ze haar portefeuille.

'Ik trakteer,' zei ik.

Ze keek me aan. 'Is dat een list?'

'Zie het maar als een geschenk aan de werkende klasse.'

Ze stak haar middelvinger op, maar ik mocht toch betalen.

Buiten hadden we het nog even huiverend over de komende feestdagen. Samantha ging met haar moeder en zus en hun respectieve echtgenoten naar Wilmington. 'Op 2 januari ben ik weer terug,' zei ze. 'Probeer me niet te missen.'

'Doe ik.'

'Mij missen of proberen dat niet te doen.'

Ik haalde mijn schouders op. 'Dat mag jij zeggen.'

Ze glimlachte. 'Nog grootse plannen?'

'Marilyn geeft donderdag een feest. Doet ze elk jaar.'

'Dat is de drieëntwintigste,' zei ze. 'Ik bedoel eigenlijk de kerstdagen zelf.'

'Hoezo?'

'Ben je ergens?'

'Ja,' zei ik. 'Thuis.'

'O,' zei ze.

'Hou je meewarigheid nog maar even voor je, als je wilt.'

'Waarom bel je je vader niet?' vroeg ze.

'Om wat te doen precies?'

'Je kunt beginnen met "hallo" te zeggen.'

'Anders niet? "Hallo"?'

'Nou, als dat goed gaat, kun je vragen hoe het met hem gaat.'

'Dat scenario zie ik zich niet ontrollen op een wijze die alle partijen gelukkig zal maken.'

Ze haalde haar schouders op.

'We hebben nooit Kerstmis gevierd,' zei ik. 'We hebben zelfs nooit een boom gehad. Mijn moeder gaf me vroeger wel cadeautjes, maar verder ging het niet.'

Ze knikte, hoewel ik iets vaag beschuldigends voelde. Ik zei: 'Als ik hem zoù bellen en "hallo" zou zeggen, zou hij meer verwachten. Dan zou hij vragen waarom ik niet eerder heb gebeld. Neem dat maar van mij aan; jij kent hem niet.'

'Je hebt gelijk, ik ken hem niet.'

'Dus nee, dank je,' zei ik.

'Het is jouw zaak.'

'Waarom doe je dit?'

'Wat?'

'Mij me schuldig laten voelen over iets wat ik niet heb gedaan.'

'Ik ben het met je eens.'

'Je bent het oneens door het met me eens te zijn.'

'Je moest jezelf eens horen,' zei ze.

Ik liep met haar mee naar de metro.

'Geniet maar van de hapjes,' zei ze. 'Tot volgend jaar.'

Daarna boog ze zich naar me toe en gaf me een kus op de wang. Ik stond er nog tot lang nadat ze was vertrokken.

Marilyns winterfuif een 'kerstparty' noemen grenst aan godslastering, als die term tenminste verwijst naar dronken collega's die om de schaal met punch staan en elkaar betasten op de muziek van Bing Crosby. Het evenement dat de week voor Kerstmis in de Wooten Gallery plaatsvindt, heeft meer van een opening *par excellence*. Iedereen wil van de partij zijn, al moeten ze er miserabel weer voor trotseren. Wat het feestthema ook is – *Underwater Cowboys* of *Warhol's Shopping List* of *Yuppies Strike Back* – Marilyn laat altijd dezelfde band aanrukken, een dertienkoppig ensemble dat geheel bestaat uit travestieten wier repertoire nooit afwijkt van loepzuivere covers van Billie Holiday en Ella Fitzgerald. Ze heten Big and Swingin'.

Omdat ik het zo druk had gehad met de zaak, was ik vergeten voor een kostuum te zorgen. Ik kon met geen mogelijkheid de uitnodiging vinden, wat betekende dat ik het thema ook niet wist. (Ik kon het ook niet goed aan iemand vragen zonder het schandalig duidelijk te maken dat Marilyn en ik in onmin leefden, wat op dat moment naar mijn idee nog een zaak tussen ons tweeën was.)

Maar toen ik in een pak bij de galerie aankwam, vond ik dat ik onwaarschijnlijk goed in de meute paste, toen ik door een zee van feestgangers waadde die zich allemaal hadden gekleed als de pas herkozen leden van het kabinet-Bush. Zonder masker trok ik een heleboel aandacht omdat mensen mijn identiteit probeerden te raden. Je geduld wordt ernstig op de proef gesteld als je iemand moet aanhoren die volhoudt dat je sprekend op Donald Rumsfeld lijkt.

'Ik ben ervan overtuigd dat hij dat op de meest positieve manier bedoelde,' zei Ruby.

'En wat voor manier zou dat dan zijn?'

'Hij heeft mooie jukbeenderen,' opperde Nat.

Ik mengde me onder de gasten. Sommigen informeerden of ik me wel goed voelde. Ik voelde aan de laatste pleister op mijn slaap en zei: 'Lichte hersenbeschadiging.' Andere mensen probeerden me te betrekken in gesprekken over exposities en kunstenaars die me onbekend waren. Het tempo van de hedendaagse markt is zo hoog dat je maar een maand weg hoeft te zijn om te merken dat je totaal niet meer bij de incrowd hoort. Ik wist niet waar de mensen het over hadden en het kon me ook niets schelen. Na een paar minuten groepsgekeuvel dwaalde ik weer weg omdat mijn aandacht werd getrokken door een rijtje dat bestond uit Dick Cheney, Dick Cheney, Condoleezza Rice en Dick Cheney. Als ik wel probeerde mee te praten, ging ik me mijns ondanks ergeren. Ongeacht wie of wat er werd besproken, het echte onderwerp van gesprek was altijd geld.

'Ik hoor dat die moordenaar van je een sterke fanclub heeft.'

'Hoeveel van dat werk heb je in je kluis, Ethan?'

'Meer dan hij loslaat.'

'Heb je er nog meer verkocht?'

'Heb je er nog meer aan Hollister verkocht?'

'Ik hoor dat hij de zijne weer heeft weggedaan.'

'Is dat waar? Ethan?'

'Je bent toch bij hem thuis geweest? Ik ken iemand die er ook is geweest, die zei dat het huis niet zo'n klein beetje smakeloos is. Hij had Jaime Acosta-Blanca in de arm genomen om al die goedkope kopieën te schilderen, maar hem zeventig procent vooruitbetaald en Jaime is 'm met het geld naar Moskou gesmeerd, waar hij neo-oligarchen uitkleedt.'

'Aan wie heeft hij het verkocht, Ethan?'

'Niemand die het weet.'

'Ethan, aan wie heeft Hollister het verkocht?'

'Volgens Rita was het Richard Branson.'

'Wil dat zeggen dat je de ruimte in wordt geschoten, Ethan?'

Twee uur later was Marilyn nog altijd nergens te bekennen. Ik baande me een weg door witte zalen vol rode doeken, witte zalen overdekt met roze doeken en witte zalen die nog op doeken wachtten. Naarmate de Wooten Gallery groeide, heeft ze haar buren links, rechts, boven en onder verslonden. De galerie beslaat bijna een vijfde van West Twenty-fifth Street 567, om maar niet te spreken van het filiaal in Twenty-eighth of de reproductiegalerie in de Upper East Side. Terwijl ik me met geweld een weg baande door een groep John Ashcrofts, besefte ik dat ik nooit zo groot zou worden als Marilyn, al had ik die ambitie. De visie ontbrak me.

Ik sprak een van haar talrijke assistenten aan, die na een hele reeks mensen met walkietalkies te hebben geraadpleegd, terugkwam met het vonnis dat Marilyn zich op de vierde verdieping had teruggetrokken.

In de lift bereidde ik mijn excuses voor. Mijn hart zat er niet in, maar het was tenslotte Kerstmis.

Marilyn heeft twee kantoren, net zoals ze twee keukens heeft: een voor de buitenwereld en een voor haarzelf. Beneden is het grote kantoor met het hoge plafond, het onberispelijke bureau en de Rothko, en dat gebruikt ze voor haar transacties en om met haar grandeur indruk op nieuwkomers te maken. In het echte kantoor met de geeltjes en de koffiekringen en de tafel in de hoek die vol ligt met dia's, mag maar een handjevol mensen komen. Ik hoorde pas van zijn bestaan toen we al een jaar met elkaar gingen.

Ik trof haar ineengezegen in haar schommelstoel, een curieus vloekend meubelstuk en het enige dat ze had gehouden toen ze het huis in Ironton verkocht. Haar vingertoppen bungelden bij een glas whisky dat een natte plek op het vloerkleed had gemaakt. De kamer vibreerde van het kabaal van de band vier etages lager.

'Waar blijf je?' vroeg ik. 'Iedereen vraagt zich af wat er met je is.'

'Dat is grappig. De laatste tijd vragen de mensen hetzelfde over jou.'

Ik wachtte. 'Kom je nog?'

'Ik heb er niet echt zin in.'

'Is er iets?'

'Nee.'

Ik wilde mijn excuses maken, maar was er nog niet klaar voor. In plaats daarvan hurkte ik bij haar neer en legde mijn hand op haar arm, die zo hard voelde als een koevoet. Niet voor het eerst bedacht ik dat Marilyns schoonheid een scherpe, bijna mannelijke hoedanigheid had; ze is een en al uitgesproken trekken en scherpe hoeken. Ze glimlachte en haar adem voelde bijna verzengend.

'Ik heb de pest aan dit soort feesten,' zei ze.

'Waarom geef je ze dan?'

'Omdat ik wel moet.' Ze deed haar ogen dicht en liet zich naar achteren zakken. 'En omdat ik ze leuk vind. Maar ik haat ze gewoon ook.'

'Ben je ziek?'

'Nee.'

'Wil je een glaasje water?'

Ze zweeg.

Ik liep naar een minikoelkast om een fles Evian te halen, die ik op de grond bij haar whisky zette. Ze verroerde zich niet.

'Je vermaakt je niet zo, hè?' zei ze. 'Anders zou je niet hier zijn.'

Ik leunde tegen de rand van het bureau. 'Ik zou het leuker vinden als je naar beneden kwam.'

'Je zult wel een heleboel mensen spreken.'

'Ja.'

'Ze vragen naar je,' zei ze.

'Dat zei je al.'

'Alsof je naar het front was gestuurd of zo.'

'Nee hoor.'

'Hm.' Ze slaakte een zucht; haar ogen waren nog steeds dicht. 'Ik zeg dat ik geen idee heb.'

Ik zweeg.

'Wat moet ik anders?' zei ze.

'Je kunt ze vertellen wat je wilt.'

'Ze vragen het alsof ik het hoor te weten. Ze gaan ervan uit dat ik een rechtstreeks lijntje met je heb.'

'Dat heb je toch ook.'

'Echt?'

'Natuurlijk heb je dat.'

Ze knikte. 'Dat is mooi.'

'Natuurlijk heb je dat,' herhaalde ik, al wist ik niet waarom.

'Heb je het naar je zin gehad toen je bij mij logeerde?'

'Je was fantastisch,' zei ik. 'Je weet best dat ik je niet genoeg kan bedanken.'

'Ik kan me niet herinneren dat je het hebt geprobeerd.'

'Het spijt me als ik het nog niet heb gezegd, en dan zeg ik het nu: dank je wel.'

'Ik zou geen bedankje nodig moeten hebben, maar het is wel zo.'

'Natuurlijk heb je dat nodig.'

'Nee,' zei ze. 'Ik zou niets van je nodig moeten hebben. Zo hoort het niet te zijn.'

Ik zei: 'Het is gewoon een kwestie van manieren, Marilyn. Je hebt honderd procent gelijk.'

Ze zweeg.

Ze zei: 'O, ja?'

'O ja wat?'

'Manieren.'

Ik zei: 'Ik begrijp je niet.'

'Horen we ons zo tegenover elkaar te gedragen? Welvoeglijk?'

'Ik dacht het wel.'

'Aha,' zei ze. 'Dat is nieuws.'

'Waarom zouden we niet beleefd zijn tegen elkaar?'

Ze keek me aan. 'Omdat ik van je hou, verrekte halvegare.'

Dat had ze nog nooit tegen me gezegd.

Ze zei: 'Ik voel me vernederd als mensen vragen hoe het met je is en ik weet het niet. Maar ze vragen het wel en ik hoor het te weten. Ik moet toch íéts zeggen?'

Ik knikte.

Stilte.

Ze zei: 'Je raadt nooit wie me heeft gebeld.'

'Nou?'

'Raad eens.'

'Marilyn…'

'Speel nou mee.' Ze kreeg weer dat lijzige in haar stem. 'Het is tenslotte vakantie.'

'Kevin Hollister,' zei ik.

'Nee.'

'Wie.'

'Ráden.'

'George Bush.'

Ze grinnikte. 'Mis.'

'Dan geef ik het op.'

'Jocko Steinberger.'

'O ja?'

Ze knikte.

'Waarvoor?'

'Hij wil dat ik hem vertegenwoordig. Hij vindt dat hij van jou onvoldoende persoonlijke aandacht krijgt.'

Ik was verbijsterd. Ik kende Jocko al sinds hij met een klap op het toneel verscheen als onderdeel van een groepsexpositie van wijlen Leonora Winter. Hij was altijd een standvastig lid van de galerieagenda geweest, eerst als haar kunstenaar en vervolgens als de mijne. Ik vond hem wel humeurig, maar nooit verraderlijk, en dat hij naar Marilyn was overgestapt zonder eerst mij te raadplegen, kwetste me behoorlijk. Het was mijn eigen schuld dat ik Kristjana kwijt was, en het was geen groot verlies, maar nu was ik in zes maanden twee kunstenaars kwijt, een alarmerend verloop.

Marilyn zei: 'Hij heeft nieuw werk en wil dat ik dat exposeer.'

'Ik hoop dat je nee hebt gezegd.'

'Ja.'

'Mooi.'

'Ik heb nee gezegd,' zei ze, 'maar nu denk ik erover om toch maar ja te zeggen.'

Stilte.

'En mag ik weten waarom?'

'Omdat ik vind dat je hem niet goed vertegenwoordigt.'

'Vind je dat?'

'Ja.'

'Vind je niet dat je me de kans moet geven dat met hem te bespreken voordat je die beslissing voor me neemt?'

'Ik neem die beslissing niet,' zei ze. 'Dat heeft hij gedaan. Hij heeft míj benaderd, weet je nog?'

'Zeg maar dat hij het eerst met mij moet bespreken,' zei ik. 'Dat hoor je te doen.'

'Nou dat doe ik niet.'

'Wat mankeert je, Marilyn?'

'Wat mankeert jóú?'

'Mij mankeert n…'

'Gelul.'

Stilte. Mijn hoofd bonkte.

'Marilyn…'

'Ik heb je al in geen weken gezien.'

Ik zei niets.

'Waar heb je gezeten?'

'Ik had het druk.'

'Waarmee.'

'De zaak.'

'De záák?'

'Ja.'

'Hoe staat het daarmee?'

'We gaan vooruit.'

'O ja? Mooi. Dat is prachtnieuws. Hoera. Ga je nog schieten?'

'Wat?'

'Je weet wel,' zei ze. 'Pief paf poef.'

'Ik weet niet waar je het over hebt.'

'Echt wel.'

'Echt niet,' zei ik. 'En als je het niet erg vindt, ben ik nog niet uitge-praat over Jocko. Hoe haal je het in je hoofd dat je…'

'O, alsjeblieft, zeg,' zei ze.

'Geef nou eens antwoord, hoe haal je het in je…'

'Hou op,' zei ze.

Stilte. Ik maakte aanstalten om te vertrekken. 'Drink een glaasje wa-ter,' zei ik. 'Als je het niet doet, krijg je hoofdpijn.'

'Ik weet dat je haar neukt.'

'Pardon?'

'"Pardon",' zei ze spottend. 'Je hebt me best gehoord.'

'Ik heb het wel gehoord, maar ik weet niet waar je het over hebt.'

'Bla bla bla blá, bla bla bla blá, bla bla blá.'

'Welterusten, Marilyn.'

'Ja, loop maar weg.'

'Ik ga hier niet staan luisteren hoe jij jezelf voor joker zet.'

'Als je wegloopt, moet jij eens opletten wat ik ga doen.'

'Bedaar, alsjeblieft.'

'Geef toe dat je haar geneukt hebt.'

'Wie?'

'Hou óp!' krijste ze.

Stilte.

'Geef het toe!'

'Ik heb haar geneukt.'

'Uitstekend,' zei ze. 'Nu komen we ergens.'

Ik zei niets.

'Je kunt niet tegen me liegen. Ik weet het. Ik heb zo mijn spionnetjes.'

'Waar héb je het over?' Toen zei ik: 'Isaac?'

'Dus doe maar geen moeite.'

'Jezus christus, Marilyn.'

'Doe niet zo godvergeten verwend,' zei ze. 'Dat is jouw probleem, je bent verwend.'

'Ja, nou ja, ik vind het niet leuk om je dit te moeten vertellen, maar je haalt je geld er niet uit met die Isaac. Ik heb één keer met haar geslapen, en dat was lang voor deze hele toestand.'

'Ik geloof je niet.'

'Je kunt geloven wat je wilt, maar het is wel de waarheid.'

'Je hebt niet met mij geneukt,' zei ze, 'dus je moet íémand geneukt hebben.'

'God, ik lag in het ziekenhuis.'

'Nou en?'

'Dus kon ik niet… Hier hou ik mee op.'

'Zeg dat je haar geneukt hebt.'

'Ik heb je al… Moet je dat blíjven zeggen?'

'Wat?'

'Neuken.'

Ze barstte in lachen uit. 'Hoe zou jij het dan noemen?'

'Ik noem het jouw zaak niet.

In een flits was ze met haar whiskyglas in de hand opgestaan. Ik dook weg en het vloog kapot tegen de muur; het regende scherven en spetters water en whisky op haar kopieerapparaat.

'Zeg dat nog eens,' zei ze. 'Zeg nog eens dat het mijn zaak niet is.'

Langzaam en met geheven handen rechtte ik de rug. Op het kleed zat een natte plek waar het glas had gestaan.

'Wanneer heb je haar geneukt?'

'Waar dient dit toe?'

'Wanneer?'

Stilte.

'Een maand of twee geleden.'

'Wannéér.'

'Dat heb ik je net...'

'Specifiéker.'

'Wil je de datum en het tijdstip?'

'Was het overdag? Was het 's nachts? Was het in bed, op de divan, of op het aanrecht in de keuken? Vertel het me toch, Ethan. Nieuwsgierige aagjes willen graag alles weten.'

'Ik weet de exacte datum niet meer.' Ik dacht even na. 'Het was de avond van de begrafenis.'

'O,' zei ze. 'O, nou, dat is klasse.'

Ik onderdrukte de neiging om tegen haar uit te vallen. In plaats daarvan zei ik: 'Zo boos kun jij toch niet zijn. Je gaat me toch niet vertellen dat jij de afgelopen zes jaar niet met iemand anders hebt geslapen.'

'Jij wel dan?'

'Natuurlijk wel. Dat weet je.'

Ze zei: 'Ik niet.'

Ik stond met mijn mond vol tanden. Onder normale omstandigheden betwijfel ik of ik haar had geloofd, maar op dat moment wist ik dat ze de waarheid sprak.

Ze zei: 'Ik wil dat je weggaat.'

'Marilyn…'

'Nu.'

Ik ging de kamer uit en de lift in. Mijn hoofd tolde van alles wat ik had kúnnen zeggen. Het was duidelijk dat er sprake was geweest van miscommunicatie, van een wezenlijk misverstand over de voorwaarden van onze relatie. Iemand had zich niet uitgesproken. Er waren vergissingen gemaakt. Ik was op de parterre aanbeland. De deuren schoven open en de muziek golfde me tegemoet. Het feest was in volle gang. Ik pakte mijn jas en ging naar buiten. De sneeuw had iets van room, ik kon wel zien dat er een sneeuwstorm in aantocht was.

Intermezzo: 1939

Net als de meeste mensen zijn artsen bang voor hem, en door die angst durven ze nooit te zeggen waar het op staat. Hij wordt er niet goed van. De man die hij aan de telefoon heeft, de geneesheer-directeur, draait er zo omheen dat Louis geen idee heeft waarom hij eigenlijk belt. Meer geld? Is dat het? Hij kan best meer betalen. Hij betaalt al honoraria die Bertha afpersing noemt, wat merkwaardig is omdat de regeling geheel uit haar koker komt en omdat die honoraria van bankrekeningen komen waaraan ze nooit een cent heeft bijgedragen.

Louis zou het niet erg vinden om nog meer te betalen. Hij zou het zelfs met liefde doen, hij zou willen geven en geven tot hij een ons woog. Maar nu komt de clou: hij heeft veel te veel geld om ooit blut te raken. Het uitschrijven van cheques zal nooit een afdoende aflaat voor hem zijn, en jammer genoeg voor hem kent hij geen andere manier.

Terwijl Louis de geneesheer-directeur aanhoort, probeert hij de boodschap over te brengen op Bertha, die tandenknarsend van ongeduld binnen handbereik staat.

'Hij zegt dat... Ogenblikje. Hij zegt dat ze... Hoe noemt u dat?'

Bertha is het beu en grist de hoorn uit zijn hand. 'In gewoon Engels, alstublieft,' zegt ze. In de anderhalve minuut die volgt verandert de uitdrukking op haar gezicht van ergernis via ongeloof in vastberadenheid en uiteindelijk krijgt ze het kille, blanco masker dat ze altijd in tijden van crisis opzet. Ze zegt een paar korte woorden en legt neer.

'Het meisje is zwanger.'

'Dat kan niet.'

'Nou,' zegt ze, terwijl ze op de knop drukt om het dienstmeisje te ontbieden, 'blijkbaar wel.'

'Wat moeten we doen?'

'Ik zie niet in wat voor keus we hebben. Daar kan ze niet blijven.'

'Wat ben je dan van pl…'

'Ik weet het niet,' zegt Bertha. 'Je hebt me nog niet veel tijd gegeven om na te denken.'

Het dienstmeisje verschijnt in de deuropening.

'Laat de auto komen.'

'Ja mevrouw.'

Louis kijkt zijn vrouw aan. 'Nu?'

'Ja.'

'Maar het is zondag,' zegt hij.

'Wat heeft dat er nu mee te maken?'

Hij moet het antwoord schuldig blijven.

Ze zegt: 'Heb jij soms een beter idee?'

Dat heeft hij niet.

'Maak dan maar voort. Je bent niet gekleed op een uitje.'

Wanneer hij zijn toilet maakt, vraagt hij zich af hoe hij hier toch is beland. De gebeurtenissen van zijn leven lijken als los zand aan elkaar te hangen. Eerst was hij daar, vervolgens ergens anders; nu is hij hier. Maar hoe is hij hier gekomen? Hij heeft geen idee.

Hij wil zijn kam pakken. Zijn bediende doet een stap naar voren om hem aan te reiken.

'Zo is het wel goed,' zegt Louis. 'Ik wil graag alleen zijn.'

De bediende knikt en trekt zich terug.

Wanneer hij weg is, trekt Louis zijn overhemd uit en nu staat hij met ontbloot bovenlijf. De afgelopen acht jaar is hij oud geworden. Ooit had hij krullen die zo dik waren dat de kam erin bleef steken. Ook zijn huid was strak geweest, zonder die olifantenkwabben die in zijn middel verschijnen als hij zich bukt. Hij heeft niet die harde kanonskogel van een buik die rijke en machtige heren horen te hebben, maar een zacht hangbuikje, iets wat los van de ribben hangt. Hij heeft brede, vrouwelijke heupen en zijn broeken moeten in het zitvlak worden uitgenomen. Hij vindt zichzelf stuitend. Hij heeft er niet altijd zo uitgezien.

Hij trekt zijn overhemd en schoenen aan en daalt af naar de hal.

Het tehuis is in de buurt van Tarrytow, een paar kilometer van de Hudson. Wanneer ze de stad eenmaal hebben verlaten, krijgen de wegen diepe karrensporen waar de auto met grote moeite doorheen komt. De rit duurt een paar uur; zijn pak voelt benauwd en zijn rug wordt stijf. Tegen de tijd dat ze er zijn, kan hij zich amper bewegen. Het is moeilijk te zeggen wat erger zou zijn: uitstappen of rechtsomkeert maken naar Fifth Avenue.

De directeur staat voor de poort en geeft aan waar ze de auto kwijt kunnen, een gebaar dat Louis ergert, omdat het lijkt alsof dit het eerste bezoek van de Mullers is. Bertha gaat weliswaar nooit, maar hij wel, minstens één keer per jaar.

De tuin is weelderig en kleurrijk, vol wilde bloemen en onkruid waarvan Louis' neus- en voorhoofdsholten protesteren. Hij snuit zijn neus en werpt een blik op zijn vrouw, die onaangedaan naar buiten kijkt, naar een gebouw dat er nog niet stond toen ze hier voor het laatst was. Hij weet dat, want hij heeft een deel van de bouw voor zijn rekening genomen. Anoniem. Bertha zou niet toestaan dat hij een smet op het familieblazoen wierp. Nog zoiets ironisch, want hij had haar tenslotte van een Steinholtz in een Muller veranderd.

Zij is ook veranderd, al vindt hij het lastig om daar precies de vinger op te leggen. Nu ze een vrouw van middelbare leeftijd is, is alles wat haar vroeger tot een mooi meisje maakte min of meer gebleven, zonder dat er veel in cosmetica hoeft te worden geïnvesteerd. Andere vrouwen zijn de helft van hun tijd bezig met de strijd tegen het onrecht dat de tijd en kinderen krijgen hun heeft aangedaan. Niet Bertha.

Wat is het dan? Louis ziet haar uit het raam kijken en het valt hem op dat al die fraaie trekken er nog steeds zijn, alleen uitvergroot. Dat schoonheidsvlekje is een tikje groter; de neus ietsje ronder. Het is net alsof de echte Bertha, die jaren lang stevig verpakt heeft gezeten in de jeugd, zich een weg naar de oppervlakte heeft gebaand en overal voor kleine haarscheurtjes heeft gezorgd die afzonderlijk onzichtbaar zijn, maar bij elkaar voldoende zijn om het geheel grotesk te maken. Het kan zijn dat die veranderingen reëel zijn, of misschien heeft de vertrouwdheid minachting voortgebracht. Hoe het ook zij, het beetje verlangen dat hij voor haar had kunnen opbrengen in de tijd dat hij nog lenig en buitengewoon gemotiveerd was, is allang opgedroogd en meegenomen door de wind. Zijn lusten in het algemeen zijn verwelkt en hebben in hun plaats berouw achtergelaten, een moloch van berouw met talrijke facetten, opgebouwd uit al zijn verkeerde beslissingen. Want hij heeft weliswaar moeite om te begrijpen hoe hij in de tegenwoordige tijd is gekomen, maar als hij heel eerlijk is, wil hij best bekennen dat die weg van eigen makelij is geweest. Hij begrijpt dat wat vroeger onvermijdelijk leek, een keuze was. Toen ze hem al die jaren geleden die kamer binnenbrachten om kennis met haar te maken en ze hem vertelden dat zij zijn bruid zou worden en hij daarmee instemde en vervolgens de hele machinerie in werking trad, was dat zijn keus, nietwaar? Zijn vader zei: trouwen of je gaat naar Londen. Nou waarom niet naar Londen gegaan? Tegelijkertijd hield hij zichzelf voor dat een huwelijk er uiteindelijk toch wel van zou komen, dus kon hij net zo goed zijn lot aanvaarden en blijven. Maar misschien had zijn vader hem een uitweg geboden. Misschien had hij zijn leven lang vrijgezel kunnen blijven, net als oudoom Bernard. Louis vraagt zich af wat er in Londen zou zijn gebeurd. En toen Bertha het meisje wegstuurde… Had hij toen ook geen keus gehad? Hij stapelde het ene argument op het andere, maar uiteindelijk was hij gezwicht. Maar hij had ook zijn poot stijf kunnen houden. Hij had iets kunnen doen. Wat precies, weet hij niet. Maar iets.

In zaken twijfelt hij nooit; het gewone leven gunt hem geen vrede.

De auto rijdt over het grind, neemt gas terug en stopt. Bertha stapt uit maar het berouw kluistert hem aan zijn stoel.

'Uitstappen, Louis.'

Hij stapt uit.

De geneesheer-directeur heet dr. Christmas. Hoewel die doorgaans de opgewektheid zelve is, heeft hij vandaag iets gemelijks.

'Meneer Muller. Mevrouw Muller. Hebt u een aangename reis gehad?'

'Waar is mijn dochter?' zegt Bertha.

Ze lopen door de receptie. Louis laat zijn vrouw het voortouw nemen en dat doet ze. Ze stevent voor iedereen uit alsof ze weet waar ze moet zijn. Háár dochter. Bespottelijk. Het is een affront voor de inspanningen die hij zich de afgelopen twintig jaar heeft getroost. Het meisje is nooit haar dochter geweest, vanaf het ogenblik dat hun wegen scheidden in de kraamkamer. Maar wil hij nu echt beweren dat het meisje van hem is? Zo ja, dan is ze zijn verantwoordelijkheid; dan is alles wat er is voorgevallen zijn schuld.

Dr. Christmas heeft besloten hun wandeling in een excursie te veranderen. Hij wijst op de onderdelen van het tehuis waarop men trots is, zoals de ruimten voor hydrotherapie, met baden ter grootte van een nijlpaard en stapels linnengoed. Ze voerden er meer dan duizend natte inwikkelingen per jaar uit.

'Onlangs hebben we enig succes geboekt met insulinebehandelingen,' zegt hij, 'en het zal u verheugen te weten dat we dankzij uw…'

'Wat mij zal verheugen te weten,' zegt Bertha, 'is waar mijn dochter is. Voor die tijd verheugt het me niet om iets te weten.'

De rest van de weg leggen ze in stilte af.

Althans… stil was het niet. Uit andere kamers, van andere verdiepingen – van verre plekken op het terrein – klinken de meest goddeloze geluiden. Gegil en gehuil en grillig gelach waarvan Louis' haren overeind gaan staan, plus een assortiment geluiden dat geen menselijk wezen zou moeten kunnen voortbrengen. Hij heeft die geluiden al eerder gehoord, maar ze brengen hem altijd van zijn stuk. Ze hebben geen dochter, ze hebben een zoon; Bertha heeft die mantra vaak genoeg herhaald en hem gedwongen die samen met hem op te dreunen, en hij is erin gaan geloven. Zodoende brengt elk bezoek aan het tehuis nieuwe verschrikkingen.

Hun kind, hun echte kind David wordt een knappe, welbespraakte, modeljongen. Op zijn dertiende heeft hij Schiller, Mann en Goethe al in het Duits gelezen, en Molière, Racine en Stendhal in het Frans. Hij speelt viool en heeft aanleg voor wiskunde, vooral toegepast op commercie. Hoewel zijn privélessen hem verlegen hebben gemaakt in het gezelschap van andere kinderen, is hij niettemin charmant tegenover volwassenen en heel wel in staat een gesprek te voeren met mannen die dertig jaar ouder zijn.

Wat voor hoop heeft het meisje met hem vergeleken? Bertha heeft een pragmatische keus gemaakt en zonder aarzelen nog wel, door haar uit haar hart te bannen, iets waartoe Louis nooit helemaal in staat is geweest. En toch… Wat heeft hij anders gedaan dan zich wentelen in zelfmedelijden? Wat heeft al zijn lijden hem opgeleverd? Het meisje heeft er in elk geval niets aan gehad.

Goddank is David er niet, die is op bezoek bij zijn moeders familie in Europa. Louis huivert bij de gedachte wat voor excuses hij voor het uitstapje van deze middag had moeten verzinnen. Moeder en ik gaan een ritje maken op het platteland. Moeder en ik hebben een frisse neus nodig. Liegen tegen zijn zoon is iets waaraan Louis een gruwelijke hekel heeft.

Voor zover hij weet, is David zich niet bewust van het bestaan van het meisje, ondanks die ene vreselijke avond, acht jaar geleden, toen Delia de kamerdeur niet op slot had gedaan en het meisje naar beneden was gedwaald, aangetrokken door het geluid van de radio. Ooit had Louis een radio op de kamer van het meisje willen zetten, maar dat was op Bertha's veto gestuit. Een radio zou geen enkel doel dienen, had ze aangevoerd. Het meisje zou er niets van begrijpen en het geluid zou maar de aandacht kunnen trekken. In plaats daarvan gaven ze haar een prentenboek en poppen, die haar bezig leken te houden. Maar Louis besefte dat boeken en poppen niet voldoende zouden zijn, een vermoeden dat bewaarheid werd toen ze naar beneden kwam. Had Bertha maar naar hem geluisterd en die verrekte radio gekocht, dan was het meisje misschien nooit gekomen en was deze hele ellende waarschijnlijk nooit nodig geweest…

Die vreselijke avond; al die ruzies die erop waren gevolgd. Hij moest steeds het onderspit delven, behalve bij één woordenwisseling: het lukte hem om van Delia af te komen, die hij altijd sloom, zinnelijk en onbetrouwbaar had gevonden. Zelfs Bertha moest bekennen dat vergeten om de deur af te sluiten voldoende grond voor ontslag was. Maar al werkt Delia niet meer voor hem, ze blijft wel op de loonlijst. Haar duurzame discretie kost hem vijfenzeventig dollar per week.

David heeft nooit iets over die avond gezegd en evenmin iets over het meisje gevraagd. Als hij op de een of andere manier achter haar identiteit is gekomen – en Louis kan zich dat niet voorstellen – schijnt hij haar helemaal vergeten te zijn. Ze zijn veilig. Honderden leugens, stuk voor stuk dun, maar wel opgestapeld zodat hun gezamenlijke sterkte de tijd kan weerstaan.

Dr. Christmas houdt een deur open. Bertha en Louis nemen plaats aan de ene kant van het bureau. Aan de andere kant zit een onaangenaam ogend persoon met een opzichtig vestzakhorloge. Christmas doet de deur op slot en gaat op de laatste stoel zitten.

'Mag ik u voorstellen aan Winston Coombs, onze vaste juridisch adviseur. Ik hoop dat u er geen bezwaar tegen hebt dat hij bij onze kleine bijeenkomst aanwezig is. Normaal gesproken…'

'Ik zie mijn dochter nergens.'

'Inderdaad, mevrouw Muller. Ik ben natuurlijk voornemens…'

'Ik ben hier slechts met één doel gekomen en dat is mijn dochter zien en wat jullie malloten haar hebben aangedaan.'

'Ja, mevrouw Muller. Maar ik wil u graag op de hoogte brengen…'

'Het kan me niet schelen wat u graag wilt. Dit is niet het moment om uitdrukking te geven aan uw voorkeuren.'

Coombs zegt: 'Als ik even mag…'

'Nee.'

'Mevrouw Muller,' zegt de geneesheer-directeur, 'ik wil u en uw man alleen maar verzekeren dat we voornemens zijn gepaste strafmaatregelen te nemen tegen de verantwoordelijke jongeman, en…'

Dan zegt Bertha iets waarvan Louis opkijkt. 'Hij kan me geen zier schelen. Wat mij betreft bestaat hij niet eens. Ik wil mijn dochter zien. Ik eis haar te zien, en wel onmiddellijk, en als u blijft weigeren haar bij mij te brengen, zal ik mijn eigen advocaten inschakelen, en ik kan u verzekeren dat die ervoor zullen zorgen dat meneer Coombs ernstig berouw zal hebben dat hij dit beroep ooit heeft gekozen.' Ze staat op. 'Ik neem aan dat ze niet in die kast daar zit.'

'Nee, mevrouw.'

'Lopen dan maar.'

Ze verlaten het gebouw en betreden het keurig geschoren gazon aan de achterzijde, dat aan drie zijden is omzoomd door bomen. Op het gras liggen gouden plassen zonlicht. Ze lopen via een flagstonepad het bos in. Een kleine twintig meter verder komen ze bij een huisje met een witte omheining, een plek die Louis niet kent en Bertha al helemaal niet.

Dr. Christmas vindt de juiste sleutel in een rammelende bos en houdt het hek voor Bertha open, die zonder een woord te zeggen doorloopt. Voor het huis is weer een andere sleutel nodig, wat weer een paar minuten lawaaiig gescharrel vergt. Bertha tikt met haar voet. Louis steekt zijn handen in zijn zakken en tuurt door de bladeren naar de bloedrode hemel.

'En hier hebben we hem,' zegt de dokter.

In de hal worden ze verwelkomd door een verpleegkundige, die opstaat wanneer Bertha binnenkomt.

'Deze suite is gereserveerd voor patiënten in hun meest gevoelige of gespannen episoden,' zegt Christmas. 'En ons beste personeel…'

Bertha wacht niet af tot hij zijn zin heeft afgemaakt, maar loopt door naar het volgende vertrek. Louis volgt haar op de voet en botst tegen haar aan wanneer ze op de drempel blijf staan.

'O,' zegt ze. 'O mijn god.'

Louis kijkt over de schouder van zijn vrouw en ziet zijn dochter. Ze ligt in een blauw nachthemd op een ziekenhuisbed en haar bolle buik is duidelijk te zien. Haar hele romp, die toch al gedrongen en vierkant is, ziet er dreigend opgeblazen uit. Ze kijkt hen suffig aan en knippert met haar ogen.

Louis wil de kamer in, maar Bertha klampt zich vast aan de deurpost. Voorzichtig peutert hij haar vingers los en gaat naar binnen. Het meisje gaat rechtop zitten en bekijkt hem nieuwsgierig wanneer hij een stoel bijtrekt en gaat zitten.

'Hallo, Ruth.' Ze glimlacht verlegen wanneer hij haar een tikje op de wang geeft. 'Ik ben erg blij je te zien. Het spijt me dat ik zo lang weg ben gebleven. Ik weet niet waarom dat is.'

Het meisje zegt niets. Ze werpt een blik over Louis' schouder op Bertha, die een reeks lage, treurige pufgeluiden uitstoot.

'Ruth,' zegt Louis. Het meisje kijkt hem aan. 'Ruth, ik zie dat… dat er hier iets is gebeurd.'

Het meisje zegt niets.

'Ruth,' herhaalt hij.

Bertha draait zich om en loopt weg. In de belendende kamer hoort hij haar de geneesheer-directeur bedreigen, maar hij probeert zich op zijn dochter te concentreren. 'Ruth,' zegt hij. Hij had haar Teresa willen noemen, naar een oudtante van hem. Bertha had een Harriet naar wie een kind genoemd kon worden, en ook een Sarah. Maar ze wilde met alle geweld een naam zonder verwijzing naar zijn of haar familie, en dat was precies waar het om draaide.

Niettemin past de liefde zich aan, hij was gesteld geraakt op de naam. Ruth, zegt hij. Hij pakt haar hand en wiegt heen en weer. Ruth. Ze slaat hem onschuldig gade en de verwarring verspreidt zich over haar gezicht wanneer hij blijft wiegen en haar naam zeggen.

De keuzen zijn beperkt. Dr. Christmas laat doorschemeren dat hij de middelen heeft om de zwangerschap terstond te beëindigen, maar dat vervult Bertha met afgrijzen. Hoe opportunistisch ze ook is, ze blijkt toch een paar taboes te hebben.

De volgende dag arriveert de huisarts – die het meisje ter wereld heeft gebracht en het tehuis heeft aanbevolen – met de middagtrein. Hij neemt een taxi naar het hotel en wordt naar de suite van meneer en mevrouw Muller gebracht, waar hij behoorlijk nerveus naar binnen gaat.

Letterlijk met de hoed in de hand begint hij zijn excuses te maken en zich te verdedigen.

'Laat maar zitten,' zegt Bertha. 'U zult kleren nodig hebben. We hebben het meisje voor de duur van de zwangerschap naar een huisje in de buurt gebracht, met een verpleegster. Het aangrenzende huis staat nog niet te koop, maar dat zullen we gauw genoeg hebben. Daar gaat u wonen tot dit achter de rug is. Als de baby er is, besluiten we wel wat we met het meisje gaan doen. Intussen hebt u de beschikking over alles wat u maar nodig hebt. Wij dekken al uw onkosten, alsook de gederfde inkomsten van uw praktijk. Totdat u vaststelt wat u nog meer nodig hebt, moet dit voldoende zijn. Geef het hem maar, Louis.'

De handen van de dokter trillen wanneer hij de cheque aanpakt, net zoals die bewuste avond eenentwintig jaar geleden. Het bevalt Louis van geen kant. Er moet toch een geschikter iemand te vinden zijn, iemand die jonger is en meer energie en deskundigheid in huis heeft? Maar Bertha houdt voet bij stuk. Geen enkele specialist, hoe goed opgeleid ook, heeft zo veel ervaring als dokter Fetchett op één specifiek terrein: discretie. Hij heeft de familiegeheimen goed bewaard, en nu wordt hij voor zijn loyaliteit gestraft.

'Ik begrijp hoe dringend het voor u is,' zegt de arts, 'maar ik kan New York met geen mogelijkheid verlaten om...'

'Dat kunt u wel en dat zult u ook doen. Ze is al een heel eind heen. Waarom ze zo lang hebben gewacht met ons te bellen is een andere kwestie, waarover we het een andere keer zullen hebben. Maar nu is mijn enige zorg haar welzijn en het welzijn van de baby. Daar ligt de sleutel van uw kamer als u zich wilt opfrissen. Over een half uur gaan we naar het huisje.'

Ze heeft ook zo veel te verliezen. De vrouw die deze wereld ziet is het product van vele jaren hard werken. Bij het ontstaan van die persoon heeft wissen net zo'n grote rol gespeeld als scheppen, een les die ze nooit is vergeten.

Op huwelijksreis heeft Louis haar een half jaar meegenomen naar

Europa. Ze brachten een bezoek aan het land van zijn voorouders, aan de andere kant van de Rijn, waar zij nog steeds familie had. Ze huurden kastelen; ze werden ontvangen door staatshoofden, ze werden op grootse wijze van het ene luisterrijke gebouw naar het andere gebracht; ze kregen in privésessies de beroemdste kunst ter wereld te zien en mochten hun neus op de doeken drukken en hun vingers over de gouden en zilveren oppervlakken laten glijden. De werken van Michelangelo zijn haar het meest bijgebleven. Niet de gespierde *David* of de lome *Pietà*, maar de ruwe, onvoltooide Florentijnse beelden, de menselijke vorm die zich aan een massief blok marmer ontworstelt. Dat is namelijk ook haar grote strijd geweest, een levenslange strijd die ze heeft gewonnen door dingen af te werpen. We werpen af, we worden lichter en rijzen op.

Ze kwam op haar vijfde naar Amerika en in het begin had ze geen vrienden. De andere meisjes plaagden haar om de manier waarop ze de letter 's' uitsprak. Die kwam eruit als een 'z'. Of als ze 'sjpelling' zei in plaats van 'spelling'. Daar plaagden ze haar ook mee. 'Sjjj' zeiden ze, en dan lachten ze zich een ongeluk. 'Sjjjj'. Het was een sluw grapje, want ze speelden in op haar tekortkomingen en maakten haar tegelijkertijd duidelijk dat het niemand ook maar iets interesseerde wat ze te zeggen had.

Dus dat accent moest weg. Dag in dag uit kreeg ze spraakles van haar privéleraar. *She sells seashells by the seashore, the shells she sells are surely seashells.* De oefeningen bezorgden haar kaakkramp. Ze raakte versuft van verveling. Ze werkte. Ze hakte maar door aan zichzelf – de 'z' en de 'sj' vielen weg, stukjes steen in wolken stof, net zo lang tot ze als een gewoon Amerikaans meisje klonk. Het was een pijnlijk proces, maar wel de moeite waard, vooral toen de oorlog was uitgebroken.

Weg viel haar babyvet. Ze meed bepaalde soorten voedsel en langzaam maar zeker veranderde ze in een vrouw naar wie men op straat omkeek. Jongens wilden met haar oplopen en meisjes wilden weer met die jongens oplopen. Ze wierp haar schroomvalligheid en haar boosheid af en bood royaal haar vriendschap aan diegenen die in haar kinderjaren zo over haar hadden geroddeld. Ze wierp haar verlegenheid van zich af en werd niet alleen bekend om haar buitengewone schoonheid, maar ook om haar buitengewone intelligentie. Ze koesterde een onaantrekkelijke neiging tot sarcasme en zette zich over de holheid van sociale finesses heen. Ze bracht salons vol bezoekers in verrukking met bliksemsnelle passages van de *Goldbergvariaties*. Iedereen klapte. Ze leerde genieten van partijen, te lachen op bevel, om voor anderen te reflecteren wat ze het liefst wilden zien.

Toen ze achttien werd, hadden diverse mannen al naar haar hand gedongen. Ze sloeg hen af. Ze had grootsere plannen, net als haar moeder.

Haar vader vond hen allebei belachelijk en stak het niet onder stoelen of banken.

'Ik begrijp niet waarom je dat zegt,' zei mama. 'Ze houden van Duitse meisjes. Bovendien weet ik dat ze die man zo snel mogelijk willen laten trouwen.'

Mama had gelijk. Bertha stond ervan te kijken. Het ene moment was ze nog een debutante, het volgende was ze de bruid en danste ze met haar man in een balzaal die zo groot was als haar verbeelding.

De eerste jaren van haar huwelijk waren het gelukkigst. Ze had haar mans gebrek aan belangstelling voor haar amper in de gaten; ze had het veel te druk om het onderste uit de kan van haar pas verworven almacht te halen. Papa was rijk, maar niemand was zo rijk als de Mullers. Het werd een hele uitdaging om nieuwe manieren te vinden om geld uit te geven. En haar ster bleef maar rijzen terwijl ze nieuwe betrekkingen cultiveerde en dode snoeide. Ze nodigde uit en werd uitgenodigd. Haar garderobe wekte ieders afgunst en haar kleren waren strak gesneden als eerbewijs aan haar figuur. Ze figureerde regelmatig op de societypagina's en verwierf bekendheid om haar elegantie, maar ook om haar liefdadigheidswerk. In haar naam verrees een concertgebouw en werd er een collectie in het Metropolitan aangelegd. Ze financierde feestelijkheden en sponsorde schoolkinderen. Ze was pas eenentwintig, maar ze had al heel veel goede werken gedaan. Ze was de trots van haar ouders en haar leven was vol. Als haar man haar niet begeerde, des te beter. Dat maakte tijd vrij om zichzelf te raffineren tot een nieuw mens, herboren als Muller. Zij moest de stamboom veilig stellen. Dat kon je niet aan

Louis overlaten. Die had alles gedaan om de toekomst van zijn familie te saboteren. Zij was gekomen om de schade te herstellen en al doende nam ze haar nieuwe naam in bezit op een wijze die hij – dankzij het lot een Muller – nooit zou vermogen. In tegenstelling tot Louis moest zij haar best doen om zich een plaats te verwerven, om te kiezen. Ze werd meer een Muller dan hij ooit was geweest, en zodoende waren haar verplichtingen veel zwaarder dan de zijne, ze had een goddelijke missie. Hoe kon je de snelheid van haar rijzende ster anders verklaren? Iemand wilde blijkbaar dat ze zou slagen.

En toen het zover was, zorgde ze ervoor dat Louis zijn plicht deed.

Gedurende de eerste maanden van Bertha's zwangerschap overleed mama. Voordat ze ging, zei ze: 'Ik hoop alleen maar dat jouw kinderen net zo goed voor jou zullen zorgen.'

Dus was de teleurstelling tweevoudig. Bertha had het gevoel dat ze haar moeders laatste wens had beschaamd. Een onvolwaardig kind kon tenslotte nooit voor haar zorgen. En dan de schande die ze zou oogsten, o die schande. Haar hele leven zou aan diggelen vliegen, vering, tandwielen en scharnieren zouden alle kanten op stuiteren. Alle goeds dat ze had gedaan zou voor niets zijn geweest. Wie anders dan zij kon aan het soort liefdadigheid doen dat zij deed? Wie moest het herfstbal geven? Wie zou er in het brandpunt van de belangstelling staan? Zij had haar verplichtingen jegens de bevolking van New York.

Een accent, een paar centimeter van haar middel, een recalcitrante echtgenoot: de moeilijkheden waarmee ze had geworsteld, hadden altijd een duidelijke en concrete oplossing. Zo benaderde ze ook het probleem van het meisje: nuchter en met vaste hand. Dit was dan ook gewoon een probleem dat een oplossing behoefde; de echte vraag was hoe. Het tehuis leverde haar het antwoord. Dokter Fetchett had hun verteld dat zo'n beslissing niet ongewoon was en ze putte troost uit de wetenschap dat ze een platgetreden pad volgde. Elke hindernis was hoger.

Wat ze zo storend vindt aan de laatste wending, aan die gruwel, is het gevoel dat ze is blijven steken. Of nog erger, dat ze is begonnen te zinken. Nu begrijpt ze wel dat het probleem van het meisje nooit zal worden opgelost, in elk geval niet zolang mensen het vermogen hebben zich te vermenigvuldigen. Familie is een repeterend probleem.

In augustus komt David terug uit Berlijn. Hij onderhoudt zijn ouders met reisverhalen en geeft hun een verslag uit de eerste hand van de toenemende politieke chaos. Louis, die het nieuws nauwlettend heeft gevolgd, speculeert over de economische gevolgen. Een aantal hoge functionarissen van het Frankfurtse filiaal is gedwongen ontslag te nemen, een trend die Louis' goedkeuring niet wegdraagt. Joden of niet, het waren uitstekende zakenlui en geen mens met een greintje verstand kan geloven dat een grotere welvaart kan worden bereikt als je het land van zijn hoogst gekwalificeerde en ervaren arbeidskrachten berooft.

Bertha was al heel jong vertrokken, dus zij koestert geen sterke gevoelens over de annexatie van Oostenrijk en het ingooien van ramen van synagogen, gebeurtenissen die niet rechtstreeks met haar te maken hebben. Ze is blij dat ze haar zoon terug heeft, dat het tableau van haar leven weer compleet is. De laatste tijd praten zij en Louis nog minder met elkaar dan gewoonlijk, en zijn eigenzinnigheid irriteert haar. Hij heeft nog nooit zo hard teruggevochten als nu.

Zijn voornaamste klacht is dat ze het meisje niet opzoekt. Hij gaat om de twee weken. Hij wil weten of ze er dood van gaat als ze haar gezicht laat zien.

Maar ze kan het niet opbrengen. Er zijn zo veel redenen. Er moet iemand thuisblijven. Stel dat er een onverwachte gast komt. Ze konden toch niet allebéí weg zijn? De mensen zouden willen weten waar de Mullers op het hoogtepunt van de zomer uithingen. De Mullers leven in stijl, en wat zij doen beïnvloedt de hele beau monde. Men zou navraag doen; een gerucht zou in een oogwenk de ronde doen. Minstens een van hen moet er thuisblijven en zij is de meest voor de hand liggende keus.

Bovendien, wat zou ze kunnen doen? Bertha is zelf zwanger geweest, dus weet ze dat het een hoogst individuele vorm van lijden is. Ze kan slechts één zwangere vrouw kalmeren, zichzelf. De dokter heeft ervaring met honderden. Laat die zijn werk maar doen.

En bovenal is ze bang, ze is bang voor de gevoelens die haar die luttele minuten in het tehuis overvielen, ze is bang voor de gevoelens die ze op de terugweg naar New York had, bang dat haar hart opnieuw ondersteboven wordt gekeerd.

Of ze er dood van zou gaan als ze haar gezicht liet zien?

Best mogelijk.

Op een avond zitten ze aan tafel wanneer het dienstmeisje verschijnt met een opgevouwen briefje, dat ze op de tafel legt. Mevrouw. Bertha wil haar net berispen omdat ze hen stoort bij het eten, als ze ziet dat het briefje ietwat openstaat. Onderaan ziet ze de naam E.F. Fetchett, M.D. Ze schuift het onder het voetje van haar wijnglas.

Na het eten zondert ze zich af in haar naaikamer.

Geachte heer en mevrouw Muller,

Ik verzoek u vriendelijk zo spoedig mogelijk telefonisch contact met mij op te nemen.
Met de meeste hoogachting,

E.F. Fetchett, M.D.

Ze neemt de hoorn van de haak en vraagt om Tarrytown vier-acht-nul-vijf-acht.

De dokter neemt op.

'Met mevrouw Muller,' zegt ze.

'De weeën zijn begonnen. Ik dacht dat u dat misschien zou willen weten.'

Bertha's vingers spelen met het snoer van de telefoon.

'Mevrouw Muller?'

'Ik ben er nog.'

'Wilt u bij de bevalling zijn?'

Ze werpt een blik op de klok. Het is half negen. 'Heb ik nog de tijd tot morgenochtend?'

'Ik denk het niet, nee.'

'Dan zal ik er niet bij zijn,' zegt ze, en ze hangt op.

De volgende morgen geeft ze opdracht om een picknickmand te vullen. Zij en David brengen de dag in Central Park door.

Wanneer Louis die avond laat uit Tarrytown terugkeert, ziet hij eruit alsof hij de hele afstand hollend heeft afgelegd. Zijn das is verdwenen, zijn overhemd is doordrenkt van het zweet en zijn manchetknopen ontbreken. Hij gaat direct naar zijn suite en doet de deur dicht.

'Wat is er met vader?'

'Hij is ziek. Heb je een fijne dag gehad?'

'Jup.'

'Pardon? Dat heb ik niet verstaan.'

'Ja.'

'Ja wat.'

'Ja, moeder.'

'Niets te danken. Wie houdt er meer van je dan wie ook ter wereld?'

'U, moeder.'

'Juist. Wat ga je na het souper doen?'

'Viool studeren.'

'En?'

'Lezen.'

'En?'

'Naar de Yankee-wedstrijd luisteren.'

'Ik herinner me niet dat dit op de agenda stond.'

'Kunnen we het op de agenda zetten? Alstublieft?'

'Eerst oefenen.'

'Ja, moeder. Mag ik van tafel?'

'Zeker.'

Hij legt zijn servet neer. Goed zo.

'Moeder?'

'Ja, David.'

'Mag ik bij vader op bezoek?'

'Vanavond niet.'

'Wilt u tegen vader zeggen dat ik hoop dat hij zich beter voelt?'

'Dat zal ik zeker doen.'

Wanneer hij weg is, blijft Bertha nog even aan tafel zitten. Ze masseert haar slapen. Het dienstmeisje vraagt of ze nog iets nodig heeft.

'Ik ga naar mijn man. Ik wil onder geen enkele voorwaarde gestoord worden, is dat duidelijk?'

'Ja, mevrouw.'

Ze stapt in de lift en staalt zichzelf voor de strijd.

Hij kwam in het dorp aan op het hoogtepunt van de warmte. De lucht was mistig van de onweersvliegjes en de zoete geur van rottende mest; halfnaakte kinderen gooiden elkaar nat. De chauffeur laveerde langs de geulen op de weg en sloeg af naar een landweggetje dat naar het huisje dat ze hadden uitgekozen – dat Bertha had uitgekozen – voerde. Hun voortgang werd gehinderd door een veerooster en een zwaaihek. De chauffeur moest stoppen, uitstappen, het hek openmaken, erdoorheen rijden en weer stoppen om het hek achter hen weer te sluiten. Louis gaf de chauffeur opdracht het open te laten. Het kon hem niet schelen wie er naar binnen dwaalde. Ze mochten.

Toen hij het huisje betrad, voelde hij zich misselijk en duizelig worden, en instinctief wilde hij de arm van zijn vrouw pakken. Sinds zijn laatste bezoek was het huisje tot een operatiekamer getransformeerd. Een stapel beddengoed met de scherpe geur van ontsmettingsmiddel en lichaamssappen. De stilte was verontrustend: had er niet iets moeten huilen? Ruth zelf had na haar geboorte amper geluid gemaakt, en hij had altijd begrepen dat dit symptomatisch was voor haar toestand. Stel dat haar kind net zo was? Wat voor ellende hing hem nog meer boven het hoofd?

Dokter Fletchett zag eruit als een lijk, al had hij alleen maar goed nieuws. De baby was een jongetje en zijn hartslag was sterk en regelmatig. De moeder verkeerde in uitstekende gezondheid, zelfs beter dan menige normale moeder na een soortgelijke beproeving. In het belang van de schoonmaak hadden ze moeder en kind naar het belendende huisje gebracht, waar de zusters haar verzorgden.

'Hoe is het met haar? Is ze blij?'

De dokter wreef peinzend over zijn wang. 'Wie zal het zeggen?'

Eerst gingen ze naar de baby kijken. Rood en geplet en ingebakerd; zwart stekeltjeshaar op zijn kruin. Niets ongewoons.

Hij leek zelfs een beetje op Bertha.

Dr. Fetchett legde uit dat het inderdaad mogelijk is dat een mongoloïde moeder een normaal kind voortbrengt. 'Natuurlijk kunnen we niet met zekerheid zeggen dat er in de toekomst geen andere problemen zullen opduiken. Ik zeg dat niet om u van streek te maken, maar ik probeer u op alle eventualiteiten voor te bereiden.'

Louis vroeg of hij hem mocht vasthouden. In zijn armen voelde de baby zo broos als papier.

'Waarom is hij zo rood?'

'Dat is normaal.'

Aanvankelijk voelde hij zich opgelucht. Normaal, normaal, alles was normaal. Maar hoe langer hij het slapende jongetje in zijn armen hield, hoe meer hij zich ervan bewust wordt dat dat normale juist de ergste vloek van alle is. Als het kind normaal is, kan hij aanspraak maken op de nalatenschap en is hij een bedreiging voor Davids soevereiniteit. Louis kon zich alleen maar voorstellen wat Bertha zou doen.

De dokter vroeg of mevrouw Muller nog op kraamvisite zou komen. Louis zei: 'Ik denk het niet.'

Nu ligt hij op de vloer van zijn huiskamer om zijn schreeuwende rugpijn tot bedaren te brengen en kijkt hij op naar Bertha. Ze torent boven hem uit, achter twee leunstoelen die ze naar elkaar toe heeft getrokken alsof ze een schietgat wil maken. Hij zegt: 'Het kind is dood. Het meisje is ook dood. Ze zijn allebei in het kraambed gestorven.'

Een maand later keert Louis onder het mom van een zakenreis terug naar het tehuis.

'Ik moet de naam van de vader weten.'

Dr. Christmas kijkt schichtig rond, op zoek naar zijn afwezige juridisch adviseur.

Louis zegt: 'Mijn vrouw weet niet dat ik hier ben. Het minste wat u kunt doen, is me helpen het kind een fatsoenlijke naam te bezorgen.'

Na enige aarzeling gaat de dokter naar de archiefkast om een map te pakken. Hij geeft Louis een foto van een jongeman met ruig zwart haar en woeste, donkere ogen.

'Hij heet Cracke.'

Louis vergelijkt de trekken. 'Een patiënt.'

'Ja.'

'Hij ziet er niet onvolwaardig uit.'

'Hij had andere problemen. Zoals zo veel. Een lastpak.'

Louis legt de foto neer. Hij zou iets moeten voelen. Boosheid misschien, of weerzin. Maar hij voelt niets anders dan een lichte nieuwsgierigheid.

'Hoe kende hij mijn dochter?'

De arts gaat nerveus verzitten. 'Dat weet ik niet. Zoals u weet, houden we beide geslachten gescheiden. Soms brengen we iedereen bij elkaar voor een concert in de aula. Waarschijnlijk zijn ze ongemerkt weggeslopen.'

Louis fronst. 'Bedoelt u dat het niet tegen haar zin was?'

'Dat moet ik aannemen,' zegt de dokter. 'Ze heeft vaak naar hem gevraagd.'

Louis zwijgt.

'Hij is niet meer onder ons.'

Louis is verward. 'Is hij dood?'

'Ik heb opdracht gegeven hem te verwijderen.'

'En waar is hij nu?'

'In een ander tehuis, een paar kilometer buiten Rochester.'

'Weet hij het?'

'Ik denk het niet.'

'Gaat u het hem vertellen?'

'Ik was het niet van plan.'

'Houdt u het maar zo, alstublieft.'

De dokter glimlacht kruiperig wanneer hij het portier voor Louis openhoudt, en zegt: 'Ik hoop dat u het niet onwellevend vindt als ik vraag hoe het met Ruth is. We waren allemaal zeer op haar gesteld.'

'Ze maakt het prima,' zegt Louis.

De dokter steekt zijn hand uit. Louis negeert hem.

Hij neemt drie personeelsleden aan, onder leiding van een Schotse met een kinnebak als een aambeeld genaamd Nancy Greene, een oud-employee van het tehuis. Ze is lief voor Ruth en nog liever voor de baby. Wanneer Louis haar voorhoudt hoe belangrijk het is om geheimen te bewaren, begrijpt ze dat, althans zo lijkt het. Het dient geen enkel doel als iemand ervan weet, zegt hij en dat lijkt ze te beamen. Hij betaalt haar uitstekend.

In 1940 is de wereld in oorlog. David zit in zijn eerste jaar van zijn officiele opleiding aan de N.M. Priestley Academy en Bertha is herkozen als voorzitster van haar vrouwenclub, een functie waaraan ze steeds meer tijd besteedt wanneer haar zoon eenmaal is vertrokken uit het huis aan Fifth Avenue. Het filiaal in Frankfurt is sinds de invasie van Polen gesloten en de Muller Corporation heeft haar accent verlegd van het internationale bankwezen naar het nationale onroerendgoedbeheer, door Louis gezien als een stabieler toneel voor investeringen. Zijn instinct zal van een vooruitziende blik getuigen wanneer Amerikaanse soldaten naar huis beginnen te komen en de vraag naar huizen de pan uit rijst. Maar dat ligt nog jaren in het verschiet. Op dat moment handelt hij op gevoel.

Het is een natte, koude novembermaand. De zwaarste storm in tien jaar komt en gaat en naderhand ruikt Manhattan naar aardwormen. Louis zit in zijn kantoor op de vijftigste etage van het Muller Building.

Er zijn maar weinig mensen die het nummer kennen van de rinkelende telefoon op zijn bureau.

Hij neemt op. Het is Nancy Greene.

'Ze is ernstig ziek, meneer.'

Hij annuleert zijn vergaderingen van die middag. Wanneer hij bij het huisje arriveert, ziet hij een onheilspellend teken: de auto van dokter Fetchett die onder de modder zit.

'Ik kan haar koorts niet onderdrukken. Ze moet naar het ziekenhuis.'

Ondanks zijn inspanningen is de infectie niet te bedwingen en binnen een week is Ruth aan longontsteking bezweken. Dokter Fetchett probeert Louis te troosten door te vertellen dat mensen met haar afwijking in het algemeen een lage levensverwachting hebben. Dat ze nog zo lang heeft geleefd – en zo snel is gegaan – is een vorm van genade.

Louis begraaft haar op het terrein. Er is geen priester bij. De zusters zingen een psalm. Mevrouw Green blijft binnen om voor baby Victor te zorgen.

19

Een paar weken lang sprak ik Marilyn niet. Toen ik een paar dagen na Nieuwjaar belde, kreeg ik van haar assistente te horen dat ze naar Parijs was vertrokken.

'Voor hoe lang?'

'Dat mag ik niet zeggen. Ik mag u ook niet eens vertellen dat ze in Parijs is, dus dat hebt u niet van mij.'

Waarschijnlijk had ik niet het recht om boos op haar te zijn, maar dat was ik wel. Ik had het gevoel alsof míj iets was aangedaan, alsof zij het recht niet had om zich gekwetst te voelen; voor zover ik wist, had ik met haar toestemming gehandeld. Ik reageerde zoals na het overlijden van mijn moeder, zoals ik altijd had gereageerd wanneer ik me terecht geneerde, of iemand me met reden een beschaamd gevoel bezorgde. Narcisme kan geen overdosis schuldgevoel aan. Dan kotst het woede uit. Ik moest denken aan alle keren dat Marilyn me iets had misdaan, alle schimpscheuten en neerbuigendheid die ik met een glimlach had geslikt. Ik moest denken aan alle keren dat ze me als een uitgaansvriendje had behandeld en hoe ze zich met mijn zaken had bemoeid. Ik herinnerde me alle keren dat ze me had gedwongen haar te kussen terwijl ik een barstende hoofdpijn had. Bij dat strafblad voegde ik andere misdrijven die niets met mij te maken hadden; ik bestempelde haar als echtbreekster, wraakzuchtige ex, leugenaar en dwingeland. Ik wiste haar hartelijkheid en blies haar wreedheid zodanig op, dat ze me zo slecht en door en door verdorven leek dat haar weigering om mijn kleine misstap door de vingers te zien het toppunt van huichelarij werd. En net toen ik op het

284

punt stond haar de schuld van het broeikaseffect en van het instorten van de IT-markt te geven, en ik mijn telefoon uit mijn zak wilde halen om een bericht in te spreken waarin ik haar eens flink de waarheid zou zeggen, trof ik in plaats van de telefoon een verdwaald prijskaartje dat iemand van Barney's had vergeten te verwijderen. Alleen al mijn jasje had Marilyn 895 dollar gekost, plus 8,375 procent btw.

Tot mijn verrassing kreeg ik op mijn lange, verontschuldigende e-mail een even lang antwoord, in het Frans. Omdat Marilyn wist dat ik geen Frans spreek, moest ze die hebben gestuurd in het besef dat ik een vertaler nodig zou hebben. Wie zou zeggen aan welke vernedering ze me zou onderwerpen, dus aarzelde ik voordat ik Nat erbij haalde.

'Na de dood van koning Lodewijk xiv keerde de hofhouding uit Versailles terug naar Parijs. Er werden onderkomens in de faubourg gebouwd, waarvoor de tuinbouwmoerassen moesten wijken...' Zijn blik dwaalde naar beneden. 'Hier staat nog iets over een restaurant... Weet je wat dit is, het is de geschiedenis van haar hotel. Ik krijg de indruk dat ze die van de website heeft geknipt en geplakt.' Hij keek naar mij. 'Lees jij daar een betekenis in die mij ontgaat?'

'Ze bedoelt gewoon "rot op".'

Door de sneeuwstorm moest Samantha later terugkeren, en toen ik haar aan de telefoon had, drong ze erop aan dat ik alleen verder zou gaan. Ik besloot de tijd te benutten door de informatie na te trekken die ik in de papierwinkel had gekregen. Wekenlang had ik schaak- en damclubs gebeld, in de hoop dat Victor daar een uitdaging had gezocht. De clubs die het meest in de buurt van de Courts lagen, waren in feite in Brooklyn en die bleken zonder uitzondering bevolkt door gemankeerde academici, nerveuze, slecht geknipte tieners, wonderkinderen met lege ogen die kwijlden van hun overwinning, of anders op te hoge stoelen met hun benen zaten te zwaaien, en met hun elektronische klok in de hand op een waardige tegenstander zaten te wachten. Ik liep op mijn tenen rond in een poging erachter te komen of er iemand was die Victor Cracke kende, klein mannetje met een snor, zag er een beetje uit als...

'sssst.'

De een na laatste club op mijn lijst was de High Street Chess en Checkers Club op Jamaica Avenue. Donderdag was volgens het antwoordapparaat de damavond, round-robintoernooi om half acht, vijf dollar entree, de winnaar krijgt de pot, frisdrank en chips gratis.

De naam High Street kon niet verbergen dat het een gribus was: een groezelig zaaltje boven een borgsteller boven aan een duizelingwekkende trap die je kon beklimmen als je net zo lang op een metalen deur bonkte tot er iemand naar beneden kwam. Ik was een kwartier te vroeg. Een angstaanjagend magere man in een flanellen overhemd en een afschuwelijke corduroy broek kwam naar beneden en wilde weten of ik een reservering had.

'Ik wist niet dat ik die nodig had.'

'Ach, ik maak maar een geintje, hahaha. Ik ben Joe, kom maar mee naar boven.'

Toen we de trap beklommen, verontschuldigde hij zich voor de slechte toegankelijkheid.

'Onze intercom is stuk,' zei hij met gierende ademhaling. Hij liep een beetje mank, waardoor zijn heupen vervaarlijk achter hem aan zwaaiden, alsof hij zichzelf wilde afschudden. 'De rest doet het, alleen die van ons niet. De huisbaas kan het niets schelen. We moeten de deur op slot houden omdat er een paar keer is ingebroken. Iemand heeft de brandblusser gepakt en over het kleed leeggespoten. Ik heb daar geen last van, van een stuk nat vloerkleed ga je niet dood, hahaha.' Hij haalde een zakdoek tevoorschijn en snoot zijn neus.

Ik zei: 'Eigenlijk wilde ik iets over een van uw spelers vragen.'

Hij bleef staan, met één voet op de bovenste tree. Zijn hele houding veranderde, ik zag hoe hij zich terugtrok. 'O ja? Wie mag dat wezen?'

'Victor Cracke.'

Er verschenen rimpels in Joe's voorhoofd. Hij krabde zijn hals. 'Die ken ik niet.'

'Denkt u dat iemand anders het misschien wel weet?'

Hij haalde zijn schouders op.

'Is het goed als ik bovenkom om wat rond te vragen?'

'We gaan zo spelen,' zei hij.

'Ik kan wel rondhangen tot het afgelopen is.'

'Het is geen kijksport.'

'Dan kan ik wel terugkomen,' zei ik. 'Hoe laat zijn jullie klaar?'

'Hangt ervan af.' Hij trommelde met zijn vingers op de trapleuning. 'Het kan één uur duren, maar ook vier.'

'Dan doe ik mee.'

'Kun je spelen?'

Wie kan er nou niet dammen? 'Ja.'

'Zeker weten?'

'Redelijk.'

Hij haalde weer zijn schouders op. 'Okidoki.'

In het algemeen staken de dammers van Brooklyn chic af tegen de leden van de High Street Chess and Checkers Club. Ik begreep dat Queens meer diversiteit trok: een nerveuze man met een enorm afrokapsel en een bril met jampotglazen; een dikke man met sportschoenen met klittenbandsluiting en een paarse trainingsbroek; een tweeling die tegen de verste wand geleund Coca-Cola stond te drinken en in het Spaans-Engels tegen elkaar mompelde.

Het was duidelijk dat Joe de baas was. Hij deed de aankondigingen, herinnerde hen aan het Staten Island-toernooi en ging vervolgens rond om spelersparen aan te wijzen. Mij werd een gammele kaarttafel gewezen waar mijn tegenstander al klaarzat in een dichtgeknoopte regenjas en met een stralend vollemaansgezicht in een capuchon. 'Dit is Sal. Sal, dit is een nieuwe.'

Sal knikte.

'Je kunt ook net zo goed meespelen,' zei Joe. 'Zonder jou komen we een speler tekort. Vijf dollar.'

We haalden onze portefeuille tevoorschijn.

'En bedankt,' zei hij, toen hij de biljetten uit onze handen had geplukt en doorliep.

Ondanks de toenemende warmte in de zaal hield Sal zijn parka aan.

Hij droeg ook wanten, wat het lastig maakte om mijn stenen van het bord te rapen wanneer hij ze had geslagen, wat hij ontmoedigend vaak deed. Uit hoffelijkheid gaf ik ze maar aan.

Ik vroeg: 'Wat gebeurt er…'

'Ssst.'

'Wat gebeurt er als jullie met een oneven aantal zijn?' fluisterde ik.

'Dan neemt Joe twee tegenstanders. Spelen.'

Het partijtje duurde ongeveer negen minuten. Het was het dam-equivalent van een etnische zuivering. Toen we uitgespeeld waren, leunde Sal grijnzend naar achteren. Hij probeerde zijn handen achter zijn hoofd te leggen in een achteloze triomfpose, maar omdat hij zijn vingers niet in elkaar kon vlechten, moest hij genoegen nemen met naar het bord staren met zijn kin op zijn hand, een bord dat nu geheel was ontdaan van hinderlijke zwarte stukken. De rest van de zaal speelde in stilte door, op het tikken van plastic schijven na, of af en toe iemand die 'Spelen' zei.

Ik fluisterde: 'Heb je ooit iemand ontmoet die…'

'Ssst.'

Ik haalde een pen en een visitekaartje tevoorschijn om mijn vraag op de achterkant te schrijven. Ik gaf het aan Sal die zijn hoofd schudde. Daarna gebaarde hij naar mijn pen om met zijn dikke klauw het antwoord in hanenpoten op te schrijven.

Nee, maar ik ben hier pas begonnen.

Hij gebaarde dat hij nog een kaartje wilde. Ik gaf er een. Hij wuifde ongeduldig en ik gaf hem er nog drie. Onder het schrijven nummerde hij elk kaartje in de hoek.

1. Ik kom hier pas een paar maanden dus ik weet nog niet

2. hoe iedereen heet, maar Joe kent iedereen, wist je

3. dat hij vroeger nationaal kampioen was

Ik haalde nog een visitekaartje tevoorschijn. Ik had er nog maar drie. 'O ja' schreef ik.

4. Ja hij was in 93 nationaal kampioen, hij is ook

5. schaakmeester en backgammonkampioen

Op mijn laatste kaartje schreef ik *Indrukwekkend.*

Daarna viel er een ongemakkelijke stilte; we knikten allebei naar el-kaar na net voldoende contact te hebben gelegd om het gebrek aan communicatie kwellend te maken.

'Volgende partij,' riep Joe.

Ik verloor nog acht partijtjes. Eén keer was ik dicht bij de overwin-ning door langer dan een kwartier te spelen, iets wat voornamelijk te danken was aan het feit dat mijn tegenstander, een oorlogsveteraan met in beide oren een gehoorapparaat, halverwege in slaap viel. Aan het eind van de avond was Joe ongeslagen. Als het tijd werd om tegen hem te spelen, kreunden zijn tegenstanders alsof ze een schop in het kruis hadden gekregen. Mijn eigen partij tegen Joe was mijn achtste en laat-ste. Ik schoof een stuk naar het midden van het bord.

'Twaalf naar zestien,' zei hij. 'Mijn favoriete opening.'

Vervolgens veegde hij me met kalme, regelmatige bewegingen van het bord. Het was net alsof we allebei een ander spel speelden. In zeke-re zin was dat ook zo. Ik speelde een spelletje dat ik me herinnerde uit mijn kindertijd, wanneer het de bedoeling is jezelf aangenaam bezig te houden, en mijn beslissingen moeten op hem als willekeurig en bela-chelijk zijn overgekomen, en gericht op kortetermijnwinst, als die al te behalen viel. Hij daarentegen was verzonken in het soort zelfanalyse waarin elke activiteit verandert die zich op het hoogste niveau afspeelt.

Wanneer ik hem zo gadesloeg, voelde ik hetzelfde soort opwinding als toen ik voor het eerst een blik op de tekeningen van Victor Cracke wierp. Dat klinkt misschien raar, dus laat me dat toelichten. Genialiteit neemt vele vormen aan, en in dit tijdperk zijn we (langzaam) gaan in-zien dat de superioriteit van een Picasso potentieel ook op andere, min-der voor de hand liggende plekken te vinden is. Het was die oude, ver-trouwde provocateur Marcel Duchamp die dat aantoonde toen hij zijn installaties in de steek liet, naar Buenos Aires verhuisde en zich fulltime aan het schaken wijdde. Dat spel, merkte hij op 'herbergt dezelfde schoonheid als kunst en nog veel meer. Het kan niet door de commer-cie worden ingekapseld. Schaken is veel zuiverder.' Op het eerste gezicht lijkt Duchamp het corrumperend vermogen van geld te betreuren. Maar in werkelijkheid is hij nog veel subversiever. In werkelijkheid slecht hij de conventionele begrenzingen van de kunst en voert hij aan dat alle vormen van expressie – zónder uitzondering – potentieel gelijk zijn. Schilderen staat gelijk aan schaken, wat weer gelijkstaat aan rolschaatsen, wat weer hetzelfde is als aan het fornuis staan om soep te maken. Stuk voor stuk zijn die gewone, oude, alledaagse activiteiten zelfs béter dan conventionele kunst, beter dan schilderen, omdat het gebeurt zonder de schijnheilige zelfzalving tot 'kunstenaar'. Er is geen zekerder weg naar middelmatigheid. Zoals Borges al schreef, is het verlangen om een genie te worden 'de laagste van de verleidingen van de kunst'. Dus volgens dat inzicht is het ware genie zich dat niet eens van zichzelf bewust. Een genie is per definitie iemand die niet stilstaat om te overwegen wat hij doet, hoe het ontvangen zal worden of hoe het hem en zijn toekomst zal beïnvloeden. Hij hándelt alleen maar. Hij vervolgt zijn activiteiten met een vorm van doelbewustheid die inherent ongezond en dikwijls destructief is voor zichzelf. Zeg maar iemand als Joe; of iemand zoals Victor Cracke.

Ik zal de eerste zijn om te bekennen dat ik van ontzag word vervuld in de aanwezigheid van een genie, van de brandstapel waarop dat zichzelf offert. Ik hoopte dat ik naast dat vuur zou voelen dat het genie zich in mij weerspiegelde. En terwijl ik zag hoe Joe mijn laatste steen sloeg en tussen de andere slachtoffers zette, de plastic lijkjes die mijn manschappen waren geweest, wist ik weer waarom ik Victor Cracke nodig had en waarom ik, na het verlies van mijn vermogen hem te creëren, hem moest blijven zoeken: hij was namelijk mijn beste kans, misschien zelfs mijn enige kans om die ver verwijderde hitte te voelen, om de rook te ruiken en me te koesteren in zijn gloed.

De verdeling van het prijzengeld – ik doel op het bedrag van vijftig dollar, door Joe toegekend aan Joe – vond zonder veel tamtam plaats. Een van de spelers, die allang uit de strijd was gespeeld, vertrok na het verliezen van zijn zesde partij, iets wat mij me iets minder alleen deed voelen in mijn ellende, hoewel ik me wel een tikje bezorgd voelde nadat hij was weggestormd, omdat ik hem niets meer kon vragen.

Maar het bleek niet erg te zijn: alle anderen kenden Victor wel. Ze vertelden dat hij tot een jaar geleden een vaste bezoeker van de club was. Ik moest het maar aan Joe vragen, die was er langer dan wie ook. Dat vond ik op zijn zachtst gezegd wonderlijk, omdat hij al had gezegd dat hij hem niet kende. Toen ik me omdraaide om het hem te vragen, ontdekte ik dat hij al weg was.

De man met het afrokapsel ried me aan even te wachten. 'Hij komt wel terug.'

'Hoe weet je dat?'

'Hij moet nog afsluiten.'

Ik wachtte. Een voor een verdwenen de andere spelers naar buiten. Door het raam zag ik ze over de stoep door de sneeuw ploeteren, of zich achter de Q36 aan reppen. Twee mensen bleven tot half twaalf hangen om nog een paar partijtjes te spelen, en toen werd ik alleen gelaten met de tafeltjes en stoelen, luisterend naar het gezoem van de tl-verlichting en starend naar een gescheurde en kruimelige verpakking van Lorna Doone-sprits.

Pas na middernacht keerde Joe weer terug. Hij moest wel terugkomen. Ik wist dat niet alleen omdat de man met het afrokapsel dat gezegd had, maar ook omdat een waar genie nooit het object van zijn obsessie rommelig achter zou laten. Ik hoorde de sleutel beneden in de metalen deur rammelen en hem hijgend en puffend naar boven komen. Hij kwam de zaal in alsof ik er niet was en begon de stoelen op te stapelen. Ik stond op om een handje te helpen. We werkten in stilte. Hij gaf me een rol keukenpapier en we veegden de tafels schoon.

'Ik heb je in de krant gezien,' zei hij uiteindelijk. 'Jij bent de man van die expositie.' Hij bond een vuilniszak dicht met een ingewikkelde knoop. 'Klopt dat?'

'Dat is deels waarom ik Victor wil spreken. Ik heb geld dat van hem is.'

'Deels waarom nog meer?'

'Wat?'

'Wat is de andere reden dat je hem wilt spreken?'

'Ik wil controleren of het wel goed met hem gaat.'

'Dat is erg aardig van je,' zei hij.

Ik zei niets.

'Hoeveel geld?'

'Vrij veel.'

'Hoeveel is vrij veel?'

'Voldoende.'

'Is er een reden waarom je geen antwoord wilt geven?'

'Ik lieg je tenminste niet voor.'

Hij glimlachte. Hij verplaatste de vuilniszak van zijn rechter- naar zijn linkerhand. Zijn lichaam zakte mee. Hij had een belabberde houding en de neiging een grimas te trekken wanneer hij niets zei, de blik van iemand wiens grondtoon ongemak is.

Buiten was het weer gaan sneeuwen. Joe gooide de zak in een steeg en liep naar de bushalte. Hij leek erger te hinken en zijn tred was bijna spastisch. Hij zag er ook groter uit dan eerst, alsof hij er een laag vet bij gekweekt had. Een windvlaag blies zijn jas open en onthulde een tweede jas en uit de kraag daarvan stak de kraag van een derde.

'Kan ik je een lift geven?' vroeg ik.

Hij keek me aan.

'Ik ga een taxi aanhouden,' zei ik. 'Ik kan je afzetten waar je maar wilt.'

In de verte sloeg de bus de hoek om. Hij wierp er een blik op over zijn schouder, vervolgens keek hij naar mij en zei: 'Eigenlijk heb ik honger. Heb jij trek?'

We gingen naar een cafetaria die de hele nacht open was. Ik wilde alleen maar een kop decafé, maar toen hij hoorde dat ik zou trakteren, bestelde hij gebakken eieren met spek en gebakken aardappelen plus een milkshake. Ik kreeg al maagzuur toen ik zijn bestelling hoorde. De serveerster wilde al weggaan, maar hij riep haar na dat hij ook uienringen en een groene salade wilde.

'Ik wil de hele schijf van vijf,' zei hij.

Hij at langzaam en kauwde elke hap ongeveer vijftig keer, net zo lang tot ik me niet kon voorstellen dat hij veel meer proefde dan prut en zijn eigen speeksel. Er volgden grote slokken van zijn milkshake en hij had zijn gezicht zo ver voorovergebogen in het glas dat er schuim op zijn neus zat toen hij zich weer oprichtte. Daarna veegde hij zijn gezicht af met een servetje, dat hij vervolgens op de grond gooide. Al die tijd speelden zijn ogen een nerveus hinkelspelletje, naar de deur, naar de toonbank, naar mij, naar de tafel, naar de serveerster en naar de jukebox. Zijn vingertoppen waren rood en ruw van de dwangnagels.

Hij vroeg wanneer ik voor het laatst had gedamd.

'Waarschijnlijk vijfentwintig jaar geleden.'

'Dat was te merken.'

'Ik heb nooit gezegd dat ik goed was.'

'Victor kan goed dammen. Hij zou nog beter zijn als hij wat rustiger speelde.'

Dat brokje informatie vond ik intrigerend, omdat ik me Victor altijd als bedachtzaam had voorgesteld, althans wanneer hij niet tekende. Ik vertelde Joe dat zijn kunst een krachtige, rasterachtige hoedanigheid had, vooral wanneer je alle onderdelen aan elkaar legde. Hij haalde zijn schouders op, ofwel omdat hij het er niet mee eens was, of omdat het hem niets zei, en hervatte zijn maaltijd.

'Woon je hier in de buurt?' vroeg ik.

'Soms wel ja.'

Eerst begreep ik het niet en daarna wel. Toen hij zag dat het tot me doordrong, moest hij lachen.

'Je kunt wel eens op bezoek komen. Dan kun je blijven logeren. Hou je van het buitenleven? Hahaha.'

Ik glimlachte beleefd, waardoor hij nog harder moest lachen.

'Weet je hoe je kijkt,' zei hij, 'je kijkt alsof ik net op het kleed in je huiskamer heb gekakt en jij daar geen acht op probeert te slaan. Kolere, ik maak maar een geintje. Ik woon niet echt op straat... Voel je je nu wat beter?'

'Nee.'

'Waarom niet? Geloof je me niet?'

'Ik…'

'Nou goed dan, ik slaap in het park. Hahaha. Nee hoor. Jawel hoor. Nee hoor. Wat denk jij?'

'Geen idee.'

Hij glimlachte, sloeg de rest van zijn milkshake achterover en gebaarde met het lege glas naar de serveerster. 'Chocoladeshake, alstublieft.'

Er lagen nog een paar uienringen en een hele, onaangeroerde salade. Met zijn nieuwe consumptie hervatte hij het proces – kauw kauw kauw slok slok veeg – en ik kreeg de indruk dat hij een curieus ritueel gehoorzaamde, dat hij zijn eten en drinken tegelijkertijd moest wegwerken. Ik kreeg het visioen dat we daar tot zonsopgang zouden zitten en hij almaar zou bestellen tot een of ander fortuinlijke toevalligheid hem toestemming zou geven om te stoppen.

Of hij was gewoon uitgehongerd.

Hij vroeg: 'Zie je dat?'

Zijn neus met het chocoladepuntje wees naar een onverlichte kerk aan de overkant.

'Daar hebben ze een opvang,' zei hij. 'Maar de deur gaat om negen uur op slot, dus op avonden dat we spelen zijn we te laat klaar.'

Ik hoefde niet te vragen waarom hij dammen verkoos boven een bed. In plaats daarvan vroeg ik: 'Waar heb je leren dammen?'

Hij veegde zijn mond af met een weerzinwekkend bevuild servet. Ik gaf hem een ander en hij veegde zijn mond af, maakte een prop en gooide die op de grond. 'In het gekkenhuis.'

Ik glimlachte weer beleefd, althans dat probeerde ik.

'Hahaha, kak op het kleed, hahaha.' Hij prikte salade aan zijn vork, hield de druipende blaadjes tegen het licht en stak ze in zijn mond. 'Ik ben dol op groenvoer,' zei hij kauwend.

'Wanneer heb je daar gezeten?'

'Van tweeënzeventig tot zesenzeventig. Je kunt er alles leren wat je wilt. Zeeën van tijd, begrijp je wel? Het is de beste universiteit ter wereld. Ik ben in vier jaar afgestudeerd, hahaha. Als je al niet gek was voordat ze je opborgen, zou je wel gek van verveling worden.' Hij lachte en dronk en hoestte een beetje milkshake op en veegde zijn kin af.

'Sal heeft me verteld dat je wereldkampioen bent geweest.'

'Ik had kunnen meedingen. Hahaha. Ja, ik heb goddomme wat geld gewonnen. Er zit weinig geld in dammen. Tegenwoordig hebben ze een computer die je niet kunt verslaan. De mens is uit de tijd.' Hij leunde naar achteren en klopte op zijn buik. Het was moeilijk vast te stellen waar al dat eten heen was gegaan. Het enige wat er nog op tafel stond was een beker met drie vingers milkshake, waar hij rancuneus naar keek. 'Als je iets over Victor wilt weten, moet je me op een toetje trakteren.'

Ik wenkte de serveerster. Joe bestelde taart met kokoscrème.

'Die hebben we niet.'

Hij keek naar mij. 'Ik wil een stuk taart met kokoscrème.'

'Wat vind je van aardbeien?' opperde ik.

'Klinkt dat als afdoende vervanging?' vroeg hij.

'Nou…'

'Wat dacht je van een stuk flamoes,' vroeg hij aan de serveerster. Ze keek van hem naar mij, schudde haar hoofd en liep weg.

'Service is er zeker niet meer bij, hè?' riep Joe haar na. Hij keek naar mij. 'Doe maar een sorbet met chocoladecake.'

Ik stond op en liep de serveerster achterna.

Joe staarde chagrijnig naar de tafel tot zijn dessert werd gebracht. Toen dat voor hem stond, raakte hij het niet aan. Hij zei: 'Victor heeft ook in het gekkenhuis gezeten.'

'Samen met jou?'

'Nee.' Hij grinnikte. 'Je hebt hem zeker nooit ontmoet, hè?'

'Nee.'

'Hij is veel ouder dan ik. We hebben elkaar pas leren kennen toen hij naar de club begon te komen.'

'En wanneer was dat.'

'Vlak nadat ik reclame was gaan maken voor het toernooi. Dus in 1983. Ik maakte vroeger flyers die ik op telefoonpalen plakte. Komt hij met zo'n biljet in zijn hand alsof het een toegangsbewijs is. Ik kan me die avond nog wel herinneren. We waren maar met z'n drieën, ik, Victor en Raul, die is een paar jaar geleden de pijp uitgegaan. Raul en ik speelden altijd met elkaar omdat niemand anders regelmatig kwam. Ik wist dat Victor fatsoenlijk speelde, want hij had Raul ingemaakt.'

'Jou ook?'

Hij begon zijn ijs weg te werken. 'Ik zei toch dat hij góéd was.'

Ik maakte mijn excuses.

'Kan míj wat schelen. Maar als je probeert de feiten te verzamelen, zijn dat goddomme de feiten.'

'Heeft hij ooit gezegd waar hij in een inrichting heeft gezeten?'

'Ergens buiten de stad.'

'Heeft hij nog een naam genoemd?'

'Dat is vertrouwelijke informatie,' zei hij.

Hij zei niets meer tot hij zijn sorbet ophad en de laatste spoortjes chocoladesaus met zijn lepel uit het glas had geschraapt. Daarna gromde hij, haalde heel diep adem en zei: 'The New York School for Training and Rehabilitation. Zo heet het daar.'

Ik schreef het op.

'Dat is bij Albany,' voegde hij eraan toe.

'Dank je wel.'

Hij knikte, veegde zijn mond af en gooide het servetje op de grond toen de serveerster langsliep. Ze siste naar hem en hij wierp haar een handkus toe. Daarna zei hij met een zucht: 'Excuseer me, ik ga mijn afvoerkanaal even legen.'

Ik rekende af en wachtte op zijn terugkeer. Ik zag hem niet meer. Hij was de achterdeur uitgegaan en tegen de tijd dat ik dat doorhad, waren zijn voetafdrukken alweer half volgesneeuwd.

Intermezzo: 1962

Bertha ligt op de hoogste etage van een privékliniek aan de oostkant van Manhattan. Mensen die haar het beste toewensen hebben haar kamer gevuld met bloemen, maar omdat ze de voorkeur geeft aan de duisternis, laten de zusters de gordijnen dicht en zijn de bloemen allemaal begonnen te verwelken, wat een weeë stank oplevert die in je kleren blijft hangen. Toch staat ze niet toe dat de vazen worden verwijderd. Zij merkt er niets van want ze heeft buisjes in haar neus, en de troost die ze uit de bloemen put, betekent meer voor haar dan het tijdelijke gerief van haar bezoek. Bezoekers komen en gaan, maar zij kan niet weg; en als de kamer naar een composthoop ruikt, heeft niemand daar iets mee te maken behalve zij. Wie zijn die bezoekers dat ze er een mening op na durven houden? Niet haar vrienden. Niet de comités en raden van bestuur die de bloemen hebben gestuurd. Die mensen mogen er niet in. Ze wil niet in een staat van ontbinding gezien worden. Ze heeft er überhaupt met grote tegenzin mee ingestemd om naar het ziekenhuis te gaan. Zij wilde thuisblijven aan Fifth. David heeft haar overgehaald: ze kon niet thuisblijven, zonder de juiste zorg in de juiste omgeving zou ze sterven. En wat was daar precies mis mee? Louis was ook thuis overleden. Maar David had aangevoerd dat ze misschien langer zou leven als ze naar het ziekenhuis ging, was dat dan de bedoeling? In leven blijven – zich aan het leven vastklampen – en haar nagels in zijn vettige oppervlakte slaan?

Nu ze daar ligt, weet ze het nog niet zo zeker.

Ziekenhuis of niet, stervende is ze toch. Haar lichaam is een stad, en de tumoren waarmee ze is vergeven, zijn kleine, beledigende, voorstedelijke kleinburgerlijke buitenposten van een ziekte, tumoren die van de ene dag op de andere als paddenstoelen opduiken in haar lever, longen, maag, milt en ruggengraat. Ze hebben de ene behandeling geprobeerd; ze hebben de andere behandeling geprobeerd. Niets helpt. Ze kan beter heengaan in haar lievelingsbed, omringd door mensen die ze kent en vertrouwt. Niet die lui met hun klemborden. Niet die vrouwen met naalden en witte mutsen. Niet verdwaald in een oerwoud van medeleven. Waar is haar zoon? Hij heeft haar daar gebracht. Waar is hij, die zoon van haar? Ze roept zijn naam.

'Ja, moeder.'

'Ik wil naar huis.'

Ze kan zijn reactie niet zien – hij zit een beetje achter haar, waar ze hem niet kan zien en dat weet hij – maar ze weet wat hij doet: hij trekt aan zijn oorlelletje. Zijn vader deed dat ook.

'U kunt niet naar huis, moeder.'

'Dat kan ik wel en dat zal ik doen ook.'

Hij zwijgt.

'David.'

'Ja, moeder.'

'Als het kind een meisje wordt, wil ik niet dat je haar naar mij vernoemt. Dat is morbide.'

'Het is een jongen, moeder. We noemen hem Lawrence. Dat weet u al.'

'Ik weet helemaal niets. Wat is dat nu voor naam, Lawrence?'

Hij zucht. 'Daar hebben we het al over gehad.'

'Wanneer.'

'Diverse keren.'

'Wanneer?'

'Al weken geleden. Meermalen. U hebt het me zelfs eergisteren nog gevraagd.'

'Nee hoor.'

Hij zegt niets.

'Wanneer komen de kinderen op bezoek?'

'Ze zijn al geweest, moeder.'

'Wanneer?'

Hij zwijgt.

'Wanneer zijn ze hier geweest?' vraagt ze, bang om het antwoord te horen.

'Gisteren,' zegt hij.

'Dat lieg je.' Ze grijpt in paniek haar lakens vast. Waarom kan ze zich wel gebeurtenissen en gezichten en verhalen en hele gesprekken van dertig jaar geleden herinneren en niet haar kleinkinderen, gisteren? Dat zou toch niet mogelijk moeten zijn. Haar geheugen is impressionistisch; hoe dichterbij ze komt, des te minder resolutie. Druk je neus op het doek en al wat je ziet zijn stippen en vegen. En haar geest heeft nog ergere dingen achter de hand, veel ergere. Oude herinneringen duiken op waar ze niet thuishoren; soms spreekt ze David aan met de naam van zijn vader. Ze hoort David en de dokter over de president praten en ze geeft haar mening ten beste over Roosevelt. De twee mannen wisselen een blik van verstandhouding en David zegt: 'Het is Kennedy, moeder.' De arts is een jonge jood genaamd Waldenberg of Waldenstein of Steinbergwald of Bergwaldstein. Hij is kaal en vreugdeloos en ze vertrouwt hem niet. Ze vraagt David of dokter Fetchett kan komen en krijgt te horen dat hij al sinds 1957 dood is. Dat is onzin, Fetchett is bij haar geweest. Hij komt elke dag om haar temperatuur op te nemen. Hij staat aan het voeteneind en heeft met haar te doen. Lieve Bertha, wat zie je bleek. Wil je een whisky? Een soort helderziendheid heeft bezit van haar genomen; vóór haar ziekte zou ze hem nooit zo duidelijk hebben gezien. Dat voorhoofd met een filigrein van blauwe adertjes, die natte neusvleugels, net een koe. Geen mooie man, dokter Fetchett… En toch ziet ze de verleppende bloemen en kan ze zich niet herinneren wie ze heeft gestuurd. Ze blijft maar vragen waarom ze niet naar huis mag.

Nog erger dan het verwelken van haar geest is het bewustzijn van dat verwelken. Ze had verwacht dat zelfloochening een van de weinige zegeningen van seniliteit zou zijn; ze zou misschien in de war zijn, maar het niet in de gaten hebben. Maar ze ziet best hoe de mensen tegen haar praten. Ze gebruiken die sussende toon die bedoeld is voor dieren of kinderen. Ze dringen haar eten op. Ze vragen haar documenten te tekenen waarmee ze haar gezag uit handen geeft. Ze vleien en flikflooien en ze stuurt hen weg. Ze hebben niet het beste met haar voor. Ze wil niets met hen te maken hebben zolang ze zo neerbuigend blijven doen. Toch blijven ze komen, die advocaten met hun pennen en notarissen en contracten en wilsbeschikkingen en rechtszaken en hypotheken. Ze verwijst hen naar David en toch blijven ze maar komen. Ze zijn geslepen. Ze wachten tot hij weg is en dan sluipen ze naar binnen. Het is voldoende om een vrouw van minder kaliber tot waanzin te drijven.

Bertha is nog nooit ten prooi gevallen aan woede. Zij heeft een leven van zelfbeheersing geleid. Ze is geen Muller geworden – en gebleven om die naam voor uitsterven te behoeden – door het hoofd te verliezen. Ze mag dan wel ziek zijn, ze is nog niet dood, en zolang ze kan ademen zal ze geloven dat alle problemen een oplossing hebben; dat geen enkele wending in de gebeurtenissen, hoe akelig ook, niet nog verder gewend kan worden, omgebogen kan worden in een voordeel, alsof je de loop van een geweer een halve slag buigt, naar de schutter zelf. Haar geheugen heeft besloten op hol te slaan. Best. Het doet maar. Het kan wel zijn dat ze niet meer weet wat voor dag van de week het is, maar haar jeugd weet ze in de levendigste kleuren naar boven te halen. Ze vermaakt zich wel. Ze kan het album zo openslaan om zich van alles te herinneren.

Ze herinnert zich de wandelingen door het bos en die heerlijke zure *Kirschkuchen* en het bruisende van haar vader en het geurige van haar moeder. Baden in een kleine houten tobbe, de onderste helft van een vat. Een houten soldaatje dat in zijn handen klapt als je aan een touwtje op zijn rug trekt, een geverfde tol die feloranje kringen in de lucht trekt. De huishoudster leerde Bertha naaien, totdat ze er een standje voor kreeg, zodat ze nooit verder is gekomen dan een eenvoudige rijgsteek. Op de dag dat haar ouders haar vertelden dat ze naar Amerika zouden emigreren, holde ze huilend naar het huis van haar beste vriendin Elizabeth, maar er deed niemand open en op het moment van haar diepste ellende voelde ze zich eenzamer dan ooit. Thuis huilde ze in haar moeders armen en die beloofde: we zullen altijd bij elkaar zijn, ik zal altijd voor je zorgen. Het wordt een lange reis, maar je zult heel veel dingen zien die meisjes van jouw leeftijd nooit te zien krijgen. Bertha was ontroostbaar.

De haven van Hamburg, de enorme scheepstoeter, die hard genoeg brulde om haar te laten sidderen in haar schoenen. De kelners met hun lange zwarte jas die haar *mademoiselle* noemden. In de enorme eetzaal at ze slakken, die naar rubber en boter smaakten. Ze werd niet zeeziek; haar moeder wel. Ze konden zonnebaden op een privéveranda. Haar moeder las voor uit een sprookjesboek, met steeds weer andere stemmen voor de verschillende personages. De prinsen waren nobel en de prinsessen lief en de heksen klonken als een knarsende ketting, iedereen klonk precies zoals het hoorde. Terwijl ze de zonsondergang tegemoet voeren, dacht ze aan thuis en ze schreef een heleboel brieven aan Elizabeth, die ze op de bus wilde doen zodra ze op de plaats van bestemming waren, maar ze vergat ze toen ze de groene dame in de zee zag.

Ze herinnert zich ook de eerste aanblik van Central Park vanuit het raam van hun hotel. Ze was teleurgesteld. Ze had gehoopt dat het groter zou zijn, maar het viel in het niet bij de parken en bossen die ze kende. Overal stonden kruiwagens, liepen geulen en lag omgewoelde aarde. Het was geen park, het leek wel een bouwput. Ze moest ervan huilen, en haar vader gaf haar een pakje pepermuntjes om haar tot bedaren te brengen. Ze at ze een voor een op tot ze misselijk was.

Ze herinnert zich haar school en dat ze werd geplaagd. *She sells seashells.* Wie verkocht er schelpen? Ze is er nooit achter gekomen.

Bij Bloomingdale's staken kleermakers haar vol spelden. Dat vond ze niet leuk, maar daarna kwam de jurk. Iedereen bewonderde haar, maar ze had geen bevestiging nodig: ze zag het zelf wel, ze had talent. In meters groene satijn was ze nog mooier dan de groene dame in de zee – het Vrijheidsbeeld – zelf. Staand voor de drieluikspiegel van haar moeder besloot ze dat het verschrikkelijk ondankbaar zou zijn als ze haar gaven niet benutte om een belangrijk persoon te worden.

Ze herinnerde zich haar eerste societybal. Aller ogen waren op haar gericht, niet alleen die van de mannen, maar ook die van de vrouwen: die waren jaloers, geneerden zich, of aanbaden haar schaamteloos. Ze weet nog dat ze op een wolk de trap afdaalde en dat haar tiara met zo veel spelden was vastgezet dat ze dacht dat haar hoofd zou afbreken en wegrollen. Ze herinnert zich de dansen, de champagne en de klamme handen van de jongemannen die telkens weer de hare pakten. Haar moeder die een jongeman in een strak gesneden jasje aanwees. Dat is Louis Muller, van de Mullers.

En haar bruiloft.

Ze herinnert zich de vroege zomers in Bar Harbor, de blinkend witte zeiljachten en haar smetteloze jakjes, die zelfs in de benauwde warmte droog bleven. Ze verkleedde zich vier keer per dag: na het ontbijt, na de lunch, 's middags voor de thee en opnieuw voor het avondeten. Zo veel maaltijden, rijk voorzien van die grove Amerikaanse schotels waaraan ze nooit helemaal zou wennen, zoals dat zuidelijke brood van maïsmeel, waarop haar schoonvader zo dol was, maar dat zij naar een blok diervoeder vond smaken. Ze at mondjesmaat. Terwijl andere vrouwen praatten over de noodzaak om af te vallen, droeg zij badpakken die haar boezem accentueerden. Ze was het goddelijkste wezen aan de Oostkust. Althans volgens haar schoonvader. Die lieve Walter. Hij noemde haar zijn Beierse roosje, al kwam haar familie uit Heidelberg. Hij was altijd een beetje verliefd op haar geweest en deed openlijk geringschattend over de onverschilligheid van zijn zoon. Wat had die een vangst binnengehaald, wat een stralende, intelligente vrouw, wat een talent. Ze kon pianospelen. Hoeveel meisje hadden er zo'n figuur? Die kon je op de vingers van één hand tellen. En hoeveel van die meisjes konden pianospelen? Die kon je ook op de vingers van één hand tellen... als je alle vingers afsneed... maar dan zou ze geen piano meer kunnen spelen, hahahaha. Walter liet altijd doorschemeren dat als de willekeur van vadertje tijd er niet tussen had gezeten, hij... Maar ze belandde bij Louis. O, Louis. Ze wil hem niet tekortdoen. Ze denkt liever met genegenheid aan hem.

Denk maar eens aan de blijdschap waarmee hij dingen voor haar kocht, hoe heerlijk hij het vond om haar mooi te maken. In de kussens van al haar canapés is ze een fortuin aan diamanten kwijtgeraakt. Denk maar eens aan alle plekken waar hij haar mee naartoe heeft genomen. Toen David was geboren, was ze bedroefd. Het gevoel kwam uit het niets en haar denken slibde dicht. 's Nachts kon ze niet slapen; zichzelf 's morgens uit bed sleuren werd een kwelling. Om haar op te beuren kocht Louis een villa in Portofino. In het vervolg brachten ze daar elke zomer een maand door. De baby werd weggemoffeld bij een kindermeisje en Louis beloofde helemaal niet te werken. Ze aten copieuze maaltijden en dronken goddelijke wijn en reisden langs de kust naar Rome of de bocht door naar Monaco, waar de prins hen in eigen persoon door het casino escorteerde. Ze speelden met fiches van zuiver goud. Bedienden brachten bakken vol champagne en natte handdoeken om hun hals te verkoelen. En toen het reizen tijdens de oorlog onmogelijk werd, kocht Louis nog een huis voor haar, een boerderij van veertien hectare in het hartje van Montana. Die was ze gauw beu en hij verkocht hem met verlies. Hij kocht een huis voor haar in Deal. Hij deed wat ze maar wilde. Hij was een goede man. Ze kan tegenwoordig niet aan hem denken zonder te huilen; o, wat sentimenteel. Hij was tenslotte een fatsoenlijk mens. Ze was blij dat hij zonder te lijden heenging. Een paar maanden voor de geboorte van Davids eerste kind kreeg hij een hartstilstand. Hoe heet dat meisje ook alweer? Amelia. Ze was de naam bijna vergeten, maar haalde hem door pure wilskracht naar boven. Amelia, ja. En haar broertje Edgar. Het jaar na de geboorte van Edgar stierf haar oude vriendin Elisabeth. Haar man was officier bij de SS geweest en na de oorlog kregen ze hem te pakken. De stress werd eerst zíjn dood en daarna de hare. Wat een pech. Wat een timing. Telkens wanneer David een baby krijgt, gaat er iemand dood. Een vrouw van minder kaliber zou hem opdracht hebben gegeven het krijgen van kinderen te staken. Hij had al een zoon en een dochter, basta, hou op met het uitroeien van vrienden en familie. Als er iemand de volgende is, zal zij het zijn. Maar ze was blij toen Yvette zwanger werd, ongeacht de uitkomst. Bertha zal zich opofferen voor de goede zaak, want Yvette zal een goede moeder zijn, veel beter dan Davids eerste vrouw, die Bertha nooit heeft gemogen of had goedgekeurd, ook al hielden Louis en zij de schijn op. Ze hadden zelfs meer dan hun aandeel aan de bruiloft bijgedragen. David vond dat zij de hele bruiloft moesten betalen, ze hadden tenslotte geen geldgebrek. Iedereen maakte ruzie. David was toen vijfentwintig, en zijn vrijgezelle status begon haar zorgen te baren; stel dat hij de geaardheid van zijn vader had geërfd. Ze had natuurlijk nooit getwijfeld aan haar eigen vermogen om haar man in het gareel te houden, maar hoe moest ze ervoor zorgen dat haar toekomstige schoondochter over dezelfde overtuigingskracht beschikte? Op vrouwen kon je niet rekenen. Je kon eigenlijk op niemand rekenen. Tegenwoordig moest je alles zelf doen. Goddank trouwde David wel. Aan de ene kant was dat een opluchting, aan de andere kant vertrouwde ze het meisje van zijn keus niet, de dochter van een man met een kledingketen in het Midden-Westen. Ze vond New York lelijk. Wie was zij nu om zo verwaand te doen, ze kwam uit Cleveland nota bene. Wat Bertha zelf ook mocht vinden van de veranderingen die er in de stad hadden plaatsgevonden sinds haar eigen komst een eeuwigheid geleden, ze gelooft stellig dat niemand die er minder dan een maand heeft gewoond het recht heeft een oordeel te vellen. Dat akelige nest. Bertha kan haar naam nog best naar boven halen, maar ze wil het niet. Ruzie zoeken met David over het minste of geringste, overal scènes schoppen, ijzige diners waarbij niemand iets zei. Als Bertha daaraan denkt, botsen er opeens twee reeksen herinneringen: stilte en zilveren bestek op porselein en kristal op linnen… en stiltes, en… en… briefjes van dokter Fetchett, met de hand bezorgd. Nee, dat klopt niet. Dat was niet toen. Ze haalt de chronologie door elkaar en er zijn dingen waar ze liever niet aan denkt. Met bovenmenselijke inspanning slaat ze de bladzijde om en daar treft ze een nieuwe pagina, gevuld met mooie herinneringen, weer zo'n avond, een blijde gelegenheid… terug naar haar bruiloft. Ze moest maar aan haar bruiloft denken. Denk maar aan de bedienden in livrei en die machtige koperen instrumenten en de dansende menigte die ter ere van haar rondwervelde. Ze moest maar aan haar bruidstaart denken, die fantastische toren van roombotercrème in de vorm van een piramide, de grootste taart die iedereen ooit had gezien; ze hadden er een foto van in de krant geplaatst, en ook een foto van haar. De bruiloft van de heer L.I. Muller en mejuffrouw Bertha Steinholtz was met voorsprong het meest spectaculaire evenement van het seizoen. De bruid droeg een tafzijden japon van weergaloze schoonheid en de bruidegom ging gekleed in een traditioneel zwart kostuum. De plechtigheid in de Trinity Church werd geleid door de eerwaarde J.A. Moffett en de feestelijkheden werden voortgezet… Ze noemden het een sprookje en voor de verandering hadden ze gelijk. Haar leven is magisch geweest.

En nu is ze oud en bedlegerig en is het 1962. Er zijn dingen die verborgen blijven. Die zouden haar na zo veel tijd niet dwars moeten zitten. Gedane zaken. Maar de herinnering, dat akelige beest, steekt telkens weer de kop op.

Niet aan het meisje. Ze kan aan het meisje denken zonder een spier te vertrekken. Ze heeft nooit getwijfeld aan haar beslissingen en dat doet ze nu ook niet. Er stond zo veel op het spel. Louis kon dat nooit begrijpen. Een keer had hij tegen haar gezegd dat ze harteloos was, maar dat toonde nou juist aan hoe verkeerd hij de wereld begreep, hoe verkeerd hij haar begreep. Ze had niet gedaan wat ze had gedaan omdat ze geen hart had, maar omdat ze maar al te goed wist hoe onbarmhartig andere mensen konden zijn. Ze herinnerde zich hoe ze was bespot, de nachtelijke huilbuien, de van tranen doordrenkte kussens, de jaren van strijd voordat ze werd wie ze was en ze haar niet langer konden negeren. Ze was namelijk mooi, en schoonheid laat zich niet negeren.

Maar wat had het meisje te wachten gestaan? Een eeuwigheid van faux pas. Een eeuwigheid van lijden. Wat Louis niet had begrepen, was dat Bertha uit genade had gehandeld.

Ze gaf een lunch voor Davids tiende verjaardag, huurde artiesten en opende de balzaal. Na het dessert speelde David viool voor de gasten, voornamelijk volwassenen, vrienden van haar; in die tijd had hij zelf weinig vrienden. Alles bij elkaar een aangename middag, althans tot Louis plotseling de zaal verliet. Ze trof hem op zijn kamer op de rand van zijn bed met zijn gezicht in zijn zakdoek begraven. Ze vond het stuitend: die weke wreedheid die hij mededogen noemde. Hij wist niet wat waarachtig mededogen was. Hij had nooit geleden. Hij was verwend en in de watten gelegd en had de vrije hand voor de walgelijkste schanddaden gekregen. Dus ging hij er vanzelfsprekend van uit dat de wereld hetzelfde voor het meisje zou doen. Bertha wist wel beter. Ze wist hoe ongenade voelde.

Ze wilde met genegenheid aan hem denken, maar de verbittering sijpelt erdoorheen. Het lot van het meisje begon als een meningsverschil, maar groeide in de loop der jaren uit tot een torenhoge wand tussen hen in, een doornhaag die steeds meer verstrikt raakte in zichzelf tot ze elkaar volledig uit het oog waren verloren.

Het zou voor een romanschrijver eenvoudig zijn om te schrijven, en hoewel ze onder één dak bleven wonen, spraken ze nooit meer met elkaar. Eenvoudig maar onjuist. Want in werkelijkheid had ze zo nu en dan nog warme gevoelens voor Louis gekoesterd, en ze had het gevoel dat ook hij een zeker halfhartig verlangen had om in een goed blaadje bij haar te staan. In de veertig jaar van hun huwelijk hadden ze dikwijls gelachen, veel wederzijdse genoegens beleefd – hoewel niet vaak van seksuele aard – en een zoon grootgebracht.

Toen Louis stierf, kwam alles uit. De jongen was inmiddels elf. Elf jaar! Hij leefde als een kluizenaar. Eén oude vrouw die voor hem zorgde; god mag weten wat voor perversiteiten er zich tussen hen afspeelden. Hij sprak amper een woord. De vrouw, die Greene heette, zei dat hij nooit een kletskous was geweest. Bertha zei dat ze haar mond moest houden tot haar iets werd gevraagd.

Ze wilde de jongen zo ver mogelijk weg sturen, naar Europa of Australië, maar dat ried dokter Fetchett haar af, en in een van haar zeldzame ambigue momenten stemde ze ermee in om hem naar de verste uithoek van de staat New York te sturen. Het probleem verdween. En deze keer voorgoed.

Maar nu ze onder de medicijnen en verbonden aan elektronische apparaten hoog boven de aarde ligt, maakt ze zich zorgen dat haar inspanningen voor niets zijn geweest. De facturen komen rechtstreeks naar haar toe en die betaalt ze van haar persoonlijke rekening. Wat gebeurt er wanneer ze daarmee ophoudt? Dan komen ze haar opzoeken en nemen ze contact met David op. Vervuld van afgrijzen beseft ze dat ze dat misschien al hebben gedaan.

'David?'

'Ja, moeder?'

'Hoe lang lig ik hier?'

'U bedoelt in het ziekenhuis? Zes weken.'

Zes weken lijkt haar ruim voldoende tijd om een rekening te voldoen. Het zwaard van Damocles hangt dus boven hun hoofd. David zal erachter komen. Het verhaal komt uit en iedereen zal het horen. Ze moet hem laten inzien hoe broodnodig geheimhouding is. Maar hij is van een andere generatie; die noemt zich zelfingenomen verlicht, zonder een flauw idee hoe snel het leven je de tanden uit de mond kan slaan. Louis' softe kant is op hem overgegaan. Ze moet een oplossing zien te vinden. Ze denkt na. Haar gedachten struikelen heen en weer tussen het heden en het verleden. Ze praat tegen haar man en tegen het dienstmeisje. Ze praat tegen de televisie. De kamer die David haar heeft bezorgd lijkt meer op een hotelkamer dan een ziekenkamer. De wanden zijn gelambriseerd; achter een glas-in-loodraam in de vorm van een ster schijnt een zachte gloed. Ze pijnigt haar hersens af en daar is het antwoord: ze zal de kosten nu, vooruit betalen. Ze zal een schenking doen. Dat heeft ze al eerder gedaan. Op Harvard, Columbia en Barnard werken en studeren mensen dankzij haar ruimhartigheid. Ze heeft geld aan de meest uiteenlopende liefdadige instellingen geschonken en is gefêteerd door politici van allerlei pluimage... Ze zal de man van de school in Albany bellen en hem een enorme som geld schenken. Waar is haar chequeboek? Waar is de telefoon?

'Moeder.'

Ze houden haar armen vast.

'Moeder.'

'Roep de dokter.'

Nee, niet de dokter erbij halen. De dokter is dood. Hij is in 1857 gestorven. Hij is in 1935 gestorven. Hij is in 1391 gestorven, er zijn alleen nog maar botten. Herinneringen vormen zijn vlees en ze kan hem in een oogwenk in rook doen opgaan. Herinneringen zijn wispelturig. Herinneringen smaken naar rook. Ze smaken naar Kirschkuchen. Alles verlept en vergaat tot gebeente. Walter is gebeente. Louis is gebeente. Weldra zal ook zij gebeente zijn. Geef ze voldoende geld en problemen veranderen in gebeente. Ze zal ze vermalen en uitstrooien over de wateren; ze zal voorgoed bestaan in de herinnering van mensen die haar nooit hebben ontmoet; ze zal in hun gedachten voortleven zoals herinneringen in die van haar voortleven, zoals ze zich nog met grimmige bijzonderheden de overstroming herinnert die hun kelder verwoestte; of de bliksem zoals ze die vanaf de boeg van een schip zag; de pijn van een bevalling; de sleur van gemeenschap; de mannen die probeerden haar na de dood van Louis het hof te maken, stel je toch voor, zij een gerimpeld besje dat rozen van mannen van dertig jaar jonger krijgt; ze herinnert en herinnert en herinnert en het gaat niet zozeer in flitsen alswel in een waterval, gebeurtenissen die over elkaar heen schuiven op de wip van de tijd, mensen die elkaar nooit hebben ontmoet die elkaar de hand schudden, gesprekken die zonet nog kristalhelder waren maar die nu sissen en razen als de branding, haar denkraam dat snerpend verkreukelt, een mijnschacht, modderstromen die langs de helling naar de duisternis zakken.

'Mevrouw Muller.'

'Moeder.'

Mevrouw Muller.

Moeder.

Jawel, ze is mevrouw Muller. Ze had een man. Jawel, ze is moeder. Ze heeft een zoon.

20

Het kostte me een middag aan de telefoon, maar het lukte me wel om de New York School for Training and Rehabilitation te lokaliseren, precies waar Joe had gezegd: vijftien kilometer buiten Albany. Tegenwoordig heette het instituut Green Gardens Rehabilitation Center. Adjunct-directeur Driscoll vertelde dat het in zijn vorige leven een gewoon gekkengesticht was geweest, inclusief gecapitonneerde wanden en elektroshocktherapie. Net als talrijke soortgelijke instellingen was de instelling ten prooi gevallen aan de beweging voor burgerrechten, waren de behandelprogramma's gestaakt en was het protocol mensvriendelijker geworden. Green Gardens was nu gespecialiseerd in beschadigingen van de ruggengraat. Het was duidelijk dat Driscoll het heerlijk vond om me dat allemaal te vertellen. Hij leek zichzelf als onofficieel geschiedkundige te beschouwen.

Ik informeerde naar de dossiers van vroegere patiënten en hij zei: 'Een jaar of wat geleden hadden we een probleem met de boiler, dus ik met een zaklantaarn de kelder in. Ik niesde me een ongeluk en stuitte op een enorme berg brieven, medische dossiers en alle aantekeningen van de artsen. Daar had in twintig jaar niemand naar gekeken. Het papier viel al uit elkaar.'

'Dus die hebt u nog,' zei ik.

'Nee. Toen ik dat tegen dokter Ulrich zei, heeft ze alles laten versnipperen.'

Het hart zonk me in de schoenen. 'Is er niets meer over?'

'Misschien liggen er beneden nog een paar dingen die we over het hoofd hebben gezien, maar dan nog mag ik u die niet laten inzien. Het is vertrouwelijk materiaal.'

'Dat is reuzejammer.'

'Het spijt me dat ik u niet verder kan helpen.'

Ik bedankte hem en wilde net ophangen toen hij zei: 'Maar weet u wat?'

'Ja?'

'Nou ja, ik moet het even nakijken, maar we hebben wel een stel foto's.'

'Wat voor foto's?'

'Wel, het geeft u een idee hoe krakkemikkig de ideeën over de wet op de persoonsgegevens waren, want ze hangen aan de muur in een van de oude vleugels. Het zijn een soort klassenfoto's in zwart-wit. Groepen patiënten in een jasje met een stropdas. Volgens mij is er zelfs eentje bij waarop ze in honkbalkleren staan. Bij sommige staan namen, bij ande-re weer niet. Ik weet niet of de persoon die u zoekt erbij is, maar mis-schien kan ik ze u laten zien. Ik zie niet in welke regels we daarmee over-treden, omdat ze toch al voor iedereen te zien zijn.'

'Dat zou fantastisch zijn, dank u wel.'

'Ik zal het er even met dokter Ulrich over hebben en dan laat ik het u wel weten.'

Ik belde Samantha, die eindelijk terug was uit South Carolina.

'Goed gedaan,' zei ze.

'Dank je.'

'Ik bedoel, echt waar, je wordt nog eens een Columbo.'

'Dank je.'

'Een soort metroseksuele Columbo.'

'Zeg eens dat jij ook goed nieuws hebt.'

'Dat heb ik ook,' zei ze.

'Zeg op.'

'Het is een verrassing.'

'O, kom nou.'

'Ik zal het je vertellen wanneer we elkaar ontmoeten.'

We spraken af voor de week daarop. Intussen ging ik naar de dokter voor een controle. Hij keek in alle openingen van mijn hoofd, verklaarde me gezond en bood me nog meer pijnstillers aan. Ik ging met het recept naar de apotheek en legde de pillen weg voor Marilyn voor wanneer ze terug zou komen uit Frankrijk.

Die zondag, de tweede van januari, kreeg ik weer een e-mail van haar, deze keer in het Duits. Ik wendde me tot een vertaalprogramma op internet voor hulp.

Op 24 oktober 1907 meldde de krant *Vossi*: 'Gedurende de dagelijkse van gisteren keizers had, keizerin, prinsessen en prins, het schitterende gebouw van hotelbezoeken en de heer Adlon, hun erkentelijkheid hier in de luisterrijke hoofdstad het werk in de meest lovende manier tot uitdrukking gebracht.

Ik begreep dat ze naar Berlijn was gegaan, dus slikte ik mijn trots in en antwoordde met weer zo'n lange, smekende e-mail. Zodra ik op SEND had gedrukt, had ik er al spijt van. Ik had alles al gezegd in mijn eerste mail, toen had ik mezelf al vernederd. Nu wist ik niet wat ik eigenlijk hoopte te bereiken. Verzoening? Ik wist niet of ik die wel wilde. De afgelopen twee weken was ik geheel Marilyn-vrij geweest, en al miste ik haar op een bepaald niveau wel, ik had voor het eerst in jaren het gevoel dat ik me volledig kon ontspannen. Zo hoor je je te voelen ten opzichte van je ouders, niet je minnares. Niet dat ik op beide onderdelen deskundig was.

Eigenlijk wilde ik dat ze me vergaf zodat ik me minder schuldig hoefde te voelen dat ik de relatie verbrak, aangenomen dat het zover zou komen, wat ik wel aannam. Anders zou ik graag zien dat ze zo razend en irrationeel zou worden dat ik er zonder fanfare uit kon stappen. Ik wilde een beginpunt: ze draaide helemaal bij, of ze haakte helemaal af. Ik vond het allebei goed. Waar ik niet tegen kon, was dit niemandsland, dus daar hield ze me. Ze kende me goed genoeg om de gevolgen van haar stilzwijgen te kunnen voorspellen. Ze haalde met opzet mijn on-

311

rust naar de oppervlakte. Dat maakte me woest en terugkijkend had ik dat waarschijnlijk ook verdiend.

De volgende middag werd ik gebeld door rechercheur Trueg van de brigade Ernstige Delicten. Hij vroeg of ik tijd had om naar het bureau te komen. Ik wilde best uit de galerie weg, dus sprong ik in een taxi en toen ik bij het bureau aankwam, werd ik naar een hokje gebracht waar hij zich had verschanst achter een batterij lege Burger King-verpakkingen. Ook Andrade was bezig aan zijn lunch: een halfleeg Tupperware-trommeltje met tofu en bruine rijst.

'Wilt u een cola?' vroeg Trueg.

'Nee, dank u.'

'Dat is mooi,' zei hij, 'want die hebben we niet.'

De rechercheurs vertelden dat het onderzoek een merkwaardige wending had gekregen nadat ze hadden besloten Kristjana Hallbjörnsdottir aan de tand te voelen.

Trueg vertelde: 'Wij naar haar atelier om met haar te praten. Ze zegt niets wat argwaan of juist geen argwaan wekt, hoe je het ook wendt of keert. Ik verontschuldig mezelf en vraag of ik even naar het toilet mag. Ik loop de gang door en wat denk je, aan de wand hangen een paar tekeningen die verdomd veel weg hebben van die van u.'

Ik schoot overeind.

Trueg knikte. 'Jawel. Open en bloot nog wel. Dat vinden wij natuurlijk heel interessant, maar we zeggen er niets van. We informeren nog even naar de aard van haar relatie met u en daarna vertrekken we om een huiszoekingsbevel te halen.' Hij glimlachte wrang. 'Geen katje om zonder handschoenen aan te pakken als ze boos is.'

'U hebt geen idee.'

'We moesten haar door iemand naar buiten laten brengen om haar te kalmeren.'

'U bent niet de eerste.'

'Wat hebt u haar eigenlijk aangedaan? Dat werd niet echt duidelijk.'

'Ik had een expositie van haar afgezegd,' zei ik in een poging om mijn ongeduld te bedwingen. 'Heeft zij de tekeningen?'

Andrade haalde een handvol exemplaren in een verzegelde bewijszak uit zijn bureau: een tiental Crackes, makkelijk te herkennen aan hun teugelloze gevoel voor schaal, de surrealistische beelden, de bizarre namen en terugkerende gezichten. De achterkanten waren halverwege de negenendertigduizend genummerd. Toen Andrade ze voor me uitspreidde, voelde ik een golf van opluchting dat Kristjana ze niet uit wraak had vernietigd. Maar opeens schoot me te binnen dat deze misschien de enige waren die er nog over waren van de paar duizend die ze had gestolen.

'De doos die ik bij me had, zat vol,' zei ik. 'Er zaten ongeveer tweeduizend tekeningen in.'

'Nou, dat is alles wat ze heeft opgeschreven,' zei Trueg.

'Zeg me alstublieft dat u een geintje maakt.'

Andrade schudde zijn hoofd.

'O, nee.' Ik legde mijn hoofd in mijn handen. 'O, shit.'

'Voordat u al te boos wordt...' zei Trueg.

'Hebt u haar appartement doorzocht? Shit. Ongelooflijk. Shit.'

'Wacht even,' zei Trueg. 'Dat is nog lang niet alles. Ik ben nog maar met de warming-up bezig.'

'Shit.'

'Ik denk dat u dit wel wilt horen,' zei Andrade.

'Shit...'

Trueg zei: 'Dus nemen we haar mee naar het bureau voor verhoor, en zodra we die tekeningen ter sprake brengen, kijkt ze alsof ze vreselijk op haar tenen is getrapt en zegt...' Hij keek naar zijn partner. 'Toe dan, doe jij het maar. Je doet het prachtig.'

Andrade zei met een houterig Scandinavisch accent: 'Maar die heb ik "zelv" gemaakt.'

Ik hoorde amper wat hij zei, zo werd ik in beslag genomen door de gedachte aan mijn vernielde kunstwerken. Toen het eindelijk tot me doordrong wat hij had gezegd, zei ik: 'Pardon?'

'Toe dan,' zei Trueg, 'doe het nog maar een keer.'

313

'Ze beweert dat ze de tekeningen zelf heeft gemaakt,' zei Andrade.

'O, toe nou, Benny, nog één keer.'

'Wacht,' zei ik. 'Wacht even. Wat heeft ze zelf gemaakt?'

'De tekeningen,' zei Andrade.

'Welke tekeningen?'

'Die,' zei Trueg, wijzend naar de Crackes.

Ik keek hem met open mond aan. 'Maar dat is belachelijk.'

'Nou, dat zei ze anders wel.' Hij leek me onthutsend kalm, net als Andrade.

'Nou,' zei ik. 'dat is dan belachelijk. Waarom zou ze dat doen?'

'Ze zegt dat iemand haar had ingehuurd om kopieën te schilderen,' zei Trueg. 'U weet wel, in de stijl van.'

'Wat?'

'Ik herhaal alleen maar wat zij heeft gezegd.'

'Wie had haar ingehuurd?'

'Dat wilde ze niet zeggen,' zei Andrade.

'Nee,' zei Trueg. 'Op dat onderdeel was ze echt heel koppig.'

Ik leunde naar achteren en sloeg mijn armen over elkaar. 'Nou ja. Dat is... Ik bedoel... Dat is bespottelijk.'

'Dat dachten wij ook,' zei Andrade. 'Dus vroegen we haar er een voor ons te maken. Ik zat erbij toen ze het deed. Kijk zelf maar.'

Hij trok zijn bureau weer open en haalde nog een paar bewijszakken tevoorschijn met tekeningen die vrijwel niet te onderscheiden waren van de eerste. Wat zeg ik, ze waren helemaal niet van elkaar te onderscheiden. Ik bleef met mijn ogen knipperen en kijken en nog eens knipperen, en was ervan overtuigd dat ik hallucineerde. Het meest onthutsende was dat de tekeningen naadloos op elkaar aansloten, net als die van Cracke zelf, en dat niet alleen, maar ze sloten ook aan op de eerste hoeveelheid tekeningen, de exemplaren die in beslag waren genomen in het atelier, alsof Kristjana even een sigaret was gaan roken en daarna haar werk had vervolgd. Ik vroeg of ze tijdens het tekenen naar de eerste werken had gekeken en Andrade schudde zijn hoofd en zei nee, ze had het uit haar hoofd gedaan. Opeens begon ik te zweten toen me te binnen schoot wat ik ooit tegen Marilyn had gezegd: 'Vroeger was ze een begaafde kunstschilder.' Kristjana had tenslotte een klassieke opleiding en het was net iets voor haar om een kick te krijgen van het kopiëren van het werk van de kunstenaar die haar had verdrongen. Waarschijnlijk was het goed voor haar martelaarsgevoel, dat prekerige waardoor haar ergste werk onverteerbaar was. Het klopte als een bus, maar tegelijkertijd kon ik niet accepteren dat het werk zo makkelijk na te maken was. Ik was de deskundige op het gebied van Victor Crackes iconografie; ík wist wat echt was en wat niet, ík had het verrekte droit moral godverdomme, en het werk dat ik zat te bekijken was even authentiek als alles wat ik uit dat benauwde klotewoninkje had gesleept. Dat kon niet anders. Kijk nou toch, allejezus. Beide stapels tekeningen op het bureau moesten door een en dezelfde persoon zijn gemaakt; zelfs de tint van de inkt – die op het werk van Cracke, afhankelijk van de leeftijd, tussen de ene en de andere tekening uiteenliep – kwam volmaakt overeen. Vervolgens begon de kamer om me heen te draaien. Stel dat de tekeningen die ik in de opslag had, helemaal niet van Victor Cracke waren. Stel dat de hele toestand deel uitmaakte van een ingewikkelde practical joke, geregisseerd door Kristjana zelf? Victor Cracke wás Kristjana. In mijn opgefokte toestand leek het idee absurd genoeg om geloofwaardig te zijn. Ze was dol op dat soort naar zichzelf verwijzende rommel en ik kon me de masochistische huivering voorstellen die ze kreeg wanneer ik de ene expositie van haar afzegde om een expositie van ander werk van haar voor te bereiden. Wie was Victor Cracke tenslotte? Niemand. Niemand die ik kende of die iemand anders kende. Het was allemaal Kristjana. De *Mona Lisa*? Dat was zij. De *Venus van Milo*? Ook. Alles wat Kevin Hollister in zijn kantoor wilde hangen, van Botticelli's *Primavera* tot *Olympia... Allemaal van haar!* Ik vroeg me af hoe ze Tony Wexler zover had gekregen om het spel mee te spelen, om maar niet te spreken van huismeester Shaughnessy, de buren, de fruitverkoper, Joe de damkampioen... Stuk voor stuk dubbelagenten. Maar... Maar... Maar ik had mensen gesproken die Victor Cracke hadden gezíén, die hem in de gang voorbij waren gelopen... Maar geen van hen kon een volledig signalement geven… Maar was dat niet juist realistisch, onthielden verschillende mensen niet verschillende indrukken… Maar zou Kristjana dat niet juist geweten hebben, en dat incalculeren, kon ze de hele toestand niet juist zó hebben geregisseerd…?

Mijn hoofdpijn keerde terug, met een sausje.

Wat mijn verwarring er niet beter op maakte was een gevoel van grote ergernis dat ze haar tijd verbeuzelde met destructieve installaties waarin zeezoogdieren van duizend kilo figureerden, terwijl ze met gemak van alles kon maken wat mensen wel wilden kopen.

Ik weet niet of Trueg en Andrade dachten dat ik een zenuwinzinking of zo kreeg, maar toen ik zei: 'Het lijkt allemaal verdomd authentiek,' knikten ze meelevend, het knikje dat je een krankzinnige geeft om hem rustig te houden terwijl de mannen in witte jassen hun vangnet uit de bestelbus halen.

Trueg zei: 'Wacht even, de voorstelling is nog niet voorbij. We hebben nog iets in haar appartement gevonden.'

Andrade trok zijn bureau opnieuw open. Wat zou hij nu weer tevoorschijn toveren? Een foto van Kristjana en Victor aan de thee? Hij gaf me weer een stuk bewijsmateriaal in een plastic zak. Deze keer was het een half voltooide brief, geschreven in datzelfde priegelige handschrift als de twee brieven die ik zogenaamd van Victor zelf had gekregen. Er stond, eindeloos herhaald, LEUGENAAR.

'Waarom denkt ze dat u een leugenaar bent?' vroeg Andrade.

'Hoe moet ik dat verdomme nou weten?' zei ik. 'Ze spoort niet.'

LEUGENAAR LEUGENAAR LEUGENAAR LEUGENAAR LEUGENAAR

'Als u het mij vraagt,' zei Andrade, 'lijkt dit haar bewering dat zij de tekeningen heeft gemaakt enigszins te ondersteunen.'

LEUGENAAR

'U zei toch dat die eerste twee brieven van de kunstenaar kwamen?' vroeg Trueg.

'Dat dacht ik.'

'Nou, dit lijkt me een en dezelfde persoon,' zei hij. Hij keek naar Andrade. 'Benny? Wat vind jij?'

'Ik denk het ook.'

Trueg glimlachte naar me. 'Dat is onze professionele mening. Een en dezelfde. Dus heeft ze u één keer voor de gek gehouden. Ik zie niet in waarom ze dat niet nog een keer zou kunnen.'

'Maar.' Ik pakte de brief. LEUGENAAR LEUGENAAR LEUGENAAR. 'Denkt u niet... Ik bedoel, ze heeft me bedreigd, waarom arresteert u haar niet voor die overval?'

'Nou,' zei Trueg, 'dat is ook niet zo eenvoudig. Ze bekent dat ze de eerste twee brieven heeft gestuurd...'

'Kijk eens aan,' zei ik. 'Daar heb je het dus al.'

'... en ze zegt dat ze er nog een wilde sturen. Maar vervolgens vertelt ze dat de eerste twee als een soort practical joke bedoeld waren.'

'Dat meent u n...'

'En toen u werd overvallen, begon ze zich zorgen te maken dat ze zichzelf belastte, dus is ze ermee gestopt. Ze had de helft van de derde geschreven, maar niet afgemaakt en dat is het exemplaar dat we hebben gevonden. Deze.'

'En u geloofde haar?'

Trueg en Andrade wisselden een blik van verstandhouding. Daarna keken ze naar mij.

'Ja,' zei Trueg. 'Eigenlijk wel.'

Andrade zei: 'Dat was mijn gevoel ook.'

'Ze bood aan om een leugendetectortest te doen.'

'O, kom nou toch,' zei ik. 'Dit, dit is... Dus wat bedoelt u eigenlijk, is ze de dader of niet?'

'Dat weten we niet,' zei Trueg. 'Het kan zijn dat ze dat pak slaag heeft geregeld, maar zelf heeft ze het niet gedaan. Om kwart voor twaalf was ze op een feest aan de andere kant van de stad. Alle andere gasten die we hebben gesproken, verklaren onder ede dat ze daar van tien uur tot minstens één uur 's morgens is geweest.'

'Ze kan ze daartoe hebben overgehaald,' zei ik. Zelfs in mijn eigen oren klonk het paranoïde.

'Dat is zo,' zei Andrade vriendelijk.

'Ze heeft iemand in de arm kunnen nemen om het voor haar op te knappen,' zei ik.

'Dat is ook waar.'

Ik zei: 'Ik weet niet wat ik anders moet denken.'

'Momenteel hebben we niets concreets dat we haar kunnen aanwrijven. Misschien aantasting van de persoonlijke vrijheid, op basis van die eerste brieven. Maar ik moet open kaart met u spelen, ik denk niet dat ze de moeite zullen nemen. Ze zegt dat het maar een grapje was.'

Ik hield de brief omhoog. 'Vindt u dit grappig?'

Trueg en Andrade keken elkaar weer aan.

'Nou,' zei Andrade, 'niet honderd procent.'

'Eerder zestig procent,' zei Trueg.

Ik staarde hen aan. Waarom vond iedereen mijn ellende toch zo geestig?

'Misschien iets van dertig,' zei Trueg.

Andrade zei: 'In wezen zijn we weer terug bij af. We blijven kijken of de kunst ergens opduikt. Intussen hoeft u zich geen zorgen om die brieven te maken. Volgens mij krijgt u die niet meer.'

Ik knikte zwijgend.

Trueg zei: 'Raderen in raderen.'

Ik verliet het bureau in een mist en zo bleef het tot ik Samantha weer zag. Toen ze me zag, informeerde ze meteen of ik me wel lekker voelde. Ik legde uit wat de rechercheurs hadden gezegd en ze zei: 'Tjonge.'

'Zeg dat wel.'

'Dat is klote.'

'Zeg dat wel.'

Ze grijnsde. 'Nou, sta me toe je leven wat lichter te maken.'

Ze vertelde dat ze James Jarvis had gevonden, de man die dertig jaar geleden een overval had overleefd die deed denken aan de Queensmoorden. Hij woonde nu in Boston, waar hij marketing doceerde op een hogeschool. Samantha had hem gesproken, en hoewel hij beweerde zich maar weinig te herinneren, voelde ze instinctief dat hij niet alles zei. Ze had talrijke slachtoffers van seksueel geweld tegenover zich gehad, dus ze geloofde dat we meer uit hem zouden krijgen als we bij hem langsgingen. De telefoon maakte het mensen gemakkelijker om zich mentaal los te maken en angstaanjagende herinneringen te verdringen. En toen de adjunct-directeur van Green Gardens belde om te zeggen dat hij me weliswaar geen kopieën van de foto's kon sturen, maar dat we welkom waren om ze te komen bekijken, besloten Samantha en ik er een uitstapje van te maken.

Woensdagochtend twee weken later stapten we aan boord van een binnenlands vliegtuigje dat ons van LaGuardia naar de luchthaven van Albany bracht. Het weerbericht van de avond tevoren waarschuwde voor een naderende storm uit het noordoosten en ik verwachtte een langdurige vertraging en misschien wel een annulering van de vlucht. Maar de bewuste dag begon onbewolkt en helder; de panoramische vensters van de terminal wierpen lange rechthoeken zonlicht naar binnen, als een grote blanco filmstrip waardoorheen Samantha verlicht op me afwandelde. Ze droeg een mauve corduroy broek, een zwarte trui en geen make-up. Ze zwaaide met een gehavende plunjezak en toen ze voor het loket stond, haakte ze haar duimen in haar achterzakken. Ik stond een eindje verderop naar haar te kijken en had weinig zin om de betovering die ze om zich heen had te verbreken. Toen ik uiteindelijk op haar afliep om haar te begroeten en ze naar me lachte, kostte het me geen moeite om te zeggen dat ze er prachtig uitzag.

We kochten onze tickets en stapten op de bus, die ons over het asfalt naar een gammel propellervliegtuig bracht, waarvan de vleugels glommen van de antivries. Het had maar dertig zitplaatsen en toen we onze plaatsen aan weerskanten van het gangpad innamen, keek ze naar buiten, waar een onderhoudsmonteur de propellers bespoot.

'Ik heb een hekel aan vliegen,' zei ze.

Ik stond er verder niet bij stil. Wie heeft er nu geen hekel aan vliegen? Vooral tegenwoordig.

Maar ik had haar onderschat. Bij elke onregelmatigheid – en in een klein toestel voel je alles – klampte ze zich klam van het zweet vast aan de armsteunen en parelde het zweet bij haar haargrens.

'Gaat het?'

Ze was bleek. 'Ik heb hier gewoon echt de pest aan.'

'Glaasje water?'

'Nee, dank je.' Het vliegtuig maakte een duik en ik zag haar hele lichaam zich spannen. 'Zo was ik vroeger niet,' zei ze. 'Het is pas na de dood van Ian begonnen.'

Ik knikte. Ik taxeerde vlug het risico en stak mijn hand over het gangpad om de hare te pakken, in de hoop dat ik de juiste beslissing had genomen. Ze hield me de rest van de vlucht vast en liet alleen even los om het karretje met drankjes te laten passeren.

Ik wist niet veel van Albany, behalve dat Ed Koch ooit had opgemerkt dat het een stad zonder fatsoenlijk Chinees restaurant was, en toen we wegreden van het vliegveld, zag ik de wijsheid van zijn woorden. Uit een slap gevoel van verplichting maakten we een omweg langs het capitool, een opzichtig monster in rood en wit, een poging tot waardigheid in een stad die blijkbaar door de tijd in diskrediet was gebracht. Terugkijkend hadden de eerste inwoners van de staat New York misschien iets voorzichtiger kunnen zijn bij de keus van hun hoofdstad. Wat driehonderd jaar geleden belangrijk geleken mocht hebben – een overvloed van lokaal verworven beverhuiden – zou er op den duur misschien minder toe doen dan, zeg maar, een wereldcentrum van cultuur en financiën. Maar achteraf kijk je een koe in z'n kont.

Green Gardens was aan de overkant van de Hudson, aan een zijweg van Route 151. We reden door wijken van laagbouw die nog altijd was opgedirkt met de glitter van Kerstmis; we kwamen bij een splitsing met de snelweg waar twee mannen op een terrein van nat asfalt naast een benzinestation stonden te kijken naar een derde die achterwaarts op een vrachtwagenband liep. Voordat ik Samantha liet rijden, moest ze me beloven dat ze voldoende gekalmeerd was en inmiddels was ze weer haar droge, rationele zelf geworden. Het grootste deel van de rit vertelde ze gruwelverhalen over de vakanties.

'Mijn moeder sprak Jerry aan met de naam van mijn vader.'

'Dat meen je niet.'

'Echt.'

'Was ze dronken?'

'Nee, maar hij wel. Daarom deed ze het ook volgens mij. Volgens mij had ze zo'n flashback van al die keren dat ze tegen mijn vader was uitgevallen. Jerry zei iets lulligs over iets wat ze had gekookt, en zij zegt: "Godverdomme, Lee!" Meteen slaat ze haar handen voor haar mond zoals je wel eens in stripverhalen ziet.'

'Had hij het in de gaten?'

'Jawel.'

'O, hemeltje.'

'Jawel.'

'Dat is vreselijk.'

'Het is niet anders.' Ze keek even opzij. 'Heb jij je vader nog gebeld?'

Ik aarzelde. 'Nee.'

Ze knikte en zweeg.

Ik voelde me in de verdediging gedrongen en zei: 'Ik was het wel van plan. Ik heb zelfs de hoorn van de haak genomen.'

'Maar?'

'Ik wist niet wat ik moest zeggen.'

'Je had kunnen vragen waarom hij de tekeningen wilde kopen.'

'Dat is zo.'

'Het is jouw zaak.' Ze gaf richting aan naar links. 'We zijn er.'

Aan de stenen zuilen van de poort van Green Gardens had ooit een hek gehangen; langs de voorkant van het terrein stonden soortgelijke zuilen met roestvlekken rond de gaten bovenop en langszij waaruit het metaal was verwijderd. Het zicht vanaf de weg werd geblokkeerd door naaldbomen en elzen, en toen we die achter ons hadden gelaten, kreeg ik een groeiend gevoel van verwachting. We zagen een enorm wit gebouw met een puntdak en torentjes en een veranda rondom. We parkeerden de auto en beklommen het bordes, waar we verwelkomd werden door een man met een rood sikje.

'Dennis Driscoll,' zei hij.

'Ethan Muller. Dit is officier van justitie, Samantha McGrath.'

'Hallo.' Eén van zijn mondhoeken ging omhoog. 'We krijgen niet vaak bezoek.'

Het interieur van het gebouw was krakerig, bedompt en overal lag tapijt. De oorspronkelijke victoriaanse versierselen waren nog intact: afgrijselijk behang, drukknoppen voor het licht en een scheve kroonluchter. Stoompijpen sisten. In de receptie hing een somber schilderij van een kale man met zware kaken: THOMAS WESTFIELD WORTHE volgens het naamplaatje.

'Hij had hier de leiding tot halverwege de jaren zestig,' zei Driscoll. 'In die tijd werd dit gezien als een vrij progressieve instelling.' Hij ging ons voor naar boven. Op de overloop bleef hij even staan om naar buiten te wijzen. Aan de overkant van een breed, besneeuwd grasveld stond een tweede, hoekig en modern gebouw. 'Daar stond vroeger het slaaphuis. Dat hebben ze in de jaren zeventig platgegooid om ruimte te maken voor het voornaamste revalidatiecentrum. Dit gebouw is van 1897.' Hij liep de trap op naar de derde etage. 'Ik keek ervan op al zo gauw iets van u te horen. Eerlijk gezegd verwachtte dokter Ulrich volgens mij niet dat u zou komen en heeft ze daarom misschien wel ja gezegd.'

'Hier zijn we.'

'Jawel.' We liepen door een benauwde, donkere gang en beklommen nog een trap. 'Dit deel van het gebouw wordt weinig gebruikt, want de verwarming is gebrekkig. En in de zomer is het net een oven. We gebruiken de kamers voornamelijk als opslag. Hier kunnen langdurig verpleegden hun bagage kwijt. We krijgen veel patiënten uit andere staten en een handjevol Canadezen die de wachtlijsten beu zijn. In theorie kunnen hier familieleden overnachten, maar we raden ze altijd de Days Inn aan. Voilà.' We sloegen een hoek om.

Hij zei: 'U ziet wel waarom ik ze niet allemaal zelf wilde bekijken.'

Langs de hele lengte van de gang hingen honderden foto's in lijsten die waren gebarsten door de seizoensschommelingen in de vochtigheidsgraad. Vrijwel elke vierkante centimeter van het behang was ermee bedekt, wat het beeld opriep van zo'n claustrofobisch zeventiende-eeuws 'schilderij van schilderijen', zoals de privégalerie van de een of andere Vlaamse aartshertog, waarvan de wanden van de vloer tot het plafond waren overdekt met kunst. Op een handjevol foto's stonden individuen afgebeeld, maar de meeste waren, zoals Driscoll had aangekondigd, een soort klassenfoto's waarop de personen in rijen waren opgesteld, met de grootste op de achterste rij en de kleinste in kleermakerszit vooraan. Allemaal hadden ze een lege blik, glad pommadehaar en een dichtgeknoopte kraag; ze stonden er stuk voor stuk houterig en nors bij, zoals het betaamt op oude foto's. Maar ik bespeurde ook een extra dosis brutaliteit; een restje van een sneer die nog in de lucht hing, een kin die verder vooruitgestoken was dan strikt noodzakelijk. Las ik er te veel in? Ik wist tenslotte dat ze wegens slecht gedrag hierheen waren gestuurd. Hoe dan ook, ik had bijzonder te doen met die afdankertjes van de samenleving. Was ik geboren in een minder tolerant tijdperk in een minder tolerante familie, dan had ik hier misschien tussen gestaan.

Het besef dat we Victor Cracke misschien tussen de gelederen zouden vinden, maakte dat we in de verleiding kwamen ons te haasten, maar we gingen methodisch te werk en tuurden met samengeknepen ogen naar de bijschriften. Sommige foto's hadden er geen. Ik tilde een van de lijsten van de muur en las achterop niets anders dan '2 Juni 1954'. Al die gezichten en namen; al die vergeten zielen. Waar was hun familie? Wat voor leven hadden ze geleid voordat ze hierheen kwamen? Waren ze ooit weer vertrokken? Spoken trokken me aan de mouw, geesten op zoek naar een levend lichaam om mee te liften.

Waarschijnlijk had ik vuurwerk verwacht als we hem zouden vinden. Maar het enige wat er gebeurde, was Samantha die zei: 'Ethan.'

Zeven man op één enkele rij. Ze legde haar vinger bij de onderkant van de lijst.

STANLEY YOUNG, FREDERICK GUDRAIS, VICTOR CRACKE, MELVIN LA-THAM.

Hij was minstens tien centimeter kleiner dan de mannen aan weerskanten, droeg een mottige snor en had zijn ogen wijd opengesperd van angst in afwachting van de flits. Een hoog voorhoofd en ronde kin gaven zijn gezicht het aanschijn van een omgekeerde grafzerk; de breedte stond niet in verhouding tot zijn ingevallen, schriele romp. Misschien had hij wel een bochel. Te oordelen naar de andere mannen op de foto, blijkbaar van dezelfde ploeg, schatte ik hem op een jaar of vijfentwintig, al zag hij er vroegtijdig gerimpeld uit.

Driscoll zei: 'Asjemenou.'

Met trillende handen nam ik de foto van Samantha aan. Er gingen een heleboel gevoelens door me heen – verdriet, opluchting, opwinding – maar ik voelde me vooral bekocht. Ooit was er een tijd dat hij niet bestond. Ooit was er een tijd dat ik hem had gecreëerd. Toen was ik de nummer één. Toen we vervolgens jacht op hem maakten, werd ik gedwongen die overtuigingen een voor een overboord te zetten, een pijnlijk proces. Ik sprak mensen die hem gekend hadden. Ik at zijn appels. Ik volgde zijn voetsporen. Hij werd steeds levensechter, en omdat ik bang was hem helemaal te verliezen, had ik mijn best gedaan om hem te pakken te krijgen. In plaats van hem te minimaliseren, had ik hem juist groter dan levensgroot gemaakt. Ik had verwacht dat hij nog meer zou zijn als ik hem uiteindelijk zou zien: meer dan een getypte naam, meer dan een stel vale grijstinten en krijtachtige tinten wit, een institutioneel mysterie; meer dan een treurig, golemachtig mannetje. Ik had op een monumentaal iemand gehoopt; ik wilde een totem, een superman; ik wilde een teken dat hij tot de uitverkorenen behoorde; ik wilde zijn hoofd in een stralenkrans zien, of hoorntjes op zijn voorhoofd, het maakte niet uit, wat dan ook om de enorme veranderingen die hij in mijn leven had teweeggebracht te rechtvaardigen. Hij was mijn afgod en zijn alledaagsheid bezorgde me rode kaken.

Intermezzo: 1944

In het huisje staat alles wat hij nodig heeft. Mevrouw Greene kookt voor hem en doet de was. Ze leert hem lezen en eenvoudig rekenen. Ze leert hem de namen van vogels en zoogdieren, ze geeft hem een groot boek, ze neemt hem op schoot en leest voor uit de Bijbel. Zijn favoriete verhaal is dat van Mozes in het biezen mandje. Hij stelt zich het mandje op de Nijl voor, omringd door krokodillen en ooievaars. Mevrouw Greene imiteert hun happende kaken met haar handen en als ze die met een klap op elkaar laat vallen, jaagt ze hem angst aan. Hap! Maar Victor weet dat het verhaal goed afloopt. De zus van Mozes houdt hem op de oever in de gaten. Ze zorgt ervoor dat hem niets overkomt.

Tekenen vindt hij het heerlijkst, en wanneer mevrouw Greene naar de stad gaat, komt ze terug met dozen kleurpotloden en papier dat zo dun is dat hij moet oppassen om er geen scheuren in te maken. Ze gaat niet vaak genoeg om zijn honger naar leeg papier te stillen, en dus tekent hij op de muur. Wanneer ze dat ziet, is ze boos. Dat mag je niet doen, Victor. Er is nooit genoeg plek om te tekenen, dus hamstert hij allerlei soorten papier: enveloppen die hij uit de prullenbak vist, de binnenkant van boeken die mevrouw Greene leest en op de plank zet. Op een keer pakt ze een boek, ziet ze wat hij heeft gedaan en dan is ze weer boos. Hij begrijpt het niet. Ze heeft ze toch al gelezen, dus wat maakt het uit? Maar ze zegt dat mag je nooit meer doen en geeft hem een pak slaag.

Maar ze slaat hem niet vaak. Meestal is ze teder en hij houdt van haar als van een moeder, al heeft hij geen moeder en mag hij mevrouw

Greene niet zo noemen. Hij begrijpt niet waar hij vandaan komt, maar dat vindt hij niet erg, want hij heeft alles wat hij nodig heeft, eten, mevrouw Greene en papier.

Ze maken wandelingen over het hele terrein. Mevrouw Greene leert hem de namen van de bloemen en hij bestudeert de bloemblaadjes van dichtbij. Er zijn wel bijen, maar hij wordt nooit gestoken. Hij kijkt net zo lang naar een bloem tot hij zich die perfect voor de geest kan halen. Daarna gaat hij terug naar huis om hem te tekenen. Mevrouw Greene noemt hem een vreemd vogeltje, maar ze glimlacht wanneer ze dat zegt. Victor, je bent een raar vogeltje. Moet je die narcis eens zien. Moet je die paardenbloem zien. Vingerhoedskruid, cichorei en klaver, ze hebben allemaal andere vormen. Je bent een vreemd eendje, dat ben je, maar je kunt prachtig tekenen.

Hij is zes. Hij ziet andere kinderen op rare dingen over de straat bewegen en ze zegt dat het fietsen zijn. Ze gaan zo hard! Hij wil er ook een. Mevrouw Greene zegt, nee, je mag niet van het terrein af. Hij antwoordt dat hij echt niet van het terrein af zal gaan, maar alstublieft, o geef me alstublieft een fiets.

Nee.

Victor haat haar. Om wraak op haar te nemen, wacht hij tot ze 's middags in slaap valt, wat dikwijls gebeurt. Daarna trekt hij een stoel naar de muur waaraan de sleutel aan een lint hangt. Hij maakt de voordeur en het tuinhek open en wandelt helemaal naar de stad. Hij is er al eerder geweest, maar altijd stevig aan de hand. Eerst vond hij de stad opwindend, maar nu is het er lawaaiig. Een auto toetert. Een hond blaft hem toe. Hij voelt zich duizelig en vlucht een winkel in. De winkelier bekijkt hem alsof hij een groot insect is. Het gaat regenen en hij kan niet weg. Hij blijft uren in de winkel. Hij krijgt honger. Hij wil iets eten, maar heeft geen geld, dus pakt hij het eerste wat hij ziet, een stuk kandij. Hij steekt het in zijn zak en holt de winkel uit. De winkelier rent hem achterna. Victor holt zo hard als zijn benen hem kunnen dragen. De winkelier glijdt uit in een plas water en valt. Wanneer Victor een blik over zijn schouder werpt, zit de man onder de moddervlekken; hij ziet bruin en wit als een koe, maar hij zit hem niet meer achterna. Hij schreeuwt nog steeds en Victor smeert hem. Wanneer hij bij het tuinhek is, doen zijn voeten pijn en brandt er vuur in zijn borst.

Mevrouw Greene is niet in haar kamer. Victor klimt op de stoel om de sleutel terug te hangen. Hij gaat naar zijn kamer om met gierende ademhaling op bed te gaan liggen. Hij betast de kandij in zijn zak. Hij heeft geen trek meer. Hij houdt niet van snoep. Hij had iets moeten pakken waar hij meer van houdt. Hij houdt hoe dan ook niet zo van eten, daarom is hij zo klein en mager. Dat weet hij omdat de man met de spiegel en het tongstokje een keer langskwam en tegen mevrouw Greene zei dat de jongen meer moest eten, want hij bleef achter in de groei. En zij antwoordde of hij soms dacht dat ze dat niet had geprobeerd. De man was dokter. Hij ging weer weg. Mevrouw Greene zei dat hij terug zou komen.

Victor haalt de kandij uit zijn zak. Hij voelt lekker. Hij speelt ermee tot de suiker in zijn hand gaat smelten. Hij legt de brok op tafel en kijkt naar de manier waarop hij het zonlicht breekt. Hij pakt een stuk papier en tekent de grillige vorm na. Hij begint de verschillende facetten in te kleuren en dan dendert mevrouw Greene naar binnen met een hoofd zo rood als een biet. Ze zegt dat ze weet wat hij heeft uitgespookt, ze is half gek geworden toen ze hem zocht. Waar dacht hij dat hij heen ging? Wat dacht hij dat hij deed? Dat mag je nooit meer doen, lelijke jongen, je lijkt wel niet wijs. Ze gooit de kandij op de grond stuk. Daarna legt ze hem over de knie en geeft ze hem een pak op zijn broek tot hij huilt. Schavuit die je bent. Ze pakt zijn half voltooide tekening en scheurt hem aan stukken.

Maar meestal is ze aardig. Ze neemt hem mee naar de kerk. Victor houdt van de ramen. Daarop staan de Annunciatie, de Bergrede en de Wederopstanding. Ze stralen van blauw en paars vuur. Victor mag ze zich graag voor de geest halen wanneer hij 's avonds in bed ligt. Hij houdt van de kleuren, maar nog meer van de vorm. Mevrouw Greene leert hem bidden en 's nachts ligt hij dikwijls wakker om de rozenkrans te fluisteren.

Er komt ook een andere man op bezoek. Hij komt met een lange, zwarte auto. Hij draagt een grote vilthoed zoals Victor nog nooit eerder heeft gezien. Hallo, Victor. De man weet hoe hij heet. Hij heeft een snor. Victor wil ook een snor. Hij vraagt zich af hoe het voelt om altijd een lief huisdiertje op je gezicht te hebben. Dan zou hij nooit meer zo alleen zijn. Hij is vaak alleen maar voelt zich niet dikwijls eenzaam. Maar soms voelt hij zich wel heel eenzaam. Hoe komt dat toch?

De man met de snor komt vaak. Soms maken mevrouw Greene en hij een wandeling over het terrein en wanneer ze thuiskomen, zit de man op hen te wachten en de krant te lezen. Als Victor geluk heeft, vergeet de man de krant mee te nemen wanneer hij weer weggaat. Victor scheurt hem in stroken en spaart ze op voor de toekomst.

Hij vindt de bezoekjes van de man prettig. Ze zijn maar kort en eindigen altijd met een cadeautje. De man neemt een modelscheepje voor Victor mee, en een grote handschoen met een bal en een draaitol. Victor trekt de handschoen aan en dan is het net alsof zijn hand veel groter is geworden. Hij weet niet wat hij ermee moet doen tot mevrouw Greene vertelt dat je die gebruikt om een bal mee te vangen. Maar wie gooit de bal naar hem toe? Mevrouw Greene zegt dat zij dat zal doen, maar ze doet het nooit. De handschoen wordt nooit gebruikt. De tol kan hij heel lang laten draaien.

Wanneer de man met de snor komt, besteedt hij heel veel aandacht aan de verschillende delen van het huis en steekt hij zijn hoofd in alle kamers. Hij doet deuren open en dicht. Als ze piepen, trekt hij een zuur gezicht. Hij gaat met zijn vinger over de tafels en wrijft zijn vingertoppen over elkaar. Daarna stelt hij Victor vragen. Wat is drie keer vijf. Schrijf je naam eens voor me op, Victor. Als Victor het juiste antwoord geeft, krijgt hij tien cent. Als hij een fout maakt, of als hij het niet weet, fronst de man en gaat het pluizige diertje op zijn bovenlip nijdig rechtop staan. Victor wil graag zo veel mogelijk juiste antwoorden geven, maar naarmate hij ouder wordt, worden de vragen ingewikkelder. Hij begint tegen de bezoekjes van de man op te zien. Hij schaamt zich. Hij wordt zeven en de man zegt dat we hem les moeten geven.

Een paar dagen later komt er een andere man. Hij heet meneer Thornton en is huisonderwijzer. Hij heeft een stapel boeken bij zich, die hij tot Victors verbaasde verrukking achterlaat. Victor heeft van zijn leven nog niet zo veel papier gezien. En die avond stort hij zich er met wellust op, tekent in de kantlijnen en maakt patronen, sterren en gezichten. Wanneer de onderwijzer de volgende morgen weer komt en ontdekt dat Victor niet alleen zijn huiswerk niet heeft gedaan, maar ook nog drie gloednieuwe studieboeken heeft verwoest, geeft hij hem er nog veel erger van langs dan mevrouw Greene ooit heeft gedaan. Victor schreeuwt het uit, maar mevrouw Greene is naar de stad om boodschappen te doen. De man slaat Victor zo hard op zijn billen dat ze bloeden.

De lessen zijn niet altijd erg. De man leert hem dingen wegen op een weegschaal en hoe hij naar planten onder een microscoop moet kijken. De vormen zijn net prachtige sneeuwvlokken. Ze heten cellen. Victor hoopt dat de man de microscoop bij hem laat zodat hij hem kan gebruiken, maar helaas stopt hij hem weer terug in zijn leren tas en neemt hem mee wanneer hij vertrekt. Victor tekent de cellen uit zijn hoofd. Hij durft de resultaten niet aan de onderwijzer te laten zien, want die heeft blijk gegeven van zijn afkeer van Victors tekeningen.

Op een keer wanneer mevrouw Greene naar de stad is, zegt de onderwijzer tegen Victor dat hij moet opstaan en zijn broek moet laten zakken. Victor schreeuwt het uit want hij wil niet weer een pak slaag. Hij heeft niets verkeerds gedaan! Hij schreeuwt en de onderwijzer pakt hem vast en legt zijn hand op Victors mond zodat hij geen adem meer krijgt. Victor probeert in de vingers van de onderwijzer te bijten, maar die geeft hem een lel. De onderwijzer maakt Victors riem los en trekt zijn broek omlaag. Victor bereidt zich voor op de pijn maar de onderwijzer voelt aan zijn benen en aan zijn billen en legt vervolgens zijn hand op Victors geslachtsdelen. Daarna zegt de onderwijzer dat hij zich weer moet aankleden en doen ze nog wat grammatica. Dat gebeurt wel vaker.

De volgende keer dat de dokter komt, zegt hij tegen Victor dat hij zijn broek moet uittrekken en Victor schreeuwt het uit. Hij bijt de dokter in zijn elleboog en rent door de kamer tot mevrouw Greene hem bij zijn armen pakt en de dokter bij zijn benen en ze hem met een stuk tuinslang vastbinden aan een stoel.

Wat is er in hemelsnaam in hem gevaren?

Ik weet het niet.

Lieve god, moet je hem zien.

De dokter schijnt met een lampje in Victors ogen. Doet hij dit heel vaak?

Nee.

Hm. Hm. Het lampje gaat uit. Nou, dat is heel merkwaardig.

Ze gaan naar de andere kamer. Victor hoort ze nog steeds.

Heeft hij toevallen?

Nee.

Iets anders?

Hij praat in zichzelf. Hij heeft fantasievriendjes.

Dat is heel normaal voor kinderen.

Een jongen van zijn leeftijd? Hij praat meer met hen dan met mij.

Daar kijk ik niet van op.

Hij is niet zoals zijn moeder.

Nee, maar zwakbegaafdheid neemt allerlei vormen aan.

Het is niet natuurlijk om hem hier te houden.

Dat is niet aan ons.

Zo kan het niet meer. Hoe lang nog?

Ik weet het niet.

Ik zal niet eeuwig hier blijven.

Victor wringt met zijn handen aan de slang.

Heer ontferm u, zegt mevrouw Greene. Ontferm u over ons.

Ik zal het er met meneer Muller over hebben.

Heel graag.

Ik zal hem zeggen dat er iets moet gebeuren.

Waar zit hij toch? Ik heb al maanden niets gehoord.

Hij zit in het buitenland. Hij is naar Londen gegaan. Ze bouwen daar een scheepswerf.

Lieve god. Heeft hij niemand anders in de wereld dan u en ik?

Momenteel niet, nee.

Dat is niet goed.

Nee.

O.

Mevrouw Greene.

O, o.

Ik sta tot uw beschikking.

O.

De slang komt los. Victor trekt zijn armen vrij. Daarna verlost hij zijn voeten. Hij sluipt naar de deur en ziet mevrouw Greene en de dokter heel dicht bij elkaar staan. De dokter heeft zijn handen in haar blouse. Ze doet een stap naar achteren en ze gaan samen naar een andere kamer. Ze blijven een hele poos weg. Wanneer mevrouw Greene weer naar Victor komt, lijkt ze niet verbaasd om hem al tekenend aan zijn bureau te treffen. Ze geeft hem een beker warme chocola en drukt een kus op zijn hoofd. Ze ruikt naar badwater.

Niet lang daarna ziet hij mevrouw Greenes lichaam. Hij bukt zich naar het sleutelgat wanneer ze in bad zit. Door de stoom ziet hij niet veel, maar wanneer ze uit het bad stapt, schudden haar borsten; die zijn groot en wit. Hij maakt een geluid en ze hoort hem en slaat een handdoek om. Net wanneer hij wegrent, doet ze de deur open. Je bent een vieze jongen. Hij rent naar zijn kamer en verstopt zich onder het bed. Ze komt de kamer in met een jurk die ze binnenstebuiten heeft aangetrokken. Haar haren druipen. Er spatten druppels af wanneer ze hem onder het bed vandaan trekt. Hij zet zich schrap tegen de grond maar zij is sterker. Vieze, vieze jongen. Maar ze slaat hem niet. Ze zet hem op de rand van het bed en berispt hem met luide stem. Je mag dat nooit meer doen. Dat doen nette jongens niet. Je moet een nette jongen en geen slechte jongen zijn.

Hij wil een nette jongen zijn.

De tijd verstrijkt. De man met de snor komt op bezoek. Hij kijkt niet blij.

Het kan gewoon niet langer, meneer, zegt mevrouw Greene.

De man ijsbeert door de kamer en trekt aan zijn oren. Ik begrijp het.

Victor is verbaasd. Hij trekt ook vaak aan zijn oren. Mevrouw Greene houdt er niet van, ze geeft hem een tik op de vingers en zegt dat hij niet zo'n rare vogel moet zijn. Toch trekt de man met de snor, die zo groot en vorstelijk is met die grote hoed van hem ook aan zijn oren, net als Victor. Dat geeft hem een trots gevoel.

Hij hoort op een school, meneer.

Dat weet ik. Ik heb dokter Fetchett gevraagd een betere plek voor hem te zoeken. Het is niet zo eenvoudig dat we hem naar Priestly kunnen sturen. De man met de snor blijft staan om naar een van Victors tekeningen te kijken, die mevrouw Greene aan de muur heeft gehangen. Dit is heel goed.

Daar kan ik niet de eer van opstrijken, meneer.

U bedoelt… U meent het.

Ja, meneer.

Allemaal? Lieve hemel. Ik had geen idee. Ik heb altijd aangenomen dat ze van u waren.

Nee, meneer.

Hij is heel getalenteerd. Hij moet verf hebben.

Ja, meneer.

Laten we die dan maar voor hem kopen.

Ja, meneer.

Ik kom gauw terug. Ik zal het er met Fetchett over hebben. We bedenken wel iets.

Ja, meneer.

En de lessen? Maakt hij vorderingen?

Nee, meneer. Hij doet zijn huiswerk nog steeds niet. Hij scheurt het aan stukken.

De man zucht. U moet hem straffen.

Denk niet dat ik het niet heb geprobeerd.

Denk om uw toon.

Het spijt me, meneer. Ik ben aan het eind van mijn Latijn.

Ik begrijp het. Dit is voor u.

Dank u wel, meneer.

En koop verf voor de jongen, alstublieft.

Ja, meneer.

Wees een brave jongen, Victor.

Hij ziet de man nooit meer.

De jaren verstrijken. Hij is elf. Mevrouw Greene bakt een verjaardagstaart voor hem en als ze die naar de tafel brengt, moet ze huilen. Ik kan het niet. Ik kan het domweg niet.

Victor wil haar helpen. Hij biedt haar een stukje van zijn taart aan.

Dank je wel, schat. Dat is heel lief van je.

Er komt een andere auto. Victor staat voor het raam en ziet hem dichterbij komen. Hij is grijs. Een man in een blauw jasje springt eruit, holt naar het achterportier en houdt het open voor een vrouw met een grote bos haar en een hoge bruine hoed als een paddenstoel. Mevrouw Greene haast zich om open te doen. De vrouw met de hoed stevent langs haar heen naar het midden van de kamer en kijkt met een vies gezicht om zich heen. Daarna kijkt ze naar Victor.

Hij is smerig.

Hij heeft buiten gespeeld, mevrouw.

Ik duld geen tegenspraak. De jongen is smerig en daarmee uit. Nou, heb je iets te zeggen?

De vrouw heeft het tegen hem. Hij zegt niets.

Hij is geen spraakzaam type, mevrouw.

Mond dicht, jij. De vrouw met de hoed loopt door de kamer, pakt borden op en gooit ze weer ruw neer. En dit huis is ook een varkenskot.

Het spijt me, mevrouw. Meestal doe ik 's middags de was, na…

Kan me niets schelen. Ga hem wassen. Hij gaat hier weg.

Mevrouw?

U draagt geen schuld aan de verkeerde beslissingen van mijn man, maar u moet goed begrijpen dat hij er niet meer is en voortaan maak ik hier de dienst uit en niemand anders. Hebt u dat begrepen?

Ja, mevrouw.

En ga hem nu maar wassen, ik kan het niet meer aanzien.

Mevrouw Greene laat zijn bad vollopen. Hij wil niet in bad, hij is gisteren al in bad geweest. Hij verzet zich en ze smeekt hem. Alsjeblieft, Victor. Ze klinkt alsof ze in huilen uit kan barsten, en hij laat zich uitkleden en in bad doen.

De vrouw met de hoed zegt: De auto komt over een uur.

Waar brengt u hem heen, mevrouw?

Daar hebt u niets mee te maken.

Met alle respect… Het spijt me, mevrouw.

U mag hier zo lang blijven wonen als u wilt.

Dat zou ik helemaal niet willen, mevrouw.

Dat kan ik u niet kwalijk nemen. Mijn man was een verrekte malloot. Nou, vindt u dan niet dat dit een idioot plan van hem was?

Ik zou het niet weten, mevrouw.

Dat weet u wel, u hebt toch wel een mening.

Nee, mevrouw.

U bent heel goed getraind. Hoeveel betaalde hij u?

Mevrouw.

Ik zorg er wel voor dat u niets tekortkomt. U kunt dit nummer bellen. Hebben wij elkaar begrepen?

Jawel, mevrouw.

De idioot. Hoe lang was hij van plan dit vol te houden?

Ik zou het niet weten, mevrouw. Hij zei dat hij een school voor de jongen zou zoeken.

De vrouw met de hoed kijkt naar Victor en huivert. Nou, dat is nu achter de rug.

Ze zetten hem in de auto en rijden door de sneeuw. Hij is nog nooit zo ver van huis geweest. Mevrouw Greene zit naast hem en houdt zijn hand vast. Hij weet niet waar hij heen gaat en dikwijls is hij bang. Hij schreeuwt het uit en mevrouw Greene zegt Alsjeblieft, Victor. Kijk naar de bomen. Hoe zien die eruit? Hier heb je papier. Het hobbelen van de auto maakt tekenen lastig. Hij probeert een vaste hand te houden, maar zodra hij iets op papier heeft, wordt hij misselijk en moet hij zijn ogen dichtdoen. Hij wil naar huis. Wanneer gaan ze terug? Hij wil naar bed met een kop chocola. Hij wil zijn draaitol. Hij huilt en mevrouw Greene zegt Kijk maar naar de bomen, Victor.

De bomen zijn puntig en hoog en wit. Ze zien eruit als kandij.

Wanneer het donker wordt, komen ze bij een huis. Het is groter dan alle huizen die hij ooit heeft gezien, veel groter dan zijn eigen huis. Het huis heeft een beroete voorgevel met gele ogen. De auto stopt en mevrouw Greene stapt uit. Victor blijft zitten.

Kom, lieverd.

Victor stapt uit. Mevrouw Greene heeft een koffertje in haar hand. Ze staat er heel houterig bij. Dan hurkt ze in de sneeuw met haar nylon-knieën. Ze heeft kleine, rode ogen. Je moet een brave jongen zijn, hoor je me?

Hij knikt.

Mooi, beloof me dat je een brave jongen zult zijn.

Aha, hier hebben we onze jongeheer. Boven aan de trap staat een meneer met brillantine in zijn haar. Hij glimlacht. Hallo, jongeman. Ik ben dokter Worthe. Jij moet Victor zijn. Hij steekt zijn hand uit. Victor doet zijn handen op zijn rug.

Hij is erg moe, meneer.

Dat zie ik wel. De andere jongens zitten net aan tafel. Wil je iets eten, Victor?

Hij is een stille jongen, meneer.

Dokter Worthe, die helemaal niet op de andere dokter lijkt, gaat op zijn hurken zitten zodat zijn gezicht vlak bij dat van Victor is. Heb je trek, jongeman? Hij glimlacht. Nou ja, die is zeker zijn tong verloren.

Ze gaan naar binnen. Er is een grote, houten trap en een fonkelende lamp. Mevrouw Greene zet de koffer neer. We hadden geen tijd om al zijn spullen in te pakken. Die zal ik nasturen.

Wij zorgen er wel voor dat hij alles krijgt wat hij nodig heeft, hè, Victor?

Dan zegt mevrouw Greene: Ik ga nu, Victor. Je moet naar die meneer luisteren en doen wat hij zegt. Wees een brave jongen en gedraag je. Ik weet dat ik trots op je zal zijn.

Ze gaat naar de voordeur. Victor loopt haar achterna.

Nee, jij moet hier blijven.

Kom mee, jongeman, wij gaan je iets te eten geven, goed?

Jij moet blijven, Victor.

Kom aan, jongeman. Je bent toch een grote jongen?

Victor. Nee. Nee. Victor nee. Nee.

Ze houden hem vast.

Dan is hij alleen.

Dokter Worthe legt een hand op Victors schouder en ze gaan een andere deur door. Ze lopen over een pad van steen naar een bakstenen gebouw met een rokende schoorsteen. Victor hoort een auto starten. Hij wil kijken of het mevrouw Greene is, maar dokter Worthe knijpt in zijn schouder en zegt: Kom, kom.

In het bakstenen gebouw gaan ze eerst naar de eetzaal. Victor heeft nog nooit zo'n grote kamer gezien. Hij beslaat de hele lengte van het gebouw en staat vol tafels en banken met jongens en mannen van alle leeftijden met een wit overhemd, een bruine trui en een stropdas. Wanneer de deur opengaat, kijken een paar van hen op. Ze staren Victor aan. Iedereen praat. Het lawaai doet zeer aan Victors oren. Hij slaat de handen voor de oren, maar dokter Worthe trekt ze weer los.

We gaan je voorstellen aan een paar mensen die je vrienden kunnen zijn.

Dokter Worthe laat zien waar hij zijn eten kan halen. Je gaat met een metalen dienblad naar een venster. De man met het schort geeft je een bord vol met stoofpot. Je neemt het blad mee en gaat aan de derde tafel zitten.

Jongens, ik wil jullie even voorstellen aan je nieuwe klasgenoot. Dit is Victor. Zeg eens hallo, jongens.

Hallo.

Zeg eens hallo, Victor.

Victor zegt niets.

Wees aardig voor elkaar. Het is niet duidelijk tegen wie dokter Worthe het heeft.

Victor gaat op het eind van de bank zitten. Het is vol en ongemakke-lijk. Hij ziet dat er nog een tafel is met meer ruimte en gaat daarheen.

Nee, zeggen ze. Je moet terug. Een man met een lange nek pakt hem bij zijn arm. Victor gilt en bijt hem. De man stoot een schreeuw uit en dan begint iedereen te schreeuwen. Het lawaai maakt dat Victors oren knetteren. Hij krijgt hete vloeistof op zijn arm, die brandt. Het ge-schreeuw zwelt aan tot dokter Worthe op een stoel gaat staan. Zo is het genoeg. Victor ligt op de grond. Dokter Worthe komt naar hem toe en hij gilt het uit. Dokter Worthe tilt hem op, een andere man tilt hem op en samen dragen ze hem weg. Hij gilt. Ze leggen hem op een bed. Je moet ophouden met schreeuwen, niemand doet je iets. Dokter Worthe zegt dat ze hem moeten omdraaien, ze draaien Victor op zijn buik en dan voelt hij een prik en valt hij in slaap.

Overdag krijgt hij les. Victor pakt het potlood en papier dat ze hem heb-ben gegeven en tekent de andere jongens. Hij tekent hun achterhoofd, de zijkant en het gezicht van de meester. Soms stelt hij zich voor hoe de klas eruit zou zien vanaf een andere plek en tekent hij hem zo. Buiten staat een grote boom met lange takken. Die tekent hij ook. Hij tekent bladzijden vol sneeuwvlokken. Hij legt het papier in zijn lessenaar.

Hij doet zijn werk niet goed. Dokter Worthe zegt dat hij moet leren.

Het enige vak dat hij leuk vindt is aardrijkskunde. Hij houdt van de vormen. Op sommige kaarten staan landen en op andere continenten. Afrika en Zuid-Amerika zijn knikkende drakenkoppen. Hij tekent Ita-lië als een laars. Hij tekent Spanje als een man met een grote neus die eilanden uithoest. Hij tekent Finland. Hij tekent Ceylon: een traan. Hij tekent Australië. De meester zegt dat er kangoeroes in Australië zijn. Hij weet niet wat een kangoeroe is. De meester laat hem een plaatje zien. Een kangoeroe is net een grote rat. Hij tekent de meester met bakke-baarden en een staart. Hij tekent de andere jongens in de klas als landen waarop ze lijken. George is Chili en Irving Duitsland. Victor tekent hen en legt ze in zijn lessenaar. Die is bodemloos. Hij krijgt hem nooit vol.

De oudere jongens voetballen. Victor begrijpt het spel niet. Hij kijkt niet naar de spelers maar naar de patronen die hun schoenen in de sneeuw maken. Eerst is de sneeuw nog glad, dan beginnen ze en ziet hij overal putjes verschijnen als in een borrelende pan. Ze zijn mooi, maar daarna wordt de sneeuw te modderig. Victor wou dat ze halverwege stopten zodat ze die prachtige patronen niet vernielen. Maar de volgende dag sneeuwt het weer en is de oppervlakte weer schoon.

De andere jongens praten niet met hem. Ze noemen hem Twitter. Victor denkt aan mevrouw Greene. Hij vraagt dikwijls naar haar en de meester begrijpt het niet. Dokter Worthe neemt hem mee naar zijn kantoor.

Ik begrijp dat je je oude vriendin mist. Weet je hoe je een brief schrijft?

Dat weet hij niet.

Ik ga je laten zien wat je moet doen. Dan kun je haar schrijven wanneer je maar wilt. We moedigen je aan om te schrijven en vriendelijk te zijn. Kun je het vinden met je vrienden? Weet je hoe iedereen heet? Vind je de lessen leuk?

Victor zegt niets.

Natuurlijk is het moeilijk geweest voor je. Je moet beter je best doen. Het wordt makkelijker naarmate je meer oefent. Ik zie dat je je huiswerk niet doet. Als je het moeilijk vindt, moet je iemand vragen je te helpen. Ik zal je persoonlijk helpen. Dat zeg ik niet tegen iedereen. Dat zeg ik tegen jou omdat ik je een bijzonder kind vind. Ik weet dat je tot meer in staat bent dan we van je hebben gezien. Ik wil graag dat je slaagt. Wil jij dat ook? Nou?

Hij knikt.

Mooi. Heel mooi. Dan gaan we nu die brief schrijven.

Dokter Worthe laat hem de aanhef zien. Nu mag jij schrijven wat je maar wilt.

Victor kauwt op zijn potlood. Hij weet niet wat hij moet doen. Hij maakt een tekening van België.

Dokter Worthe kijkt naar het resultaat. Is dit wat je aan haar wilt schrijven?

Victor knikt.

Ik denk niet dat ze dat zal begrijpen. Wil je haar niet vertellen hoe het met je gaat? Wil je haar niet over je vrienden vertellen? Geef dat eens even aan mij, alsjeblieft. Dokter Worthe gumt België uit. Er blijft een vage omtrek achter, waar hij overheen schrijft. Beste mevrouw Greene. Hallo, hoe gaat het met u? Met mij gaat het goed. Ik doe erg mijn best op school. Ik vind mijn huiswerk leuk. Ik heb een heleboel vriendjes. Wat kunnen we haar nog meer vertellen? Gisteren aten we aardappelsoep. Die was… Victor? Vond je de aardappelsoep lekker?

Hij heeft de soep niet opgegeten. Hij schudt van nee.

Dokter Worthe zegt: Goed. Gisteren aten we aardappelsoep. Dat was niet mijn lievelingssoep, maar toch heel smakelijk. Mijn lievelingseten is…

Dokter Worthe kijkt hem aan. Victor?

Victor is bang. Hij voelt zich dom. Havermout zegt hij.

Havermout. Uitstekend. Ik hou van havermoutpap en dat – dokter Worthe glimlacht – is maar goed ook, want dat krijgen we bijna elke ochtend voor het ontbijt.

Dat is waar. Victor heeft van zijn leven nog niet zo veel havermout gegeten. Dat vindt hij niet erg, maar hij heeft wel het gevoel dat hij het eerdaags niet lekker meer vindt.

Ik hoop dat het goed met u gaat en dat u gauw op bezoek komt. U kunt komen wanneer u maar wilt. Misschien als het niet meer zo koud is. Dokter Worthe stopt met schrijven. Is er nog iets wat je haar wilt schrijven?

Victor schudt zijn hoofd.

Nu moet je de brief nog tekenen. Hoe wil je afsluiten? Je kunt schrijven hoogachtend of met vriendelijke groet of uw vriend. Hier, pak maar aan. Jij mag het zeggen.

Victor denkt na. Hij schrijft: Uw vriend.

Nu je naam eronder zetten.

Mooi. Dokter Worthe draait de brief om. Dit is niet juist. Ik zal het even… Mag ik? Hij neemt het potlood van Victor over. 'Vriend' spel je zo. Zie je wel?

Victor knikt.

Heel goed. Nu moeten we nog het adres op een envelop schrijven. Zie je wel, Victor? Nu gaat hij op de bus. En nu heb je een brief geschreven. Laten we maar eens zien of ze terugschrijft.

Dat doet ze. Heel wat maanden later krijgt hij een brief van mevrouw Greene. Hij is heel kort. Dokter Worthe geeft hem aan hem in zijn kantoor.

Beste Victor, leest Victor.

Lees hem maar hardop, alsjeblieft. Zodat ik het kan verstaan.

Beste Victor, zegt Victor. Ik ben zo blij iets van je te horen. Ik denk dikwijls aan je. Ik woon niet meer in het huis, dus kreeg ik je brief pas toen ze hem doorstuurden. Ik heb een nieuw huis. Het adres staat bovenaan. Ik heb ook een nieuwe baan. Ik werk voor dokter Fetchett. Kun je je hem nog herinneren? Je krijgt de groeten. Hij denkt ook vaak aan je. Liefs, Nancy. Binnen krullende lijntjes heeft ze 'mevrouw Greene' geschreven.

Dokter Worthe kijkt tevreden. Dat is een heel mooie brief. En nu we haar juiste adres hebben, kunnen we haar zo vaak schrijven als we willen. Wat zullen we schrijven?

Deze keer mag Victor aan de postzegel likken. Hij smaakt raar.

21

Onze vlucht naar Boston had een paar uur vertraging; we waren pas tegen elf uur 's avonds in Cambridge. We namen een taxi naar het hotel waar Tony Wexler altijd logeerde wanneer hij naar Harvard kwam om mijn misstappen recht te trekken, en ik gaf mijn creditcard voor beide kamers. In mijn attachékoffertje had ik een kopie op gewoon papier van Victors foto, evenals een cd-rom met de gescande foto. Ik had sinds de middag weinig gezegd en moet chagrijnig hebben gekeken, want Samantha legde haar hand op mijn rug toen we in de lift stapten.

'Ik denk dat ik een lage bloedsuikerspiegel heb,' zei ik.

'We kunnen uit eten gaan.'

Ik keek haar aan. Ze haalde haar schouders op. 'Bij wijze van uitzondering.'

Ik glimlachte zwakjes. 'Ik denk dat ik de roomservice maar laat komen.'

'Bel maar als je van gedachten verandert.'

Op mijn kamer trok ik mijn kleren op mijn ondergoed na uit en bestelde een broodje tonijn. Ik kon me er niet toe brengen het op te eten. Ik zette het blad op de gang en ging op bed naar het lege tv-scherm liggen staren. Ik wachtte tot het tot leven zou komen met Victors gezicht. Ik ben geen spiritist, maar ik zweer dat ik op zijn minst een poging tot communicatie verwachtte. Zo niet via de tv, dan wel door middel van geklop in morse op de muur of lichten die aan en uit flitsten. Ik bleef maar liggen wachten, maar er gebeurde niets. Mijn ogen vielen dicht en ik was bijna onder zeil toen ik werd gewekt omdat er zacht werd geklopt.

Ik trok mijn broek en overhemd aan en deed de deur op een kier. Het was Samantha. Ze verontschuldigde zich dat ze me stoorde.

'Dat is niet erg, ik sliep net. Kom binnen.' Ik deed een stap naar achteren om haar binnen te laten. Ze bleef op de gang staan, keek eerst naar mij en toen naar het onaangeroerde broodje op de grond.

'Ik had geen trek,' zei ik.

Ze knikte en staarde naar de grond. Ik besefte dat mijn overhemd nog openhing. Ik trok het dicht. 'Kom alsjeblieft binnen.'

Ze aarzelde nog even en daarna liep ze naar de leunstoel, waar ze ging zitten. Ze keek uit het raam naar de groene koepel van Eliot House. Ik ging naast haar staan en een poosje keken we zwijgend naar de maan, die met ons flirtte vanachter passerende wolken.

Ik zei: 'Heb je gezien hoe klein zijn handen zijn?'

Ze zweeg.

'Het zijn net pootjes. Heb je ze gezien?'

'Jawel.'

'Ik kan me moeilijk voorstellen dat hij iemand met die handen wurgt.'

'Het waren kinderen.'

Ik zweeg.

'Het moet een schok zijn geweest.'

Ik knikte.

We keken naar de lucht.

'Nog bedankt,' zei ze.

Ik keek haar aan.

'Voor wat je in het vliegtuig deed.'

'Natuurlijk.'

'Je verwachtte waarschijnlijk dat ik je een klap zou geven.'

'Dat kan ik wel aan.'

Stilte.

Ze zei: 'Het spijt me dat ik zo koud tegen je ben geweest.'

'Dat is niet zo.'

Ze trok een wenkbrauw op.

'Een beetje, misschien.'

Ze glimlachte.

'Het geeft niet,' zei ik.

Ze zei: 'Ik kan het niet uitstaan als ik zo ben. Vroeger was ik zo stabiel.'
Ze zweeg even. 'Ik heb je gemist toen ik weg was.'

'Ik jou ook.'

Stilte.

Ze zei: 'Ik wil dat je wacht. Klinkt dat heel erg?'

'Nee.'

'Ja, dat is het wel, het is vreselijk om je zo aan het lijntje te houden.'

'Het is niet vreselijk, Samantha.'

'Noem me maar Sam.'

'Goed.'

'Mijn vader noemde me altijd Sammy.'

'Zo kan ik je ook noemen als je wilt.'

Ze zei: 'Gewoon Sam is prima.'

Ze ging mijn kamer uit en ik kroop weer in bed. Ik zette het journaal
aan. Een item over een bijeenkomst van Bush, Cheney en Rice bezorgde me onaangename herinneringen aan de avond van Marilyns feest en
ik schakelde over naar betaal-tv.

De telefoon ging. Ik zette de tv zacht. 'Ik dacht dat je ging slapen.'

'Ik heb je toch niet wakker gemaakt? Dat zou ik heel erg vinden.'

'Ik was wakker.'

Stilte.

Ze vroeg: 'Mag ik weer bij je komen?'

Deze keer was ze anders. Ze keek me aan. Op dat moment besefte ik pas
dat ze dat de eerste keer niet had gedaan. Ze bewoog ook meer. Het kan
gelegen hebben aan de vrijheid van het enorme bed; of misschien aan
het feit dat we elkaar al een beetje kenden en de voordelen van een men-
tale kaart genoten, of misschien, waarschijnlijk zelfs, was ze anders omdat ze deze keer iets wilde voelen in plaats van niets.

Voordat ze indommelde, zei ze: 'Sorry dat ik je voor twee kamers heb laten betalen.'

Om vier uur 's morgens was ik opeens klaarwakker. Sams ene arm bungelde over de rand van het bed en ze had de deken tussen haar benen geklemd. Ik glipte uit bed en zat even te kijken hoe ze van vorm veranderde. Daarna nam ik een douche, kleedde me aan en ging een wandeling langs de Charles maken.

's Winters verandert de rivier in een lappendeken van barstend ijs en donker, giftig water. Memorial Drive kraakte onder een voorbijsnellende taxi. Bij het boothuis bleef ik staan om mijn jack dicht te ritsen en naar het knipperlicht van het Citgo-bord te kijken. Boston heeft altijd een warm plekje in mijn hart gehouden. Het hooghartige van de stad spreekt me wel aan, net als het vleugje anarchie. Het is die curieuze combinatie van puritanisme en decadentie die Harvard zo'n perfecte kweekbak voor de Amerikaanse elite maakt.

Ik liep over Plympton naar de spoortreinachtige bochel van de Lampoon en sloeg af in westelijke richting langs de Fly. Binnen hoorde ik muziek. Ik had met niemand uit die tijd contact gehouden, laat staan dat ik mijn contributie als oud-leerling had betaald, maar op een ingeving ging ik naar de vooringang en klopte aan. Ik wilde net weer weggaan toen de deur openzwaaide. Er stond een lange, knappe jongen met verwarde blonde haren. Hij zag eruit als een broekje. Dat was hij ook. Hij bekeek me van top tot teen.

'Kan ik iets voor u doen?'

'Ik ben ooit lid geweest,' zei ik.

Hij keek sceptisch.

'Mag ik binnenkomen?'

'Eh…' Hij keek op zijn horloge.

Vanbinnen riep een meisje 'Danny'.

'Momentje,' riep hij.

'Het is al goed,' zei ik. 'Ik begrijp het.'

'Sorry, man.'

Ik draaide me om en de deur ging achter me dicht. Aan mijn linkerhand was de achtertuin waar we in het voorjaar de Garden Party hielden. Dat deden ze waarschijnlijk nog. Het leven gaat door.

Ik liep naar het tuinhek van Lowell House, waar ik de laatste twee jaar had gewoond. Ik vroeg me af hoe ver ik nog van mijn BA verwijderd was geweest en of ze me nog terug zouden nemen. Ik stelde me voor hoe ik in de rij voor de inschrijving zou staan; hoe ik een futon drie trappen op sjouwde; hoe ik sperziebonen opschepte in de eetzaal en jubelde bij de wedstrijd. De blonde jongen zou een vriend van me kunnen zijn. Hij zou me binnenlaten bij de Fly. We zouden samen uitgaan en stoned worden. Lachend strekte ik mijn tweeëndertigjarige rug.

Iets verderop stond een afvalcontainer. Ik kreeg de idiote neiging om erin te graven naar mijn in de steek gelaten Cy Twombly. Misschien hadden ze in twaalf jaar geen vuilnis opgehaald.

Ik deed een stap naar achteren om de ramen te tellen en het venster te zoeken waarachter ik mijn tweede jaar had doorgebracht. Er brandde geen licht. Vanachter de vensterbank kon je over de daken de Yard in het noorden zien en de gotische spitsen van Muller Hall, een onbelemmerd uitzicht op mijn geschiedenis.

Toen ik terugkwam in het hotel, was Sam verdwenen. Ze was ook niet op haar kamer. Ik vond haar in de fitnessruimte, waar ze op een ellipsvormig apparaat zat te zwoegen. Om haar arm zat een bandje met een mp3-speler. Ze had één oortje in; het andere bungelde op haar middel, waardoor de zijkant van haar hoofd een mobieltje op haar schouder geklemd kon houden. Op het tijdschriftenplankje van het apparaat lag een ongelezen exemplaar van *Fitness* ondersteboven. Met haar rechterhand hield ze een fles water vast waaruit ze een slok nam en met haar linkerhand bespeelde ze een Palm Pilot. Al haar lichaamsdelen leken zich wel een andere kant op te bewegen, als een prachtig, zweterig, kubistisch paroxisme.

'Dat stel ik op prijs,' hoorde ik haar zeggen toen ik naderbij kwam. 'Dank u wel.'

'Goeiemorgen,' zei ik.

'O, hemeltje. Je laat me schrikken.'

'Sorry.'

'Wat is er met jou gebeurd? Ik dacht dat je weg was.'

'Ik kon niet slapen. Ik heb een wandeling gemaakt.'

'Wil je de volgende keer een briefje achterlaten… Ik heb net met James Jarvis gesproken.'

Ik keek op de klok van de fitnessruimte. Het was kwart over zeven.

'Híj belde míj,' zei ze. Er klonk iets nieuws in haar stem door, een ander timbre. Blijdschap. Daardoor praatte ze ook iets sneller, ondanks haar gepuf en gehijg. 'Vandaag geeft hij les, maar hij zei dat we na vieren langs konden komen. Weet jij waar Somerville is?'

'Vijf minuten rijden.'

'Dan hebben we een hele dag samen.' Ze ging langzamer en stopte, maar hield haar voeten op de pedalen. 'Ik ben nu smerig, maar ik ga je toch een kus geven, dat moet je dan maar voor lief nemen.'

'Vind ik prima,' zei ik. En dat was het ook.

In Somerville, het arme neefje van Cambridge, wonen talrijke studenten. Ik herinner me het voornamelijk als de locatie van de Basket, een eenvoudige supermarkt die populair was bij Harvard-studenten door zijn sterkedrank in plastic flessen met handgrepen. Volgens mij verkopen ze er meer op de bon dan contant. Het winkelpersoneel loopt rond alsof het terminaal is; vroeger noemden we de winkel de Casket, de Doodskist.

Op een steenworp (vooropgesteld dat je ver kon werpen) ligt Knapp Street met zijn korte rij herenhuizen. Toen we aanbelden, werd er opengedaan door een jongeman in operatiekleding, die zich voorstelde als Elliot en die, nadat hij ons naar de woonkamer had gebracht, direct tegen ons uitviel dat we James van zijn stuk hadden gebracht.

'Hij moest huilen,' zei Elliot. 'Hij huilde niet eens toen onze hond doodging, en hij snikte het uit. Ik hoop echt dat u weet wat u doet. Jullie hebben jaren therapie tenietgedaan. Ik heb hem gesmeekt niet met jullie te praten, maar het is zijn beslissing. Als het aan mij lag, had ik jullie niet eens binnengelaten.'

Sam zei: 'Hij kan ons misschien helpen de dader te pakken.'

Elliot snoof. 'Alsof dát ertoe doet. Hoe dan ook. Hij komt zo meteen thuis.' Hij ging de kamer uit en sloeg met de deur.

Ik keek Sam aan. Ze leek onaangedaan. Ze zei zacht: 'Het is nooit wat je verwacht. Het is altijd de vader die flipt, of een oudere broer. Vrouwen zijn rustig als je met ze praat. Ze kunnen je de meest afschuwelijke dingen vertellen zonder met hun ogen te knipperen. In zeker zin is dat nog erger, weet je. Ik herinner me een meisje van negen dat door haar opa was verkracht. Ik vraag haar uiterst specifieke dingen en ze vertrekt geen spier. Het enige moment dat ze van streek raakt, is aan het eind. Opeens krijgt ze zo'n blik op haar gezicht. Ze zegt: "Stuur hem niet naar de gevangenis. Ik ga wel."'

'Dat is gestoord.'

'Mensen zitten raar in elkaar.' Ze pakte een exemplaar van *Architectural Digest* en bladerde het door. Ik was te nerveus om iets anders te doen dan met mijn vingers op mijn knieën trommelen.

Jarvis had beloofd om half vijf thuis te zijn. Om kwart voor vijf kwam Elliot weer binnen in een lange legging en een fleecejack, met een zweetband om zijn krullen.

'Is hij nog niet thuis?'

'Nee.'

Hij fronste en bukte zich om een tweede knoop in zijn veters te leggen. Het was duidelijk dat hij weg wilde, dat hij ons ook weg wilde hebben, en iedereen haalde een beetje opgelucht adem toen we een auto hoorden stoppen. Elliot stormde de voordeur uit en het bordes af. Ik hoorde de klank van een woordenwisseling. Ik ging naar het raam en trok het gordijn iets opzij. Buiten stond hij te schreeuwen tegen een magere, kalende man met een lange jas en felblauwe overschoenen. Dat was James Jarvis, nam ik aan. Hij was minstens vijftien jaar ouder dan zijn partner en had iets vaderlijks over zich en de blik van iemand die gewend is aan eeuwige ondankbaarheid. Hij zei niets toen Elliot tekeerging, gesticuleerde en zich uiteindelijk omdraaide om ervandoor te sprinten. Ik haastte me terug naar de bank.

'Het spijt me dat ik zo laat ben.' Jarvis zette zijn tas neer. 'Er was een ongeluk op de snelweg.'

'Dank u wel dat u tijd hebt vrijgemaakt,' zei Sam.

'Graag ge… Nou ja, ik wilde bijna zeggen "graag gedaan", maar dat is een beetje overdreven. Mag ik koffiezetten voor we beginnen?'

'Natuurlijk.'

In de keuken laadde hij een espressoapparaat en zette drie kleine, porseinen kopjes klaar. 'Het spijt me als hij onaangenaam was.'

'U hoeft zich niet te verontschuldigen.'

'Hij heeft het beste met me voor.' Jarvis zette het apparaat aan. Daarna sloeg hij de armen over elkaar en leunde tegen het aanrecht. 'Hij heeft het enthousiasme van de jeugd.'

Sam glimlachte.

'Dat zou ik misschien niet moeten zeggen. Moet je jullie zien. Weet je wat mijn eerste reactie was toen u belde? "Ik ben zo óúd. Dat deed pas echt zeer." Het apparaat klikte uit en hij deed er iets mee. 'Hier leef ik mijn eigen Dorian Gray-fantasie en dan komen jullie me eraan herinneren dat ik in 1973 elf was. Elliot was toen nog niet eens geboren.' Hij trok een gezicht als *De schreeuw*. Hij lachte vreugdeloos en draaide ons de rug toe om onze koffie in te schenken, die hij op de ontbijtbar neerzette. Hij peuterde ook een blik koekjes open. 'Hier.'

Sam bedankte hem. 'We willen u niet meer last bezorgen dan we al gedaan hebben, dus…'

'O, voor mij is het niet lastig. Misschien praat hij een paar dagen niet tegen me, maar hij draait wel weer bij.'

'Nou, toch bedankt. Als u het goedvindt, kunnen we dan beginnen?'

Hij gebaarde 'ga je gang'. Ik haalde de fotokopie uit mijn tas en legde die op tafel. Jarvis keek er een hele poos naar; van zijn gezicht viel niets af te lezen. Ik keek naar Sam en zij keek naar mij, niemand zei iets en ik begon al te geloven dat we er helemaal naast zaten, en ik voelde een mengeling van blijdschap en iets van boosheid en ik wilde eigenlijk zeggen dat hij Victor er niet uit hóéfde te halen; dat hij zich niet hoefde te haasten om hem aan te wijzen.

'Dat is hem.'

Sam zei: 'Zeker weten?'

'Ik denk het wel.' Hij krabde zijn wang. 'Het is moeilijk te zeggen omdat de foto zo korrelig is.'

Ik wilde iets zeggen, maar Sam viel me in de rede. 'We hebben een scan met een hogere resolutie. Hebt u een computer die we kunnen gebruiken?'

We gingen naar een werkkamer aan de achterzijde van het huis. Jarvis' oksels waren donker geworden en zijn goedmoedige houding was geweken. Hij gaf een nijdige ruk aan de muis om het scherm tot leven te brengen. Hij stopte de cd erin, klikte op het icoontje en de foto knalde op het scherm: veel groter en schokkend scherp. Victor had een moedervlekje in zijn hals dat ik nog niet had gezien.

'Hij is het,' zei Jarvis.

'Dat weet u zeker?'

'Ja.'

'Goed,' zei ze. 'Oké.'

Was dat alles? Moest er niet iets rampzaligers gebeuren? Waar was de geest van Victor Cracke nu? Wanneer kwam hij uit de leiding van de verwarming wervelen, vervuld van ziedende wraakzucht. Dat kon toch niet het slotakkoord zijn, dat piepje. Mijn totem verschrompelde en ik raakte in paniek. Ik wilde protesteren. Jarvis vergiste zich. Hoeveel kon hij zich in godsnaam nog herinneren? Niet alleen herinneren, maar wéten? We waren niet in de rechtszaal. Ik had een hogere norm dan gerede twijfel. Ik wilde zéro twijfel. Nu zag ik Jarvis als de schuldige, Jarvis als de tegenstander, Jarvis als de leugenaar. Hij moest aantonen dat hij niet zomaar een eenzame jongen was die hunkerde naar aandacht. Hij zou ondersteunend bewijs moeten leveren. Hij moest de omvang en vorm van Victors penis beschrijven, hij moest uitgelezen stukjes conversatie reproduceren, hij moest me vertellen wat voor weer het die dag was en wat hij met de lunch had gegeten en wat voor kleur sokken hij had gedragen, iets concreets en verifieerbaars, waaruit wij konden afleiden dat zijn geheugen zo honderd procent vlekkeloos was als hij beweerde.

'Als u zover bent,' zei Sam, 'wil ik graag een paar vragen stellen.'

Hij knikte afwezig. Hij scrolde naar de onderkant van de foto, naar het onderschrift. Vergroot zag het lettertype er rafelig uit. 'Weet u waar hij is?'

'We zijn op zoek.'

Hij knikte weer. 'Het is raar om er een naam bij te hebben,' zei hij. 'Al die jaren heb ik alleen maar een gezicht gehad. Het was net alsof hij geen mens van vlees en bloed was.' Hij keek naar Sam. Daarna keek hij weer naar het scherm en zei: 'Frederick Gudrais. Hij leeft waarschijnlijk niet eens meer, hè?'

Er viel een stilte. Ik keek naar Sam. Die zei: 'Pardon?'

'Hij zou nu, hoe oud zijn? In de zeventig. Waarschijnlijk kan hij nog in leven zijn.'

Sam keek naar mij.

'Zo heet hij niet,' zei ik. Het waren de eerste woorden die ik had gesproken sinds we elkaar een hand hadden gegeven. Jarvis wierp me een merkwaardige blik toe, niet zonder wrevel. Ik pakte de muis, scrolde omhoog en tikte op het scherm. 'Dat is Victor Cracke.'

'Nou en?'

'Nou en?' Ik keek naar Sam. 'Dat is hem dus. Victor Cracke.'

'Best,' zei Jarvis. 'Maar dat is niet de man die me heeft aangerand. Dat is hij.' Hij wees naar de man links van Victor.

Intermezzo: 1953

Als het etenstijd is, zit hij waar hij hoort te zitten. Hij maakt nooit meer dezelfde vergissing als de eerste avond. De andere jongens zeggen, Kijk, daar heb je Twitter. Victor haat ze maar zegt niets. Sommige jongens proberen zijn toetje af te pakken. Hij maakt ruzie en uiteindelijk wordt iedereen berispt. In plaats van zijn toetje af te pakken, steken ze hun vingers erin, of snuiten ze hun neus in zijn melk. Victor vecht met ze. Iedereen krijgt ervan langs.

Dokter Worthe zegt Ik begrijp niet waarom jij altijd in die stoel zit. Je moet ophouden met vechten. Ik wil je niet meer straffen. Dat ben ik beu.

Simon is het ergst. Simon knijpt hem onder de tafel. Hij bindt Victors veters aan elkaar zodat Victor valt en een kapotte lip krijgt. Iedereen moet lachen. Victor vecht met hem, maar Simon is veel groter en het is nutteloos. Simon lacht, zijn adem ruikt naar de vuilnisbak. Hij zegt Twitter je bent een stuk stront. Victor weet dat je geen stuk stront wilt zijn. Twitter waarom kijk je altijd naar de grond? Wat is er mis met je Twitter? Er zijn nog meer jongens die niet praten en die krijgen ook een pak slaag van Simon. Maar hij heeft het vooral op Victor gemunt. Twitter ik ga je ballen afsnijden als je slaapt. Victor begrijpt niet waarom iemand zoiets zou doen, maar hij is wel bang. 's Nachts slaapt hij met zijn handen over zijn ballen. Soms probeert Simon Victor te stompen en dan gaat Victor in de foetushouding op de grond liggen gillen tot er een onderwijzer komt. De onderwijzer probeert Victor op te tillen, maar Victor hapt naar hem, hij kan er niets aan doen. Ze brengen hem naar het kantoor van dokter Worthe, waar hij ervan langs krijgt, of anders krijgt hij een prik zodat hij in slaap valt.

Twitter met wie praat je toch? Er is niemand.

Victor negeert hem. Hij probeert zijn huiswerk te doen.

Geef op. Simon scheurt zijn huiswerk aan stukken.

Victor bespringt hem, en samen rollen ze over de grond. Iedereen juicht. Simon zegt in Victors oor Ik ga je ballen eraf trekken, stuk stront dat je bent. Victor bijt Simon in zijn kin en Simon schreeuwt het uit. Hij draait Victor op zijn rug en drukt zijn armen op de grond met zijn knieën en stompt Victor op zijn borst en in zijn maag. Victor moet overgeven. Hou daarmee op zegt de onderwijzer. Nu meteen.

Ze brengen hem naar het ziekenhuis. Hij houdt van het ziekenhuis. Er is geen havermout. Het enige wat hij doet is in bed liggen tekenen. Hij tekent stoelen en gezichten. Hij tekent landen. Sommige zijn echt en andere zijn verzonnen. Hij speelt met het verband op zijn neus en de zusters zeggen nee.

Wanneer hij terugkomt, is Simon kwaad. Simon is gestraft en nu wil hij Victor vermoorden. Wacht jij maar af. Op een keer word je 's morgens wakker en zijn je ballen eraf.

De jaren verstrijken. Victor is veertien. Hij en Simon vechten dikwijls, maar ze leren het stiekem te doen zodat niemand hen kan straffen. Victor wordt het beu. Hij vindt het niet leuk om te vechten, maar hij vindt het nog minder leuk om gestraft te worden. Van dokter Worthe mag hij niet meer naar de bibliotheek. In de bibliotheek zit hij plaatjes uit boeken na te tekenen. Er is een atlas waarin hij dikwijls kijkt. Hij put al zijn geluk uit de bibliotheek, dus vecht hij liever stiekem dan dat recht kwijt te raken. Simon kan het niets schelen als hij niet meer naar de bibliotheek mag, hij wil alleen Victor in elkaar slaan.

Ze gaan naar een andere tafel omdat ze nu ouder zijn. Sommige jongens zijn vertrokken. Sommige jongens blijven achter aan de vorige tafel. Mensen komen en gaan. In het voorjaar komt er een nieuwe jongen op school. Hij heet Frederick. Hij is groot, groter dan Simon, maar wel magerder. Hij heeft zwart haar en een lang, puntig gezicht en een heel grote mond. Eerst is hij zwijgzaam maar soms knipoogt hij. Het kost hem geen moeite een plaats aan de tafel te vinden. Hij gaat vlak bij Simon zitten en Simon zegt Ik moet jouw taart.

Frederick geeft geen antwoord. Hij eet zijn taart. Simon steekt zijn hand uit en Frederick zet zijn bord buiten handbereik.

Geef me je taart.

Frederick houdt op met eten. Hij kijkt Simon aan. Hij zegt Goed. Hij geeft Simon zijn taart. Simon eet hem met zijn vingers op.

Die avond ligt Victor in bed wanneer hij iemand door de slaapzaal hoort lopen. Hij legt zijn handen op zijn ballen, bereidt zich voor op een gevecht en krult zich op in een hoekje. Hij wacht af. Het is Frederick. Hij glimlacht. Hij fluistert.

Victor.

Victor kijkt hem aan.

Ik heet Freddy.

Victor zegt niets.

Ik zal je eens wat zeggen, Victor. Die eikel zal je voortaan met rust laten.

Victor gaat behoedzaam weer gewoon liggen.

Weet je wat ik bedoel?

Victor schudt zijn hoofd.

Freddy glimlacht. Daar kom je nog wel achter.

Bij het avondeten zegt Simon tegen Freddy Geef me je pudding.

Best.

Die avond wordt Simon misselijk. Ze horen allemaal dat hij naar de wc rent. Ze horen natte geluiden. De onderwijzer komt poolshoogte nemen en Simon spuugt bloed. Dat zeggen de andere jongens.

Freddy zegt tegen Victor Wat naar voor hem hè?

Victor glimlacht.

Freddy en Victor worden vrienden. Freddy komt vaak in moeilijkheden, maar hij komt er altijd ongestraft van af. Hij is veel slimmer dan Simon. Simon zegt dat hij Freddy zal vermoorden, maar Victor kan wel zien hoe bang Simon in werkelijkheid is. Hij slaat andere jongens niet

353

meer zo vaak in elkaar en laat Victor met rust.

Freddy zegt Ik heb tegen hem gezegd dat hij maar beter kan ophouden.

Victor is dankbaar. Hij maakt een tekening van een zonnebloem voor Freddy.

Die heb je voor mij gemaakt, hè, Vic? Freddy noemt hem Vic. Niemand anders noemt hem zo. Victor vindt hem mooi. Asjemenou. Hij is erg goed.

Victor laat hem de rest van zijn tekeningen zien. Inmiddels zijn er te veel voor de lessenaar, dus verstopt hij ze boven op een plank in de bibliotheek. Hij gaat op een stoel staan om ze te pakken. De doos is heel zwaar. Er zitten tekeningen in van bloemen en sneeuwvlokken, van mensen en dieren en van kaarten met namen die hij heeft verzonnen door andere namen samen te voegen.

Moet je nou toch eens kijken, zegt Freddy. Niet slecht, Vic.

Het regent vaak en dan sluipen hij en Freddy naar de zolder. Die zit op slot maar Freddy heeft de sleutel. Ze zitten onder de dakspanten en kijken naar de wuivende kruinen. Victor maakt aantekeningen over het weer. Hij wil zijn momenten met Freddy nooit vergeten, dus schrijft hij alles op in een boekje dat hij voor Kerstmis heeft gekregen; mevrouw Greene stuurt hem er elk jaar een. Wanneer ze op zolder liggen, praat Freddy over zichzelf. Victor houdt van de klank van Freddy's stem.

Ik weet het niet, Vic. Misschien blijf ik hier wel een tijdje. Ze zeggen dat ik weg moet wanneer ik zeventien word, maar dat weet ik nog zo net niet. Misschien weet ik wel een manier om weer terug te komen. Er zijn hier lui die nog ouder zijn, dus ik zie niet in waarom ik niet. Ze denken dat ik dom ben. Ze hebben me een paar toetsen laten doen en die heb ik allemaal verknald, want ik wist dat ze me hierheen moesten sturen. Ik weet wat goed voor me is. Ik vind het hier beter dan in sommige andere tehuizen waar ik ben geweest. Het eten is goed. Snap je wel? Ik vind het hier niet erg. Ik ga het zo lang mogelijk rekken.

Niemand weet van hun plekje op zolder. Ze gaan er altijd alleen heen. Freddy praat en Victor luistert. De tijd verstrijkt. Victor is vijftien. Ze

gaan naar de zolder en Freddy zegt Kijk. Hij laat Victor zijn geslachtsdelen zien. Die zien er anders uit dan die van Victor. Op Freddy's geslachtsdelen zit haar. Hij zegt Jouw beurt. Victor maakt zijn broek open.
Freddy lacht en Victor schaamt zich. Hij probeert zijn broek weer dicht
te doen maar Freddy zegt Ho nee, ik lachte je niet uit. Hij haalt Victors
handen van zijn kruis weg. Ik vind hem gewoon geweldig. Asjemenou.
Weet je hoe je hem moet laten groeien? Freddy zet zijn mond aan Victors geslacht. Het zwelt op en dan zegt Freddy Je hebt hem zeker nog
nooit zien lekken, hè? Misschien ben je nog niet groot genoeg. Ik wel
hoor. Hier. Victor zet zijn mond aan Freddy's geslachtsdelen. Nu moet
je op en neer bewegen. Victor beweegt op en neer. Freddy voelt aan Victors nek. Het kriebelt. Victor is dol op zijn vriend. Hij is dol op Freddy.
Freddy zegt Moet je kijken. Victor kijkt en er springt spul uit Freddy's
geslacht. Melkachtige druppels rollen over zijn pols. Er vliegen er een
paar door de lucht die op Victors voet landen. Hij raakt ze aan. Ze voelen als olie.

Victor is gek op Freddy. Hij vindt het niet erg om naar de zolder te
gaan. Hij herinnert zich de huisonderwijzer, maar nu vindt hij het niet
erg. Ze trekken al hun kleren uit en houden elkaar vast. Als het koud is
omhelzen ze elkaar om warm te blijven. Op de grond worden ze vies.

Een keer krijgt Victor een spijker in zijn been. Freddy zegt Stil, wil je
dat ze erachter komen? Hou op met huilen. Victor kan niet stoppen. Hij
houdt van Freddy en hij wil wel luisteren maar het doet zo'n pijn. Hou
op verrekte huilebalk. Stoppen. Freddy geeft Victor een klap. Victor
houdt op met huilen. Freddy zegt Godallejezus. De volgende morgen is
het bloeden gestopt en weet Victor dat Freddy hem terecht heeft geslagen. Hij zal hem niet teleurstellen.

Heb je ooit op een paard gezeten?

Victor schudt zijn hoofd.

Ik wel toen ik klein was. Mijn opa had een paard. Dat vond ik best leuk.
Een keer gaf hij mijn opa een trap zodat zijn arm brak. Freddy glimlacht.
Dat had je moeten zien. Het bot stak eruit. Heb je dat ooit gezien, Vic?
Botten hebben spul vanbinnen. Je gelooft je ogen niet. Ze moesten zijn

hele arm eraf halen want hij genas niet goed. Het was toch een klootzak. Jammer dat het paard niet zijn hele kop eraf had getrapt. Maar paarden vind ik geweldig. Ze zijn nobeler dan wij. Weet je wat nobel is?

Victor schudt zijn hoofd.

Dat zijn paarden. Freddy krabt zijn blote billen. Hij geeuwt. We moesten maar eens naar beneden gaan voordat de les voorbij is. Hé, moet je dit zien. Ben ik effe brutaal. Wedden dat jij wel weet wat je hiermee moet doen, hè Vic?

Victor weet wat hem te doen staat.

Mensen komen en gaan. Simon vertrekt. Andere jongens komen. Victor slaat geen acht op hen. Hij heeft alleen maar oog voor Freddy, denkt alleen maar aan hem. Hij schrijft mevrouw Greene niet meer. Ze blijft hem toch boeken en brieven sturen. Eén keer krijgen alle jongens met Kerstmis een schaakbord. Er zitten ook damstenen bij. Freddy houdt niet van schaken. Hij houdt van dammen. Hij en Victor dammen samen op zolder. Ze kussen en knuffelen en betasten elkaar en dammen. Victor maakt tekeningen voor Freddy. Hij is gelukkig.

Victor is zeventien. Freddy zegt Ze schoppen me eruit.

Victor barst in tranen uit.

Maak je geen zorgen, ik kom wel terug.

Maar hij komt niet terug. Victor denkt elke dag aan hem. Hij schrijft, maar Freddy schrijft niet terug. Voordat Freddy wegging, gaf hij Victor de sleutel van de zolder, maar als hij daarheen gaat, wordt hij treurig. Dus bidt hij. Hij onderhandelt met God. Hij sluit deals en wacht tot ze verzilverd worden. Hij bezeert zichzelf en zegt Nu komt hij vast wel. Ze treffen hem bloedend aan en sturen hem naar een stille kamer. Hij bezeert zichzelf opnieuw en ze geven hem pillen waarvan hij misselijk wordt. Ze geven hem elektroshocks waardoor hij dingen vergeet. Vroeger voelde hij zich wel eens eenzaam, maar dit is nieuw. Hij wil dood. Hij begint aan een landkaart in de hoop dat hij Freddy daarin zal vinden. Hij zal tekenen tot hij hem vindt.

Dokter Worthe zet zijn bril af en wrijft in zijn ogen. We kennen elkaar nu al een hele tijd, niet dan?

Victor zegt niets.

Ik hoor dat je niet eet. Is dat zo, Victor? Je ziet eruit alsof je bent afgevallen. Wat heb je te zeggen?

Victor zegt niets. Het kan hem niets schelen. Het voelt alsof hij half in slaap is. Hij praat amper nog met iemand, zelfs niet om alsjeblieft en dank je wel te zeggen, wat hij altijd doet omdat mevrouw Greene hem heeft geleerd dat het welgemanierd is om iemand recht aan te kijken en die dingen te zeggen. Hij droomt van Freddy en wordt wakker met een zoute smaak in zijn mond. Onder de dekens verbeeldt hij zich dat zijn hand Freddy's mond is. Het is behelpen.

Hij loopt weg. Hij vertrekt in de nacht wanneer iedereen slaapt. Nu hij ouder is, slaapt hij in een kamer met vier andere jongens, in plaats van op de zaal waar alle jonge jongens slapen. Hij wacht tot iedereen slaapt, dan trekt hij zijn schoenen aan en loopt stilletjes de trap af. Het is zomer. Buiten vormen insecten een laag watten om de oranje lampen. Hij steekt het gazon aan de achterkant over. In het grote huis brandt nog licht. Achter het raam ziet hij het silhouet van een man die een halter heft. Het is de gymleraar, meneer Chamberlain. Hij kijkt niet Victors kant op, maar die trekt zich toch terug in de schaduw langs de omheining. Hij komt bij de poort. Hij komt zelden verder. Soms maken ze een uitstapje. Eén keer zijn ze naar een honkbalwedstrijd geweest en een keer naar het circus. Ze gingen met bussen.

De poort zit op slot. Hij klimt over de omheining, valt in de struiken en haalt zijn arm open. Wanneer hij langs de weg loopt, trekt hij een spoor van bloeddruppels. Hij trek een van zijn sokken uit en bindt die om zijn arm. Daarna trekt hij zijn schoen weer aan en loopt verder.

Freddy woont in een stad die Yonkers heet. Victor heeft die in de atlas gevonden, maar weet niet welke kant hij op moet. Hij loopt urenlang, tot hij blaren krijgt op de voet waarvan de sok ontbreekt. Hij maakt de bebloede sok los. Die is korstig. De snee doet zeer, maar bloedt niet meer. Hij trekt zijn sok weer aan en loopt door tot hij over een brug komt. Het is pikkedonker en benauwd. Hij ziet de sterren. Hij ziet een heleboel vreemde en mooie dingen maar heeft geen tijd te verliezen, hij heeft een bestemming.

Wanneer het lichter wordt, komen er een paar vrachtwagens voorbij. Hij ziet huizen, winkels en geparkeerde auto's. Hij ruikt gebakken brood en zijn maag knort. Een jongen met een mand vol kranten fietst langs. Victor ziet een man in een auto slapen. Hij tikt op het raampje en de man beweegt. Hij veegt de condens van de raampjes, tuurt naar Victor en draait er een omlaag.

Victor zegt Busstation.

De man wijst. Die kant op. Dan ziet hij Victors arm. Tjonge, makker.

Victor zegt Dank u wel en loopt verder.

De bus naar Yonkers vertrekt pas om kwart over acht, dus wanneer hij een kaartje heeft gekocht, gaat hij op het station zitten wachten. De klok staat op kwart voor zeven. Victor telt zijn geld. Hij heeft nog twee-entwintig dollar en negentien cent. Een deel van het geld heeft hij in de loop der jaren opgespaard van wat hij van de man met de snor kreeg. Een deel is geld dat mevrouw Greene hem op zijn verjaardag heeft gestuurd. Hij is blij dat hij het besteedt aan een kaartje om Freddy op te zoeken. Voor het eerst in maanden heeft hij het gevoel dat hij leeft. De honger bespringt hem als een wilde hond. Aan de overkant is een winkel waar mensen zitten te eten. Op het bord staat PIP's. Victor gaat het station uit, steekt over, gaat naar binnen en neemt plaats. Mensen lezen van een stuk papier tegen een vrouw en die brengt hun voedsel. Ze komt naar hem toe. Ze kijkt naar zijn arm.

Jeetje. Wat is er met jou gebeurd?

Hij zegt niets.

Ze kijkt hem bevreemd aan. Wat zal het zijn?

Hij weet niet wat hij moet zeggen.

Luister, jongen, ik heb niet de hele dag.

Hij pakt het stuk papier en wijst.

Wil je biefstuk voor het ontbijt?

Hij voelt dat hij een fout heeft gemaakt. Hij wijst opnieuw.

Komt eraan.

De vrouw brengt hem een kom havermout. Hij neemt er geen hap van. Vlakbij gaan twee mannen zitten en zeggen Eieren met spek tegen de vrouw. Wanneer Victor het eten ruikt, krijgt hij spijt.

Wat is er?

Hij kijkt naar de vrouw.

Niet goed?

Hij wijst naar het andere tafeltje.

De vrouw haalde haar schouders op. Moet ik dat weer meenemen?

Hij schuift de kom weg. Ze neemt hem mee en komt terug met eieren en spek.

Zoiets heeft hij nog nooit geproefd. Hij geniet van elke hap. Het spek is te vet, maar de eieren doen hem aan Freddy's mond denken. Hij eet ze op en bestelt nog een bord maar dan alleen met eieren. Ze komt ze brengen. Hij bestelt nog een bord.

Tjonge, wat hebben we een trek.

Halverwege zijn vierde bord eieren denkt hij aan de bus. Hij holt weg zonder te betalen en rent naar de overkant. De vrouw roept hem na.

Op het station vraagt hij naar de bus naar Yonkers.

Die is al weg. De volgende gaat vanmiddag.

Victor gaat op de bank zitten en legt het hoofd in zijn handen. Hij heeft een vreselijke fout gemaakt. Hij is net zo dom als ze altijd zeggen. Wanneer het tijd wordt om te lunchen durft hij niet meer naar de overkant. Hij wou dat Freddy er was om hem te helpen. Hij telt zijn geld; hij heeft nog steeds tweeëntwintig dollar en negentien cent.

Daar is hij.

Daar zijn een politieagent en dokter Worthe, en nog een paar mensen van het tehuis. Ze nemen hem mee. Hij stribbelt tegen. Ze zetten hem in het busje en hij valt in slaap.

Hij wordt wakker in de stille kamer. Hij probeert uit bed te komen, maar ze hebben hem vastgebonden. Hij schreeuwt en ze komen binnen en hij valt weer in slaap.

Als hij opnieuw wakker wordt, zit dokter Worthe naast zijn bed.

Wat moeten we toch met je, mijn jongen?

Hij blijft een hele poos in dat vertrek en dan mag hij weer naar zijn gewone kamer. Zijn kamergenoten zeggen Welkom terug, Twitter.

Hij loopt weer weg. Ze hebben zijn geld afgepakt, dus kan hij niet met de bus. Hij gaat liften. Freddy heeft hem over liften verteld en een van zijn klasgenoten zei dat hij een keer naar Miami en terug is gelift. Victor loopt naar de snelweg en steekt zijn duim op. Het eerste voertuig dat stopt is een politieauto. Victor holt weg. Hij springt van de weg en verstopt zich in een schuur. Ze vinden hem en brengen hem weer terug. Ze geven hem injecties en pillen en schokken. Ze zetten hem weer in die kamer. Hij staakt zijn pogingen om weg te lopen.

De tijd verstrijkt.

Victor is negentien en Freddy komt weer terug. Victor huilt van geluk. Zijn gebeden zijn verhoord. Zie je wel, zegt Freddy. Ik zei het toch.

Victor tekent niet meer aan de landkaart waaraan hij telkens heeft gewerkt wanneer hij niet te slaperig was van de medicijnen. Het leven is weer goed. Hij en Freddy gaan naar de zolder, ze maken wandelingen over het terrein en vinden stille plekjes waar ze zich kunnen verstoppen om elkaar tussen de bladeren te omhelzen. Freddy is altijd heel teder, alleen krabt hij Victors dijen wel eens. Dat doet pijn en hij bloedt, maar dat vindt hij niet erg.

Freddy zegt De volgende keer sturen ze me niet meer hierheen. De volgende keer willen ze me in de bak gooien.

De dagen vliegen voorbij. Victor is twintig. Hij wordt eenentwintig en tweeëntwintig en drieëntwintig. Ze maken een foto en op die foto staat Freddy naast hem. De fotograaf zegt Zeg eens 'cheese'. Dan wordt hij vijfentwintig en wordt het leven anders.

Dokter Worthe zegt Je hebt bezoek, Victor.

Victor heeft die man nog nooit gezien. Hij heet meneer Wexler. Hij lijkt niet veel ouder dan Victor, maar draagt een stropdas en een pak en heeft donkere ogen en zijn gezicht hangt en wanneer hij Victor ziet, zegt hij O hemeltje.

Meneer Wexler stelt Victor vragen over het tehuis. Hij lijkt ontevreden over de manier waarop ze Victor behandelen. Dokter Worthe blijft zich maar verontschuldigen. Meneer Wexler blijft maar zeggen Nu is het afgelopen.

Victor vindt dat niet leuk klinken. Hij heeft het al eens eerder gehoord en wil helemaal niet dat er iets is afgelopen.

Dokter Worthe zegt tegen Victor dat hij hem zal missen. Je bent hier heel lang geweest, mijn jongen. Ik wens je het allerbeste.

Victor wil niet weg. Hij zegt het tegen dokter Worthe, maar die zegt Meneer Wexler zal voor je zorgen.

Victor wil niet worden verzorgd. Hij wordt al verzorgd. Hij heeft zijn kamer en de zolder en zijn tekeningen en de bibliotheek en Freddy, hij heeft Freddy die hem was afgepakt maar is teruggegeven. Nog veel erger dan iemand verliezen is iemand twee keer verliezen. God haalt trucjes met hem uit. Hij haat Hem. Toch blijft hij bidden. Hij bidt de rozenkrans. Hij onderhandelt. Als U me hier laat blijven, dan. Als U maakt dat hij mee mag, dan. Als U van gedachten verandert, dan.

Op een ochtend in de herfst komen ze hem halen. De hele rit staart Victor naar buiten, naar stapels brandende bladeren. Af en toe moet hij huilen. Als de auto gas terugneemt, wil hij eruit springen. Het enige wat hem ervan weerhoudt, is wat Freddy voor zijn vertrek tegen hem heeft gezegd. Maak je geen zorgen, Vic. Ik ga hier wel weg en dan kom ik bij jou wonen. Let maar eens op. Geen gekke dingen doen en jezelf nog meer problemen op de hals halen.

Victor kan zich niet voorstellen dat het ooit nog goed zal komen, zo erg voelt het. Maar hij gelooft in Freddy, en Freddy heeft gezegd dat hij de man moet gehoorzamen.

Meneer Wexlers voornaam is Tony. Hij zit samen met Victor in de auto. Hij zegt dat ze naar de stad New York gaan. De reis duurt een eeuwigheid. De bomen buiten zijn oranje en goud, maar Victor ziet alleen hun vorm, hun vertakkende uiteinden en tere uitlopers. Hij wilde dat hij ze aan Freddy kon laten zien. Hij zal ze tekenen zodat hij ze later aan Freddy kan tonen. Hij zal papier moeten hebben. Hopelijk hebben ze papier in New York.

New York raast. Victor heeft nog nooit van zijn leven zoiets gezien. Hij ziet gebouwen zo hoog als een berg en straten vol auto's vol mensen. Hij ziet felle neonreclames. Hij ziet negers. Hij ziet jongens met een bezemsteel tegen een bal slaan. Hij ziet mannen met een helm op. Een trein verdwijnt in de grond. Tony vraagt Heb je ooit in een trein gezeten? Victor is argwanend tegenover Tony. Tony praat tegen hem alsof hij een kleuter is. Maar hij is geen kleuter. Hij begrijpt het best. Hij begrijpt dat hij dom is, en dat hij het altijd is geweest. Daarom is hij anders dan een kind. Hij wil het tegen Tony zeggen, maar kan de juiste woorden niet vinden.

Ze rijden een brug over. Tony zegt Dit is Queens. Er zijn mannen met een blauwe jas. Er zijn gele en zwarte auto's die eruitzien als torren. Ze rijden door een drukke straat vol wandelende mensen die karretjes met papieren zakken achter zich aan trekken. Mannen staan op de stoep te roken. De damp slaat van de straat. Victor is overweldigd. Hij herinnert zich de stad van toen hij klein was. Hij herinnert zich Albany van de tijd dat hij wegliep. Maar geen van die steden is zo indrukwekkend als New York.

Ze slaan een zijstraat in en rijden een heuveltje langs een park met schommelende kinderen op. Ze komen bij een aantal hoge gebouwen van baksteen. Het zijn er een heleboel die de felblauwe hemel opensplijten. Tony zegt Hier is je nieuwe huis.

Victor kan zich zo'n groot huis niet voorstellen. Het is groter dan het slaaphuis, wel honderd keer zo groot. Hij maakt zich zorgen. Hij wil niet zo'n groot huis hebben. Maar dan ziet hij andere mensen naar binnen gaan en naar buiten komen. Misschien is het toch wel een slaaphuis. Hij begrijpt er niets van. Er gebeuren te veel dingen tegelijk. Hij wil gaan liggen en zijn hoofd in Freddy's schoot leggen. Freddy zou het wel begrijpen. Freddy kon het hem uitleggen.

Tony gaat hem voor door het doolhof. De gebouwen zijn zo hoog dat ze zich naar elkaar toe buigen alsof ze elkaar willen kussen. Victor voelt zich verloren. Hij wil een kaart. Hij wil zijn tekeningen. Hij vraagt ernaar maar Tony begrijpt het niet. Hij zegt tegen Victor dat ze zijn bagage later zullen brengen. Maar hoe zit het dan met de doos in de biblio-theek. Hij probeert het uit te leggen. Tony zegt Als je iets bent vergeten, bellen we dokter Worthe wel en krijgen we het alsnog. Maar dat stelt Victor niet gerust.

Tony laat Victor een bord zien waarop KORNALIJN staat. Hier ga je wonen. Victor weet wat kornalijn is. Dat heeft hij in de almanak gelezen. Tony houdt de deur voor Victor open. Binnen drukt Tony op een knop-je in de muur en een deur glijdt open als een tovermond. Zoiets heeft Victor nog nooit gezien. Hij is bang en verbaasd.

Kom op, zegt Tony. Tenzij je elf trappen op wilt.

De deur gaat met een plof dicht. De vloer duwt omhoog en zijn voe-ten voelen zwaar. Dan klinkt er een belletje en de mond gaat weer open. Tony zegt Okidoki.

Het is stil op de gang. Er ligt tapijt op de grond en de muren zijn wit. Daar zijn we. Tony doet een deur voor Victor open. De kamer is net zo groot als zijn kamer in het slaaphuis, maar in plaats van vier bedden staat er maar één. Er staat een potplant op de vensterbank en er staat een platte, metalen plaat verbonden met een stopcontact in de muur. Er is een gootsteen en een wc. Het is stil en schoon. Hiervandaan kun je de brug zien. Tony wijst naar buiten. Is dit niet beter?

Beter dan wat? Victor kijkt naar de aarde in de diepte. De mensen zien eruit als peperkorrels.

Hier zul je gelukkig zijn. Daar is de telefoon. Als je iets nodig hebt kun je mij bellen. Hier heb je mijn nummer. Ik kom af en toe langs om een kijkje te nemen. Vraag maar als je iets nodig hebt. Hier is wat geld. Om de paar weken stuur ik je een bedrag. Je zult niets tekortkomen, dat beloof ik je. Wil je nu iets? Heb je honger?

Ze gaan de mond weer in en Victor kijkt hoe het moet. Hij leert de hele tijd.

In de winkel die restaurant heet vraagt Victor om eieren. Tony drinkt koffie. De vrouw brengt alles en Victor eet. De eieren smaken heerlijk.

Dit moet een hele verandering voor je zijn. Tony wacht en kijkt hem aan. Dan zegt hij We zullen alles goedmaken. Je mag doen wat je wilt. Je kunt naar buiten gaan, naar het museum of naar het park. Je kunt naar het honkbal gaan. Je kunt alles krijgen wat je wilt.

Victor wil nog een bord eieren.

Zo veel als je wilt. Tony neemt een slok koffie. Vlakbij zijn winkels. Wat heb je nodig?

Victor denkt na. Hij zegt Papier.

Er is een winkel die kant op. Nu zijn ze waarschijnlijk dicht, maar ik laat je wel zien hoe je moet lopen en dan kun je kopen wat je maar wilt. Ik geef je wel wat extra geld. Wil je nog een toetje?

Ze lopen naar de winkel. Op straat verkoopt een man met een wagentje pinda's. Het ruikt heerlijk en het water loopt Victor in de mond. Hij wil wel pinda's, maar hij wil Tony niet storen, want die praat over alle mogelijkheden die er nu voor Victor openliggen.

Victor onthoudt waar de pindaverkoper staat. Hij onthoudt plekken die er interessant uitzien. In zijn hoofd tekent hij een kaart. Later kan hij die wel op papier zetten.

De papierwinkel is dicht, maar in de etalage ziet hij aantrekkelijke stapels papier en potloden. Hij weet niet hoeveel geld Tony hem heeft gegeven, maar hopelijk is het genoeg.

Ze maken een wandeling door de buurt. Tony laat hem zien waar hij eten kan kopen. Het wordt donker en koud en Victor rilt. Tony zegt Je hebt een nieuwe jas nodig.

Daarna lopen ze weer naar huis. Victor loopt naar de verkeerde deur en Tony zegt Nee, dat is niet de onze. Dan begrijpt Victor dat het huis toch wel iets van een slaaphuis heeft. Hij is teleurgesteld. Hij had de andere kamers wel willen zien.

Tony brengt hem naar de juiste kamer. Victor leert de weg zo goed mogelijk uit zijn hoofd. Morgen wil hij potloden en papier gaan kopen en een paar enveloppen, zodat hij Freddy kan schrijven.

Denk je dat je het hier vannacht wel redt?

Hij knikt.

Morgen kom ik terug. Als je voor die tijd iets nodig hebt, bel je maar.

Victor is alleen. Hij kijkt naar buiten en denkt aan Freddy. Hij haalt de kleren uit zijn koffer en legt ze netjes in het bureau. Hij vult een kop met water en drinkt. Hij is heel dorstig en drinkt nog wat. Daarna kleedt hij zich uit en gaat op bed liggen. Hij denkt aan Freddy. Hij speelt met zijn geslachtsdelen en daarna valt hij in slaap.

Meestal gaan zijn ogen met zonsopgang open, maar de volgende morgen slaapt hij door tot hij wakker wordt omdat er op de deur wordt gebonkt. Hij staat op en trekt zijn broek en overhemd aan net wanneer er een sleutel in het slot wordt omgedraaid. Het is Tony. Hij kijkt bezorgd en hijgt.

Je deed niet open.

Victor zegt niets.

Alles goed?

Victor knikt.

Je moet me niet zo laten schrikken hoor, Victor.

Victor weet niet wat hij heeft gedaan om Tony aan het schrikken te maken.

Tony heeft een opgevouwen jas onder zijn arm. Hier.

Victor trekt de jas aan. De mouwen komen tot voorbij zijn vingertoppen.

Dat moeten we laten maken. Heb je al wat gegeten?

Ze gaan weer naar het restaurant. Victor eet eieren. Tony drinkt koffie.

Ik zie dat je van eieren houdt.

Victor praat niet met volle mond; dat heeft hij van mevrouw Greene geleerd. Hij knikt.

Je kunt thuis eieren leren klaarmaken. Dan kun je ze eten wanneer je maar wilt. Zal ik het je leren?

Tony leert Victor hoe hij het kookplaatje moet gebruiken. Ze bakken eieren, die niet zo lekker smaken als die in het restaurant, maar Victor wil niet onbeleefd zijn. Hij zegt Dank je wel. Maar hij is ongeduldig, want hij wil naar de papierwinkel voordat die dichtgaat. Hij wil niet nog een dag wachten.

Wanneer je klaar bent, was je de pan af. Hebben ze je dat geleerd?

Ja.

Maar Tony wil met alle geweld kijken hoe Victor het doet. Goed zo, zegt hij, alsof Victor een kind is. Victor besluit dat Tony niet te vertrouwen is. Wanneer Tony weg is, holt Victor naar de winkel.

In het begin komt Tony dikwijls langs. Hij komt met cadeautjes of geld of om hallo te zeggen. Hij neemt Victor mee naar de dokter en die zegt Hoesten. Tony neemt Victor mee om kleren en schoenen te kopen, dingen die Victor niet wil. Hij vertelt Victor over de interessante bezienswaardigheden van New York. Hij neemt Victor mee naar het Vrijheidsbeeld. Hij neemt hem mee naar het Museum of Natural History en naar het park in Flushing. Victor zegt Dank je wel, maar eigenlijk wil hij thuisblijven bij zijn tekeningen en de stilte en het uitzicht op de brug. Buiten wordt er te veel getoeterd, te veel getimmerd, Victor krijgt er hoofdpijn van en dan wil hij zijn ogen dichtdoen. Hij verduurt de uitstapjes met Tony omdat hij een nieuwe afspraak met God heeft gemaakt. Als hij voldoende lijdt, zal Freddy eerder komen. Dus zegt hij niets; hij verwelkomt de eenzaamheid die hij voelt.

Weldra is het te koud om nog naar buiten te gaan. Tony komt minder vaak. Hij zegt Ik wil dat je onafhankelijk wordt. In plaats daarvan belt hij. Hun gesprekken zijn kort. Hallo en Hallo en Heb je iets nodig en Nee dank je.

Op een dag krijgt hij zijn voordeur niet open. Er zitten twee sloten op en die moet je in tegengestelde richting draaien. Hoewel hij het blijft proberen, wil de deur niet open. Misschien is hij naar de verkeerde kamer gegaan. Maar nee, het is de goede, hij herinnert zich het nummer. Hij weet niet wat hij moet doen. Uiteindelijk krijgt hij het slot wel open en kan hij naar binnen. Hij gaat op het bed zitten. Hij is zo bang dat hij de hele nacht niet kan stoppen met sidderen.

Maar meestal gaat het goed met hem. Soms ziet hij andere mensen op de gang. Ze kijken hem bevreemd aan. Hij wandelt door de buurt. Hij koopt potloden en papier. Hij koopt een paar pennen en markeerstiften en ontdekt dat hij die ook leuk vindt. De man achter de toonbank biedt hem verf en schetsboeken aan. Victor zegt Nee dank u. Hij houdt van het papier in grote stapels. Hij koopt vijf stapels en de man vraagt of hij een boek schrijft. Op weg naar en van de winkel blijft hij altijd even staan om pinda's te kopen.

Hij gaat naar het restaurant. Hij wil weten waarom zijn eieren anders smaken dan die van het restaurant en dus gaat hij aan de toonbank zitten zodat hij de koks met hun papieren muts kan gadeslaan, wier voorhoofd zweet wanneer ze uien hakken. Hij ziet dat ze melk bij de eieren doen. Dus koopt hij melk en probeert hij zelf eieren te maken. Maar ze branden aan en de melk gaat na een paar dagen stinken, dus die spoelt hij door de wc. Hij gaat wel naar het restaurant.

Om de twee weken komt er een brief van Tony. De man aan de poort geeft die aan hem. Er zit wat geld in. Hij gebruikt het geld om te kopen wat hij nodig heeft, maar het merendeel blijft over. Het geld groeit aan. Hij spaart het op.

Hij stuurt brieven naar Freddy. Hij stuurt tekeningen. Hij tekent de brug en het water. Hij tekent vogels en bloemen. Freddy schrijft nooit terug, maar Victor weet dat zijn moeite niet voor niets is. Hij weet precies wanneer Freddy een brief krijgt, maakt niet uit hoe ver weg hij is. Vanbinnen hoort hij hem de envelop openscheuren.

De seizoenen wisselen. Omdat mevrouw Greene hem geen boeken meer stuurt, koopt hij er zelf een om het weer in op te schrijven. Hij schrijft alles op, zodat hij het aan Freddy kan vertellen wanneer die komt. Hij zal zeggen Dit heb ik gezien toen je er niet was. Hij bidt. Hij gaat naar de kerk. Hij onderhandelt en biecht. Er gaat een hele tijd voorbij. Dan geeft de man aan de poort hem op een dag twee enveloppen. De ene is van het crèmekleurige papier dat Tony gebruikt. De andere is dun en blauwachtig. Victor scheurt hem open.

Beste Vic. Ik kom eraan.

Victor is opgewonden. Hij besluit een cadeau voor Freddy te kopen. Hij pakt zijn geld en gaat naar een winkel. Daar blijft hij een hele poos staan nadenken over wat Freddy leuk zou vinden. Freddy hield ervan om af en toe glazen flessen tegen een boom te gooien en ze te horen breken. Wat nog meer? Nadenken over wat hij voor Freddy moet kopen is het moeilijkste wat hij ooit heeft gedaan. De man in de winkel zegt Kan ik iets voor u doen?

Victor zegt Een cadeau.

De man laat Victor dameshandschoenen en handspiegels zien. Hij laat Victor een paar sjaals zien. Victor gaat weg zonder iets te kopen.

Dagenlang dwaalt hij door de buurt en kijkt hij in etalages. Hij is erg nerveus omdat hij niet weet wanneer Freddy komt, dat schreef hij niet. Hij moet zo gauw mogelijk een cadeau zien te vinden; hij wil thuis zijn wanneer Freddy komt. Hij gaat van de ene winkel naar de andere, loopt er haastig doorheen en slaat geen acht op de winkeliers wanneer die proberen iets tegen hem te zeggen. Hij heeft bijna zijn keus op een wollen muts laten vallen, wanneer hij het mooiste ziet wat hij tot dan toe is tegengekomen: een paard van goud en zilver. Het glinstert en heeft zijn hoofd nobel naar achteren geworpen. Victor vraagt de man hoeveel het kost en die kijkt argwanend. Honderdvijftig dollar zegt hij. Victor rekent af en neemt het paard mee.

Wanneer Freddy komt, fluit hij. Moet je toch eens kijken. Hij zet zijn koffer neer en loopt naar het raam. Victor beeft. Hij wil zijn hand uitsteken en Freddy aanraken, maar dat durft hij niet. Kolere, Vic, jij hebt het voor elkaar. Hij knipoogt naar Victor en er trekt een scheut door zijn kruis.

Ze hebben me verteld dat je een rijke neef hebt of zo. Mij heb je nooit iets over een rijke neef verteld. Wat heb je nog meer, heb je een auto?

Victor schudt zijn hoofd.

Nou, toch vind ik je een bofkont. En mezelf ook, hè? Hij lacht. Wat kijk je, Vic? Nou? Heb je me gemist? Kom 'ns hier. Laat eens kijken. Godallejezus, je hebt een stijve. Freddy lacht. Goddomme wat een grote.

Victor is gelukkiger dan hij ooit is geweest. Elke seconde dat hij heeft geleden is de moeite waard geweest. Hij heeft zijn eigen kamer, hij heeft eten en papier en hij heeft Freddy. 's Morgens wordt hij wakker en ziet hij Freddy's borst op en neer gaan. Freddy heeft licht haar op zijn borst, dat van Victor is dik en zwart. Soms tekent hij Freddy slapend. Soms draait Freddy zich om, of hij wordt wakker, en dan is de tekening niet af.

Wanneer hij wakker wordt, zegt hij tegen Victor dat hij zijn geslacht in zijn mond moet nemen. Soms wil hij dat midden in de nacht ook en maakt hij Victor wakker en zegt hij Hup. Dat vindt Victor niet erg. Hij is verliefd.

De tijd verstrijkt. Freddy blijft bij Victor, maar niet elke nacht. Soms verdwijnt hij twee, drie dagen achter elkaar en dan maakt Victor zich zorgen. Hij bidt en onderhandelt. Of dan verdwijnt Freddy wel voor een week of een maand en valt Victor ten prooi aan de ergste wanhoop die hij ooit heeft gekend, erger dan vroeger omdat hij nu weet wat geluk is. Freddy weigert te zeggen waar hij heen gaat, of Victor van tevoren te waarschuwen. Het ene moment is hij er nog, en dan is hij opeens verdwenen. Victor komt thuis uit het park, waar hij bomen heeft getekend, of van het restaurant of van de winkel waar hij brood koopt om boterhammen voor de lunch te maken en dan is het stil in het appartement. Het is een andere stilte dan wanneer Freddy even weg is om een wandeling te maken of een fles bier of whisky te kopen. Dan wordt Victor gek. Hij vloekt, en dat hoort helemaal niet, hij scheurt kussens stuk en gooit kopjes kapot. Als het voorbij is, is hij moe, is het een troep en is Freddy er nog steeds niet. Dan gaat Victor onderhandelen. Hij gaat bidden.

Wat dondert het waar ik heen ga? Ik kom altijd weer terug. Wat kan het jou verrekken? Hou op met dat vragen, je werkt godverdomme op mijn zenuwen. Je kunt een echte zeikerd zijn, weet je dat? Wanneer Freddy's stem zo klinkt, is Victor bang. Hij wil Freddy niet ongelukkig maken. Hij zou met alle liefde zijn eigen handen afhakken als Freddy dat leuk zou vinden. Hij zou zijn ballen nog afsnijden.

Moet je dit zien. Dat is toch hopeloos. Freddy pakt een kussensloop met een donkere vetvlek waar Victors hoofd elke nacht ligt. Doe eens een keer de was godverdomme.

Victor weet niet hoe hij de was moet doen. Freddy neemt hem mee naar de wasserette. Je stopt er een muntje in, je stopt er zeep in. Nu hoef je niet meer als een beest te leven. Freddy lacht. Victors hart zwelt van dat geluid. Maar een ander deel van hem weet niet wat het moet voelen. Aan de ene kant wil hij dat Freddy glimlacht. Aan de andere kant voelde hij zich daarnet zo somber over zichzelf dat het hem nu moeite kost om blij te zijn. Hij is één grote hutspot, zoals mevrouw Greene altijd zei. Nu ze samenwonen – in hetzelfde bed slapen, samen eten en het grootste deel van de dag dezelfde lucht ademen – ziet Victor dingen aan Freddy die hij nog niet eerder heeft gezien. De wijze waarop zijn stemmingen veranderen. Die lange boze preken. Dan weer complimenten als vanuit het niets. Victor begrijpt het niet. Hij probeert nog een ander geschenk voor Freddy te bedenken. Dat zal hem gelukkig maken.

Freddy weigert ook naar de kerk te gaan. Victor kan hem niet overhalen. Hij gaat alleen en bidt voor twee.

De tijd verstrijkt. De seizoenen dansen. Dingen veranderen. Freddy komt en gaat. Victor leeft en sterft duizend doden. De spanning doet pijn. Hij wil dat Freddy blijft en nooit meer weggaat. Dagen worden nachten worden dagen en Victors ogen worden wazig.

Hou op met huilen. Kappen.

Victor kan niet stoppen.

Je bent soms nog erger dan een wijf. Wat mankeert je godverdomme? Ik zweer het je, ik zou je een pak op je sodemieter moeten geven, dan zou je wel begrijpen wat ik bedoel. Hou je kop godverdomme. Godverdomme, ik ga er echt nog eens vandoor en je hebt geen idee hoe hard. Ik hoef hier geen minuut langer te blijven. Ik heb genoeg mensen waar ik heen kan. Dacht je soms dat je de enige bent die ik ken? Mooi niet dus. Je hebt geen idee. Soms kun je zo verrekte stom zijn, weet je dat? Hoe komt het dat je zo achterlijk bent? Je weet geen reet van de wereld, je weet niet eens wat er vlak onder je neus gebeurt. Je zit daar maar als een chimpansee te krassen. Geef me geen plaatjes, ik wil goddomme geen plaatjes meer. Je maakt me zwaar pissig. Nu op dit moment maak je me pissig. Ik zweer het je, op een keer ram ik godverdomme je gezicht in. Geef hier dat ding godverdomme. Geef terug.

Victor gooit de fles uit het raam. Hij zeilt omlaag en spat uit elkaar.

O, nou zal ik je krijgen. Dat zal ik je betaald zetten. Je bent een nono, als ik je uit het raam gooi ben je een vlek op de stoep die ze sneller opruimen dan een kwak duivenstront. Je dacht zeker dat het een slimme zet was, die fles was nog halfvol, lelijke klootzak die je bent. Freddy drukt met zijn knieën Victors armen op de grond. Hij maakt zijn gulp open en zijn geslacht valt eruit. Victor probeert zijn mond om het uiteinde te stulpen maar Freddy geeft hem een klap. Afblijven, godverdomme. Heb het lef. Freddy trekt aan zijn geslacht en zegt Godverdomme, godverdomme. Dan is Victor nat. Freddy ontspant zich, het bloed trekt uit zijn gezicht. Hij zegt Oké.

Victor is zevenentwintig. Het is de week van Onafhankelijkheidsdag en een zomerse hoosbui heeft gemaakt dat de slingers rood, wit en blauw in de goot uitlopen. Victor staat voor het raam. Freddy is al twee dagen weg. Victor probeert niet meer te voorspellen wanneer Freddy terugkomt, en terwijl de regen strepen op het raam trekt, bereidt hij zich voor op een lange, eenzame periode.

De sleutel wordt omgedraaid in het slot. Daar staat Freddy druipend in de deuropening. Geef 'ns een handdoek.

De volgende paar dagen is Freddy stiller dan anders. Hij ligt het grootste deel van de dag op bed. Victor denkt dat het misschien van de hitte komt. De regen maakt de warmte erger. Hij heeft het allemaal op schrift. Hij houdt het weer elke dag bij. Hij is ermee begonnen en is niet van plan te stoppen. Het helpt hem de ene dag van de andere te scheiden.

Het houdt op met regenen. Freddy gaat rechtop in bed zitten. Ik ga naar buiten.

Anderhalf uur later komt hij terug met kranten. Victor slaat hem gade wanneer hij ze leest. Hij bladert ze ongeduldig door; dan gooit hij de krant op de grond en valt in slaap.

De volgende dag gaat hij weer naar buiten en komt hij opnieuw met kranten thuis. Deze keer stopt hij bij een bladzijde en zegt Shit zeg.

Victor kijkt naar de krant. Er staat een foto van een jongen in. Zijn naam is Henry Strong. Hij heeft kort piekhaar. Hij lijkt een beetje op een eekhoorn.

Freddy zegt Waarschijnlijk was hij toch niet zo sterk, hè? Dan lacht hij. Hij kijkt naar buiten. Het regent. Ik denk dat het zo blijft.

Victor knikt.

Freddy slaakt een diepe zucht, rekt zich uit en gaat liggen.

Victor bewaart de foto van de jongen.

Een maand later komt Freddy weer met een krant thuis. Victor probeert mee te kijken, maar Freddy geeft hem een duw en zegt Niet over mijn schouder lezen. Victor begrijpt niet wat het probleem is maar hij gehoorzaamt. De volgende morgen wanneer Freddy slaapt neemt Victor een kijkje. Hij ziet weer een jongen. Die heet Eddie Cardinale. Victor houdt die foto ook.

De zomer maakt plaats voor de herfst en die voor de winter. Gedurende die maanden neemt Freddy af en toe een krant mee naar huis en Victor leest ze. In San Francisco heeft iemand een vrouw vermoord. In Hanoi laten ze bommen vallen. Freddy heeft vaak rare buien. Hij gaat dikwijls 's avonds laat naar buiten en dan zwerft hij urenlang rond en komt pas terug wanneer de zon boven de bakstenen gebouwen opkomt. Victor hoort hem dikwijls vertrekken en dan kan hij de slaap niet meer vatten. Hij gaat voor het raam zitten tot hij Freddy's silhouet de binnenplaats ziet oversteken. Pas dan doet Victor zijn ogen dicht.

Hij wil Freddy volgen op zijn omzwervingen, maar durft het niet. Hij kan zich wel voorstellen wat Freddy dan zou zeggen. Ga terug naar huis. Ga terug, stuk stront dat je bent. Freddy's stemmingen maken dat hij lelijke woorden gebruikt en hij heeft niet in de gaten dat hij diepe deuken in Victors hart slaat. Victors verdriet maakt Freddy alleen maar nog bozer. Victor heeft geen woorden om te beschrijven wat er tussen hen gebeurt, maar er zijn dingen veranderd. Hij mist de goede oude tijd toen ze uren bij elkaar konden liggen en Freddy hem vertelde over de dingen die hij had gedaan, de geintjes die hij had uitgehaald en nog ging uithalen. Hij merkt dat zijn lichaam Freddy nu weerzin inboezemt. Hij probeert Freddy niet meer te betasten, en als Freddy in bed ligt te woelen en zijn benen breeduit over het matras spreidt, valt Victor eruit en slaapt hij op de grond.

Stompzinnig stuk stront dat je bent. Waardeloze eikel.

Freddy's stem wordt die van Victor, een stem die Victor constant met zich meedraagt. Die zegt Victor dat hij dom is en dat hij iets fout doet en dat is altijd. Al zegt die stem dingen die Victor pijn doen, hij heeft hem toch liever dan stilte.

Op een avond komt Freddy thuis met een andere man. Hij is klein en heeft dikke, rode lippen. Kijk eens wat ik heb opgeduikeld. Freddy lacht hinnikend en de man trekt Freddy's shirt uit. Ze kussen elkaar en Victor gaat op de rand van het bed zitten. Hij heeft het warm. De man zakt op zijn knieën en maakt Freddy's broek open. Freddy kreunt. Victor kijkt niet. De man gaat weg en Freddy is boos. Wat is er? Heb ik iets van je aan? Heb je ergens moeite mee, vuile flikker? Hij geeft Victor een oplawaai en dan moet hij lachen. Hij valt op bed en Victor stopt een kussen onder zijn hoofd.

Een paar weken later komt Freddy in een zeldzaam goed humeur thuis. Hij houdt een blik havermout omhoog. Weet je nog? Vroeger aten we die rotzooi elke dag bij het ontbijt. Niet te geloven hoeveel ik hiervan heb gegeten. Nou, laten we het maar opeten, ter ere van de goeie ouwe tijd.

Victor heeft grondig de pest aan havermoutpap, maar zijn liefde voor Freddy is sterker, dus koken hij en Freddy op het kookplaatje havermoutpap voor het ontbijt. Dan doen ze een week. Dan zegt Freddy Zal ik je eens wat zeggen, ik heb de pest aan die troep. Hij gooit het blik weg en het is afgelopen met de havermout.

Kort daarop komt Freddy weer met een krant thuis. Hij laat Victor een foto van een jongen met lichtblond haar en een hoekige neus zien. Hij heet Alexander Jendrzejewski; Victor krijgt al hoofdpijn van die naam als hij ernaar kijkt.

De tijd verstrijkt. Freddy komt en gaat. Victor leeft en sterft duizend doden. Nog twee keer laat Freddy Victor een foto zien. Victor bewaart ze allemaal. Hij wil Freddy vragen wat ze betekenen, maar hij begrijpt dat ze een cadeau zijn, ze zijn bijzonder en vragen is de verrassing bederven.

Hij is jaloers op de jongens. Freddy praat vaak over hen en over het weer. Wie zijn ze? Victor wil het weten maar vraagt het niet.

Op een dag zegt Freddy Ik heb geld nodig.

Victor gaat naar de doos waarin hij het geld bewaart dat Tony stuurt. Hij geeft er zo weinig van uit dat hij inmiddels een bundel zo dik als zijn vuist heeft. Hij geeft het allemaal aan Freddy, die Godallemachtig zegt.

Freddy komt nooit meer terug. Er gaat een maand voorbij, twee maanden, een half jaar, een jaar, twee jaar. Victor bidt, smeekt en biecht. Hij bezeert zichzelf. Hij kreunt en bidt en onderhandelt. Als U dit, dan zal ik dat. De tijd verstrijkt. De eenzaamheid daalt over hem heen als stof. Hij is zo eenzaam dat hij de telefoon pakt.

Tony Wexler.

Victor zegt niets.

Hallo?

Victor hangt op.

Dan doet hij zijn moedigste bod tot dan toe. Als U, dan zal ik. Hij schudt God de hand en dan brengt hij al zijn tekeningen, doos voor doos, naar de kelder, waar hij ze in de verbrandingsoven stopt. Hij moet huilen wanneer hij dat doet, maar hij doet het toch. Alles wat hij de afgelopen vijf jaar heeft getekend gaat het vuur in tot er niets meer over is. Hij neemt de lift naar zijn kamer en wacht tot God Zijn kant van de transactie nakomt.

Maar Freddy komt niet opdagen.

Victor voelt zich verloren. Hij eet niet. Hij komt niet buiten. Hij wordt ziek. Hij heeft dromen. Hij ziet Freddy op de bus stappen en wegrijden. In zijn dromen wil Freddy hem niet aankijken. Victor wordt drijfnat wakker. Drie weken lang droomt hij elke nacht hetzelfde, en uiteindelijk staat hij op om een douche te nemen. Hij gaat naar het restaurant. In zijn broekzak heeft hij nog elf dollar die hij was vergeten aan Freddy te geven. Hij eet langzaam, want zijn maag doet zeer. Met het resterende geld gaat hij weer naar de winkel en hij koopt een heleboel nieuw papier en een paar nieuwe viltstiften en potloden. Hij brengt alles naar zijn appartement. Dat valt niet mee omdat hij zo zwak is. Maar hij speelt het klaar en daarna gaat hij zitten om een nieuwe landkaart te tekenen.

22

Als ik nog steeds een detectiveverhaal schrijf – en daar ben ik niet zo zeker van – geloof ik dat ik nu ben aanbeland bij het gedeelte waar ik alle losse eindjes aan elkaar knoop en je verzeker dat er recht is gedaan. Diegenen onder jullie die aan het slot vuurwerk verwachten, zullen misschien een tikje teleurgesteld zijn. Ik bied je mijn verontschuldigingen aan. Je hebt niet zo lang doorgelezen zonder het recht om iets van tamtam te verwachten. Ik zou willen dat dit laatste hoofdstuk wat meer kanonnen en explosies bevatte; ik zou ook graag een steekpartij zien. Ik heb zelfs overwogen iets te verzinnen. Zo graag wil ik nu aardig gevonden worden. Ik ben geen romanschrijver, maar misschien zou ik wel een slot vol actie uit mijn duim kunnen zuigen. Hoewel... Kun je je nu, met wat je van me weet, voorstellen dat ik met twee rokende revolvers door het stof rol? Ik dacht het niet.

Het slot van het liedje is dat ik weliswaar mijn best heb gedaan om je aangenaam bezig te houden, maar dat ik dit heb geschreven om de onderste steen van de onopgesmukte waarheid naar boven te halen, en ook al heb ik de zaken hier en daar wat samengevat, er is geen woord van gelogen.

Welnu, als ik de verhaallijn goed in het oog houd – en je hebt echt geen idee hoe lastig dat is – zijn er nog diverse onbeantwoorde vragen. Rest nog de vraag wie me heeft overvallen en mijn tekeningen heeft gestolen, als Kristjana er part noch deel aan had. Dan zijn er nog de vragen hoe het afliep met Marilyn en mij, wat er met Sam en mij gebeurde, de kwestie-Frederick Gudrais en uiteindelijk de kwestie-Victor Cracke.

Laten we ze een voor een behandelen, en beginnen met onze moordenaar.

Hij had een strafblad en niet zo'n kleintje ook.

'Geweldpleging, geweldpleging, wreedheid tegenover dieren, landloperij, verdacht gedrag, obsceen gedrag, geweldpleging.' Sam keek me aan. 'En dat is nog maar het vroegste werk.'

'Voordat hij onder invloed kwam van Monet.'

Ze glimlachte bevallig. 'Je bent een pestkop, wist je dat?'

'Waar zit hij nu?'

'Zijn laatste veroordeling was in…' Ze bladerde… '1981. Wegens het toebrengen van ernstig lichamelijk letsel en aanranding. Hij heeft van het vonnis van twaalf jaar er zes uitgezeten. Nou, dat is verdomd jammer. Tegenwoordig nemen ze verplicht DNA af. Waarschijnlijk heeft hij de afgelopen twintig jaar ofwel gas teruggenomen, of hij is heel wat slimmer geworden… Maar dat is academisch. Laten we eerst maar eens horen of hij überhaupt nog in leven is. Ik heb zijn laatste bekende adres op Staten Island en de naam van zijn reclasseringsambtenaar.'

Op zijn meest recente politiefoto had Gudrais een brede glimlach, een grijns van vijfhonderd watt waar ik ook de griezels van had gekregen als ik niet wist wie hij was. Zijn geboortedatum was 11 mei 1938, dus was hij over de vijftig op de foto, maar zijn huid was verrassend glad, alsof hij zijn hele leven lang geen enkele zorg had gehad. We stuurden een scan van de foto naar James Jarvis, die nogmaals bevestigde dat we de juiste man te pakken hadden.

Toen we Gudrais' reclasseringsbeambte spraken, sprong ze direct voor hem in de bres en zwoer ze bij hoog en bij laag dat Freddy al in jaren geen scheve schaats had gereden, dat hij werk had en een rustig leven leidde op het adres in zijn dossier. Ze vertelde ook iets wat ons verraste: Gudrais had een dochter.

'Wat ik ervan begrijp, is dat ze niet al te goed met elkaar overweg kunnen,' zei de beambte.

Op dit punt ging ik ervan uit dat we met getrokken wapens naar binnen zouden stormen. Sam was veel omzichtiger. Om te beginnen konden we niets beginnen met Jarvis' getuigenis. In die tijd had New York een verjaringstermijn van vijf jaar voor aanranding, een van de kortste van heel Amerika en een bron van grote verontwaardiging voor feministen, die er het jaar daarop in zouden slagen de wet veranderd te krijgen. Maar toen Sam aan haar zaak werkte, moest ze erkennen dat Jarvis geen poot had om op te staan. Zijn aandeel werd afgesloten en begraven. Ik had nog het idee dat we hem als karaktergetuige konden gebruiken, antikarakter eigenlijk, maar ze zei dat alles wat hij te bieden had waarschijnlijk als irrelevant of speculatief van tafel geveegd zou worden.

'Wat hebben we er dan aan?'

'Het is goed om een aantal belangrijke mensen over te halen deze zaak aanhangig te maken.'

Staten Island heeft geen goede naam. Ter verdediging wil ik erop wijzen dat de Verrazano eigenlijk heel mooi is; de brug is naar mijn smaak de mooiste van het stadsdeel. Bij een bepaalde belichting en vanuit een bepaald perspectief heeft hij iets van de Golden Gate-brug, wat voorwaar een groot compliment is. En als je even niet op de stortplaatsen en lelijke winkelpromenades let, is een redelijk deel van het eiland vrij landelijk: knusse huizen van baksteen, berijpte honkbalvelden; een rockwelliaans visioen van het ware Amerika. Ik maakte er een opmerking over tegen Sam, die de verwarmingsroostertjes achter het stuur op haar ijskoude vingers richtte.

'Het is Staten Island,' antwoordde ze.

Het was de laatste week van februari, 's morgens om half zeven, bijtend koud, de winter gaf een trap na. De zon kwam op boven woonwijken die zich uitrekten. Kinderen met sjaal om wachtten op de schoolbus. Een handjevol joggers probeerde op beijzelde trottoirs moedig overeind te blijven. Het ijs moest van voorruiten worden gekrabd; voortuinen waren bespikkeld met hondenpis. Eerst reden we naar het hoofdbureau van politie bij de steiger van de veerboot, waar we werden ontvangen door een inspecteur die Sam een hand gaf, zei dat hij haar

378

vader had gekend en dat het hem speet. Ze knikte beleefd, al zag ik dat ze zich goed moest houden. Dat ze vijf maanden na zijn dood nog van haar stuk kon raken, zal de meeste mensen die een ouder zijn verloren waarschijnlijk niet verbazen, maar ik werd me ervan bewust hoe weinig er in mijn leven nog heilig was.

Ze bezorgden ons een onopvallende auto en een rechercheur die Jordan Stuckey heette, en gedrieën reden we naar de wijk aan de zuidoostkant van het eiland waar Gudrais woonde. Het strand van de Atlantische Oceaan was grijs en winderig. Er liep een spijlenhek langs de boulevard. Het grootste deel was verrot of verwrongen. De huizen waren bungalows die me aan Breezy Point deden denken. Ik merkte dat ook Sam zich met een lichte huivering van de overeenkomst bewust werd, dus onthield ik me van commentaar.

Om half acht zetten we de auto voor een plomp flatgebouw en lieten de verwarming aan. Ik was naar de achterbank verwezen, dus moest ik me tevreden stellen met een verslag uit de tweede hand van Stuckey, die met een verrekijker de voordeur van Gudrais in de gaten hield.

Het was wachten geblazen. Gudrais werkte volgens de reclassering in een fietsenwinkel twee kilometer verderop, waar hij gebroken kettingen en zo repareerde. Eenmaal gearresteerd konden ze hem dwingen een DNA-monster af te geven, maar door een soort catch-22-achtige kronkel in de wet moest hem om te beginnen iets tastbaars aan te wrijven zijn om hem überhaupt te mogen aanhouden. Omdat de wet ons de ruimte gaf alles te gebruiken wat hij weggooide, hoopten we dat zoiets – een peukje, koffiebeker of papieren zakdoekje – een bruikbaar profiel zou opleveren. Volgens Sam was handhaving van de keten van bewijslast het belangrijkste bij het aantonen dat het DNA van Gudrais was en van niemand anders.

Om half negen was alle koffie op. Sam had de verrekijker en zei: 'Hij ziet er goed uit voor zijn leeftijd.'

'Laat eens kijken.'

'Niet zo trekken.'

Ik liet haar elleboog los.

379

'Volgens mij verft hij zijn haar,' zei ze. Boosaardig gaf ze de verrekijker aan Stuckey, die met zijn lage bariton zei: 'Hij is niet alleen president, maar ook nog lid van het congres.'

'Pardon,' zei ik vanaf de achterbank. 'Hallo?'

'Hou je koest,' zei Sam.

Ik zakte met een nijdige grom naar achteren. Voor zover ik het kon bekijken, was Gudrais lang. Hij liep met een kordate tred en hoewel je door de dikke jas die hij droeg weinig met zekerheid kon zeggen, leek hij goed geproportioneerd. Hij boog zich tegen de wind in en het uiteinde van een blauwe das wapperde achter hem aan.

'Ik denk dat hij naar zijn werk loopt,' zei Stuckey.

'Door de sneeuw nog wel,' zei Sam. 'Dat is ploegen, heen en terug.'

We volgden hem op enige afstand, Sam met de verrekijker, terwijl Stuckey langzaam reed en zonodig stopte. Volgens Sam, die me een lopend verslag gaf van zijn wandeling van tweeëntwintig minuten, hield Gudrais zijn handen bijna de hele tijd in zijn zakken. Het was ongelooflijk saai: 'Nu trekt hij zijn jas dichter om zich heen. Nu knakt hij met zijn nek. Nu kijkt hij naar de overkant. Ooo, hij niest.' Ze hoopte natuurlijk dat hij verkouden was, zijn neus zou snuiten en het zakdoekje weg zou gooien, bij voorkeur op de stoep. Maar op die eerste nies na leek hij het toonbeeld van gezondheid, en tegen de tijd dat hij bij zijn werk was aangekomen en naar binnen was verdwenen, hadden we helemaal niets.

De ochtend kroop voorbij.

'Misschien gaat hij wel lunchen.'

Er werden pizza's bezorgd.

In de loop van de middag kwam hij naar buiten, maakte aanstalten om over te steken, bedacht zich en ging weer naar binnen.

'Dit is enorm vervelend,' zei ik.

'Jawel.'

Op zijn wandeling naar huis ging Gudrais een supermarkt op de hoek in en kwam met één draagtas naar buiten. Hij ging rechtstreeks naar huis en we zagen het licht van een tv aangaan.

Sam gaf me de verrekijker. 'Ga je maar te buiten.'

'Reuze bedankt.'

Zo ging het de volgende dag ook. Als je die wilt ervaren, stel ik voor dat je de voorgaande bladzijden nog eens leest.

Aan het eind van de tweede dag van onze surveillance bleven we nog wat voor zijn complex hangen. Ik had de verrekijker en Sam en Stuckey probeerden een eenvoudigere manier te bedenken.

'Vrijdag wordt de vuilnis opgehaald.'

'Dat is misschien onze beste kans.'

'Hm.'

'Morgen hebben we tenminste vrij.'

'Maar weet je wat. Volgens mij…'

'Jongens,' zei ik.

'Volgens mij kan het zijn…'

'Jongens. Hij komt weer naar buiten.'

De verrekijker werd me weer afgepakt. Ik vloekte, maar Sam had het te druk met het volgen van Gudrais, die met grote stappen naar de bushalte liep.

'Heel móói,' zei ze. 'Nu komen we ergens.'

We volgden de bus over Hylan Boulevard, langs het Great Kills Park naar New Dorp. Gudrais stapte uit en liep drie straten verder naar de bioscoop op Mill Road. Zodra hij naar binnen was, haastten we ons naar het loket, waarachter een tiener met een wezenloos gezicht kauwgombellen zat te blazen. Sam bestelde drie kaartjes voor de film die de man voor haar had gekozen.

'Dertig dollar.'

Sam zei: 'Ik hoop van harte dat hij iets goeds heeft uitgekozen.'

Ik moest lachen toen we drie volwassenenkaartjes voor de kindervoorstelling van half zes van *Because of Winn-Dixie* kregen.

Toen we het stalletje met lekkernijen passeerden zag ik Gudrais achter in de rij staan, en er ging een schok van opwinding door me heen. Het kostte grote moeite me niet om te draaien en naar hem te staren, of om me ervan te weerhouden hem ter plekke te grijpen. Eén ogenblik voelde ik me heel bezitterig, alsof ik mijn creatieve wilskracht na het verlies van Victor Cracke nu de vrije teugel kon geven door een pedofiel te manipuleren en in de kraag te pakken. Verontwaardiging en wraakzucht, getemperd door triomf, de opwinding iets te weten wat hij niet wist: een eenduidige emotie was het niet, maar het beste woord dat ik ervoor kan vinden is 'fanatisme'. Hij was de sigaar en ik wist het.

En vervolgens was het gevoel even snel weer verdwenen als het was gekomen en maakte het plaats voor weerzin. Deze avond was geen performancekunst. Het was echt. Híj was echt. Dit theater – een veel te warme megabios – de weinig spectaculaire jacht – Sam: alles was echt. De zaal zat vol kinderen van vlees en bloed; ik zag de blik op Sams gezicht en ik kon haar gedachten wel raden. De bewuste film was geen impulsieve of willekeurige keus van Freddy Gudrais. Hij paste walgelijk goed in het plaatje. Hij was hier voor het publiek. Hij was even echt als hij altijd was geweest, echt genoeg om zijn handen om iemands keel te slaan. Ik ontnuchterde en deed mijn best om mezelf even te vergeten.

We wilden hem in het oog houden, dus waaierden we uit: ik ging achterin zitten, Stuckey in het midden en Sam links voorin bij de uitgang aan de voorzijde. Het was een gebrekkige oplossing maar het moest maar. Ons voornaamste doel was dat Gudrais zich zou ontspannen en van zijn flesje frisdrank zou genieten.

Hij kwam naar binnen toen de reclame was afgelopen en de lichten uitgingen, en ik zag zijn silhouet in een lege rij aan de rechterkant van de zaal glijden. Hij zat iets achter me, wat het lastig maakte om onopvallend naar hem te kijken. Ik probeerde maat te houden door af en toe een blik naar achteren te werpen en vervolgens weer weg te kijken. Wanneer ik niet keek, stelde ik me allerlei afschuwelijke scenario's voor. Er bleven maar oude zwart-witfoto's van verminkte lijken langs mijn geestesoog gaan.

De film was een groot succes. Er werd gelachen, er werd gehuild. Ik kan hem niet navertellen, want het grootste deel van de honderdenzes minuten keek ik op mijn horloge, wachtend op toestemming om over mijn schouder te kijken. Gudrais zakte langzaam maar zeker steeds dieper weg in zijn stoel, tot ik op het laatst alleen nog maar zijn kruin zag.

Zijn haar was zo zwart en glimmend van de pommade dat de bewegende tinten blauw en wit van de film erop werden weerkaatst. Verstandelijk wist ik dat ik niets deed; ik kon in feite hem, noch zijn handen of iets anders dan dat halvemaantje haar zien. Maar ik hoopte dat mijn aanwezigheid op de een of andere manier zou uitstralen naar de gezinnen om hem heen.

De aftiteling draaide; ik keek om en hij was weg. Ik wachtte tot ik Stuckey op zag staan en daarna liepen we met zijn drieën door het middenpad.

Zoals we hadden gehoopt, was hij geen modelburger. Hij had een kartonnen beker met smeltend ijs achtergelaten en een leeg popcornbakje met een verfrommeld servetje. Sam stiet een verheugde kreet uit. Stuckey ging naar de auto en kwam terug met een tas forensische spullen. Hij trok rubberhandschoenen aan, zakte door de knieën en deed dingen in plastic zakjes. Vervolgens stopte hij en hield zijn neus bij het popcornbakje. Met een pincet trok hij het servetje eruit. 'Kolére.'

'Wat.'

'Ruik je dat?'

Ik rook maïs, zout en vet, maar vooral iets wat deed denken aan een overmatig gebruikt zwembad met gelijke delen zweet en chloor.

'Dat,' zei Stuckey, 'is sperma.'

In de zomer had ik mijn gestolen kunstwerken allang afgeschreven, dus was ik aangenaam verrast toen ik werd gebeld door rechercheur Trueg.

'Nou,' zei hij, 'we hebben uw spullen gevonden.'

'Waar?'

'Op eBay.'

Trueg bekende dat hij niet met de hele eer kon gaan strijken. Sinds zijn jongste zoon naar school was, had zijn vrouw te veel vrije tijd gekregen. Door de verveling was ze min of meer een veilingjunkie geworden. Trueg was het beu geworden om zijn goede geld kwijt te raken aan smurfenbekers en tweedehands omslagdoeken, dus had hij haar aan het werk gezet. Hij had haar kopieën van vermiste kunstwerken gegeven en opgedragen ernaar uit te kijken. Onder ons gezegd en gezwegen beschouwde hij dat alleen maar als een manier om haar zich nuttig te laten voelen en te voorkomen dat ze rotzooi kocht. In drie jaar was ze nog nooit iets op het spoor gekomen. Maar ziedaar: onder Kunst>Tekeningen>Hedendaags (1950 tot heden) was ze gestuit op werk dat er verdacht crackeaans uitzag.

Het pseudoniem van de verkoper was pps2764 en hij woonde in de stad New York. De roterende fotogalerij vertoonde een vijftal tekeningen plus diverse close-ups.

Vijf originele tekeningen van de beroemde kunstenaar Victor Cracke. De werken passen aan elkaar. (Een van de close-ups liet een naad tussen twee tekeningen zien.) *Crackes werk hoort thuis in het schemergebied tussen expressionisme en abstracte kunst; toch is het niet louter een recapitulatie van sleets modernisme, maar eerder een opzettelijk stilistisch gewrocht dat de meest opvallende elementen van de popart en de hedendaagse figuratieve kunst incorporeert.*

De alinea ging op die slaapverwekkende manier door en besloot met: *Als u belangstelling hebt, heb ik nog meer van dit werk in de aanbieding.*

Wat me het nog het meest aan de beschrijving stoorde, was niet de breedsprakigheid noch de slappe trosjes kunstzinnig gewauwel. Wat me het meest dwarszat, was dat ik het zelf had geschreven. Op de eerste twee en de laatste zinnen na was de tekst woordelijk overgenomen uit de catalogus die ik voor Victors expositie had geschreven.

Ook beledigend was de vraagprijs. Tot nu toe had maar één persoon voldoende belangstelling getoond om een bod te doen, en omdat er nog maar zes uur kon worden geboden, leek het erop of zijn bod van honderdvijftig dollar het zou winnen.

De zonzijde was: iedereen kon NU KOPEN VOOR 500 DOLLAR.

Ik besloot dat ik dit maar beter niet aan Kevin Hollister kon vertellen.

Trueg zei: 'In de eerste plaats wil ik die tekeningen graag te pakken krijgen om vast te stellen of ze echt zijn.'

'En niet van de hand van Kristjana.'

'Ja, nou ja, dat bedoel ik eigenlijk. Maar het zou vrij dom van haar zijn om kopieën te blijven maken. Ze klonk nogal angstig toen we haar de laatste keer spraken.'

Ik zei dat ik het onwaarschijnlijk achtte dat ze zich tot eBay zou verlagen om zichzelf te promoten.

Trueg lachte. 'Vergeet niet dat er ook een derde partij in het spel kan zijn. Weet u nog iemand anders die we aan de tand moeten voelen?'

Ik stelde bijna voor dat hij Jocko Steinberger maar eens moest bellen, maar dat was zijn stijl niet. Hij was meer het type met zelfmedelijden. Er waren natuurlijk genoeg andere mensen die boos op me waren, en een heleboel onder hen konden tekenen. Niet zo goed als Kristjana, maar op dat onderdeel kon ik mezelf niets garanderen. 'Denkt u echt dat er misschien nog een vervalser rondloopt?'

'Had u verwacht dat er een eerste zou zijn?'

Ik gaf toe dat daar iets in zat.

'Ik stel voor dat we hem eens nader bekijken want hij lijkt me de juiste man, in elk geval voldoende om hem wat beter te leren kennen. We leggen contact, doen alsof we belangstelling hebben om nog veel meer te kopen en krijgen hem op die manier persoonlijk te zien. Lukt dat niet dan gaan we achter zijn rekening aan, al zal dat langer duren, want dat moet via de officiële kanalen.' Hij dacht even na. 'Ik hoop dat u beseft hoe fortuinlijk dit allemaal is. De meeste spullen waar we achteraan gaan, vinden we nooit. U kunt echt de god van uw keuze op uw blote knieën danken dat deze vent zo'n lulhannes is.'

Ik bood aan om op *nu kopen* te reageren.

'Hoeft niet,' zei hij. 'Dat bod is van mij.'

Het gezelschap dat op een dag in mei aan het eind van de middag voor Freddy Gudrais' deur verscheen, omvatte twee geüniformeerde agenten van de politie van Staten Island, Sam, rechercheur Richard Soto en – helemaal op de achtergrond – mij. Ik mocht mee, al had dat een heleboel hardnekkig gelobby gekost. Niemand zat kennelijk te wachten op de bemoeienis van een kunsthandelaar, Sam incluis.

'Het is niet veilig,' had ze gezegd.

'Wat is er zo onveilig aan?'

'We hebben met onbekende factoren te maken.'

'Maar waar maak je je specifiek zorgen over?'

Ze gaf geen antwoord. Misschien had ik op dat moment kunnen weten dat er iets was veranderd, dat haar stilzwijgen het begin van een nieuwe fase van het onderzoek inluidde. Zelf was ik te opgewonden bij het vooruitzicht van een arrestatie om te beseffen dat de beroeps het begonnen over te nemen, en dat ik langzaam maar zeker werd buitengesloten.

Het slot draaide open, de deur piepte en daar stond hij dan: een magere oude man in een veel te groot werkhemd. Hij had ingevallen stoppelwangen; één knokige hand rustte op de rand van de deur en de andere op de deurpost; zijn linkerduimnagel was bijna verdwenen en had plaatsgemaakt voor een knobbel littekenweefsel. Van dichtbij zag hij er minder goed geconserveerd uit. Hij bekeek ons van top tot teen. Daarna glimlachte hij en de verandering was opmerkelijk. Hij sprak alsof we een ploegje oude vrienden van de visclub waren, of een reünie van het bowlingteam.

Hij vroeg: 'Moet ik een jas aantrekken?'

Soto zei: 'Dat hangt ervan af of u kouwelijk aangelegd bent.'

De agenten volgden Gudrais naar binnen. De woning was schemerig verlicht en veel te warm. Sam, Soto en ik gingen naar binnen, maar bleven bij de deur hangen alsof we onszelf zouden vergiftigen met de lucht als we doorliepen. Tegenover een klapstoel stond een tv. Op de grond stond een dienblad met een gebutste beker en tientallen koffiekringen. Het was een treurig vertrek.

Toen ze hem naar buiten brachten, zei Gudrais: 'Ik ga waarschijnlijk eerst dood. Hebben jullie daar wel eens aan gedacht?'

Sam zei: 'Bij de volgende borrel hef ik het glas op je duurzame gezondheid, Freddy.'

Toen Marilyn terugkeerde uit Europa, spraken we elkaar een paar maanden niet. Ze zorgde ervoor dat ze het zo druk had, dat je haar met geen mogelijkheid aan de lijn kon krijgen. Althans ik. Ik weet zeker dat belangrijke mensen geen enkel probleem hadden om tot haar door te dringen. Na die eerste paar e-mails had ik vastgesteld dat aandringen de situatie alleen maar erger maakte. Ze was niet bang om eisen te stellen. Als ze excuses wilde horen, had ze me dat wel laten weten.

Aan het eind van de zomer – ongeveer twee weken nadat de rechtszaak tegen Gudrais in het nieuws was gekomen – ging mijn mobiel. 'Een ogenblikje, dan verbind ik u door met Marilyn Wooten,' zei de stem aan de andere kant van de lijn.

Het was geen opportuun moment om me voor de lunch uit te nodigen. Ik stond met opgerolde mouwen midden in de galerie voor de supervisie van de installatie van een tweeënhalve meter hoge sculptuur van een zak biologische sla. Ik wilde uitstel vragen, maar begreep dat ik haar misschien nooit meer zou zien als ik nu niet ging.

Nat was redelijk autonoom geworden; de laatste tijd was mijn gezag zelfs een beetje gaan schuren. Ik gaf hem de leiding, nam een douche en sprong in een taxi naar een brasserie buiten het centrum, een van onze oude plekjes, een eind uit de buurt van Chelsea, zonder veel kans om een bekende tegen te komen.

Ik stapte met een licht beneveld gevoel uit de taxi. De douche had weinig meer gedaan dan me voorbereiden op de volgende zweetaanval. Marilyn was natuurlijk vers gekapt en gepoetst en droog en rank en minzaam. Ze gaf me een kus op de wangen en even baadde ik in een geur van sandelhout en jasmijn. Ik zei dat ik blij was dat ze er zo goed uitzag en meende het. Ik kon het me veroorloven blij voor haar te zijn, want ik begeerde, miste, beminde – kies maar uit – haar niet meer. Wat ik bedoel is dat de relatie zo ver achter me lag dat er zelfs iets van weemoed optrad.

We spraken bijna een uur lang over wie er in en wie er uit was en over de jongste schandalen. Zoals altijd leverde zij het meeste materiaal. Ik diende als achtergrond door haar verhalen kracht bij te zetten met knikjes en commentaar. Ik had het wereldje links laten liggen, dus kostte het moeite haar bij te houden. Tussen de verhalen door werkte ze een biefstuk met frites weg; bij het dessert stak ze een sigaret op, die ze van een hooghartige ober uit moest maken. Ze snoof en drukte de sigaret uit op haar broodbordje.

'Gelukgewenst,' zei ze.

Ik keek haar aan.

'Dat je het mysterie hebt opgelost.'

Ik haalde mijn schouders op. 'Dank je.'

'Waarom bekende hij niet gewoon?'

'Volgens mij dacht hij dat ze medelijden met hem zouden krijgen vanwege zijn leeftijd.'

Ze grinnikte. 'Zijn advocaat was blijkbaar vergeten dat we in een cultuur leven die de jeugd aanbidt. Ben jij bij de zaak geweest?'

'Alle tien de dagen.'

'Echt? Waarom heb ik dan niets over je gelezen?'

'Ik zat op de publieke tribune.'

'Hebben ze je dan niet laten getuigen?'

'Dat hoefde niet,' zei ik. 'Mijn naam is zelfs nooit gevallen.'

'Niet één keer?'

'Niet één keer.'

'Nou,' zei ze, 'dat is jammer.'

Ik haalde mijn schouders op. 'Het is wat het is.'

'Krijg je niet eens een soort lintje van de gemeente?'

'Blijkbaar niet.'

'Dan zul je het waarschijnlijk moeten doen met de bevrediging van een geklaarde klus.'

Ik knikte.

'Persoonlijk heb ik dat nooit veel waard gevonden. Was het tenminste nog boeiend?'

'Het was vooral heel technisch.'

'O mijn gód, dat is helemaal niet boeiend.'

'Niet bijzonder,' zei ik. Nu loog ik, niet uit boosaardigheid, maar omdat ik wist dat zij met haar ogen zou draaien bij wat ík boeiend vond. Maar ik was achter een paar heel interessante dingen gekomen, althans voor mij. Ik hoorde dat Freddy Gudrais' schoenmaat vierenveertig was, dezelfde maat als het afgietsel van de plaats delict van de ontvoering van Alex Jendrzejewski. Ik hoorde dat Freddy Gudrais kort na de laatste moord, op Abie Kahn, was gearresteerd wegens een aanklacht die daar niets mee te maken had; ik hoorde dat hij vier jaar had gezeten en dat hij ongeveer anderhalf jaar voor de aanranding van James Jarvis op vrije voeten was gesteld. Ik hoorde dat onze gedeeltelijke vingerafdruk voldoende intact was geweest voor een positieve vergelijking, en dat het doorsnee jurylid DNA-bewijs opmerkelijk overtuigend vindt.

Ik hoorde dat Freddy Gudrais na een korte periode in de gevangenis halverwege de jaren zeventig vader was geworden. In feite rond de tijd dat ikzelf was geboren. Interessant vond ik de aanwezigheid op de publieke tribune van een vrouw met sluik haar en een strak mondje, die een kunstleren tasje vastgeklemd hield. Ze had veel weg van Freddy Gudrais: dezelfde puntkin en brede mond; afgezien van de pers en mij was zij de enige die elke dag kwam. Gudrais wierp een aantal malen een blik op haar over zijn schouder, maar haar gezicht veranderde nooit en toen ze aankondigden dat hij werd veroordeeld op basis van vier ten laste gelegde moorden – van één werd hij vrijgesproken – stond ze op en liep ze de zaal uit.

Eén element dat tijdens de zaak – of wanneer dan ook – niet uit de verf kwam, was de ware aard van de relatie tussen Victor en Freddy. Soto had Freddy erover ondervraagd. Hij moest tenslotte rekening houden met de mogelijkheid dat Victor een handlanger was geweest. Het enige wat Freddy wilde loslaten, was: 'Ik heb hem in geen jaren gezien.' Een andere keer liet hij achteloos vallen dat hij een auto had gekocht van het geld dat hij van Victor had gekregen. Soto vroeg waarom Victor hem dat geld had gegeven. En Freddy, die nooit van zijn stuk leek te raken, zelfs niet toen de hamer viel, lachte: 'Omdat ik het hem vroeg.'

Dat waren dingen die mij interesseerden, maar Marilyn zou er geen belangstelling voor hebben. Iedereen heeft zo zijn stokpaardjes, en het is de taak van degene die van je houdt om te doen alsof die haar of hem ook aangaan. Marilyn was die persoon niet meer.

Ik zei: 'Het was niet wat je op tv ziet.'

'Hm. En die advocaat? Gaat het goed met haar?'

'Ja.'

'Blij het te horen.'

'Blij dat je blij bent.'

Ze glimlachte. 'Ik ga geen wedstrijdje knippen en buigen met je doen, schat.'

'In het najaar gaan we naar Ierland.'

Ze ried een hotel in Dublin aan en zei dat ik haar naam moest noemen.

'Dank je.'

'Ik hoop dat je een geweldige tijd hebt.'

Ik knikte.

Ze zei: 'Ik ga ook op vakantie, weet je.'

'Ik dacht dat je net geweest was.'

'Zo'n lange vakantie schreeuwt om een volgende. Een korte, in elk geval. Kevin en ik gaan een weekje naar Vail.'

Nu was het mijn beurt om te glimlachen. 'Alleen jullie tweeën?'

'Nou ja, hij heeft een vrij grote aanhang. Maar inderdaad, ik neem aan dat ik hem op bepaalde sleutelmomenten voor mezelf heb.'

Ik kon er niets aan doen. Ik moest lachen.

'Hou je een beetje in,' zei ze. Daarna begon ze ook te lachen. We bleven een hele poos lachen en ik gaf haar het restant van mijn aardbeien-zabaglione, dat ze in drie happen wegwerkte. Daarna stak ze weer een sigaret op. 'Ik heb besloten Kristjana onder mijn hoede te nemen.'

Ik keek haar aan.

Ze haalde haar schouders op. 'Op verzoek van Kevin.'

'Ik wist niet dat ze elkaar kenden.'

'O, jawel hoor. Ze werkt al een poosje voor hem.'

'Hoezo werkt?'

'Weet je nog, zijn Beroemde Schilderijen-project?' Ze praatte door de rook heen: 'Toen Jaime Acosta-Blanca 'm was gesmeerd, moest Kevin iemand anders zien te vinden, en ik stelde haar voor. Hij vroeg of ze een paar kopieën van de Cracke-tekeningen kon maken en hij was onder de indruk van haar werk, dus heeft hij haar in dienst genomen. Blijkbaar zijn ze heel dik met elkaar geworden. Volgens mij heeft hij haar zelfs geneukt... Maar. Dat doet niet ter zake.'

Ik zei: 'Kristjana is lesbisch.'

'Dat zeg jij. Hoe dan ook, het is allemaal heel hartelijk.'

'Mevróúw.' De ober stikte bijna van woede. Hij boog zich over het tafeltje en keek naar haar half opgerookte sigaret. 'Alstublíéft.'

'De rekening,' zei ze. Ze overhandigde haar creditcard en wuifde hem weg. Toen hij wegstevende, nam ze een laatste trek en liet de smeulende peuk in haar glas water vallen. Ze zuchtte. 'Mijn stad gaat naar de ratsmodee, Ethan.'

'Ik wist niet dat ze je de sleutels hadden gegeven.'

'Lieve schat,' zei ze. 'Ik máák de sleutels.'

Het kostte rechercheur Trueg ruim drie maanden om contact te krijgen met pps2764 in de stad New York en in november van dat jaar hadden ze hem achter slot en grendel.

'Soms krijgen we ons mannetje te pakken,' zei hij. 'Kent u een zekere meneer Patrick Shaughnessy?'

Het duurde even voordat ik de naam had geplaatst. 'Van Muller Courts?'

'Die ja.'

'Maar hij is de huismeester,' zei ik, alsof dat iets uitmaakte.

'Je had de blik op zijn gezicht moeten zien toen ik mijn legitimatie toonde. Kolére, hij keek alsof hij een zak met ratten had ingeslikt. Eerst beweerde hij dat hij de tekeningen van iemand anders had gekregen. Maar algauw zei hij oké, hij was het, maar ja, eigenlijk had hij alleen maar zijn rechtmatig eigendom teruggepakt. Hij zei dat u hem had bestolen omdat hij de tekeningen het eerst had. Het zou me niet verbazen als hij u een proces probeert aan te doen.'

En ja hoor, een paar weken later kwam er een deurwaarder met een dagvaarding in de galerie. Ik belde Sam, die aanbood een echte advocaat aan te bevelen.

Reizen en de bijbehorende stress zijn een degelijke lakmoesproef voor de houdbaarheid van een relatie, dus is het waarschijnlijk geen verrassing dat Sam en ik kort na terugkeer uit Dublin uit elkaar gingen. Blijkbaar werd mijn narcisme haar op den duur te machtig. Ze vertelde me onder meer dat ik verloren was en dat ik greep moest krijgen op wie ik was.

Toen mijn woede bekoeld was, begreep ik dat ze gelijk had. Mijn leven was, afgezien van onze relatie en de zaak, een tikje diffuus geworden, en toen beide verdwenen waren, bleef ik zitten met mijn werk en weinig meer.

Ik deed mijn uiterste best om de draad van het spel weer op te pakken. Heel lang had ik naar excuses gezocht om weg te blijven, met als resultaat dat al mijn kunstenaars inmiddels razend op me waren. Nadat Jocko was overgelopen, volgden er nog een paar zijn voorbeeld. Het lukte me niet nieuwe te rekruteren omdat de beste me ontliepen nadat ze waren gewaarschuwd dat ik hen zomaar in de steek kon laten. Ik bracht uren door aan de telefoon en dure maaltijden om mijn aangetaste reputatie te herstellen, maar met Nieuwjaar 2006 had ik nog maar zeven kunstenaars en eerlijk gezegd waren dat niet de beste.

Als ik één ding had geleerd in de jaren dat ik kunst had verkocht – als ik niets anders van Marilyn had geleerd – dan is het wel dat geen enkele tijd zich kan meten met de tegenwoordige tijd. De prijzen van onroerend goed waren de pan uit gevlogen, dus het bedrag dat ik voor mijn galerie kon vangen grensde aan het obscene. Ik hielp Nat en Ruby een nieuwe baan zoeken. Daarna betaalde ik ieder een jaarsalaris en bazuinde rond dat ik het vak ging verlaten.

'Om wat te doen?' vroegen ze. Ik zei dat ik bijna vijf jaar een galerie had gedreven en dat mijn tijd erop zat. Zonder te weten wat ik bedoelde, zei ik dat het tijd werd voor iets anders. Ik wilde niet navelstaren. Afgezien van een dikke bankrekening kostte het moeite om aan te geven wat ik had bereikt. Misschien is die bankrekening iets. Marilyn zou misschien zeggen dat die alles was. Met haar valt niet te redetwisten. Iedereen kan zien hoe gelukkig ze is.

Ik zal eindigen zoals ik ben begonnen: met een bekentenis. Ik ben geen genie, ik ben het nooit geweest en zal het ook nooit worden. De kans is groot dat jij het ook niet bent. Ik voel me genoopt daarop te wijzen omdat het een poos heeft geduurd voordat ik mijn eigen beperkingen leerde kennen, en omdat we tegenwoordig het idee opgedrongen krijgen dat ieder individu een oneindig potentieel heeft. Een uiterst kort moment van nuchtere contemplatie zal dat ontmaskeren als een vriendelijk leugentje, bedoeld om diegenen met een laag zelfbeeld te knuffelen.

Gewoonheid is niets om je voor te schamen. Ze draagt geen moreel gewicht. Ik geloof niet dat genieën in een of ander kosmisch vipboek meer waard zijn. Ze zijn natuurlijk aandacht waard omdat ze zo zeldzaam zijn; één op een miljoen, of nog zeldzamer. Wat dat betekent voor de rest van ons, is dat iemand de eerste moet zijn van de resterende 999.999 zielen, en hoe hoger je klimt, des te dichter je bij het verheven uitkijkpunt van het genie komt.

Kun je je een uniekere en modernere aspiratie voorstellen dan zoiets na te jagen, omhoog te klauteren en je vingers uit te strekken in de hoop de oppervlakte aan te raken? Is er een betere metafoor voor ons meervoudig verzadigde tijdperk dan het verlangen om voorzitter van de fanclub te zijn? De held van ons tijdperk is Boswell.

Ik was geen uitzondering. Ik ben de toegewijde volgeling van een genie geweest. Ik werd erdoor aangetrokken, en als ik één talent had, was het dat ik een genie in de massa kon herkennen. Ik heb dankzij dat talent een carrière opgebouwd en al doende ben ik gaan geloven dat ikzelf misschien een genie kon worden. Ik geloofde dat een genie, of hij nu een arm of een rijk leven leidt, een diepzinniger leven leidt. Dat zag ik in de kunst van Victor Cracke. Dat was wat ik verlangde. Dat was wat ik plaatsvervangend zocht, wat ik meende te kunnen krijgen maar wat nooit zal gebeuren.

Ik heb hem nooit gevonden. Voor we uit elkaar gingen, stelde Samantha voor dat ik zou blijven zoeken en omdat ik tijd genoeg had, ben ik met het idee gaan spelen. Maar ik heb het niet gedaan. Ik liet de tekeningen in de opslag tot de kosten te zwaar werden. Omdat ik ze nergens anders kon opslaan, liet ik ze weer naar Muller Courts terugbrengen. Ik hield mezelf voor dat dit een tijdelijke oplossing was en dat ik niet van plan was eindeloos de huur van zijn appartement te blijven betalen. Maar misschien doe ik dat wel. Misschien laat ik ze wel gewoon daar.

Intermezzo: heden

Op een leeftijd waarop de meeste jongens van een bepaalde klasse in Manhattan voornamelijk geïnteresseerd waren in het smijten van met water gevulde ballonnen van de hoge balkons van de appartementen van hun ouders, kon je David Muller 's middags meestal aantreffen achter *The Wall Street Journal* in de omvangrijke huiskamer van het huis aan Fifth Avenue, terwijl hij zijn enkel drie keer zo snel op en neer liet wippen als het ritme van de klok. Hij had geen ondeugende neigingen, althans hij had niemand om boze plannetjes mee te smeden. Als je de dienstmeisjes en mannelijke bedienden, de vioolleraar, de leraar Frans, de kapper, de kleermaker en de spraakleraar niet meerekende – en dat moest je wel, die werden niet betaald om met waterballonnen te gooien – was hij altijd alleen. Hij was altijd alleen geweest. Die eenzaamheid heeft hem gemaakt tot de man die hij vandaag de dag is.

De beslissing van zijn ouders (strikt genomen was het zijn moeders beslissing) om hem tot zijn veertiende privéonderricht te geven heeft hem nooit verkeerd geleken, niet per se, al hangt het ervan af wat je onder 'verkeerd' verstaat. Zijn scholing was onmiskenbaar van de hoogste orde: een natuurkundige om hem natuurkunde bij te brengen; de deken van de National Academy om hem figuurtekenen te leren. Als het doel van onderwijs onderwijzen is, heeft Bertha verstandige keuzen gemaakt, wat werd gedemonstreerd door het feit dat hij, toen het tijd werd voor een officiële school, zo'n grote voorsprong op zijn leeftijdgenoten had dat hij niet een of twee, maar drie jaar kon overslaan: de middelbare school begon en eindigde met de hoogste klas. Ze hadden er misschien beter aan gedaan hem helemaal niet naar school te sturen, omdat het bewuste schooljaar miserabel was, getekend door eenzame wandelingen van het ene klaslokaal naar het andere en lunchpauzes met alleen boeken als gezelschap. Wat had zijn moeder anders verwacht? Dacht ze soms dat hij opeens een hele stal met vrienden zou hebben? Veertien en achttien is een levensgroot verschil, en jongens zijn anders dan meisjes. Meisjes sluiten makkelijk vriendschap en zetten die overboord als het nodig is. De vriendschap van jongens is traag, argwanend en eeuwig. Tegen de tijd dat David op het toneel verscheen, kende iedereen iedereen, wist iedereen wie er te vertrouwen was en wie een oplichter, wie er een veer kon wegblazen en wie het op je meisje voorzien had. Alle rollen waren bezet, dus bleef er geen over voor de kleine, verlegen indringer die in een limousine naar school kwam, zelfs niet de rol van toegewijde paria. Hij was onzichtbaar.

Misschien was het op die curieuze manier van haar wel de bedoeling hem een lesje te leren, een les die maar weinig mensen leren en dan nog alleen op hun sterfbed: omringd door mensen kun je toch alleen zijn. Eenzaamheid is het wezen van de mens. Alleen ter wereld gekomen, sterft hij alleen, en wat zich daartussen afspeelt is hoogstens een pijnstiller. Als haar lessen wreed waren, kunnen we haar dat niet verwijten, want ze doceerde uit ervaring en geloofde in haar eigen lessen. In plaats van tekeer te gaan tegen datgene wat je niet kunt veranderen, verkiest David zijn jeugd te beschouwen als de beproeving waaruit hij kracht put.

Op Harvard verging het hem al niet veel beter. Het grootste deel van zijn eerste jaar sprak hij met niemand. Hij sprak met professoren en dekens, dat wel, maar speelden die pool met hem of introduceerden ze hem bij de studentenvereniging Porc? Nee. Een kamergenoot had misschien geholpen, maar die had hij niet. Het gebouw waarin hij woonde en dat naar zijn familie was vernoemd, had op de derde etage een suite die helemaal van hem was. Zijn ouders leken te denken dat een eigen kamer een luxe was, maar David had er een hekel aan. Hij had ook een hekel aan 'de man' die ze hem hadden gestuurd om voor hem te zorgen.

Hij heette Gilbert en woonde in de tweede slaapkamer, die van Davids kamergenoot had moeten zijn. Gilbert vergezelde David overal: naar college, waar hij onopvallend op de achterste banken hing; naar de eetzaal, waar hij Davids dienblad droeg. Een gewoon gesprek was er niet bij, zelfs niet bij de balie van de Widener-bibliotheek, waar de blik van de assistent over Davids schouder dreef om zijn zwijgzame schaduw met de vilthoed aan te gapen.

De eerste winter was moordend. Ingebakerd in kasjmier repte hij zich van en naar colleges in de hoop dat Gilbert op magische wijze in rook zou opgaan. Hunkerend naar menselijk contact en er tegelijk doodsbang voor, nam David de gewoonte aan 's avonds over Mount Auburn te dwalen, en dan bleef hij even bij de studentenvereniging staan om naar de jazz en het gelach te luisteren.

In een opwelling van waanzin besloot hij een keer aan te kloppen. Toen de deur openging voor hij ervandoor kon gaan, begreep hij plotseling de vernedering die hem boven het hoofd hing. Een heel kort en helder en vreselijk ogenblik zag hij wat de persoon aan de andere kant van de drempel zag: een amper volgroeide puber met een stropdas en een of andere griezel die vlak achter hem stond. Ze zouden denken dat hij iemands kleine broertje was. Ze zouden denken dat hij een padvinder was die kinderpostzegels kwam verkopen. Hij wilde weghollen maar het licht golfde naar buiten en hij ving een glimp op van al die dingen die niet voor hem waren weggelegd: een kamer met pluchen meubilair en een vijftal studenten die hun jasje uitgetrokken en hun mouwen opgestroopt hadden, en nog eens een stuk of vijf die zaten te pokeren, en sigarenrook en gepoederde studentes van Radcliffe die zich over divans hadden gedrapeerd en een draaiende grammofoon en scheefhangende schilderijen van oude schepen en glazen bier en uitgeschopte schoenen en opgerolde kleden en een trap die naar een geheimzinnige donkere plek voerde waar zelfs zijn verbeelding niet mocht komen.

De knaap die opendeed leek zich minder te bekommeren om David dan Gilbert, die hij kennelijk voor een politieagent aanzag, of voor iemand van de leiding. Hij vroeg wat de bedoeling was, telkens wanneer zij een leuke avond wilden hebben was er wel iemand die dat kwam verpesten, bestond er niet meer zoiets als een privéfeestje? Door de toon van zijn stem kwam David weer met één klap bij zijn positieven. Hij liep weg en Gilbert volgde als een eendenkuiken. Ze lieten de jongen achter halverwege zijn tirade, die abrupt werd beëindigd met een luidkeels: 'Precies!'

Zonder de wiskunde had hij het misschien niet gered. Hij was er goed in; de duidelijkheid was een geruststellende verlossing. Bovendien waren alle andere studenten ook een heel klein beetje vreemd, voldoende om hem gerust te stellen dat hij allesbehalve de meest in het oog springende curiositeit van de universiteit was. Hij ontdekte dat hij niet de enige van zijn leeftijd was. Bij de Inleiding tot de Hogere Meetkunde was een jongen die bizar genoeg Gilbert – geen familie – heette, en lispelde, thuis woonde en met de bus vanuit Newton op en neer reisde. Bij Potentiaaltheorie was een jongen met zware oogleden en een hoornen bril die zo te zien alleen was. Hij en David draaiden bijna een heel semester om elkaar hen. De officiële introductie volgde in april toen de jongen zich naast hem in de collegebank liet vallen en David wat pinda's uit een vetvrij papieren zakje aanbood. Hij zei dat hij Tony heette.

Godzijdank waren er nog hormonen. Halverwege zijn tweede jaar werd zijn stem weer normaal; hij kreeg zijn vaders lengte en de musculatuur van zijn oudoom. Zijn baard kwam door – en nog wel zwaarder dan hem lief was, het begon hem dwars te zitten – en, wat belangrijker was, Gilbert kreeg de zak. David en Tony werden dikke maatjes, beiden gingen squash spelen en Tony werd uiteindelijk aanvoerder van het team van Lowell House. David speelde in een kamerorkest en Tony zat altijd op de eerste rij. Ze zaten naast elkaar bij de grote wedstrijd en aten samen in de eetzaal. Uiteindelijk konden ze lid worden van een exclusieve studentenvereniging: David zowel van de Porc als de Fly, Tony alleen van de Fly, wat in feite Davids besluit bepaalde. Ze hadden zelfs een paar keer een afspraakje. Zoals dat gaat in studentenverenigingen, toen de meisjes er eenmaal achter waren dat David Muller er een van dé Mullers was, raakten ze binnen de kortste keren verkikkerd op hem. Hij stelde hen op de proef door te eisen dat ze ook iemand voor Tony zouden meenemen. Dat elimineerde ruwweg de helft van de potentiële kandidates: als ze hoorden dat ze de een of andere onfortuinlijke vriendin moesten overhalen een avond te babbelen met een niet bijzonder rijk joods wiskundewonder, merkten een heleboel meisjes dat ze het opeens druk hadden met onverwacht huiswerk.

Dat was ironisch, want als zo'n *double date* wél lukte, gebeurde het vaak dat beide meisjes uiteindelijk met Tony zaten te praten. Hij was een geboren charmeur. Aan de andere kant gaf David er de voorkeur aan om toe te kijken en de kruimels te oogsten.

Na zijn afstuderen ging Tony naar Princeton voor zijn PhD David keerde terug naar New York om voor zijn vader te werken. Voordat hun wegen scheidden, vroeg David of Tony uiteindelijk niet naar de stad wilde terugkeren. De Wexlers woonden in de Upper West Side van Manhattan, waar zij huisvrouw was en hij actuaris. Een van de eerste dingen die de jongens van elkaar wisten, was het feit dat ze op nog geen vijf kilometer van elkaar waren opgegroeid.

'We zullen wel zien,' zei Tony. Hij wilde hoogleraar worden. En waarom ook niet? Hij had alles in huis voor een carrière als jeugdige academicus; zijn laatste mentor had hem 'een van de meest briljante geesten van de eeuw' genoemd. Zelfs David kon niet aan hem tippen. Hij moest vraagstukken uitwerken, terwijl Tony maar naar een bladzijde hoefde te kijken en het antwoord schreeuwde hem al tegemoet.

Ze schreven elkaar een paar keer per week. David wilde weten hoe Princeton was; had Tony Einstein al ontmoet? Tony schreef terug dat er bomen stonden en dat zijn algemene indruk van de grootheid was dat hij eens naar de kapper moest. Ze zagen elkaar wanneer Tony zijn ouders opzocht, wat steeds minder vaak gebeurde naarmate hij dieper in zijn onderzoeken wegzonk. Eén keer ging David met de trein naar hem toe voor een ouderwets weekeinde. Tony vertelde dat het makkelijker was om aan een meisje te komen als je was afgestudeerd, alleen jammer dat er maar zo weinig waren. De campus voelde soms als een kloostergemeenschap.

David onthield zich van commentaar. In die tijd had hij geen gebrek aan sociale contacten. Zijn moeder was blijkbaar in paniek geraakt door het besef dat ze hem qua vrienden op een droogje had laten zitten, en gaf bijna elk weekeinde een feest in een poging hem aan de vrouw te helpen. Hij was gaan inzien dat dit zijn moeders fatale tekortkoming was: haar geloof in de snelle oplossing. Gespeend van enig historisch besef en zonder oog voor consequenties zag ze niets anders dan het probleem dat haar op het moment bezighield; en hoe onbeduidender het probleem was, des te sneller het groeide om bezit van haar obsessie te nemen. Van zijn vader had David geleerd dat stilzwijgende instemming de beste koers was. Als zij wilde dat hij zich aan de wereld presenteerde, moest dat maar.

In 1951 kreeg Tony een baan met uitzicht op een vaste aanstelling. In datzelfde jaar was hij getuige op Davids eerste trouwerij, een rol die hij zes jaar later opnieuw zou vervullen. De derde keer zei David dat Tony ongeluk bracht en bovendien was de kleine Edgar negen en mans genoeg om te getuigen.

Tony zei: 'Ik wil weg.'

'Zomaar.'

'Dit is geen leven. Susan wordt knetter. Ze zit alleen maar tijdschriften te lezen en wil dolgraag kinderen.'

'Geef haar dan een kind.'

'Alsof dat nog niet bij mij is opgekomen.'

'Je kunt er een adopteren.'

'Dat bedoel ik niet.'

'Wat dan?'

'Je moet me een baan geven.' Tony leunde naar achteren in de grote leren leunstoel, sloeg de benen over elkaar en vouwde de handen in elkaar. De ober kwam langs om hun bestelling te brengen. Beide glazen bleven onaangeroerd staan; het gesmolten ijs bedierf de eersteklas whisky.

'Ik ben inmiddels twee keer gepasseerd,' zei Tony.

'Je bent tweeëndertig.'

Tony schudde zijn hoofd. 'Neem het maar van mij aan, David. Het gebeurt niet. Niet voor mij.'

'Dat weet je niet.'

'Ik heb het van iemand die het weer van Tucker heeft.'

David zweeg.

'Ik heb geen zin om naar Wisconsin of Texas te verhuizen,' zei Tony. 'Ik heb er al genoeg van. Je vraagt me al jaren wanneer ik terugkom naar New York. Nou, hier ben ik dan. Het enige wat er tussen mij daar en mij hier staat, is een baan.'

David overwoog wat het zou betekenen als Tony voor hem werkte. Vóór hem? Naast hem. Hij kon niet verwachten dat Tony onderop zou beginnen. 'Ik zal eens kijken of…'

'Kijken? Kom op, David, geef me nou gewoon maar een baan, verdomme.' Hij sloeg zijn whisky in één teug achterover. 'Ik heb mijn ontslag al ingediend.'

Daar keek David van op. 'Dat is verdomde moedig.'

'Nou, jij bent dan ook een verdomd goeie vriend.'

Hij had verwacht dat Tony zich zou vervelen, maar het tegendeel was waar. Zijn rol als troubleshooter en rechterhand leek een appel op een oerelement in zijn karakter te doen, op dezelfde opgewekte en nederige jongen die David bij squash liet winnen als die totaal in de pan gehakt dreigde te worden. Nu Tony's salaris als assistent-hoogleraar niet langer een bron van frustratie was, kocht hij een appartement van drie verdiepingen op Park Avenue op een steenworp van het huis aan Fifth. Het tweetal ging met de respectieve echtgenotes naar Miami en Parijs. Na Tony's scheiding en voordat David Nadine leerde kennen, was er een periode dat ze allebei vrijgezel waren en een paar opwindende weekeinden doorbrachten in Atlantic City, slopende weekeinden waardoor ze zich nuchter van hun leeftijd bewust werden.

Langzaam maar zeker nam Tony de verantwoordelijkheid op zich van alle onderdelen van Davids werk die hijzelf niet zag zitten, en vervolgens bleef hij dat de rest van diens leven doen. Tony nam aan en ontsloeg. Tony sprak met de media. Tony zocht een cadeau uit voor Bertha's zesenvijftigste verjaardag. Tony stond aan het graf toen David haar ter aarde bestelde, en toen de verschrikkelijke verrassing kwam, ging Tony naar Albany om het geheim op te halen.

David stond op autonomie. Hij maakte Tony duidelijk dat dit de kern van het probleem was: zijn ouders hadden Victor ongeschikt geacht om zijn eigen leven te leiden, terwijl die nou juist zo afhankelijk was geworden door de opsluiting in een inrichting. Hij moest zichzelf bedruipen, leren zelf beslissingen te nemen, zijn eigen boodschappen te doen en zijn eigen appartement schoon te maken. In het begin zouden ze natuurlijk een oogje in het zeil houden, maar het doel was zichzelf overbodig te maken. David beschouwde zichzelf als verlosser en papegaaide zodoende onbewust het Ken Kesey-achtige ethos van zijn tijd, dat de loftrompet stak over leven en sterven naar eigen keuzen. Hij legde de les die hij uit zijn eigen schrijnend eenzame jeugd had getrokken op aan iemand die, zo beseft hij nu, misschien niet was toegerust om daarmee om te gaan. Bovendien verkoos hij geen acht te slaan op de inherente tegenstrijdigheid van de regeling: hij verklaarde Victor onafhankelijk, terwijl hij tegelijkertijd zorgde voor een woning, een inkomen en zelfs een vangnet in de vorm van Tony Wexler, die opdracht kreeg afstand te nemen toen eenmaal was vastgesteld dat Victor niet zou sterven van de honger of naakt over straat ging lopen.

En er was nog iets tegenstrijdigs: waarom de moeite nemen om Victor uit zijn isolement te halen om hem alleen maar opnieuw op te bergen? Door boete te doen voor de zonden van zijn ouders herhaalde David ze alleen maar. Bijna een kwart eeuw was het geheim een bron van schaamte en brandstof voor leugens geweest. Geloofde hij nu echt dat die cyclus doorbroken zou worden als hij Victor in Queens wegborg?

Had je David in 1965 gevraagd zichzelf te beschrijven, dan zou hij hebben gezegd kalm, methodisch, het tegengestelde van al de grilligheid die hij in zijn moeder verafschuwde. Maar in werkelijkheid was hij op middelbare leeftijd haar zoon geworden, toen hij op zijn rijkst was en steeds meer op anderen leunde om de kastanjes uit het vuur te halen: hij was niet bij machte te aanvaarden dat zijn willekeurige beslissing misschien verkeerd was geweest, hij was niet bereid zelf iets te ondernemen, maar stelde zich tevreden met het uiten van een verlangen en dat was dat. Op zijn veertigste had hij nergens zo'n broertje dood aan en was hij nergens zo bang voor als voor 'logistiek', en zijn hele leven was erop gericht om die angst te bezweren. Als hij iemand niet recht in de ogen durfde te kijken om te zeggen dat hij ontslagen was, hoefde dat toch niet? Als hij zich niet wilde bezighouden met de hersengymnastiek om Victors identiteit geheim te houden – zelfs voor het management van Muller Courts – wie kon hem dan dwingen? Tony deed alles en Tony klaagde nooit. Door zich die modus operandi aan te meten, had David zich ontwikkeld tot een tweederangs despoot, en hoewel zijn oekazen meestal geen problemen opleverden, had hij nog nooit zo'n beroerde beslissing genomen als met Victor Cracke, of het moest zijn de wijze waarop hij met zijn jongste zoon omging, de zoon die niet in de pas wilde lopen.

Zijn eerste drie huwelijken waren een regelrechte ramp geweest en een vierde had hij al afgezworen toen hij Nadine leerde kennen op een liefdadigheidsevenement. Dat was in 1968. Hij was tweeëntwintig jaar ouder dan zij, chagrijnig, misantroop, en onder vrouwen stond hij bekend als een gevoelloze vrouwenverslinder. Zij was intelligent, stralend en charmant, in alle opzichten de verkeerde voor hem. Ze intimideerde hem zelfs – hem, een van de rijkste mannen van New York! – en toen ze aan elkaar werden voorgesteld was hij opzettelijk kil. Ze maakte een grapje over de goede zaak waar het feest om ging en plukte een pluisje van zijn revers, waarbij ze een vurige begeerte in hem wakker riep die bleef branden tot haar oncoloog toegaf dat er niets meer aan te doen was.

Niet gewend aan mislukkingen vloog David met haar de hele wereld over op zoek naar specialisten, en hoewel ze het spel meespeelde, liep hij na haar dood krom van het schuldgevoel omdat hij haar had uitgeput. Had hij haar maar in vrede laten gaan… Hij werd nors en snauwerig, hij interpreteerde de verzekering van anderen dat het uiteindelijk goed zou komen als een teken dat ze niet begrepen hoe anders zij was geweest. Hoe kon hij hopen dat duidelijk te maken? Het was een gevoel dat geen mens onder woorden kan brengen en David zeker niet. Hij wilde zichzelf tegenover niemand hoeven te verantwoorden. Dat hoefde hij niet. Het beste bewijs van wat ze voor hem had betekend, het levende bewijs, was de jongen.

Hij wilde geen kinderen meer. Hij beschouwde ze als de ondergang van zijn eerste drie huwelijken. Een kind vergrootte zogenaamd je capaciteit voor geluk. Maar David beschouwde geluk als een nulsomspel. Kinderen gooiden het hele systeem overhoop, en het ergste was dat zij achterbleven als de vrouw ervandoor was, zij bleven parasiteren op zijn energie, zijn geld en zijn geestelijke gezondheid. Hij had geen idee wat hij tegen ze moest zeggen; hij voelde zich belachelijk wanneer hij hurkte om vragen te stellen waarop hij het antwoord al wist. Hij had zichzelf grootgebracht; waarom konden zij dat voorbeeld niet volgen? Als Amelia, Edgar of Larry iets wilde, zei hij: schrijf het maar op.

Maar ondanks zijn invloed werden ze met zachte hand opgevoed. Hun moeders verwenden hen en tegen de tijd dat er een beroep op hem werd gedaan om de vader uit te hangen, was het al te laat. De jongens werden fantasieloze jaknikkers, niet in staat tot iets anders dan streng uitgevaardigde bevelen opvolgen. Hij maakte ze adjunct. Amelia deed weinig anders dan tuinieren. Het was maar goed dat zij in het buitenland woonde.

Hij had genoeg problemen. Waarom zou hij er nog een bij nemen?

'Ik ben te oud.'

Nadine zei: 'Ik niet.'

'Ik ben een belabberde vader.'

'Deze keer word je een betere.'

'Hoe kom je daarbij?'

'Ik zal je helpen.'

'Ik wil geen betere vader worden,' zei hij. 'Ik neem er genoegen mee dat ik een beroerde vader ben.'

'Dat meen je niet.'

'Dat meen ik wel.'

'Niet,' zei ze.

'Nadine,' zei hij, 'ik heb genoeg ervaring om te weten dat ik ongeschikt ben om kinderen groot te brengen.'

'Waar ben je toch zo bang voor?'

Hij was nergens bang voor. Angst is als je het gevoel hebt dat er iets akeligs kán gebeuren. Hij wist zeker dát het zou gebeuren. Wat hij voelde was doem. Hij had het zelf ervaren.

'Ik hou van je,' zei ze. 'Dit is wat ik wil. Breng er alsjeblieft niets tegen in.'

Hij zei niets.

'Alsjeblieft,' zei ze.

Hij kon het haar niet blijven ontzeggen. Ze hoefde alleen maar op te houden het hem rechtstreeks te vragen.

Op haar verzoek probeerde hij een betere vader te zijn. Ga ergens heen met hem, zei ze. Ga iets leuks met hem doen. David wist niet waar hij heen moest en Nadine weigerde het hem voor te kauwen. Ze zei dat hij zijn verbeelding moest gebruiken. Maar op zijn derde had hij alleen op zijn kamer gespeeld. Op zijn derde was hij gaan lezen en kon hij een viool vasthouden. Hij had geen idee wat gewone driejarigen deden.

Hij nam hem mee naar zijn kantoor, waar hij zijn belangstelling probeerde te wekken voor plastic maquettes van gebouwen die nog moesten verrijzen. Hij liet hem een geplande kade in Toronto zien. Hij liet hem twee winkelcentra voor New Jersey zien. Hij dacht dat het prima ging, tot zijn secretaresse zei dat het kind zich duidelijk dood verveelde. Op haar voorstel nam David hem mee naar het Museum of Natural History. Hoewel hij lid van de raad van bestuur was, ging hij als een gewone vader in de rij staan en kocht hij drie kaartjes, een voor zichzelf, een voor het kind en een voor het kindermeisje, dat hen al de hele dag zwijgend had vergezeld. Kijk eens, zei David tegen zijn zoon. Hij wees naar het skelet van een dinosaurus. Het jongetje barstte in tranen uit. David probeerde hem af te leiden met andere tentoongestelde stukken, maar de waterlanders waren niet te stuiten. De jongen bleef huilen; hij was ontroostbaar; hij hield niet op tot ze weer terug waren in het huis aan Fifth Avenue en David hem aan zijn moeder overdroeg. Neem hem alsjeblieft over.

Dat was de laatste keer dat hij probeerde een betere vader te zijn.

Maar het moederschap beviel Nadine buitengewoon, te veel zelfs, en alles wat hij had voorspeld begon zich te voltrekken. Hij voelde haar wegdrijven en moest machteloos toezien. Had hij het niet gezegd? Ja-wel, hij had haar gewaarschuwd. Zij had niet beter geweten, maar hij wel, en hij had haar nog zó gewaarschuwd. Hij had steviger in zijn schoenen moeten staan. Hij had moeten zeggen: wacht nog vijf jaar, kijk of je het nog steeds wilt, of je nog steeds alles in de waagschaal wilt stellen.

Nadine had licht gebracht in huis en toen ze weg was, had de duisternis zijn plek weer ingenomen – de duisternis waarmee David zo lang had geleefd, misschien niet gelukkig, maar toch zonder mopperen – en die begon hem te verstikken. De geringste onregelmatigheid bezorgde hem een verpletterende migraine, die zo ernstig was dat hij het bed moest houden tot de aanval voorbij was. Alles kon een aanleiding zijn. Een plotseling geluid, een slecht bericht; alleen al de gedachte aan iets wat spanning bracht.

En de jongen natuurlijk. Die wilde maar niet stilzitten. Hij had drift-buien. Hij was koppig, hij was eigenzinnig; hij bleef maar in bespottelij-ke dingen geloven, al had David hem voor de zoveelste keer op de pure waanzin ervan gewezen. Zijn bijgeloof irriteerde David zo dat hij ra-zend werd of erger; soms, als de jongen iets over zijn moeder vroeg, ne-geerde David hem gewoon en verstopte hij zich achter zijn krant tot de vragen ophielden. Hij was te oud om die poppenkast vol te houden. Hij wilde niet over ingebeelde dingen praten; de realiteit was al erg genoeg. Dan greep hij naar zijn hoofd en zei hij tegen het kindermeisje: haal hem weg, haal hem hier weg.

De hoofdpijnaanvallen namen in de loop der tijd af, maar het gedrag van de jongen werd alleen maar erger. Ze stuurden hem naar school, en binnen enkele maanden werd hij eraf geschopt. Hij gebruikte drugs. Hij stal. David wilde er niets van weten. Als Tony hem erbij probeerde te betrekken, zei hij gewoon: 'Doe er iets aan.' Tony zei dat de jongen het spoor bijster was. Hij had een vaderlijke hand nodig. Dan antwoordde David dat ze er niet tussen zouden komen, want hij geloofde zoals altijd in de macht van het zelf om betekenis te scheppen en zijn eigen weg te banen.

Op zijn zevenenzeventigste was hij gewend geraakt aan zijn leven, gewend aan het idee dat zijn dochter lichtzinnig was, zijn eerste twee zoons slapjanussen waren en zijn derde onhandelbaar en rancuneus. Hij had het allemaal zonder spijt of berouw aanvaard. Hij wilde alleen nog leven, werken en dan doodgaan.

Toen nam hij op een middag plaats om een vergadering van de raad van bestuur voor te zitten en jakkerde de pijn door zijn arm, en meteen daarop had hij het gevoel alsof er een stoomwals over hem heen was gereden en hijzelf ergens naar een plek hoog in de zaal was gerukt en twee-enhalve meter boven de tafel zweefde en neerkeek op zijn eigen slappe lichaam, het toonbeeld van onwaardigheid, terwijl de een of andere malloot van een directeur hem probeerde te reanimeren en zijn ribben brak. Hij wilde protesteren maar er kwam geen geluid. Daarna deed hij zijn ogen dicht en toen hij weer bijkwam, wemelde het van de artsen, verpleegsters en bliepende apparatuur. Tony was er ook. Hij stak zijn hand uit en David nam hem aan. Zijn beste en enige vriend, de enige die hem nooit in de steek had gelaten. Hij kneep zo hard als hij kon, maar dat was niet zo hard. Zijn hart was verschrompeld. Hij voelde het. Of het nu kwam van misbruik of slechte gewoonten of foute genen, zijn hart had zichzelf permanent verbouwd.

Ze konden veel doen voor een man van zijn leeftijd in zijn omstandigheden, veel meer dan ze voor Nadine hadden kunnen doen. Binnen een maand liep hij weer rond alsof er niets was gebeurd. Lichamelijk was hij in orde, al was hij constant chagrijnig en bezorgd. Was hij van een andere generatie geweest, dan had hij misschien een therapeut in de arm genomen. Dat was niets voor de Mullers. Hij liet Tony komen en zei dat ze een paar veranderingen gingen aanbrengen, en wel direct.

Hij belde zijn dochter en zijn oudste zoons. Amelia was verbijsterd, maar stapte toch op het vliegtuig. Edgar en Larry kwamen naar het huis en namen hun eigen kinderen mee. Toen iedereen bijeen was in zijn kantoor, zei hij dat hij hun wilde laten weten dat ze veel voor hem betekenden. Iedereen knikte, maar ze keken allemaal ergens anders heen: naar het plafond, naar de prullen op de schoorsteenmantel, naar het stenen reliëf boven de open haard, ze keken alle kanten op behalve naar hem. Ze knikten in het niets. Ze waren gegeneerd door dat plotselinge vertoon van genegenheid; ze waren bang hem te kwetsen. Ze dachten dat hij stervende was en wilden er zeker van zijn dat ze hun deel kregen.

Hij zei: 'Ik ga nog niet dood.'

Amelia zei: 'Dat mag ik hopen.'

Sinds wanneer sloeg ze die toon aan? Zijn kinderen, een stelletje vreemden.

Larry zei: 'We zijn blij dat je je wat beter voelt, paps.'

'Ja,' zei Edgar.

David zei: 'Denk niet dat ik er al geweest ben.'

'Nee.'

'Heeft een van jullie je broer nog gesproken?'

Niemand zei iets.

Amelia zei: 'Ik heb hem vorig jaar gezien.'

'Aha.'

Ze knikte. 'Hij was in Londen voor de beurs.'

'Hoe is het met hem?' vroeg David.

'Ik denk wel goed.'

'Wil je tegen hem zeggen dat hij hierheen komt om mij op te zoeken?'

Amelia wendde haar blik af. 'Ik kan het proberen,' zei ze zacht.

'Zeg het tegen hem. Zeg maar hoe belabberd ik eruitzie. Overdrijf het desnoods.'

Amelia knikte.

Maar de jongen, eigenzinniger dan ooit, wilde niet komen. David kookte van woede. Hij wilde hem dwingen. In een zeldzaam moment van tegendraadsheid zei Tony: 'Hij is een volwassen man.'

David keek hem nijdig aan. *Et tu?*

'Ik bedoel alleen maar,' zei Tony, 'op zijn leeftijd stond jij al aan het hoofd van een bedrijf.'

David zei niets.

Tony zei: 'Ik ben naar Queens geweest zoals je hebt gevraagd.'

'En.'

Tony aarzelde. 'Het gaat niet goed met hem, David.'

'Is hij ziek?'

'Ik denk het. Hij kan daar niet blijven wonen. Het lijkt wel een uitdragerij.' Tony ging nerveus verzitten. 'Hij herkende me wel.'

'Zeker weten?'

'Hij noemde me "meneer Wexler".'

David zei: 'Jezus.'

Tony knikte.

David vroeg: 'Wat vind je?'

'Een verpleegtehuis. Ergens waar hij niet voor zichzelf hoeft te zorgen.'

David dacht na. 'Ik heb een beter idee.'

Zijn ruggengraat was hoekig. Het vel bungelde los aan zijn armen. Toen ze hem naar de dokter brachten, woog hij amper tweeënveertig kilo. Hij had Davids oom kunnen zijn in plaats van zijn neef. Ze gaven hem te eten; ze wasten hem; ze lieten zijn grauwe staar verwijderen en installeerden hem op de derde etage van het huis aan Fifth Avenue, in Davids vroegere slaapkamer.

In hun haast om hem uit zijn huis weg te krijgen, vergaten ze in de dozen te kijken, die volgens Tony wel vol troep zouden zitten. Pas toen hij voicemails begon te krijgen van iemand die met iemand anders had gesproken die iemand op de afdeling Kornalijn had gesproken – een zekere Shaughnessy – nam Tony de moeite erheen te gaan om eens goed te kijken. Daarna belde hij David en na een lang gesprek kreeg hij toestemming om de Muller Gallery te bellen.

Victor was in een oogwenk tv-verslaafd. De constante stroom van gebabbel leek hem op zijn gemak te stellen. Het maakte niet uit wat er werd uitgezonden. David trof hem aan voor informatieve reclameboodschappen, fluisterend tegen zichzelf en tegen de mensen op de buis, en het was duidelijk dat hij die liever zag dan echt gezelschap. Hij kwam aan, al at hij nog steeds uitsluitend wanneer hem eten werd gebracht. Davids pogingen een gesprek aan te knopen werden stilzwijgend afgeslagen. Hij slaagde er wel in een voorliefde voor dammen uit hem los te peuteren. Ze speelden een of twee keer per dag en dan glimlachte Victor alsof hij een binnenpretje had.

Toen ze het stuk in de *Times* publiceerden, bracht David het naar hem toe. Victor zag de foto van zijn tekeningen, verbleekte en liet zijn kom soep vallen. Hij greep de pagina, maakte er een prop van, ging op zijn zij liggen en trok de deken over zijn hoofd. Hij weigerde antwoord te geven op Davids vragen of naar buiten te komen. Twee dagen at hij niets. David begreep dat hij een fout had gemaakt en deed Victor een belofte die hem een beetje leek op te beuren. Daarna belde David Tony om te zeggen dat hij die tekeningen tegen elke prijs moest terughalen.

De vellen papier waren oud en broos en waren weer onderverdeeld in losse panelen. David stond aan het bed toen Victor ze doorbladerde en iets langer keek naar een tekening van vijf dansende engelen en een roestige ster. David vroeg of hij zich nu beter voelde. In plaats van antwoord te geven, kwam Victor uit bed en hinkte naar het raam dat uitzag

410

op Ninety-second Street. Met enige moeite schoof hij het omhoog, pakte vervolgens de tekeningen en versnipperde ze een voor een over de stoep. Het kostte tien volle minuten om alle tekeningen te lozen en David moest zijn best doen om niet te protesteren. Waarschijnlijk zouden ze een bekeuring krijgen wegens het maken van rommel. Tel nog eens honderd dollar bij de twee miljoen die ze al hadden uitgegeven. Maar geld was maar geld en toen Victor klaar was, leek hij rustiger dan ooit. Voor het eerst in weken keek hij David recht aan en zijn ademhaling gierde een beetje toen hij terugkroop in bed en de tv aanzette.

Dat is niet de enige reden waarom Tony's plan een teleurstelling bleek. Het voornaamste doel was totaal mislukt. Zijn jongste zoon schreef nooit een bedankje en belde evenmin. Waarschijnlijk is dat wel logisch, denkt David. Hij oogst wat hij heeft gezaaid. Alleen geboren, zal hij alleen sterven.

Hij heeft in elk geval Victor. Ze zijn, denkt hij, verwante zielen.

En hij heeft het huis aan Fifth. In zekere zin is het zijn trouwste metgezel geweest, zij het niet de gezelligste. Sinds het hem was nagelaten heeft David Muller vier echtgenotes, vier kinderen, ontelbare bedienden en voldoende hoofdpijn voor diverse levens gehad, zowel letterlijk als figuurlijk. Even tochtig als altijd blijft het een bron van constante ergernis: door roest verteerde leidingen en vallend pleisterwerk en ramen die nooit langer dan een paar dagen schoon lijken te blijven. Alleen een uit zijn krachten gegroeid gevoel van loyaliteit naar zijn ouders heeft hem ervan weerhouden er een museum van te maken en wanneer hij er niet meer is, zal dat precies zijn wat er gaat gebeuren.

Zijn dokter zou graag zien dat hij aan lichaamsbeweging doet, dus laat David de lift voor wat hij is en neemt hij de trap. Drie keer per dag gaat hij op en neer van de ontvangstvertrekken en de portrettengalerij naar de balzaal naar Victors slaapkamer en vervolgens naar zijn eigen slaapkamer, zijn vaders vroegere suite. Soms blijft hij even in het gangetje staan waar hij als kleine jongen naar het geluid van brekend glas luisterde. Hij gaat nooit naar de vijfde etage.

Tony zegt: 'Ethan heeft gebeld.'

David kijkt op van de krant.

'Hij wil langskomen.'

'Wanneer?'

'Morgen.'

Stilte.

David vraagt: 'Wat wil hij?'

'Hij wil de rest van de tekeningen teruggeven.'

Stilte.

Tony zegt: 'Snap jij het, snap ik het.'

De volgende dag staat David vroeg op. Hij neemt een douche, kleedt zich aan en loopt naar beneden om zijn zoon te begroeten. Die arriveert met een taxi en heeft iets ambivalents. Ze geven elkaar een hand en daarna blijven ze even staan om elkaar op te nemen. David wil net voorstellen om naar de werkkamer boven te gaan, wanneer zijn zoon vraagt of hij een kijkje in de portrettengalerij mag nemen.

'Maar natuurlijk.'

Daar hangt Solomon Muller met zijn vriendelijke glimlach. Naast hem zijn broers Adolf met de haakneus en Simon met de wratten en Bernard met de borstelige haarballonnen aan weerskanten van zijn hoofd; opa Walter die kijkt alsof hij te veel gekruid eten heeft gegeten; en vader wiens lange, magere postuur uit zijn verband is gedrukt om in de lijst te passen. Het portret van Bertha is het enige van een Muller-echtgenote en iets groter dan dat van de mannen. Er is een plekje voor Davids eigen portret en twee panelen die nog niet zijn toegewezen. Wat leidt tot de onuitgesproken vraag waar...

Preventief: 'Ik wil er geen.'

'Misschien verander je nog van gedachten.'

'Dat gebeurt niet.'

David kijkt naar zijn zoon, die nijdig naar het blanke, knoestige es-doornhout staart en voor het eerst begrijpt hij hoe moeilijk het voor hem is om hier te zijn.

Wanneer ze naar de tweede etage gaan, vertelt David over de keer dat hij Nadine het huis voor het eerst liet zien, en wat ze deed toen ze de balzaal zag.

'Ze gilde.' Hij glimlacht. 'Echt waar.' Hij opent de deur van de enorme, donkere zaal; het ongebruikte hout van de uitgestrekte vloer lijkt wel een bevroren zee. Hun voetstappen klinken hol. Het verguldsel boven hun hoofd is stom en het podium lijkt wel in elkaar gedoken te huiveren. Hij zou echt de verwarming een graadje hoger moeten zetten.

Hij zei: 'We hebben gedanst. Er was geen muziek, maar we zijn zeker een uur doorgegaan. Je moeder kon geweldig dansen, wist je dat?'

'Nee.'

'Nou en of.' Dan krijgt David de krankzinnige neiging om zijn zoon te grijpen en met hem door de zaal te walsen, dus hij zegt: 'Zullen we maar ter zake komen?'

De onderhandelingen duren nog geen vijf minuten; zijn zoon wil geen geld aannemen.

'Op z'n minst iets. Je hebt er hard voor gewekt, ze zijn van jou...'

'Ik heb ze alleen maar opgehangen.'

'Ik begrijp dat je een gevoel van...'

'Alsjeblieft, geen argumenten.'

David bestudeert zijn zoon, die inmiddels meer op Nadine lijkt dan hij ooit voor mogelijk had gehouden. Hij kon haar nooit iets ontzeggen. En toch had hij geen enkele moeite dat met zijn zoon te doen. Hij zou nu met hem kunnen kibbelen; hij wil het zelfs, hij wil hem laten zien hoe verkeerd hij bezig is.

'Zo je wilt.'

'Ja.'

'Oké.'

'Ze zijn weer terug in de Courts. Tony weet er wel raad mee, neem ik aan.'

'Ja.'

'Dat is dan geregeld.'

Stilte.

David zegt: 'Ik wil je niet ophouden.'

'Ik hoef nergens heen.'

Stilte.

'In dat geval,' zegt David, 'wil ik je aan iemand voorstellen.'

De deur staat op een kiertje. David klopt toch. Wanneer ze naar binnen gaan, is de man in bed half in slaap en bijna onzichtbaar onder twee dikke dekbedden. Bij het zien van de bezoekers richt hij zich een beetje op. Zijn waterige ogen gaan zoekend heen en weer, maar wanneer Ethan een stap naar voren doet – en een woord zegt tegen David dat deze heel lang niet heeft gehoord, op een toon die David zich helemaal niet kan herinneren, en Ethan vraagt: Papa? – beginnen ze zich scherp te stellen.

Dankwoord

Diverse mensen hebben dit boek mogelijk gemaakt door informatie, persoonlijke verwijzingen of beide te verschaffen. Veel dank gaat uit naar Ben Mantell, Jonathan Steinberger, Nicole Klagsbrun, Loretta Howard, Stewart Waltzer, Jes Handley, Catherine Laibel, Barbara Peters, Jed Resnick en Saul Austerlitz.

Zoals altijd ben ik enorm veel dank verschuldigd aan Liza Dawson en Chris Pepe. Ook dank ik Ivan Held, Amy Brosey en iedereen bij Putnam.

Dank aan mijn ouders, broers en zussen.

Ik zou niets kunnen schrijven zonder de onzelfzuchtige en dagelijkse ideeën, steun en raad van mijn vrouw. Haar naam hoort evenzeer op het omslag als de mijne.